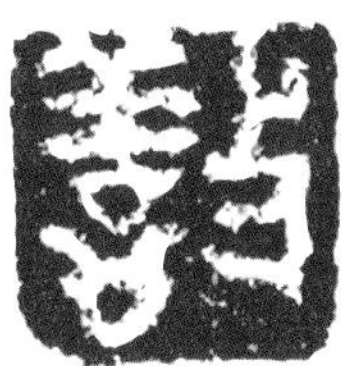

지은이 **최완수**

1942. 충남 예산 출생
1965.2. 서울대 사학과 졸업
1965.4.~1966.3. 국립박물관
1966.4.~현재 간송미술관 연구실장
1975.3.~1977.2. 서울대 인문대 국사학과 강사
1976.3.~1992.2. 서울대 미대 회화과 및 대학원 강사
1991.3.~2000.2. 이화여대·동국대 대학원, 연세대 강사
2000.3.~현재 연세대·용인대·국민대 대학원 강사

저서

『秋史集』(1976), 『金秋史硏究艸』(1976), 『그림과 글씨』(1978),
『佛像硏究』(1984), 『謙齋 鄭敾 眞景山水畵』(1993),
『名刹巡禮』 1·2·3(1994), 『우리문화의 황금기 진경시대』 1·2(1998),
『조선왕조충의열전』(1998), 『겸재를 따라 가는 금강산 여행』(1999),
『한국불상의 원류를 찾아서』(2007), 『겸재의 한양진경』(2004)

주요 논문

「간다라 佛衣攷」, 「釋迦佛幀圖說」, 「謙齋鄭敾」, 「謙齋眞景山水畵考」,
「秋史實紀」, 「秋史書派考」, 「碑派書考」, 「韓國書藝史綱」,
「秋史 一派의 글씨와 그림」, 「玄齋 沈師正 評傳」,
「尤庵 당시의 그림과 글씨」, 「古德面誌總史」

겸재謙齋 정선鄭敾 3

발행일 | 2009년 10월 5일

글 | 최완수

펴낸곳 | (주)현암사 **펴낸이** | 조미현
기획 | 이승철 **사진** | 김해권 **디자인** | 결게이트 김효창
종이 | 한솔제지·(주)푸른솔
인쇄 | 삼성문화인쇄(주) **제책** | (주)명지문화

등록일 | 1951년 12월 24일·10-126
주소 | 서울 마포구 서교동 442-46
전화 | 02-365-5051~6 **팩스** | 02-313-2729
전자우편 | editor@hyeonamsa.com
홈페이지 | www.hyeonamsa.com

*도판 촬영에 협조해 주신 소장자 여러분께 감사 말씀 드립니다.

ISBN 978-89-323-1531-7 94650
ISBN 978-89-323-1532-4 (세트)

이 도서의 국립중앙도서관 출판시도서목록(CIP)은
e-CIP 홈페이지(http://www.nl.go.kr/ecip)에서 이용하실 수 있습니다.
(CIP제어번호 : CIP2009002882)

겸재謙齋 정선鄭敾

3

최완수 지음

현암사

차례 _ 겸재 정선 3권

제1권

제2권

제6장 화성의 길 1–경교명승첩

제7장 화성의 길 2–양천팔경첩 외

제8장 당대 최고 풍류객의 극찬과 인정–퇴우이선생진적첩

제9장

화성의 길 3

-해악호유와 화법정비

30

해악전신첩海嶽傳神帖 사생寫生

그런데 겸재는 72세 나던 영조 23년(1747) 정묘丁卯 정월 초하루에 기막힌 슬픔을 당한다. 어려서 가난 때문에 재당숙 수석壽碩(1631~1695)에게 양자 보내야 했던 하나밖에 없는 아우 유敹(1682~1747)가 66세로 타계한 것이다.

겸재는 울적한 심회를 달랠 길 없어 그 봄에 곧바로 금강산 여행을 떠나서 꼭 36년 전, 즉 반생 전에 처음 그려 보던 그 장면들을 다시 그려 낸다. 아직 풋내기 화가로 금강산의 그 황홀한 경치를 대하자 오직 이를 그대로 그려 내야겠다는 열정이 솟아올라 자신의 모든 기량을 기울여 그려 냈던 그 경치들이다.

대담한 실험정신으로 중국의 남방화법과 북방화법의 특장을 과감하게 혼용하고 『주역周易』의 음양조화陰陽調和와 변용變用 원리를 화폭에 수용해 들여 금강산 일만이천봉을 비롯한 동해변의 절경을 그 정신까지 묘사해 내려 했던 그림들이다.

그 패기가 적중하여 그렇게 정열을 쏟아 부어 그려 낸《해악전신첩海嶽傳神帖》으로 말미암아 약관 37세 시에 이미 국중 제일의 명화가로 명성을 얻고 다시 중국에까지 알려져 세계적인 화가가 되지 않았던가. 그래서 그것이 인연이 되어 진경산수화의 대가大家로 국왕의 지우를 받기까지 하며 일세를 울리고 살아온 겸재이니 감회가 새로울 밖에 없었다.

겸재는 이에 21폭의 그림을 다시 그려 내고 예전처럼 사천에게 그때의 제화시를 다시 써 넣게 하며 돌아간 스승 삼연의 제화시는 농암문인으로 백악사단의 일원이며 동국진체풍의 명필인 강원감사 우산盂山 홍봉조洪鳳祚(1680~1760)로 하여금 대필하게 하여《해악전신첩海嶽傳神帖》을 다시 꾸며 낸다. 글씨는 50폭이다. 사천은 이런 서문[삽도83]을 남겨 놓고 있다.

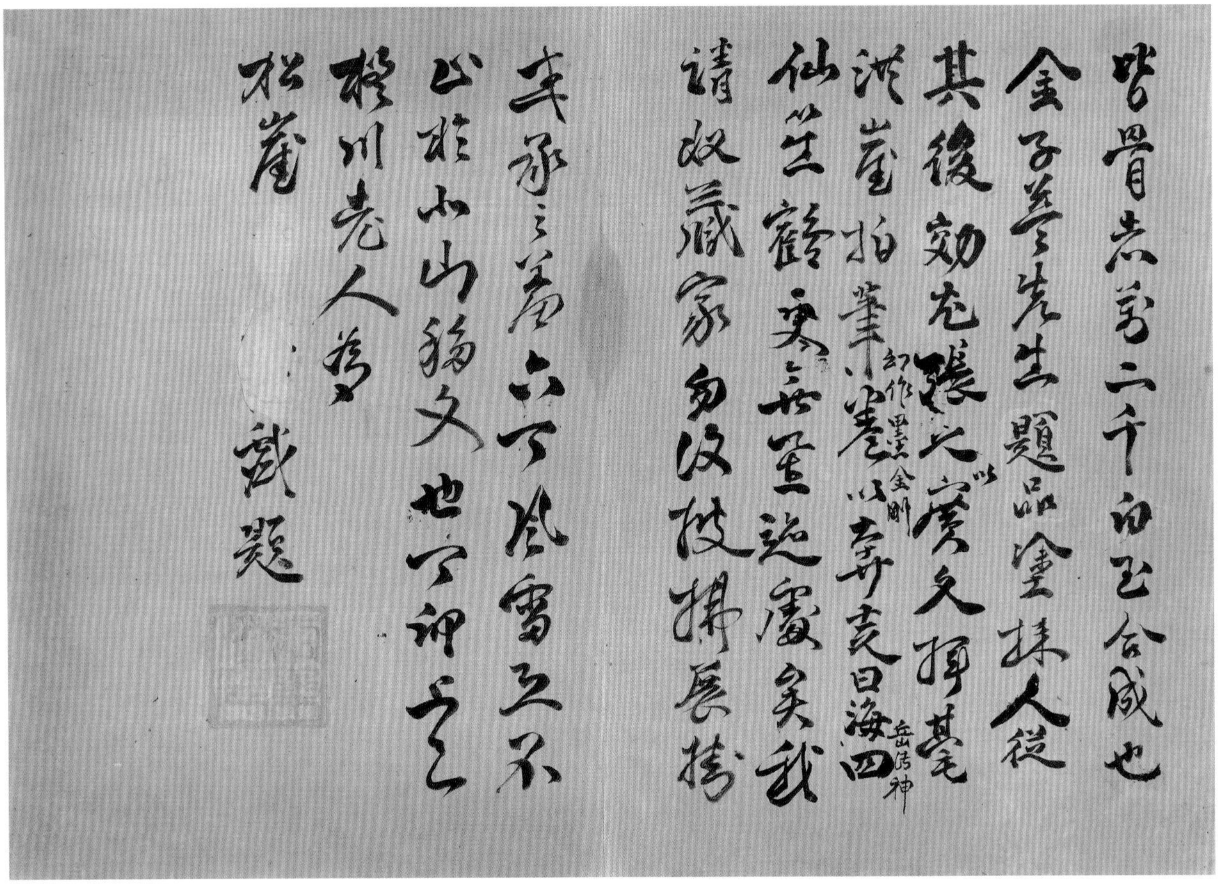

해악전신첩海嶽傳神帖 **서문**序文 삽도83
이병연李秉淵 찬서撰書, 1747년 정묘丁卯,
지본묵서紙本墨書, 60.3×42.2cm,
간송미술관 소장.

개골皆骨이라는 것은 만이천 백옥白玉이 합하여 이루어졌다. 김자익金子益(삼연三淵의 자字)선생께서 제품題品을 매기시고 사생해 내시니 사람들이 그 뒤를 좇아 본받아서 더욱 그것을 펼쳐 냈다. 광문廣文◆의 휘호와 홍애洪崖◆의 박진한 필법으로 묵금강권墨金剛卷을 그려 내놓고 분주히 일컫기를《해악전신첩》이라 했으니 사선四仙이 생황 불며 학 타더라도 흔적을 남겨 둘 곳이 다시없게 되었다.

내가 수장가收藏家에게 청하노니 다시 헤쳐 떨쳐 내어 펴서 걸지 마오. 혹시 그것을 받들어 육정六丁◆을 부끄럽게 하면 바람과 눈이 북산이문北山移文◆에서보다 더 그치지 않을까 두렵구려. 정묘(1747) 상사上巳◆에 사천노인槎川老人이 송애松崖를 위해 장난으로 제하다.

皆骨者, 萬二千白玉合成也. 金子益先生, 題品塗抹, 人從其後, 效尤張之. 以廣文揮毫, 洪崖拍筆, 幻作墨金剛卷, 以奔走曰, 海嶽傳神, 四仙笙鶴, 更無置迹處矣. 我請收藏家,

◆**광문**廣文
정건鄭虔의 별호. 당 현종시대 시서화 삼절로 꼽히던 문인화가로 광문관廣文館 박사博士를 지냈다. 같은 정씨鄭氏인 데서 정겸재를 지칭하기도 한다.

◆**홍애**洪崖
수묵산수의 창시자인 오대五代 후량後梁의 형호荊浩를 지칭한 듯하다. 태행산太行山 홍곡洪谷에 은거해 살았으므로 홍곡자洪谷子란 별호를 가지고 있었다.

◆**육정**六丁
육갑六甲 중 정신丁神. 도교신. 육정음신六丁陰神

勿復披拂展掛. 或承之羞六丁, 風雪恐不止於北山移文也. 丁卯上巳, 槎川老人, 爲松崖戲題.

澗松美術館 所藏,《海嶽傳神帖》原蹟

이를 통해 보면 사천이 이 화첩의 서문을 쓰는 것은 겸재 72세 때인 영조 23년(1747) 정묘丁卯 3월 3일인 것을 알 수 있는데 이 서문의 내용도 36년 전인 신묘년(1711)에 썼던 것을 다시 베끼며 다만 연기年紀만 바꾼 것이 아닌지 모르겠다. 서문 말미에 이미 12년 전인 영조 11년(1735) 을묘 3월 24일에 돌아간 삼연三淵 제자 송애松崖 정동후鄭東後(1659~1735)를 위해서 이 서문을 쓴 듯한 흔적을 남기고 있기 때문이다.

다만 송애松崖란 호만 남기고 이름자 부분을 도려내어 그것이 반드시 정송애鄭松崖라고 단언할 수는 없지만 신묘년 8월 삼연의 제5차 금강산 여행 시에 분명히 송애는 모주茅洲 김시보金時保(1658~1734)와 함께 삼연을 수행하여 금강산을 다녀오고 사천도 거기에 동행했었으니 그럴 가능성은 얼마든지 있다.

그렇다면 겸재가 그린 최초의《해악전신첩》은 삼연보다 불과 6세 연하의 고족제자高足弟子이던 송애에게 증여되었을 가능성이 가장 크다. 당시 사천은 41세이고 송애는 53세, 겸재는 36세였으니 사천이 아무리 욕심이 났었다 하더라도 12세나 연장인 사형師兄에게 양보하지 않을 수 없었을 것이다. 그렇다면 국립중앙박물관 소장의《신묘년풍악도첩辛卯年楓岳圖帖》이 바로 이 정송애 구장舊藏의 그 최초《해악전신첩》이 아니었던지 모르겠다.

삼연 시를 대필한 우산 홍봉조도 이런 발문삽도84을 남겨 놓는다.

해악海嶽의 여러 명승은 내가 두루 돌아다니며 익히 살펴본 바의 것이라서 늘상 마음과 눈에 삼삼하게 비춰고 꿈에서도 나타난다. 이제 이 화첩을 보니 정말 이른바 칠팔 분 화상畵像이라서 기쁘게 옛 친구를 대하는 것 같기는 하지만 그래도 실제로 그것을 밟아서 진짜로 절실하게 느끼는 것만은 같지 못하다. 영빈潁濱◆이 그림을 논하여 한 말이 모두 이치가 있음을 깨닫겠는데 또한 그림 좋아하는 이의 병을 조금은 치료할 수 있지 않겠는가. 우산노인盂山老人이 쓰노라.

◆**북산이문**北山移文
남제南齊 공치규孔稚圭가 지은 글. 주옹周顒이 회계군會稽郡 북쪽에 있는 종산鍾山(북산北山)에 은거해 살았는데 뒤에 황제의 조서를 받고 해염현령海鹽縣令이 되어 이 산을 지나가고자 하니 공치규가 비루하게 생각하여 산신령의 뜻을 빌어 이문移文(공문公文)을 보내어 다시 오지 못하게 한 데서 유래하였다.

◆**상사**上巳
첫 사일巳日. 이해는 3월 3일임

◆**영빈**潁濱
북송의 대문장가 소철蘇轍의 호

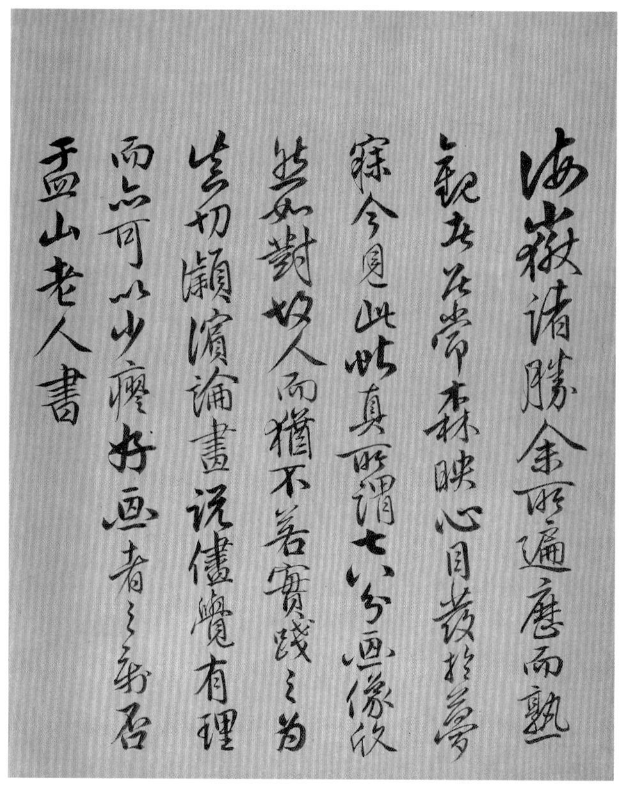

해악전신첩海嶽傳神帖 **발문**跋文[삽도84]
홍봉조洪鳳祚 찬서撰書,
1747년 정묘丁卯 3월 3일,
지본묵서紙本墨書, 25.7×31.1cm,
간송미술관 소장.

海嶽諸勝, 余所遍歷而熟觀者, 居常森映心目, 發於夢寐. 今見此帖, 眞所謂七八分畵像, 欣然如對故人, 而猶不若實踐之爲眞切. 瀨濱論畵說, 儘覺有理, 而亦可以少瘳好畵之病否. 盂山老人書.

澗松美術館 所藏,《海嶽傳神帖》原蹟

그리고 맨 뒤에는 박덕재朴德載라는 이가 쓴 발문[삽도85-1~3]이 장첩되어 있는데 그 내용 중에 이런 글이 있다.

대저 산수가 성인聖人에게 있어서 어떻게 그에 짝하는가. 공자孔子께서 이르시기를 어진 이는 산을 좋아하고 지혜로운 이는 물을 좋아한다 하셨는데 어질고 또 지혜로우면 이미 성인이다. 자공子貢의 말도 가히 참고할 만하니 만약 성인을 칭찬함이 있게 되면 그 말은 더욱 갖추게 된다고 했다. 태산泰山은 언덕에서 성인이고 하해河海는 도랑물에서 성인이니 역시 이로써 가히 미루어 알 수 있다.

오직 우리 금강산은 태산과 하해의 성인을 겸해서 천하에 소문난 지 오래다. 이로써 중화中華의 선비들이 한 번만 그것을 보고자 원해서 시를 짓는 속에 말하기까지 했다. 경經에 이른 대로 '범인凡人은 성인을 보지 못하고 만약 볼 수 없으면 그를 믿지도 않는다' 는 것인가. 이것이 우리 금강산이 산수에서 성인이 되는 것이다.

◆ **향당**鄕黨
시골 마을 사람들

이에 정씨鄭氏가 그림丹靑으로 성인을 모시게 되니 곧 향당鄕黨◆은 성인을 그린 사람으로 한결같이 엮어 낸다. 이공李公은 시와 음률로 읊어 내니 곧 비파와 거문고 소리가 서로 어울리는 쨍쨍한 소리다. 몸이 육예六藝에 통하고 나이가 칠십 줄에 든 분들이다.

夫山水之於聖人也, 何其班乎. 孔子曰, 仁者樂山, 智者樂水, 仁且智, 旣聖矣. 子貢之言, 可考也, 及夫有若之讚聖人, 其說益備. 泰山之聖於丘垤, 河海之聖於行潦, 亦可以推知也. 惟我金剛, 兼泰山河海之聖, 聞於天下也, 久矣. 是以中華之士, 願一見之, 至發於詠歎之間. 經曰, 凡人未見聖, 若未克見, 不其信矣乎. 此我金剛之聖於山水者也. 於是, 爲鄭氏以丹靑侍聖, 則鄕黨一編之畵聖人也. 李公, 以詩律詠歸, 則點瑟回琴之鏗鏗聲也. 身通六藝, 齒七十之列者.

澗松美術館 所藏,《海嶽傳神帖》原蹟

박덕재朴德載가 누구인지 알 수 없으나 겸재를 화성인畵聖人으로 존숭해야 하는 이유를 밝히고 겸재와 사천이 모두 칠십 줄에 들어선 노인들이라 하여 이 그림들이 겸재가 72세, 사천이 77세가 되는 영조 23년(1747) 정묘에 그려졌던 것을 분명히 밝히고 있다.

겸재는 이 후後《해악전신첩海嶽傳神帖》을 그려 내기 전에 먼저 즉석 사생을 하고 그를 대본으로 이 후《해악전신첩》 그림을 그렸던 듯 그 사생본이라 할 수 있는 그림들이《겸재화謙齋畵》라는 화첩 속에 몇 폭 남아 있다.

이학李鶴 소장의《겸재화謙齋畵》 속에 들어 있는 〈단발령斷髮嶺〉도판117, 〈비로봉毘盧峰〉도판118, 〈혈망봉穴望峰〉도판119, 〈구룡연九龍淵〉도판121, 〈옹천瓮遷〉도판122, 〈고성문암高城門岩〉도판123, 〈총석정叢石亭〉도판124, 〈해금강海金剛〉도판125 등이 그것이다. 즉석 휘호답게 소략한 흠은 있으나 분망奔忙한 필법이나 현장감 있는 생생한 묘사

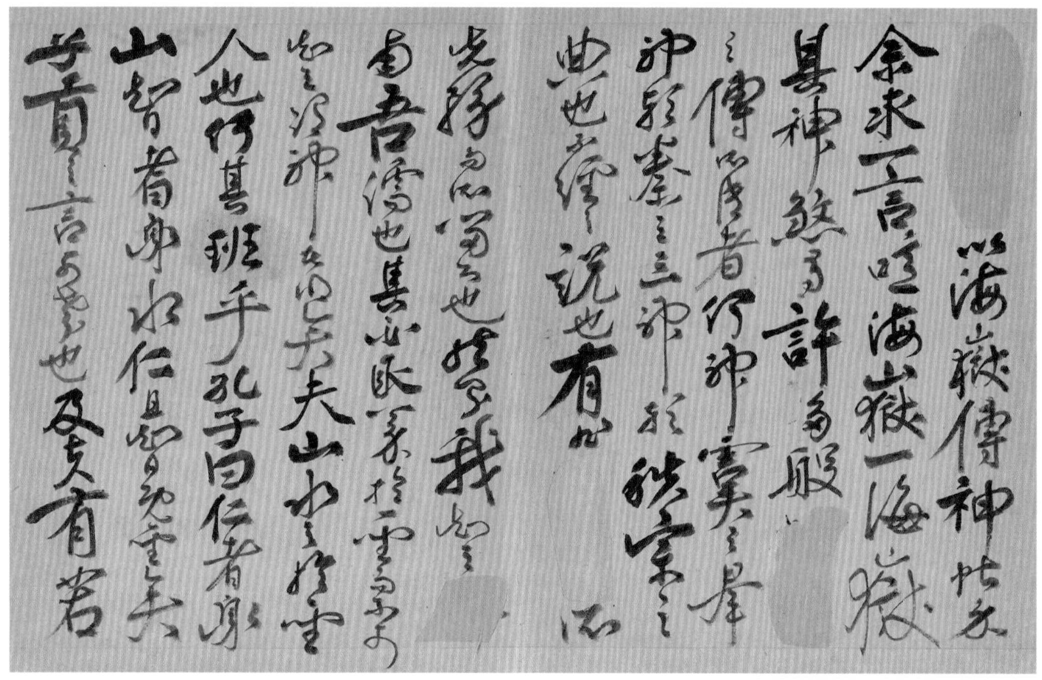

해악전신첩海嶽傳神帖 발문跋文 삽도85-1

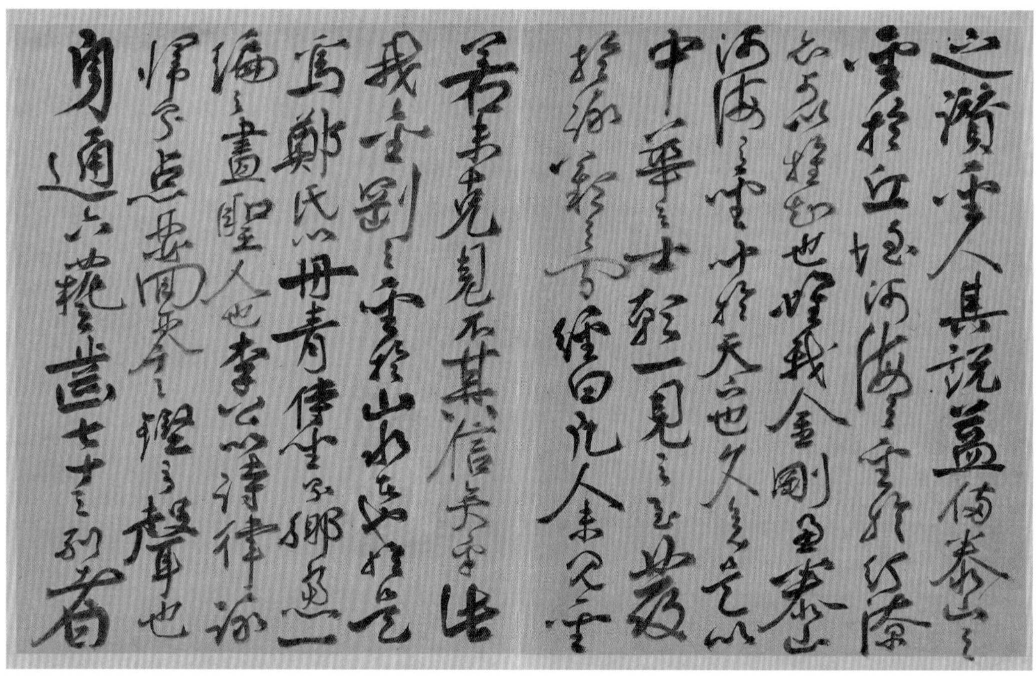

해악전신첩海嶽傳神帖 발문跋文 삽도85-2

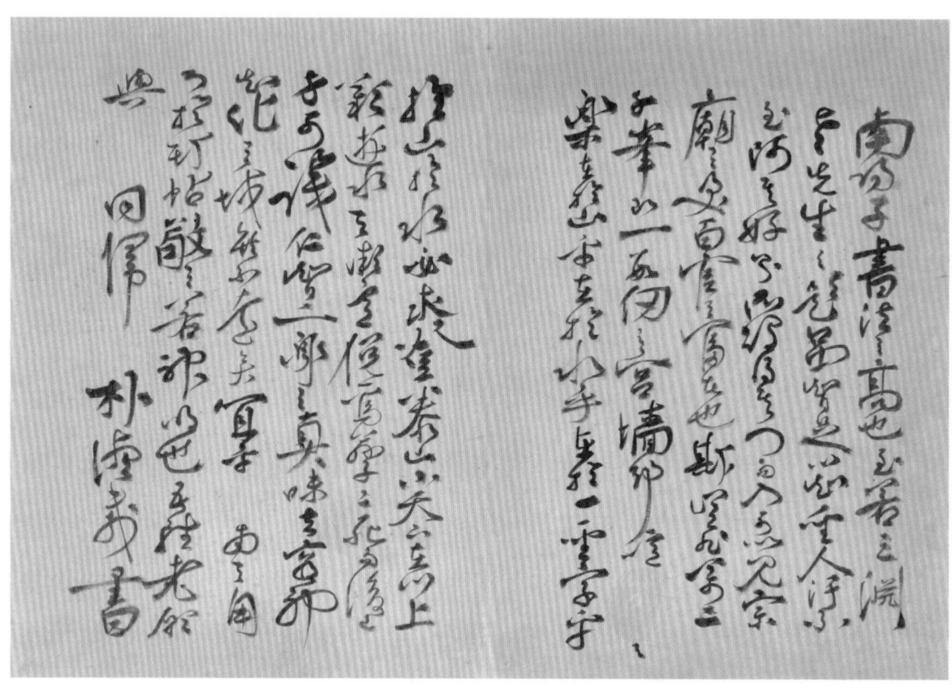

해악전신첩海嶽傳神帖 발문跋文 삽도85-3

해악전신첩海嶽傳神帖 **발문**跋文 삽도85-1~3
박덕재朴德載 찬서撰書,
1747년 정묘丁卯,
지본묵서紙本墨書,
각 51.6×31.8cm,
간송미술관 소장.

가 오히려 생동감 넘치게 하는 면도 없지 않아 작품 자체로서도 나름대로의 가치를 가지는데 후後《해악전신첩海嶽傳神帖》의 저본底本이라는 면에서 더욱 높게 평가되어야 할 듯하다.

특히 〈단발령〉이나 〈고성문암〉은 후《해악전신첩》의 〈단발령망금강斷髮嶺望金剛〉, 〈문암관일출門岩觀日出〉과 너무도 구도와 필법이 서로 같아 한 쪽이 저본이라는 사실을 금방 눈치챌 수 있다. 이 중에 〈비로봉〉이나 〈혈망봉〉, 〈구룡연〉, 〈옹천〉, 〈해금강〉은 후《해악전신첩》에 없는 내용이니 아마 원《해악전신첩》에 이것들이 들어 있지 않아 새로 그려 넣지 않았던 모양이다. 그 중에서 〈옹천〉만은 원《해악전신첩》에 들어 있어서 《신묘년풍악도첩》에도 그림이 있고 『삼연집三淵集』 권25 「제이일원해악도후題李一源海岳圖後」에도 제화시題畵詩가 있건만 어찌된 연유인지 밑그림은 있으나 본그림은 빠져 있다.

위에 열거한 작품 중에서 이 사생첩에만 있는 몇몇을 골라 좀 더 자세히 살펴보도록 하겠다.

단발령斷髮嶺 도판117

비로봉毘盧峰 도판118-1

혈망봉穴望峰 도판119

혈망봉穴望峰 도판120

구룡연九龍淵 도판121

옹천瓮遷 도판122

고성문암高城門岩 도판123

총석정叢石亭 도판124

해금강海金剛 도판125

단발령斷髮嶺 도판117

1747년 정묘丁卯, 견본수묵絹本水墨, 19.2×25.0cm, 《겸재화謙齋畵》, 이학李鶴 소장.

비로봉毘盧峰 도판118-1

비로봉은 금강산의 주봉이다. 해발 1,638미터나 되는 높은 봉우리인데 이 봉우리를 정점으로 소위 금강산 일만이천봉이 사방으로 벋어 내려 내금강內金剛·외금강外金剛·해금강海金剛·신금강新金剛의 4금강을 이루어 놓는다.

그래서 겸재의 집우執友* 사천 이병연의 둘째 외숙인 임호臨湖 홍만적洪萬迪(1660~1708)은 「비로봉毘盧峰」이라는 시제詩題 아래 이렇게 읊고 있다.

* 집우執友
뜻을 같이하는 절친한 벗

> 봉래산 꼭대기에 나 홀로 서니, 하늘과 땅 사이 아득하구나.
> 동남쪽은 오직 바다 있으나, 서북쪽은 다시 산도 없어라.
> 저절로 가슴이 후련해지니, 어찌 조화옹造化翁이 한가했겠나.
> 가련한 진시황秦始皇 한무제漢武帝, 한갓 꿈속에서나 올랐었겠지.
> 獨立蓬萊頂, 茫茫天地間. 東南唯有海, 西北更無山.
> 自覺胸襟壯, 何曾造化閒. 可憐秦漢帝, 徒得夢中攀.
> 洪萬迪, 『臨湖遺稿』, 毘盧峰

명산이 되기 위해서는 여러 가지 조건이 갖추어져야 하겠으나 그 첫째가 주봉의 존재가 뚜렷하고 빼어나야 한다는 조건일 것이다. 그래야만 산형이 완비되어 빈틈없는 조화를 이루어 갈 수 있기 때문이다.

이에 중국 북방계 산수화풍의 대성자로 『임천고치林泉高致』라는 화론畵論을 지어 산수화의 이론적 정비를 마무리 지어 놓은 곽희郭熙는 바로 그 『임천고치』에서 다음과 같이 말하고 있다.

> 대산大山은 당당하여 뭇 산의 임금이 되어야 하니, 그런 까닭으로 산봉우리와 골짜기들을 차례로 분포시켜 원근 대소의 종주宗主가 되는 것이다. 따라서 그 형상은 대군이 의젓하게 임금 자리에 앉고 뭇 신하들이 분주히 조회朝會하여 건방진 태도나 배반해 달아나는 형세가 없는 듯해야 한다.
> 大山堂堂, 爲衆山之主, 所以分布以次岡阜林壑, 爲遠近大小之宗主也. 其象若大君赫然

비로봉毘盧峰[도판118-1]

1747년 정묘丁卯, 견본수묵絹本水墨, 19.2×25.0cm, 《겸재화謙齋畵》, 이학李鶴 소장.

當陽, 而百辟奔走朝會, 無偃蹇背却之勢也.

郭熙, 『林泉高致』, 山水訓

이는 곧 그림이 될 만한 이상적인 산의 형상을 묘사한 글인데, 비로봉은 바로 그런 그림 같은 산의 모습을 그대로 갖추고 있으니 금강산이 천하명산이 되는 연유는 이 비로봉에서부터 비롯되는 것인가 보다.

그래서 송강 정철은 「관동별곡」에서 비로봉을 다음과 같이 읊어 그 높고 빼어남을 찬탄했다.

비로봉毘盧峰 상상두上上頭에, 올라 보니 그 뉘신고.
동산東山 태산泰山이, 어느야 높다던고.
노국魯國 좁은 줄도, 우리는 모르거든.
넓거나 넓은 천하, 어찌하여 적단 말가.
어와 저 지위를, 어이하면 알 것인가.

율곡 이이도 해천海天을 압도하는 비로봉을 이렇게 읊고 있다.

지팡이 끌며 산 끝에 오르니, 긴 바람 사면에서 불어온다.
푸른 하늘은 머리에 쓴 모자, 푸른 바다는 손바닥 속의 술잔일세.
曳杖陟崐崔, 長風四面來. 靑天頭上帽, 碧海掌中盃

담헌 이하곤 역시 이 비로봉의 장관을 놓칠 수 없어 일보일식一步一息◆의 간난을 무릅쓰고 그 정상에 올랐다 하는데 그 상봉은 마치 성곽의 치첩雉堞◆과 같이 평탄하여 돌아다니면 꼭 성 위를 걷는 것 같았다 한다. 바람 때문에 초목은 모두 땅에 붙어 뉘어 자라고 있었으며 그날도 구름에 가려 바라볼 수 없었다 한다.

◆ **일보일식**一步一息
한 걸음 걷고 한 번 쉼

◆ **치첩**雉堞
성가퀴

겸재도 이 비로봉을 그리려 며칠을 기다린 적이 있었던 듯 사천 이병연은 「정원백鄭元伯이 안개 속에서 비로봉 그리는 것을 보고觀鄭元伯 霧中 畵毘盧峰」라는 제시題詩에서 다음과 같이 읊고 있다. 사천은 이 시를 《해악전신첩》 〈금강내산〉의

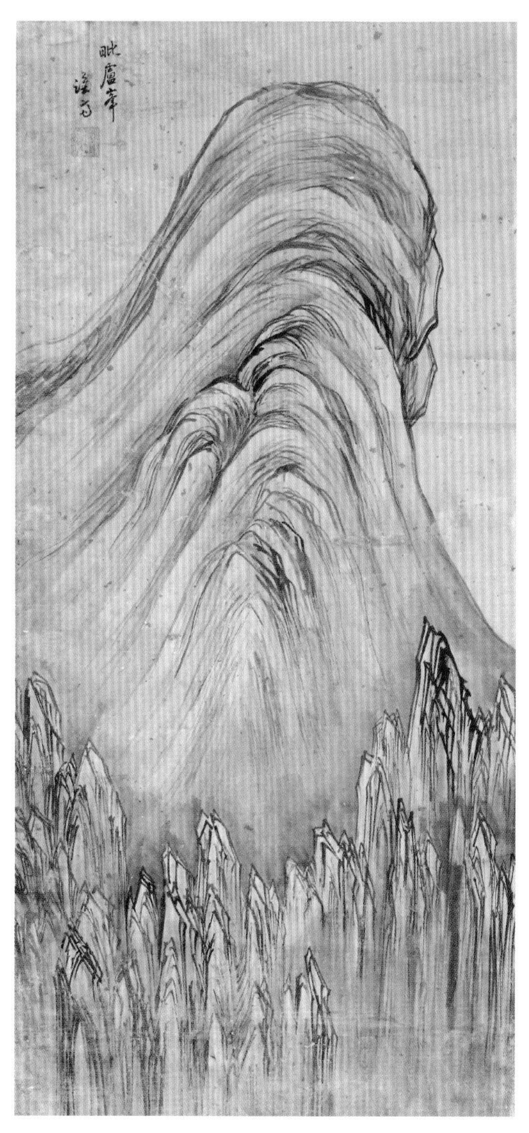

비로봉毘盧峰 도판118-2
지본수묵紙本水墨,
100.0×47.5cm,
손창근 소장.

제화시로 쓰고 있다.

> 내 벗 정원백은, 주머니에 화필도 없어.
> 때때로 화흥畵興이 일면, 내 손에서 뺏어 간다네.
> 금강산에 들어오고부터는, 휘둘러 그리는 것 너무 방자해.
> 백옥 만이천봉, 하나하나 다 먹칠해지니.
> 구룡연 용들이 크게 놀라서, 어지러이 비바람 일게 하였지.

드러누운 비로봉, 종이에 내려오지 않으려 해서.

사흘을 머리 내기 아까워 하니, 깊고 깊은 푸른 안개 속일 뿐.

원백이 문득 한 번 크게 웃고는, 먹 쓰는 데 대략 물을 타 내니.

모습은 더욱 기절奇絶해져서, 엷은 구름이 달을 가린 듯.

흥이 한창 오르자 붓 던지고 일어나, 산과 더불어 오직 즐길 뿐.

날 보고 또 가져가라니, 군아郡衙서재 창 안에 갈무리었네.

吾友鄭元伯, 囊中無畵筆. 時時畵興發, 就我手中奪.

自入金剛來, 揮洒太放恣. 白玉萬二千, 一一遭點毁.

驚動九淵龍, 亂作風雨起. 偃蹇毘盧峰, 不肯下就紙.

三日惜出頭, 深深蒼霧裏. 元伯却一笑, 用墨略和水.

傳神更奇絶, 薄雲如蔽月. 興闌投筆起, 與山聊戱爾.

顧我且收去, 郡齋窓中置.

李秉淵, 『槎川詩抄』 卷上, 觀鄭元伯 霧中 畵毘盧峰

겸재가 이렇듯 애써 그려 낸 비로봉 그림이 바로 여기 소개하는 〈비로봉〉인데 그 장대한 위용이 마치 하늘을 찌를 듯 소용돌이쳐 치솟고 있다. 칼날 같은 중향성의 백색 암봉들은 서릿발준법으로 예리하게 날을 세워 전면에 열립列立시키고, 그 뒤 화면 전체에 비로봉을 과감하게 채워 넣는 대담무쌍한 화면구성법이다. 이처럼 장쾌한 포치와 구성은 회화사상 그 어느 곳에서도 찾아보기 힘든 예라 하지 않을 수 없다. 더구나 강유强柔를 자재롭게 구사한 필법의 묘용妙用에 이르면 사람의 능력 밖에서 이루어진 듯 다만 황홀할 뿐이다.

삼치마를 헤쳐 놓은 듯한 피마준披麻皴법과 구름 같은 운두준雲頭皴을 혼용하여 묵직하게 용솟음치며 하늘로 치받쳐 오르는 듯 유연 장중하게 표현한 비로봉의 필법과 서릿발준법이 보여 주는 중향성의 예각수직준법은 그야말로 강유의 극단적 대비라 하지 않을 수 없다. 이런 극단적 대비가 보여 주는 조화 속에서 우리는 회화미의 극치를 실감하게 된다.

혈망봉穴望峰 도판119, 혈망봉穴望峰 도판120

혈망봉穴望峰은 내금강內金剛과 외금강外金剛을 나누는 내수점內水岾 바로 서쪽에 가장 높이 솟아 있는 봉우리다. 즉 내금강의 동쪽 경계를 이루는 최고봉이라 할 수 있다. 이에 송강 정철은 일찍이 「관동별곡」에서 이렇게 읊고 있다.

> 높을시고 망고대望高臺, 외로울사 혈망봉穴望峰.
> 하늘에 치밀어, 무슨 일을 사뢰리라.
> 천만겁千萬劫 지나도록, 굽힐 줄 모르는다.
> 어와 너여이고, 너 같은 이 또 있는가.

그래서 금강산 일만이천봉을 샅샅이 알아 내금강內金剛 전체를 한 화폭에 담아낼 수 있었던 겸재는 바로 그 내금강전도인 〈풍악내산총람楓岳內山摠覽〉에서 혈망봉을 동쪽의 가장 높은 봉우리로 분명히 표현해 놓고 있다.

그 그림에서는 높은 암봉岩峯에 분명히 큰 구멍이 맞뚫려 있는 모습을 확인할 수 있는데 바로 그 때문에 혈망봉이란 이름을 얻었다 한다.

이제 그 자세한 내용을 홍경모의 『관암유사』 권6 해악선불기海嶽仙佛記 속에서 살펴보기로 하겠다.

> 혈망봉은 마하연摩訶衍 동북쪽에 있다. 석산石山이 안문점雁門岾(내수점內水岾)으로부터 떨어져 내려 왔는데 우뚝 일어서서 반공半空을 곧게 찌른다. 제2봉의 허리에 구멍이 있는데 놀랍게도 항아리 주둥이와 같아 뒷면의 하늘빛을 볼 수가 있다. 그래서 이렇게 이름 지었다. 이것은 헐성루歇惺樓(정양사正陽寺에 있음)에서 보던 바의 봉우리지만 이름 얻은 바를 여기에 이르러 비로소 알겠다.
>
> 비로봉에 올라가서 봉우리의 뒷면 하늘빛을 내려다보니 구멍 속으로부터 드러나는 것이 더욱 기이하다. 백운대에 올라가서 그것을 보면 그 구멍은 마하연에서 보던 것과 비교하여 더욱 크다. 그러나 은은한 뜻은 가까이 보는 것이 멀리 바라보는 것만 못하니 아마 천일대天逸臺의 오른쪽(위쪽)에 있지 못할 듯하다.

혈망봉穴望峯 도판119

1747년 정묘丁卯, 견본수묵絹本水墨, 19.2×25.0cm,《겸재화謙齋畵》, 이학李鶴 소장.

穴望峰, 在摩訶衍東北. 石山自雁門岾, 落來, 亭亭起立, 直揷半空. 第二峰, 腰有穴, 呀然如甕口, 可見後面天色, 故名. 此是歇惺樓所見之峰, 而其所得名, 至此始知.

登毘盧峰, 俯視峰之後面天色, 從穴中, 益奇. 上白雲臺, 見之, 其穴 比之摩訶所見, 尤大. 然而隱隱之意, 近見不如遠望, 恐不在天逸之右也.

洪敬謨,『冠巖遊史』卷六, 海嶽仙佛記, 山川記, 內山 衆香城, 穴望峰.

천일대에서 보는 것이 가장 은은한 맛이 있다는 얘기인데 이 〈혈망봉〉은 상당히 가까운 시각으로 그려 낸 것이니 아마 마하연쯤에서 보고 그린 것이 아닌가 한다.

겸재는 72세 나던 해인 영조 23년(1747) 정월 초하룻날 기막힌 슬픔을 당한다. 그의 단 하나밖에 없는 아우로 재당숙 수석壽碩(1631~1695)에게 양자로 나간 유敹(1682~1747)가 66세 나이로 그보다 앞서 세상을 떠났던 것이다. 이에 58년 전 그 자신이 14세이고 아우 유가 8세 나던 해 정월 초사흗날 부친이 어린 그들 형제와 어머니와 누이 하나를 남겨 둔 채 홀연히 세상을 떠나 가난 때문에 아우 유를 양자 보내던 뼈아픈 과거를 회상하게 된다.

그리고 자신이 국중 제일의 대화가로 천하에 그 이름이 알려져서 그 덕에 벼슬길에 나가 양천현령陽川縣令(종5품)까지 지내는 행운을 잡게 되던 옛일도 돌이켜 본다. 그래서 홀연 그해 봄 슬픔을 떨쳐 버리려는 듯 금강산 여행을 감행한다.

72세의 노구지만 36년 전 36세의 젊은 나이로 금강산을 첫 대면하고 느끼던 흥분과 의욕을 재생시키기라도 하려는 듯 이 여행에서 왕성한 사생寫生활동을 과시해서 바로 그가 화가로 대성하는 계기가 됐던《해악전신첩》을 다시 꾸며 내기에 이른다.

그때 그 사생초본寫生草本이라고 생각되는 그림 중 8폭이 중국고사도故事圖 8폭과 함께《겸재화謙齋畵》라는 제목의 화첩으로 꾸며져 전해 내려오고 있다.

이 〈혈망봉〉도 그 중의 하나다. 이 8폭의 그림을 겸재 72세 시 금강산 사생초본이라고 보는 것은 그때에 초본을 바탕으로 다시 차분하게 그려 냈을 정본正本인《해악전신첩》이 간송미술관에 비장돼 있는데 두 화첩의 그림들을 비교해 보면 비록 정조精粗*의 차이는 있다 하더라도 그 시각과 화면구성법 및 필묵구사법이 동

* 정조精粗 정밀함과 조잡함

일한 것을 확인할 수 있기 때문이다. 그런데 이 〈혈망봉〉만은《해악전신첩》에 수장收粧◆ 돼 있지 않다.

원래 겸재가 36세 때 그린《해악전신첩》원본에도 없었기 때문에 흥이 나서 혈망봉을 사생해 내기는 했지만 다시 정본으로 그려 내지 않았던 모양이다. 사생초본이라서 수묵水墨으로만 일관했는데 화흥畵興◆을 주체할 수 없었던 듯 속필速筆◆로 속성速成해 낸 느낌이 완연하다. 그러나 이 시기 겸재는 화도수련畵道修鍊이 입신入神의 경지에 들어 있어 그야말로 붓만 대면 즉석에서 신품神品이 출현하는 상황이었다.

그러니 이렇게 화흥이 도도하게 일어나면 그야말로 심수상응心手相應◆하여 생동감 넘치는 가작佳作이 순식간에 이루어지게 마련이다. 이 그림도 살아 숨쉬는 활금강活金剛의 면모를 그대로 보여 주는 그런 가작 중의 하나다. 겸재 특유의 서릿발霜鍔준법을 사정없이 중첩시켜 차아삼엄嵯峨森嚴한 혈망봉을 주봉主峯으로 우뚝 솟구쳐 놓고 그 왼편에 망고대를 종산從山으로 배열配列했다. 이는 송강가사의 "높을시고 망고대, 외로울사 혈망봉" 이라는 내용을 염두에 둔 화면구성이었을 것이다.

오른쪽은 안문재◆로 넘어가는 낮은 언덕을 상징하기 위해 산자락을 완만하게 끌면서 짙은 송림으로 가려 놓고 그 밖으로는 중향성 중 다른 봉우리들을 조금 흐린 먹으로 그려 내 원산遠山을 삼았다. 이런 표현이 오히려 혈망봉을 더욱 높게 보이게 한다. 골기탱천骨氣撑天하는 암봉岩峯 아래로는 미가운산식米家雲山式의 운림雲林, 구름에 잠긴 숲을 부드럽게 포치시켜 음중양陰中陽의 음양조화陰陽調和를 완벽하게 이루어 놓고 있다.

농묵의 편점扁點을 중첩시켜 이루어 놓은 울창한 수림과 부드러운 담묵의 단순한 수파문水波紋으로 경계 지워 만들어 낸 유운상流雲狀◆은 창칼처럼 열립列立한 암봉岩峯의 삼엄한 기세를 누그러뜨리기에 정녕 손색이 없을 듯하다. 먹의 농담을 적절히 조절하고 필선을 마음대로 구사하는 것만으로 이렇게 표리원근表裏遠近◆과 강약심천强弱深淺◆을 분명하게 드러내 주다니. 화성畵聖의 경지에 도달한 겸재 아니고서는 순식간에 이루어 내기 어려운 일이라 하지 않을 수 없다.

골산骨山의 단조로움을 깨기 위해 제이봉第二峯의 봉두峯頭 위에 송림松林을 배

◆**수장**收粧
거두어 꾸며 놓음

◆**화흥**畵興
그림을 그리고 싶은 홍취

◆**속필**速筆
빠른 붓질

◆**심수상응**心手相應
손과 마음이 서로 응함

◆**안문재**雁門岾
안문점雁門岾 혹은 내수점內水岾이라고 쓴다. 소리와 뜻을 취한 한자 표기의 차이다.

◆**유운상**流雲狀
흘러가는 구름 모양

◆**표리원근**表裏遠近
겉과 속 및 멀고 가까움

◆**강약심천**强弱深淺
강하고 약함과 깊고 얕음

치하기도 했는데 이는 그 아래에 뚫려 있는 암혈岩穴과 어떤 상관관계를 연상시키기 위한 시도인지도 모르겠다. 겸재 37세 시에 38세로 함께 금강산을 여행했던 순암 이병성은 마하연에서 혈망봉을 바라보며 이렇게 읊고 있다.

> 만폭동 물머리에 젓나무·소나무 줄지어 서고, 암자살림 그윽하고 아득하니 만나는 이 적다.
> 향로 연기 속에 누워서 담무갈曇無竭 대하니, 못 그림자(구름) 떠다니며 혈망봉을 어루만진다.
> 산승山僧 나가고 경經 얹어 놨지만 오히려 탑은 그대로, 손님 와 밥 차리고 스스로 종을 울린다.
> 이제 계수나무 베어 죽였다 미워 말게나, 아직도 전단栴檀 향나무 있어 절 가득 푸르르거늘.
>
> 萬瀑源頭列檜松, 菴居幽夐少人逢. 爐煙臥對曇無竭, 潭影行循穴望峰.
> 僧出掛經猶在塔, 客來開飯自鳴鍾. 不嫌桂樹今摧死, 猶有檀香滿院濃.
> 李秉成, 『順菴集』 卷二, 摩訶衍

서울대학교박물관 소장 〈혈망봉〉도판120은 위의 사생초본寫生草本을 바탕으로 천일대天一臺 쯤에서 바라본 시각으로 그려 낸 것이라 보아야 한다. 은적암隱寂庵인 듯한 암자가 그 아래로 표현돼 있기 때문이다. 서릿발준으로 이루어 낸 혈망봉 골봉骨峯만 화면에 가득 채워 놓고는 짐짓 산자락을 열어 소동부小洞府를 만들고 짙은 수림에 쌓인 암자 한 채를 표현해 놓았다.

이 역시 음양조화를 강하게 의식한 화면구성인데 그것만으로는 열립列立한 골봉骨峯의 기세를 감당하기 어렵다 생각했던지 청묵흔青墨痕◆으로 봉우리마다 상봉 이하를 훈염暈染◆하여 청연青煙◆에 휩싸인 듯한 느낌을 자아내게 했다. 맨 아래는 짙은 운무雲霧를 상징하도록 바탕색을 수윤水潤◆하기만 한 채로 그대로 두고 있다.

겸재謙齋라는 타원형에 가까운 장방형백문白文 인장이 주로 70대 후반 최만년기에 쓰던 것이라서 이 그림 역시 70대 후반에 그려진 것으로 보아야 하겠다. 그림

◆**청묵흔**青墨痕
푸른 먹물을 옅게 타서 붓칠 흔적만 남기는 우림법

◆**훈염**暈染
햇무리나 달무리 지듯 물에 먹이나 채색을 약간 섞어 우려내는 설채법. 주로 안개나 달빛 등 은은한 분위기 표현에 사용되는 기법이다.

◆**청연**青煙
푸른 안개

◆**수윤**水潤
붓으로 물칠만 하는 우림법

혈망봉穴望峰 도판120

서울대본, 1754년 갑술甲戌경, 견본수묵絹本水墨, 22.0×33.2cm, 서울대학교박물관 소장.

의 좌측 상단에는 설곡노인雪谷老人이라는 이가 제사題詞를 써 놓았는데 다음과 같다.

> 큰 산이 가로 나오니, 봉우리들이 특별히 빼어나다. 조금 평평한 곳에 초가집 짓자, 매양 맑은 낮에도 흰 구름이 창문 사이로 몰려들어 문득 지척只尺을 분간할 수 없다. 일찍이 짧은 시를 지어 이렇게 말했다.
> '한가한 구름 네 계절 없으니, 이 산골에 흩어져 어지럽구나.
> 다행히 장맛비 자태만 줄어든다면, 홀로 아름답고 그윽한 것 어찌 방해되겠나.'
> 大山橫出, 峯巒特秀. 結茅屋小平處, 每當晴晝, 白雲坌入窓牖間, 輒只尺不可辨.
> 嘗題小詩云, 閒雲無四時, 散漫此山谷. 幸乏霖雨姿, 何妨娟幽獨. 雪谷老人.

구룡연九龍淵도판121

금강산은 기수奇秀하기로 이름난 천하제일의 명산이다. 그러나 금강산 자체를 놓고 보면 비로봉 서쪽인 내금강이 더욱 기삭초발奇削峭拔◆하고 동쪽인 외금강과 신금강은 보다 웅혼장대雄渾壯大◆하다. 내금강이 흐드러지게 피어난 만개화라면 외금강 쪽은 한껏 부풀어 오른 꽃봉오리에 비유할 만하다.

그러니 외금강 쪽으로부터 금강산을 보아 온다면 점입가경漸入佳境이겠지만 내금강 쪽으로부터 금강산에 들어가게 되면 첫 대면에서 숨 막히는 충격으로 감관이 마비되어 외금강 쪽은 안중에도 없게 된다. 금강산을 읊은 역대 문사들의 시문이나 화가들의 그림에서 내금강을 소재로 한 것이 많고 외금강 쪽을 소홀히 한 이유가 여기에 있다.

대체로 서울에서 금강산엘 가려면 단발령을 넘어 바로 내금강으로 가기 때문이다. 정송강도 그런 노정을 잡았었고 겸재나 담헌도 그 길을 따라갔다. 겸재의 금강산 그림이 대부분 내금강을 소재로 택하고 있는 이유도 여기에 있다.

그러나 담헌 이하곤은 「외구룡연外九龍淵」이라는 장시長詩의 첫머리에서 이렇게 읊었다.

> 산에 들어 구룡연 보지 않으면, 금강산 안 본 것만 못할 터이니.
> 만폭동 중 벽하담은, 산에 있어서 사람 얼굴의 눈인 듯하나.
> 비록 그렇다 해도 이 구룡연에 비교한다면, 오히려 아들 손자와 한가지일세.
> 入山不見九龍淵, 不如不見金剛山. 萬瀑洞中碧霞潭, 在山如人目在顔.
> 縱然較却此龍淵, 猶與兒孫等一般.

그러고 나서 백옥白玉 창송蒼松으로 꾸며진 절벽과 은하수를 이끌어 온 듯한 폭포의 아름다움을 묘사한 다음 마지막 부분에서는 다음과 같이 마무리 짓고 있다.

> 여산廬山◆이나 안탕산雁蕩山◆ 필시 기수奇秀치 못할 터이니, 오직 네가 마땅히 천하 으뜸이리라.

◆**기삭초발**奇削峭拔
기이하게 깎아질러 높이 솟아남

◆**웅혼장대**雄渾壯大
굳세고 듬직하며 씩씩하고 매우 큼

◆**여산**廬山
중국 강서성 북부에 있는 명산. 주周 정왕定王(서기전 606~586) 때에 현자 광속匡俗이 초당을 짓고 은거하다 신선이 되어 떠나고 빈 집만 남았으므로 광려산匡廬山 혹은 광산, 여산으로 불린다.

◆**안탕산**雁蕩山
중국 절강성에 있는 명산

구룡연九龍淵 도판121

1747년 정묘丁卯, 견본수묵絹本水墨, 19.2×25.0cm,《겸재화謙齋畵》, 이학李鶴 소장.

평생 눈 두어 너 보니 다행, 이제 두루미나 난새로 곁말 잡힌 신선도 부럽지 않다.

절벽에 시 써 놓아 뒷기약함은, 백 번 와 봐도 아깝지 않아서라네.

盧山雁蕩未必奇, 惟汝當作天下冠. 生平蓄眼幸見汝, 今來不羨驂鶴鸞.

題詩崖石證後期, 百回來看吾不慳.

李夏坤,『頭陀草』卷五, 外九龍淵

구룡연만은 비록 그것이 외금강에 있다 하더라도 그 경관의 빼어남이 천하 으뜸으로 꼽을 만했던 모양이다.

이에 겸재도 구룡연을 가끔 화폭에 올리고 있는데 이 그림은 겸재가 72세 되던 영조 23년(1747) 정묘丁卯에 금강산을 다시 여행하면서 사생해 낸 사생첩의 원본 속에 들어 있다.

필법이 웅혼장쾌하고 묵법이 활달쇄락豁達灑落◆하며 구도가 간결명료하여 겸재가 70 이후의 노경에 보이던 완숙한 사생 기량이 그대로 표출되어 있다. 속필速筆로 대담하게 처리하면서도 구룡연이 가지는 절경으로의 특징을 능숙하게 잡아내 회화미로 승화시켜 놓고 있다.

◆**활달쇄락**豁達灑落 거침없이 넓고 크며 씻은 듯이 맑고 깨끗함

'정鄭'과 '선敾'을 따로 새긴 두 방의 백문방형白文方形의 소형 인장이나 '겸재謙齋'라는 관서款書가 모두 간송미술관 소장의《해악전신첩》과 동일하고 중복되는 화폭은 그 화법이 동일하되 다만 속필일 뿐이다. 그래서 이 그림들을 겸재 72세 시의 금강산 사생 원본으로 보게 되었다.

옹천甕遷 도판122

1747년 정묘丁卯, 견본수묵絹本水墨, 19.2×25.0cm,《겸재화謙齋畵》, 이학李鶴 소장.

고성문암高城門岩도판123

1747년 정묘丁卯, 견본수묵絹本水墨, 19.2×25.0cm,《겸재화謙齋畵》, 이학李鶴 소장.

총석정叢石亭 도판124

1747년 정묘丁卯, 견본수묵絹本水墨, 19.2×25.0cm,《겸재화謙齋畵》, 이학李鶴 소장.

해금강海金剛 도판125

칠성암에서 동해 바다로 배를 더 저어 나가 뱃머리를 북쪽으로 돌려 나가면 무수한 백색화강암봉들이 해면에 떠올라 기기묘묘한 형상을 짓고 있는 해금강에 이르게 된다.

이 해금강은 금강산 줄기가 맨 북쪽 온정령溫井嶺 근처에서 갈라져 동쪽으로 뻗어나가며 신계사神溪寺 뒷산과 구령狗嶺 그리고 고성高城의 진산鎭山인 전성산全城山을 만들고 화현花峴에서 바다에 막히자 물밑으로 밀고 들어가는 억지를 부리다 동해의 흉용洶湧* 한 파도더미에 떠밀려 솟구쳐 낸 끝자락이다. 그래서 비로봉으로부터 뭉쳐 내린 금강산의 온갖 정기가 한데 모여 강맹한 자세로 천 길 바닷물 밑을 뚫고 백색 화강암봉들을 분사하듯 해면 위로 융기시켜 놓았다.

* 흉용洶湧 물결이 용솟음치며 일렁거림

이런 백색 화강암봉들이 수천만 년 일렁이며 덮쳐드는 파도더미에 시달리고 비바람에 씻기다 보니 연약한 부분은 모두 닳아 없어져 경골硬骨만 남게 되었다. 그 결과 남은 암봉들은 골기삼엄하고 형상기괴하여 금강산의 본모습보다 더욱 신기해지기에 이르렀다. 이에 이를 일컬어 해금강이라 부르게 됐는데 이 해금강이란 이름을 지은 이는 숙종 22년(1696) 9월에 이곳 고성군수로 부임해 와 24년(1698) 6월까지 재임해 있던 백악사단白岳詞壇의 선배 남택하南宅夏(1643~1719)라 한다.

그 사실을 『강원도지』 권2 산천山川 고성高城 해금강海金剛조에서 확인할 수 있다.

> 해금강은 옛날에는 그 이름이 없었다. 무인戊寅(1698) 3월에 남택하가 군수로 있으며 산수를 좋아하는 성벽으로 경내 산해 승경을 죄다 찾지 않음이 없었는데 칠성봉의 북쪽 산록에 이르러 이를 얻고 금강산의 얼굴빛과 같다 하여 해금강이라 일컬으니 이곳이 비로소 이름을 날리어 크고 작은 유람객들이 모두 옷자락을 걷어 붙이고 찾게 되었다. 명승지의 숨고 드러남도 역시 때가 있어서 그런 것인가.
>
> 海金剛, 古無其名. 戊寅三月, 南宅夏之道揆, 癖於山水, 境內山海之勝, 靡不窮搜, 及於七星峯之北, 山麓得之, 若金剛面色, 故名曰海金剛, 此地始擅名, 大小遊客, 皆褰裳焉. 勝地之顯晦, 亦有時而然耶.

해금강海金剛 도판125

1747년 정묘丁卯, 견본수묵絹本水墨, 19.2×25.0cm,《겸재화謙齋畵》, 이학李鶴 소장.

남택하는 예조참의를 지낸 남로성南老星(1603~1667)의 자제로 기사사화己巳士禍(1689) 때 인현왕후仁顯王后 민씨閔氏의 폐위를 극간하다 이세화李世華·박태보朴泰輔와 함께 악형을 받고 의주義州로 귀양 가던 중 파주坡州에서 순절한 형조판서 양곡陽谷 오두인吳斗寅(1624~1689)의 맏사위였다. 그래서 그의 처남 중에는 숙종의 유일한 동기였던 명안明安공주 부마 해창위海昌尉 오태주吳泰周(1668~1716)와 농암農岩 김창협金昌協의 문인이며 그의 서랑인 오진주吳晉周가 있고 농암학맥의 적전嫡傳을 이은 도암陶庵 이재李縡(1680~1746)는 그의 막내동서였으니 백악사단과 깊은 연계를 맺고 있었음이 분명하다.

이런 남택하가 국토애와 조국애를 바탕으로 하는 고유색 짙은 진경문화를 선도해 가는 데 앞장서지 않을 리 없다. 그 때문에 갑술환국甲戌換局(1694)으로 진경문화를 주도해 가던 율곡학파인 서인세력이 정권을 되장악하자마자 남택하를 고성군수로 보냈던 모양이다. 남택하는 자신의 책무가 무엇인지를 확실히 알고 명구승지를 찾아내 국토애를 고양하는 일에 전념하여 드디어 해금강의 가치를 재인식하고 그에 합당한 이름까지 지었던 것이다.

이것이 겸재 23세 때의 일이다. 그러니 겸재가 금강산을 찾았을 때(36세)는 해금강의 성가가 한창 천하에 드날리기 시작할 때였다. 겸재가 그 초행길에서 이런 해금강을 그리지 않았을 리 없는데 혹시 배를 타고 해금강으로 나갈 기회가 없었던지 초기 그림에서는 그 유작을 아직 대하지 못했고 삼연이나 사천 혹은 담헌 등의 제사나 제시에서도 그 화제를 찾지 못했다.

다만 숙종 40년(1714) 갑오甲午에 금강산을 유람하며 겸재의 《해악전신첩》을 처음 보고 겸재의 진가를 새삼 재발견하여 집우執友가 되기를 자청했던 담헌澹軒 이하곤李夏坤(1677~1724)만은 이 해금강을 이 유람길에서 찾아보고 이렇게 읊고 있다.

> 향토인들 일찍이 해금강 자랑하기에, 나는 그 소리 듣고 황당하다 의심했더니.
> 지금 본 바 어찌 그렇지 않다 하겠나, 또한 조화옹造化翁이 생각 많았던 것 깨닫겠구나.
> 진시황秦始皇 한무제漢武帝 참으로 가소롭구나, 이제껏 찾는다고 옷자락만 걷으

려 했네.

영랑永郎의 무리와 남석南石은, 난새 곁말에 학 타고 와서 빙빙 날아다녔지.

나와 함께 손잡고 절정에 올라, 부상扶桑의 일월광日月光을 같이 마시자.

士人曾詫海金剛, 我聞其說疑荒唐. 今之所見豈非是, 亦覺造化費商量.

秦皇漢武眞可笑, 向來搜訪思騫裳. 永郎之徒及南石, 驂鸞駕鶴來翺翔.

與余携手躡絶頂, 共吸扶桑日月光.

李夏坤, 『頭陀草』 卷五, 汎海 觀七星巖 群玉臺 至海金剛 而還

그런데 최근 배관하게 된 《겸재화謙齋畵》란 화첩 속에서 〈해금강〉도 한 폭을 찾을 수 있어 여간 다행스럽지 않다. 이 화첩은 앞서 말한 대로 겸재 72세 시 금강산 사생첩의 일부임이 틀림없다. 그래서 이 그림도 겸재화법이 원숙한 경지에 이른 시기의 특징을 모두 갖추고 있다.

서릿발준법霜鍔皴法을 자기화하여 정말 서릿발인 듯 혹은 수정돌인 듯 끝이 예

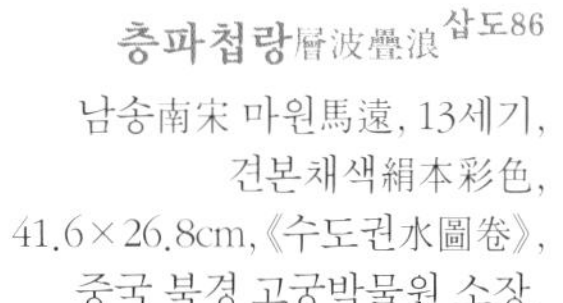

층파첩랑層波疊浪 삽도86
남송南宋 마원馬遠, 13세기,
견본채색絹本彩色,
41.6×26.8cm, 《수도권水圖卷》,
중국 북경 고궁박물원 소장.

리하게 모진 무수한 암주岩柱를 겹겹이 밀집시켜 성처럼 둘러치고 그 안에 일렁이는 물결을 채워 놓았는데 그 물결 표현이 또한 겸재 독창의 겸재파도법謙齋波濤法이다. 남송 마원의《수도권水圖卷》에서 보인〈층파첩랑層波疊浪〉삽도86◆식의 주종선主從線을 갖춘 도식적인 파문이 아니라 농담을 같이 하는 동질의 담묵선을 길고 짧게 중첩 구사하여 자유자재로 파랑을 일으켜 놓고 있는 것이다.

이에 전체적인 질서 속에서 파도는 더욱 흉용해 보이는데 이는 수광水光의 반사를 염두에 두고 높낮이에 따라 농담의 차등을 둔 탓이다. 떠오르는 아침 햇살을 받으며 배를 저어 나갔던 듯 근경의 암봉들 아랫자락 역시 해그림자로 흐려 있다. 앞산이 짙고 먼 산이 흐리며 아래가 어둡고 위가 밝으며 앞면보다는 뒷면이 밝은 탓도 그에 있다. 이런 세심한 관찰과 표현이 바로 겸재를 진경화풍의 대성자요 화성으로 떠받들게 한 근본 요인이다.

◆**층파첩랑**層波疊浪
층을 이루며 쌓이는 물결

31

해악전신첩海嶽傳神帖 내용內容

이 후《해악전신첩》은 원《해악전신첩》의 순서를 그대로 따랐을 터인데 이제 그 순서를 보면 다음과 같다. 〈화적연禾積淵〉도판126, 〈삼부연三釜淵〉도판127, 〈화강백전花江栢田〉도판128, 〈정자연亭子淵〉도판129, 〈피금정披襟亭〉도판130, 〈단발령망금강斷髮嶺望金剛〉도판131, 〈장안사비홍교長安寺飛虹橋〉도판132, 〈정양사正陽寺〉도판133, 〈만폭동萬瀑洞〉도판134, 〈금강내산金剛內山〉도판135, 〈불정대佛頂臺〉도판136, 〈해산정海山亭〉도판137, 〈사선정四仙亭〉도판138, 〈문암관일출門岩觀日出〉도판139, 〈문암門岩〉도판140, 〈총석정叢石亭〉도판141, 〈시중대侍中臺〉도판142, 〈옹공동구甕貢洞口〉도판143, 〈당포관어唐浦觀漁〉도판144, 〈사인암舍人岩〉도판145, 〈칠성암七星巖〉도판146이 그것이다.

폭마다 원《해악전신첩》에 있던 사천의 제화시는 사천 친필로, 삼연 친필시가 있던 자리에는 홍우산이 삼연을 대신해서 그 시를 써 넣었고, 책 표제表題의 '해악전신첩海嶽傳神帖'과 내제內題의 '해악전신海嶽傳神'삽도87 역시 명필인 홍우산의 글씨로 써 놓았다. 홍우산의 발문 바로 다음에는 월남만어月南晩漁의 별호를 쓴 이가 역시 발문을 붙이고 있는데 홍우산만은 못하지만 상당한 달필이다.

이 화첩은 송애松崖라는 호만 서문에서 확인할 수 있을 뿐 서序와 발跋에서 언급한 수장자의 이름이 모두 도려내어져 있어 그 수장경로를 알 수 없게 해 놓고 있다. 아마 남의 손에 넘기면서 어떤 수장자의 혈손血孫이 저지른 만행蠻行일 것이다.

이 화첩은 어떤 경로를 거쳤던지 일제침략기에는 친일파親日派의 거두이던 송병준宋秉畯(1858~1925)의 소장이 되었다가 아궁이의 불쏘시개로 들어가기 직전 골동품 거간을 하던 장형수張亨秀의 눈에 띄어 간송미술관澗松美術館으로 옮겨져 온 파란만장한 운명을 겪기도 했다.

현재 원《해악전신첩》의 면모를 가장 잘 전해 주는 그림이라 할 수 있는 국립중

해악전신첩海嶽傳神帖 **내제**內題 삽도87

홍봉조洪鳳祚 서書, 1747년 정묘丁卯, 지본묵서紙本墨書, 60.3×42.2cm, 간송미술관 소장.

화적연禾積淵 도판126

삼부연三釜淵 도판127

화강백전花江栢田 도판128

정자연亭子淵 도판129

피금정披襟亭 도판130

단발령망금강斷髮嶺望金剛 도판131

장안사비홍교長安寺飛虹橋 도판132

정양사正陽寺 도판133

만폭동萬瀑洞 도판134

금강내산金剛內山 도판135

불정대佛頂臺 도판136

해산정海山亭 도판137

사선정四仙亭 도판138

문암관일출門岩觀日出 도판139

문암門岩 도판140

총석정叢石亭 도판141

시중대侍中臺 도판142

용공동구龍貢洞口 도판143

당포관어唐浦觀漁 도판144

사인암舍人岩 도판145

칠성암七星巖 도판146

앙박물관 소장《신묘년풍악도첩辛卯年楓岳圖帖》과 비교해 보면〈피금정披襟亭〉도판1,〈단발령망금강산斷髮嶺望金剛山〉도판2,〈금강내산총도金剛內山摠圖〉도판3,〈장안사長安寺〉도판4,〈벽하담碧霞潭〉도판5,〈불정대佛頂臺〉도판6,〈백천교百川橋〉도판7,〈해산정海山亭〉도판8,〈삼일포三日湖〉도판9,〈고성문암관일출高城門岩觀日出〉도판10,〈옹천瓮遷〉도판11,〈총석정叢石亭〉도판12,〈시중대侍中臺〉도판13 등 13폭 중 11폭만 서로 내용이 일치한다.

《신묘년풍악도첩》에는 있으나《해악전신첩》에 없는 것은〈보덕굴〉,〈백천교〉와〈옹천〉이며《해악전신첩》에만 있는 것은〈화적연〉,〈삼부연〉,〈화강백전〉,〈정자연〉,〈정양사〉,〈만폭동〉,〈금강내산〉,〈문암〉,〈용공동구〉,〈당포관어〉,〈사인암〉 등 11폭이다.

두 화첩을 비교해 보면《신묘년풍악도첩》은 패기 넘치는 36세의 무명화가가 그린 그림답게 패기와 열정과 희망이 넘쳐나서 방금 벼려낸 새 칼처럼 삼엄하도록 새물 냄새가 진동하니 필법은 날카롭고 묵법은 숙연하도록 엄정하며 화면구성은 대경對境에 충실하려 도설적圖說的이리만큼 정밀하다.

피금정九龍淵[도판1]

단발령망금강산斷髮嶺望金剛山[도판2]

금강내산총도金剛內山摠圖[도판3]

장안사長安寺[도판4]

벽하담碧霞潭 도판5

불정대佛頂臺 도판6

백천교百川橋 도판7

해산정海山亭 도판8

삼일호三日湖 도판9

고성문암관일출高城門岩觀日出 도판10

옹천瓮遷 도판11

총석정叢石亭 도판12

시중대 侍中臺 도판13

그에 반해《해악전신첩》은 조선제일의 화가임은 물론 화성畵聖으로까지 존숭되는 72세의 노대가가 그린 그림답게 달관과 파겁破怯과 확신으로 가득 차서 필법은 부드럽게 세련되고 묵법은 거침없이 분망하며 화면구성은 대경의 요체 파악에 중점을 두어 함축과 생략이 자재롭게 구사되고 있다.

진경산수화법을 창안해 내려는 초기에 실험적으로 그려진 그림과 36년의 각고수련刻苦修練 끝에 진경산수화법을 완성해 낸 노년기에 완성작으로 그려 낸 그림의 비교라서, 입지지년立志之年의 30대 젊은이와 불유지년不踰之年의 70대 노숙老宿의 면모를 보는 것 같아 어느 것 하나 생숙生熟의 대조적 차이가 없는 것이 없다. 그러나 그 필묵筆墨 사용의 기본법칙과 음양陰陽조화의 화면구성 원칙은 시종일관終始一貫 철저하게 고수되고 있는 사실을 확인할 수 있으니 화성畵聖의 길이라는 것이 이렇게 정일집중精一集中하는 확고한 신념과 불굴의 투지 속에서 열리는 것인가 보다.

간송미술관 소장의 후《해악전신첩》에 장첩된 겸재 그림과 삼연 및 사천의 제화시를 일람一覽하여 겸재 진경산수화법의 완성도를 확인해 보기로 하겠다.

〈화적연禾積淵〉으로부터 시작된다.

화적연禾積淵도판126

〈화적연〉은 현재 경기도京畿道 포천시抱川市 영북면永北面 자일리自逸里 한탄강漢灘江 속에 있는 명승名勝이다. 이곳을 볏가리나 화적연으로 부르게 된 것은 평지 아래로 까마득히 떨어져 흐르는 한탄강 물 가운데 마치 볏단을 쌓아 놓은 볏더미, 즉 볏가리처럼 생긴 거대한 백색 바위가 까마득하게 우뚝 솟아나 있고 물줄기가 이 큰 바위를 휘감아 돌아 떨어지면서 깊은 소沼를 만들어 놓게 된 데서 연유한다.

바위만을 보아 볏가리라 했겠으나 이를 한역하는 과정에서 그 아래 소용돌이치는 소의 의미도 덧붙여서 화적연, 즉 볏가리 못이라는 가진 이름으로 바꿔 놓았을 듯하다. 어떻든 이 화적연은 영평팔경永平八景 중에 맨 첫손가락으로 꼽히는 명승이라 고래로 영평을 지나는 문인 묵객들이 그저 지나는 법이 없는 곳이었다.

그러니 진경문화를 주도해 가던 삼연三淵인들 범연히 지나쳤겠으며 겸재나 사천槎川인들 가 보지 않았겠는가. 그래서 겸재도 금강산 초행길에 이곳에 들러 이를 화폭에 올렸던 모양이나 그 그림 역시 세상에 알려져 있지 않다. 〈삼부연〉처럼 다만 72세 시에 다시 그린《해악전신첩海嶽傳神帖》속에 만년 기법으로 그린 그림이 남아 있을 뿐이다. 이〈화적연〉이 바로 그 그림이다.

과연 평지가 절벽을 이루며 깊이 파인 낭떠러지 아래로 흐르는 한탄강과 그 가운데 우뚝 솟은 볏가리 모양의 바위가 지금도 볼 수 있는 그 모습 그대로 그려져 있다. 다만 볏가리 주변에도 많은 바위들이 널려 있는데 이를 모두 제거하여 볏가리만 돋보이게 한 것이 다를 뿐이다. 이는 겸재의 의도된 화면구성법에 기인한 것이다.

◆용출湧出 솟아 나옴

마치 죽순처럼 강바닥에서 용출湧出◆한 볏가리의 원추형 돌기둥이 강 한가운데 우뚝 버티고 서 있는데 그 아래로는 한탄강 물이 긴 소용돌이를 지으면서 감겨 돌고 있다. 바로 화적연 깊은 소의 소용돌이치는 모습을 상징한 표현이다. 이것만으로도 음양대비가 충분한데 수직 절벽과 짙은 송림으로 다시 한 번 이를 강조하면서 음양의 조화를 멋들어지게 강조해 놓고 있다. 그러나 의도가 노출되면 품격이 떨어지므로 짐짓 상류에 평범한 산봉우리를 배치하여 화적연의 분위기를 더욱 유수幽邃◆하게 바꿔 놓는다.

◆유수幽邃 깊고 그윽함

화적연禾積淵 도판126

1747년 정묘丁卯 3월 3일, 견본담채絹本淡彩, 25.0×32.2cm,《해악전신첩海嶽傳神帖》, 간송미술관 소장.

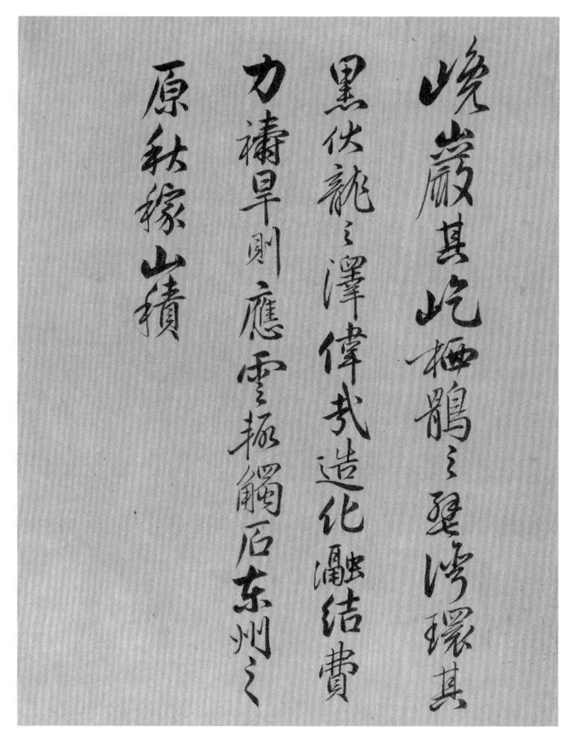

화적연禾積淵 **제사**題詞 삽도88
김창흡金昌翕 찬撰, 홍봉조洪鳳祚 서書,
1747년 정묘丁卯, 지본묵서紙本墨書,
25.4×32.3cm, 간송미술관 소장.

이런 그림을 보고 동행했었던 겸재의 스승 삼연三淵 김창흡金昌翕(1653~1722)은 이런 제사題詞 삽도88◆를 남긴다.

◆ **제사**題詞
그림의 감흥을 돋우기 위해 그림에 붙이는 글

높은 바위 거기 솟구치니, 매가 깃드는 절벽이요.

휘도는 물굽이 그리 검으니, 용이 엎드린 못이로다.

위대하구나 조화여, 감돌고 솟구치는 데 힘을 다했구나!

가뭄에 기도하면 응하고, 구름은 문득 바위를 감싼다.

동주東州◆ 벌판에, 가을 곡식 산처럼 쌓였네.

◆ **동주**東州
철원의 딴 이름

巉巖其屹, 栖鶻之壁.

灣環其黑, 伏龍之澤.

偉哉造化, 融結費力.

禱旱則應, 雲輒觸石.

東州之原, 秋稼山積.

金昌翕, 『三淵集』 卷二十五, 題李一源海嶽圖後, 禾積淵

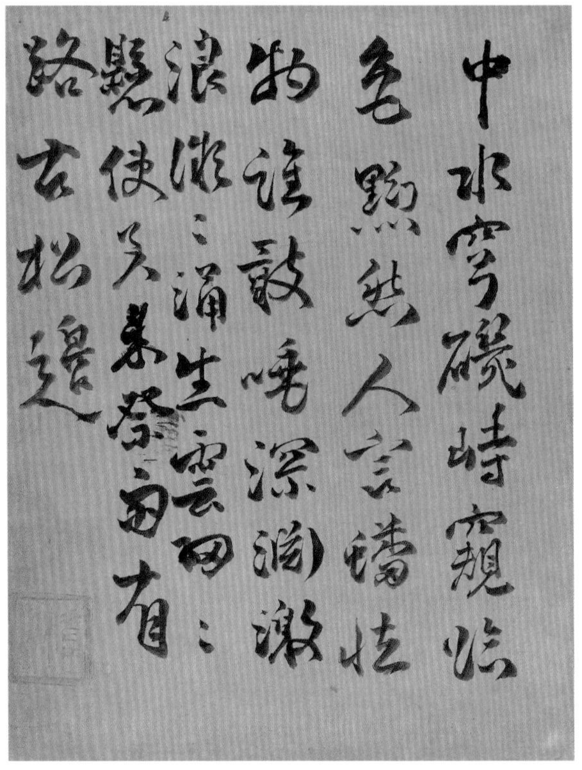

화적연禾積淵 **제시**題詩 삽도89
이병연李秉淵 시서詩書,
1747년 정묘丁卯,
지본묵서紙本墨書,
25.3×32.3cm, 간송미술관 소장.

뒤이어 겸재의 평생지기로 진경시眞景詩의 대가인 사천槎川 이병연李秉淵(1671~1751)은 다음과 같은 제화시題畵詩 삽도89◆를 붙인다.

◆ **제화시**題畵詩
그림의 감흥을 돋우기 위해 그림에 붙이는 시. 제시라고 줄여 부르기도 한다.

물 가운데 둥근 돌 솟구쳐, 위에 앉아 들여다보니 검은빛이다.

사람들 괴물이 서려 있다 말하게 되니, 뉘라서 감히 깊은 못에 침을 뱉을까.

부딪는 물결 미미하게 솟구치고, 이는 구름 자잘하게 걸린다.

원님은 비를 빌러 오는데, 길은 묵은 솔밭 가로 나 있다.

中水穹礒峙, 窺臨色黝然.

人言蟠怪物, 誰敢唾深淵.

激浪微微涌, 生雲細細懸.

使君來祭雨, 有路古松邊.

李秉淵,『槎川詩抄』卷上, 禾積淵

삼부연三釜淵[도판127]

삼부연三釜淵은 강원도 철원군鐵原郡 갈말읍葛末邑 용화동龍華洞에 있는 폭포이다. 휴전선 남쪽에 있어 가 볼 수 있는 곳인데 원래는 38선 이북에 속해 있던 지역이다.

영평永平 백운산白雲山에서 서북쪽으로 갈라져 나간 일지맥一支脈이 용화산龍華山을 이루어 놓자 그 용화산 일대의 물이 한탄강으로 흘러가다 천 길 벼랑을 만나 떨어져 생긴 폭포니 『철원읍지鐵原邑誌』 산천조山川條 삼부연 세주細註에 다음과 같이 기록되고 있다.

> 용화산에 있다. 뭇 시내가 뒤섞여 모여 끝으로 갈수록 깊고 점점 커지다가 석벽에 거꾸로 걸리면서 문득 3층의 돌구덩이를 만들었다. 그 깊이는 알 수 없는데 모양은 세 개의 가마솥과 같으므로 그렇게 이름 부른다. 곧 기우처祈雨處다.
>
> 在龍華山. 衆泉交匯, 末深漸大, 倒掛石壁, 便作三層石坎. 其深不測, 狀如三釜, 故名, 卽祈雨處.
>
> 『鐵原邑誌』

실제로 이곳에 가 보면 삼부연폭포 그 자체만 천야만야千耶萬耶한 벼랑 위에서 계곡 아래로 떨어질 뿐 그 근원이 되는 시냇물은 벼랑 위까지 완만하게 평지를 흘러내리고 있다. 그러니 기암절벽으로 이어지는 만학천봉 중의 폭포와는 그 정취가 사뭇 달라 그 상류에 마을이 이루어질 수 있었다.

◆ **은일**隱逸 학문 연구에 전념하기 위해 세상을 피해 사는 학자

이런 신선세계와 같은 마을을 당대 은일隱逸◆의 대표인 삼연 김창흡이 어찌 모른 척할 수 있었겠는가. 겸재 4세 때인 숙종 5년 기미己未(1679) 7월에 삼연은 27세의 젊은 나이로 이곳에 은거해 살기로 결심하고 전 가족을 이끌고 이곳으로 이사해 온다.

여기서 『역학계몽易學啓蒙』을 읽고 그 묘리를 터득하여 「후천도설後天圖說」을 짓는 등 『주역』 연구에 몰두하며 진경문화 창달의 방향을 모색하게 되니 세상에서는 그를 삼연선생이라 일컫게 되었다. 삼연은 물론 삼부연을 상징하는 별호다.

삼부연三釜淵 도판127

1747년 정묘丁卯 3월 3일, 견본담채絹本淡彩, 24.2×31.4cm, 《해악전신첩海嶽傳神帖》, 간송미술관 소장.

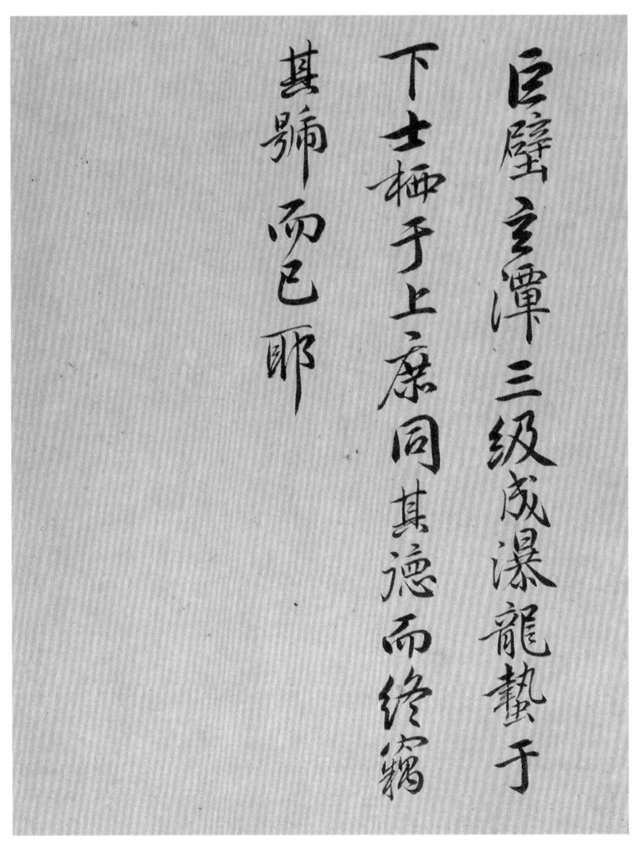
巨壁玄潭三級成瀑龍蟄于
下士栖于上庶同其德而終竊
其號而已耶

삼부연三釜淵 **제사**題詞삽도90
김창흡金昌翕 찬撰, 홍봉조洪鳳祚 서書,
1747년 정묘丁卯, 지본묵서紙本墨書,
24.4×31.4cm, 간송미술관 소장.

이렇듯 삼부연이 진경문화의 요람이 되고 보니 이후 진경문화계의 중추를 이루던 삼연 제자들은 이 삼부연을 찾아와 시로 읊고 그림으로 그려 이를 기리게 된다.

이 〈삼부연〉도 그렇게 그려진 그림이다. 겸재가 36세 시에 금강산을 다녀오면서 그 스승이 거처하던 삼부연을 그냥 지나쳐 갈 리가 없다. 이곳에 들러 그 장관을 화폭에 올려 표현하니 그때는 이미 설악산 백담사 계곡으로 거처를 옮겨 있던 스승 삼연은 이렇게 그 그림에 제사삽도90를 붙인다.

> 거대한 절벽 검은 못에, 삼급三級으로 폭포를 이루었구나.
> 용은 아래에 숨고, 선비는 위에 깃들였었네.
> 그 덕을 같이해야 하련만, 끝내 그 이름만 훔쳤을 뿐인가.
> 巨壁玄潭, 三級成瀑. 龍蟄于下, 士栖于上.
> 庶同其德, 而終竊其號而已耶.

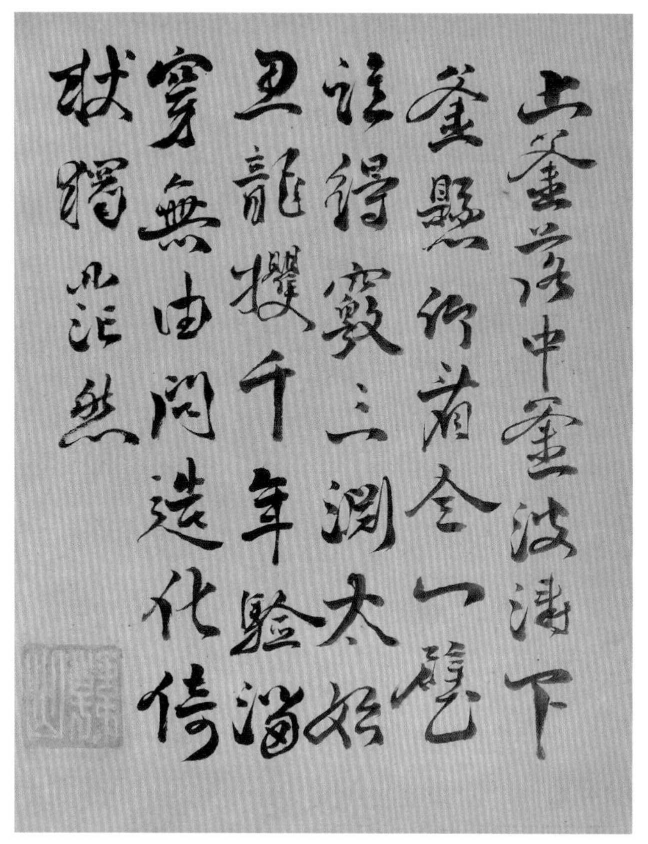

삼부연三釜淵 **제시**題詩 삽도91
이병연李秉淵 시서詩書,
1747년 정묘丁卯, 지본묵서紙本墨書,
25.0×32.0cm, 간송미술관 소장.

金昌翕,『三淵集』卷二十五, 題李一源海嶽圖後, 三釜淵

이에 이어 겸재의 동문同門 지기知己로 진경시의 제일인자였던 사천 이병연은 다음과 같은 제시[삽도91]를 붙인다.

위 가마 가운데로 떨어지니, 파도는 아래 가마에 걸린다.

올려다보면 전체 한 가지 절벽일 뿐, 누구라 세 못이 뚫렸다 하랴!

태초太初에 용이 움켰던가, 천년을 물이 뚫었네.

조화造化를 물을 길 없어, 지팡이 의지하고 망연히 홀로 서 있다.

上釜落中釜, 波濤下釜懸. 仰看全一壁, 誰得竅三淵.

太始思龍攫, 千年驗溜穿. 無由問造化, 倚杖獨茫然.

李秉淵,『槎川詩抄』卷上, 三釜淵

화강백전花江栢田 도판128

강원도 금화읍 남쪽 2리쯤 떨어진 곳에 금화 남산인 백수봉栢樹峰이 있다. 금화 세족世族인 진천장씨鎭川張氏의 중시조 강릉부사江陵府使 장사준張思俊이 나무 심기를 좋아해서 이 산에 온통 잣나무를 심어 놓았기 때문에 백수봉의 이름을 얻게 되었다 하는데, 병자호란丙子胡亂 때 평안도平安道 병마절도사兵馬節度使 유림柳琳(?~1643)은 이곳 백수봉 아래에서 청군淸軍을 크게 무찔렀으며 뒤따라 내려온 평안감사 나재懶齋 홍명구洪命耈(1596~1637)는 이곳에서 근왕병勤王兵 2천 명과 함께 청군에게 패하여 장렬한 최후를 마쳤다.

그래서 화강백전花江栢田◆의 고전장古戰場◆은 호란胡亂의 치욕을 절치부심切齒腐心◆해하던 조선사람 모두가 영원히 기억해야 할 성지聖地가 되었다. 이에 인통함원忍痛含怨◆의 적개심으로 복수설치復讐雪恥◆를 외치며 북벌北伐을 계획하던 우암尤庵 송시열宋時烈(1607~1689)학파의 계승자인 진경문화 주도세력들은 특히 이 옛 전쟁터를 신성시하여 이를 소재로 대청 적개심을 고양하는 문예활동을 전개한다.

겸재가 이 〈화강백전〉을 그린 것도 그런 문예활동의 일환이었다. 대경對景◆이 빼어나게 아름다워 그림의 소재가 될 만해서 그린 것이 아니라 그곳에서 국가와 민족을 위해 최후까지 싸우다가 마지막 한 사람까지 장렬하게 순국한 상하 장졸 2천 명의 충혼의백忠魂義魄◆을 기리기 위해 이 성스러운 옛 전쟁터를 화폭에 담은 것이다.

그러니 다른 진경산수와는 그 화면구성 자체가 판이하게 다를 수밖에 없다. 마치 서양 풍경화와 같이 시점을 고정시켜 정면에 보이는 잣나무숲을 중경中景◆에 가득 채워 놓고 그 아래로 옛 전쟁터를 상징하는 넓은 빈터만 남겨 놓았다. 이런 시각으로 그린 그림이니 자연 투시적인 원근법이 이루어져 잣나무 잎새들은 먼 곳이 흐려지고 둥치도 멀수록 흐리고 가냘프게 표현되었다.

그래서 마치 서양 수채화를 보는 듯한 느낌이 들게 한다. 다만 다른 것은 홍나재洪懶齋의 충혼을 기리는 충렬사忠烈祠 건물이 왼쪽 하단에 반쯤 보이는 것이다. 잣나무 잎은 대담한 묵법墨法의 발묵潑墨◆과 파묵破墨◆으로 임리淋漓◆한 먹색을 강

◆**화강백전**花江栢田
금화 잣나무밭. 화강은 금화의 딴 이름이다. 병자호란(1636) 때 이곳에서 격전이 치러졌다.

◆**고전장**古戰場
옛 전쟁터

◆**절치부심**切齒腐心
몹시 분하여 이를 갈며 마음 아파함

◆**인통함원**忍痛含怨
고통을 참으면서 원한을 품고 살아감

◆**복수설치**復讐雪恥
복수하여 부끄러움을 씻음

◆**대경**對景
그림의 대상이 되는 경치

◆**충혼의백**忠魂義魄
충성스럽고 정의로운 넋

◆**중경**中景
가운데 경치

◆**발묵**潑墨
먹물을 흥건하게 찍어 발라서 번지는 효과로 분위기를 표현해 냄

◆**파묵**破墨
옅은 농도의 먹칠을 점차 짙은 농도의 먹칠로 파괴해 나감으로써 농도 차이가 보여 주는 다양한 농담의 변화로 입체감 내지 질량감 등의 효과를 얻어 내는 먹칠법

◆**임리**淋漓
물이 뚝뚝 떨어질 듯 흥건함

화강백전花江栢田 도판128

1747년 정묘丁卯 3월 3일, 견본담채絹本淡彩, 24.9×32.0cm,《해악전신첩海嶽傳神帖》, 간송미술관 소장.

조함으로써 밀림의 분위기를 도출해 내고 있는데 잣나무숲이 들어찬 산언덕이 토산인 것을 강조하기 위해서인지 토파土坡◆를 마치 볏가리처럼 무더기무더기 잣나무 아래에 표현해 놓았다. 그런 토파 처리는 담묵淡墨◆, 옅은 먹색의 피마준과 농묵濃墨◆의 태점苔點◆을 조화시켜 유연하게 이루어 나갔다.

그러나 산언덕 아래 뒹굴어 있는 돌무더기들은 옛 전쟁터를 상징하기 위해서인지 제법 모진 소부벽준법小斧劈皴法◆으로 날카롭게 표현해 놓고 있다. 그 빛깔이 강하지 않아 백석白石인 듯 보이게 한 것은 땅 위를 뒹굴던 백골白骨을 상징한 것이었던가. 짙은 잣나무숲 너머로 가지런히 비어 있는 하늘 저편에 충의의 혼백이 가득 떠도는 듯하다.

그래서 사천은

◆**토파**土坡
흙무더기

◆**담묵**淡墨
옅은 먹색

◆**농묵**濃墨
짙은 먹색

◆**태점**苔點
이끼를 표현하기 위해 붓을 뉘어 반복해서 찍어 낸 큰 먹점

◆**소부벽준법**小斧劈皴法
도끼로 쪼갠 단면 같은 필선을 구사하여 산의 형상을 이루어 가는 선묘법. 규모가 작은 것을 소부벽, 큰 것을 대부벽이라 한다. 수직의 암산 절벽을 나타낼 때 주로 쓴다.

쓸쓸하구나 잣나무밭, 아득하구나 전쟁터.

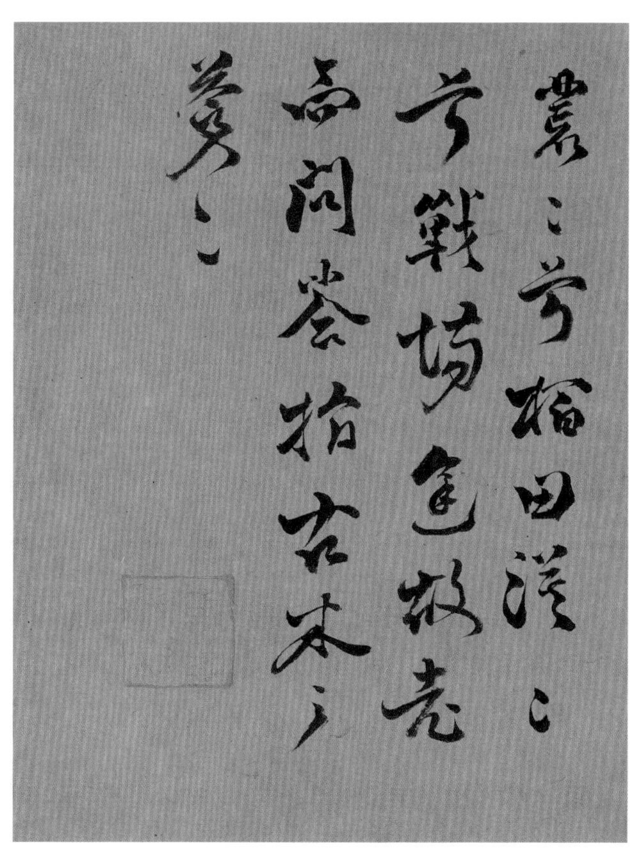

화강백전花江栢田 **제시**題詩 삽도92
이병연李秉淵 시서詩書,
1747년 정묘丁卯,
지본묵서紙本墨書, 25.0×32.2cm,
간송미술관 소장.

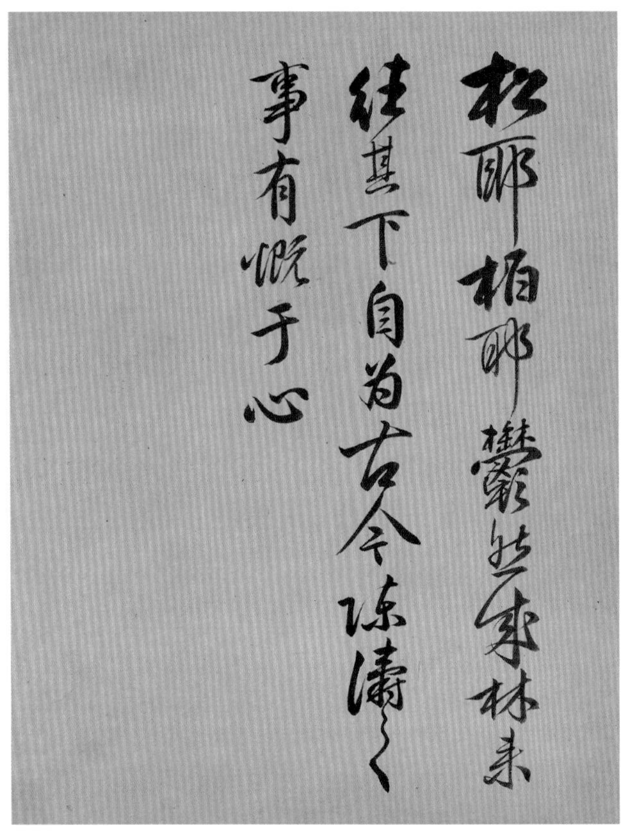

화강백전花江栢田 **제사**題詞삽도93
김창흡金昌翕 찬撰, 홍봉조洪鳳祚 서書,
1747년 정묘丁卯, 지본묵서紙本墨書,
25.0×32.2cm, 간송미술관 소장.

오래 산 늙은이 만나 문답하니, 고목의 푸르름만 손짓해 주네.

荒荒兮栢田, 漠漠兮戰場. 逢故老而問答, 指古木之蒼蒼.

라고 제시삽도92를 읊었고, 삼연은

소나무인가 잣나무인가, 울창하게 숲을 이뤘네.

그 아래 오가며, 스스로 고금古今에 물결쳐 지난 일 생각하니, 마음에 적개심 인다.

松耶 栢耶, 鬱然成林. 來往其下, 自爲古今陳濤之事, 有慨于心.

金昌翕, 『三淵集』 卷二十五, 題李一源海嶽圖後, 花江栢田

라고 제사삽도93를 붙였다.

정자연亭子淵도판129

정자연亭子淵은 강원도 평강군平康郡 남면南面 정연리亭淵里에 있는 명승이다. 평강에서 남동쪽으로 40리 가까이 떨어져 있어 오히려 금화金化에 가까운데 함경도 안변安邊과 경계를 이루는 분수령分水嶺 이쪽의 물들을 모아 오는 말흘천末訖川이 흘러내리다 금화 접경에서 10리 절벽 아래 소沼를 만들어 놓은 곳이다.

백두대간白頭大幹이 한북정맥漢北正脈을 나누면서 고봉준령高峰峻嶺을 중첩시켜 놓아 6·25 격전 중에 소위 '철의 삼각지대'로 불리워졌을 만큼 험준한 산세를 보이는 평강·철원·금화 사이에 있는 절벽 아래 소이니 그 경치가 어떠할지 대강 짐작이 가능하다.

그래서 광해군 때 강원감사를 지낸 월담月潭 황근중黃謹中(1560~1633)이 이곳을 차지하여 인조반정仁祖反正(1623)으로 정계에서 밀려나자 여기에 창랑정滄浪亭을 짓고 물러나 앉는다. 광해조의 중신이면서도 온전히 물러날 수 있었던 것은 남인南人 색목色目으로 광해군의 비행에 적극 가담하지 않았고 또 서인西人 영수였던 영의정 정태화鄭太和(1602~1673), 좌의정 정치화鄭致和(1609~1677) 형제들이 그 외손자였기 때문이다.

이로부터 이 소는 정자가 있는 연못이라 하여 정자연亭子淵으로 불리며 황씨 소유로 전해져 내려오게 된다. 그러나 이 창랑정은 곧 병자호란(1636)에 불타 없어지고 이후 월담의 5세손 황손黃遜(1692~1776) 대에 와서야 중건된다 하는데 이는 겸재 이후 시기에 해당했던 모양이다.

그래서 겸재가 그의 평생지기인 금화현감 사천 이병연의 초청으로 36세(1711)시에 금강산을 처음 들어가면서 이곳에 들렀을 때는 아직 정자가 복구되지 않은 상태였던 것 같다. 이에 사천은 이 그림의 제화시삽도94로 이렇게 읊고 있을 뿐이다.

> 노목老木은 푸르러 양 언덕에 솟구치고, 고촌孤村은 적막하여 한 시내만 흐른다.
> 무릉동武陵洞 그 속에서 사람이 젓대부니, 칠리탄七里灘 탄두灘頭에서 나그네 배에 기댄다.
>
> 老木蒼蒼兩岸出, 孤村寂寂一溪流. 武陵洞裏人吹笛, 七里灘頭客倚舟.

정자연亭子淵 도판129

1747년 정묘丁卯 3월 3일, 견본담채絹本淡彩, 25.8×32.2cm, 《해악전신첩海嶽傳神帖》, 간송미술관 소장.

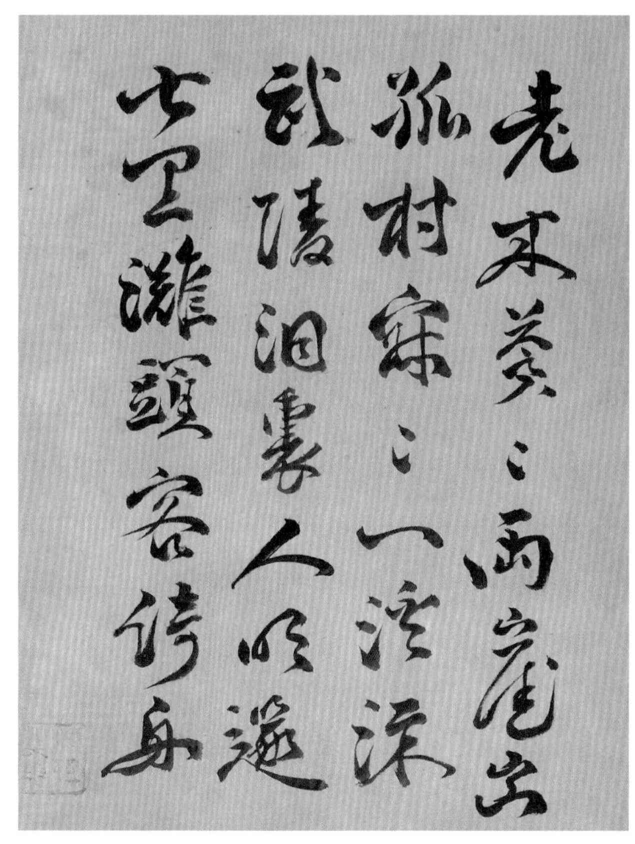

정자연亭子淵 **제시**題詩 삽도94
이병연李秉淵 시서詩書,
1747년 정묘丁卯,
지본묵서紙本墨書, 25.0×32.1cm,
간송미술관 소장.

여기에 겸재와 사천의 스승인 삼연 김창흡도 다음과 같이 제사삽도95를 붙여 주었다.

> 그림은 잘 꾸미는 것이라 진실로 능히 기이한 것을 묘사해서 핍진하게 할 수도 있으나, 또한 혹은 추한 것을 돌이켜 아름답게 할 수도 있다.
> 그림을 살펴보건대 맑은 못과 푸른 절벽이 있으니, 어찌 오석황류烏石黃流* 아닌 줄을 알겠는가.
> 또한 둘러보고 뜻이 만족함을 취하는 것이니, 반드시 무슨 언덕이거나 무슨 정자임을 물을 것 없다.
>
> 丹青善幻, 固能描奇稱眞, 而亦或轉醜爲姸. 按圖而澄潭翠壁, 安知非烏石黃流乎. 且取遊目意足, 不須問某丘某亭也.
>
> 金昌翕,『三淵集』卷二十五, 題李一源海嶽圖後, 亭子淵

* **오석황류**烏石黃流
중국 황하黃河의 용문龍門 절경을 일컫는 말. 용문의 바위 색깔은 검고 황하의 물빛은 누렇다.

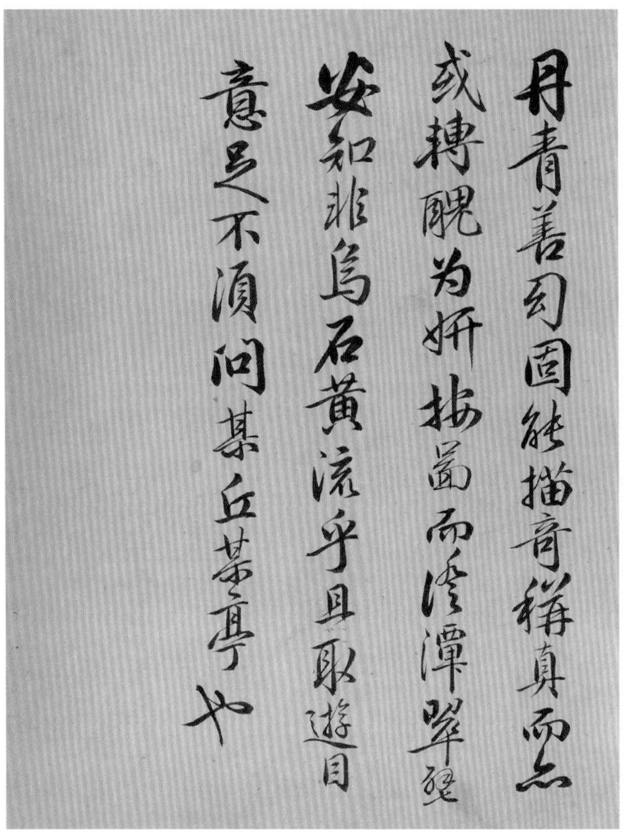

정자연亭子淵 **제사**題詞 삽도95
김창흡金昌翕 찬撰, 홍봉조洪鳳祚 서書,
1747년 정묘丁卯, 지본묵서紙本墨書,
25.8×32.2cm, 간송미술관 소장.

제자의 그림 솜씨가 실경보다 뛰어나다는 찬사이자 격려사이다. 이와 같이 진정으로 재능 있는 제자를 아끼고 사랑할 수 있는 스승이었기에 그 문하에서 진경문화를 주도해 나가는 각 방면의 대가들이 속출했을 것이다.

피금정披襟亭도판130

금화에서 금강산으로 가자면 금성金城을 거쳐 북행해 가다 창도昌道역에서 동진해 단발령을 넘어야 한다. 그러니 내금강으로 들어가려면 창도역 이북에서 내려오지 않는 한 반드시 금성을 거쳐야 하고 금성을 거치면 성 아래 남대천변을 따라 나 있는 대로변에서 피금정披襟亭과 마주치지 않을 수 없다.

피금정은 겸재가 4세 때인 숙종 5년(1679) 기미己未에 당시 현감으로 있던 안정숙安廷燸이 창건하는데 원래 이곳 남대천변을 따라 난 길가에는 해묵은 가로수가 늘어서 있어 금강산 초입의 정취를 북돋우고 있었다 한다. 이곳에 가로수가 심어진 것은 인조 13년(1635) 을해乙亥년이다.

그 전해에 큰비로 남대천이 범람하여 인가가 떠내려가고 많은 사람이 물에 빠져 죽는 수해를 당하자 당시 현감 홍정洪霆(1581~1651)이 임기를 일 년 연장해 가면서까지 인근 고을의 도움을 받아 수천 장정을 동원, 냇가에 방축을 쌓고 잡목을 심어 수환水患 방비의 영구 대책을 마련한다. 이래서 생긴 자연스런 가로수 숲인데 그 길이가 거의 5리 길이나 된다 한다.

이런 일을 해 낸 기정嗜靜 홍정洪霆은 영안위永安尉 홍주원洪柱元(1606~1672)의 당숙堂叔인데 겸재가 금강산 초행길에 피금정을 들렀을 때 금성현감은 영안위의 손자인 용슬헌容膝軒 홍중복洪重福(1670~1747)이었다. 이때 겸재를 초청해 간 금화현감 사천 이병연은 영안위 아우 범옹泛翁 홍주국洪柱國(1623~1680)의 외손자였으니 홍중복과 이병연은 내외종 6촌형제간이었다.

따라서 나이도 비슷하고 학맥 연원이 동일해 이념도 같았을 이들은 친교가 매우 두터웠을 것이다. 그런데 무슨 피치 못할 사정이 있었던지 금성현감 홍중복은 그의 당고모부堂姑母夫인 사천의 부친 수암공樹庵公 이속李涑(1647~1720)이 어려운 걸음을 했는데도 기다려 맞지 않았던 모양이다.

이에 사천은 몹시 섭섭했던 듯 겸재의 〈피금정〉에 이렇게 제시삽도96를 붙이고 있다.

금성金城은 오래된 명읍名邑, 내 말이 가다가 쉬네.

피금정披襟亭 **도판130**

1747년 정묘丁卯 3월 3일, 견본담채絹本淡彩, 24.9×32.1cm,《해악전신첩海嶽傳神帖》, 간송미술관 소장.

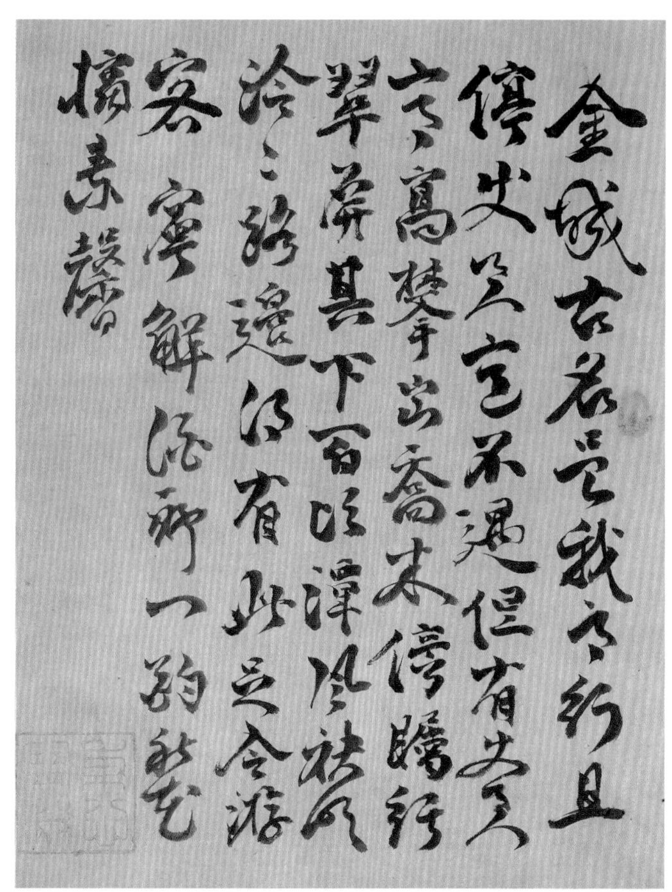

피금정披襟亭 **제시**題詩 삽도96
이병연李秉淵 시서詩書,
1747년 정묘丁卯, 지본묵서紙本墨書,
23.8×31.0cm, 간송미술관 소장.

사군使君은 마침 못 만났어도, 다만 사군의 정자는 있다.

높이 올라 교목喬木 밖으로 솟아나니, 굽이치는 푸른 병풍 곁에 보이고.

그 아래 백이랑 못 물, 바람은 소매 속에 차게 부넌다.

길가에 이 정자라도 있기에, 족히 길손을 편안케 하네.

술 내어 한 잔 마시고, 가을 꽃 하얀 향기 꺾어 내 본다.

金城古名邑, 我馬行且停. 使君適不遇, 但有使君亭.

高攀出喬木, 傍矚紆翠屛. 其下百頃潭, 風袂吟冷冷.

路邊得有此, 足令游客寧. 解酒聊一酌, 秋花摘素馨.

이를 이어 삼연은 다음과 같은 제사삽도97를 붙였다.

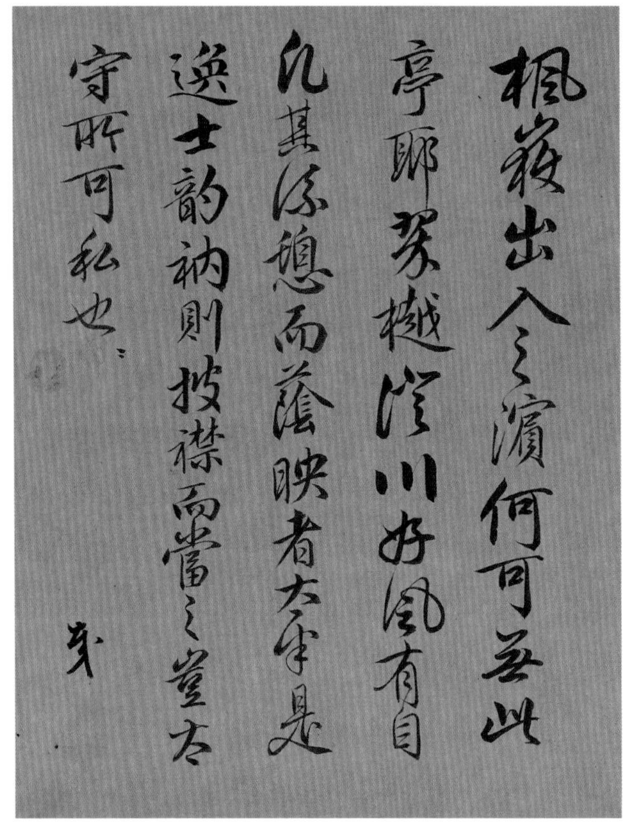

피금정披襟亭 **제사**題詞 삽도97
김창흡金昌翕 찬撰, 홍봉조洪鳳祚 서書, 1747년 정묘丁卯, 지본묵서紙本墨書, 23.9×31.0cm, 간송미술관 소장.

풍악楓嶽으로 출입하는 물가에, 어찌 이런 정자가 없을 수 있겠는가.

푸른 가로수 맑은 시내에, 좋은 바람은 스스로 있기 마련이다.

무릇 그 거닐며 쉬고 그늘에 드는 이들, 태반이 속기 벗은 선비나 시 짓는 승려니,

가슴을 헤치고 즐기는 것을, 어찌 태수太守만 사사로이 할 수 있겠나.

楓嶽出入之濱, 何可無此亭耶. 翠樾澄川, 好風自有.

凡其流憩而蔭映者, 太半是逸士韻納, 則披襟而當之, 豈太守所可私哉.

金昌翕, 『三淵集』 卷二十五, 題李一源海嶽圖後, 金城披襟亭

삼연이 이런 제사를 붙일 만큼 겸재는 이 피금정에 매료됐던 듯 그의 초기 금강산사생첩이라 할 수 있는《신묘년풍악첩辛卯年楓嶽帖》속에 들어 있는〈피금정〉은 매우 건실한 화법과 진솔한 구도로 법도 있게 그려져 있다.

이곳에서 우리는 겸재가 장차 진경산수화풍을 확립해 놓는 화성으로 대성할 기

미를 눈치챌 수 있으니, 금성의 진산인 경파산慶坡山을 그린 미가운산식의 남방기법과 남대천변의 가로수 및 피금정을 그린 북방기법이 모두 법도 있게 배운 정법인데 이를 자유자재로 구사하면서 대립적인 양대 기법을 한 화면에 대담하게 혼용 조화시키는 패기와 기지를 발휘한 사실을 확인할 수 있기 때문이다.

32

내외금강산內外金剛山

단발령망금강斷髮嶺望金剛 도판131

겸재의 화명이 크게 떨쳐지는 것은 겸재가 금강산을 그리고부터다. 금강산은 항상 자기네 것이 천하제일이라고 생각하던 중국사람들까지도 '고려국에 나서 금강산을 한 번만 보았으면願生高麗國, 一見金剛山' 하고 원을 세울 정도로 소문난 천하 명산이다. 일만이천의 백색 화강암봉이 기기묘묘한 형상을 지으면서 골골마다 각색 폭포와 못을 만드는 풍부한 수량을 가진 개울을 끼고 있어 한반도의 젖줄인 한강의 근원을 이루고 그 산자락은 동해로 접어들며 해금강海金剛이 되니 이에서 더한 선경仙境이 있을 수 없고 이보다 더 신비로운 신산神山이 있을 수 없다.

곧 이 자체가 천공天公이 신기神技를 다하여 그려 놓은 한 폭의 그림이요, 한 무더기 조각세계일 뿐이라, 만약 천품을 타고난 천재화가가 나와 이를 그대로 사생해 낼 수 있다면 그는 그것으로 천하제일 명화가가 될 수밖에 없고 시인이나 문장가가 이를 사생해 읊으면 그대로 명시·명문장이 되게 되어 있다.

그런데 진경산수화법의 창안을 꿈꾸어 온 겸재가 이 신산을 보았으니 그 첫 대면의 감홍이 어떠했겠으며 그에서 얻어진 그림이 또한 어떠했겠는가.

여기서 겸재는 홀연히 한 화법을 창안해 일가를 이루는 계기를 삼는다. 즉 백색 암봉岩峯은 북방계의 강한 필묘筆描◆로, 수림이 우거진 토산土山은 남방계의 부드러운 묵묘墨描◆로 이를 처리하여 극단적인 음양대비陰陽對比를 보이면서 화면구성에서는 반드시 육산肉山◆이 골산骨山◆을 포근히 아래에서 감싸는 음양조화陰陽調和의 성리학적 우주관이 적용되는 신화풍을 창안한 것이다.

이는 성리철학을 바탕으로, 이제껏 중국에서는 대립적으로만 발달해 온 남북화

◆ **필묘**筆描
붓질이 만들어 내는 선으로 그려 내는 방법

◆ **묵묘**墨描
붓으로 칠하는 먹칠법으로 그려 내는 방법

◆ **육산**肉山
살집으로 이루어진 산, 즉 토산

◆ **골산**骨山
뼈대로 이루어진 산, 즉 암산

단발령망금강斷髮嶺望金剛 도판131

1747년 정묘丁卯 3월 3일, 견본담채絹本淡彩, 24.4×32.2cm, 《해악전신첩海嶽傳神帖》, 간송미술관 소장.

법을 이상적으로 조화시켜 우리 산천의 표현에 가장 알맞도록 만들어 낸 획기적인 신화법新畵法이었다.

이렇게 이루어진 신화법으로 처음 그려 본 그림이 이 〈단발령망금강산斷髮嶺望金剛山〉이라고 생각되는데, 이는 사천 이병연이 겸재가 35세 되던 경인년庚寅年(1710)에 금강산 초입인 금화에 현감으로 부임해 가 그 다음 해인 신묘년辛卯年(1711)에 겸재를 초청해서 금강산을 보게 했을 때 단발령에 올라서 처음 금강산을 대하고 그린 그림이기 때문이다.

이 그림에 사천은 이런 제화시[삽도98]로 겸재의 화의畵意◆에 공명共鳴한다.

◆ **화의**畵意
그림으로 그려 내고자 하는 뜻

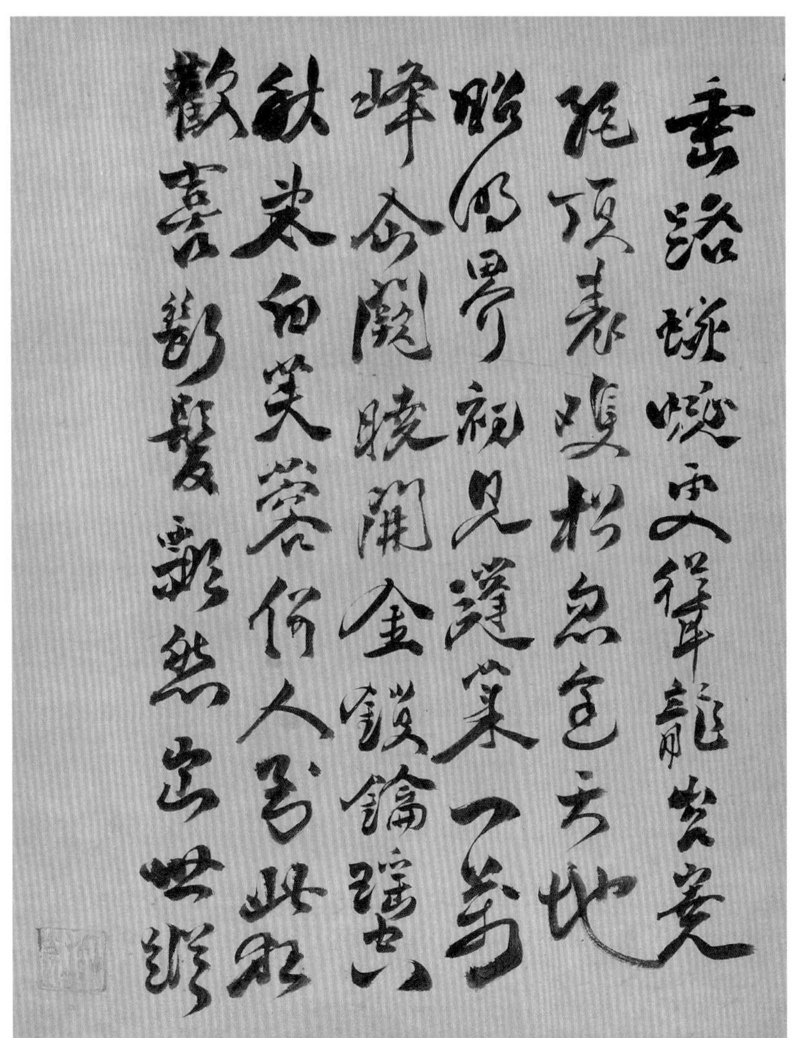

단발령망금강斷髮嶺望金剛 **제시**題詩[삽도98]
이병연李秉淵 시서詩書,
1747년 정묘丁卯, 지본묵서紙本墨書,
25.0×32.0cm, 간송미술관 소장.

◆쌍송雙松
두 그루의 소나무

◆백부용白芙蓉
흰 연꽃

드리운 길 구불구불 용이 오르듯, 드높은 절정엔 쌍송雙松◆이 표난다.

홀연히 만난 천지 밝은 세계라, 봉래산 일만봉을 처음 보겠네.

아침이 신선 궁궐 금자물쇠 열면, 아리따운 허공에 가을이 백부용白芙蓉◆ 묶어 놓겠지.

어떤 사람 이곳에 와 미치게 좋아하다가, 머리 깎고 표연히 세상 등졌나.

垂路蜿蜒若聳龍, 岧嶢絶頂表雙松. 忽逢天地昭明界, 初見蓬萊一萬峯.

仙闕曉開金鎖鑰, 瑤空秋束白芙蓉. 何人到此狂歡喜, 斷髮飄然出世蹤.

장안사비홍교長安寺飛虹橋 도판132

서울에서 금강산을 가자면 의정부와 포천 영평을 지나 강원도로 접어들어 금화 금성을 거쳐 단발령에 올라 금강산을 바라본 다음 철이현鐵伊峴을 넘어 내금강 초입인 장안사長安寺로 들어가게 된다.

장안사는 내금강의 모든 시냇물을 한데 모아 나오는 금강천이 마지막 빠져나오는 수구水口 안에 자리 잡고 있으므로 북한강의 상류가 되는 이 맑고 큰 시내를 건너야만 들어갈 수 있다. 그래서 이 금강천을 건너는 다리를 언제부터인지 석조 무지개다리(비홍교飛虹橋) 형식으로 웅장하고 견고하게 만들어 놓아 그 장려함이 금강산과 필적할 만하게 했던 모양이다.

겸재가 39세 나던 해인 숙종 40년(1714) 갑오甲午 3월 19일에, 38세 나이로 사천 이병연의 초청에 의해 금강산 여행을 떠나 3월 30일에 이 무지개다리를 건너며 그 장관을 기록해 놓은 담헌 이하곤의 「동유록東游錄」(『두타초頭陀草』 권14)에 의하면 그 높이가 삼백 척가량이라 올라가 내려다보니 겁나서 소름이 끼쳤다고 한다. 이 다리 이름은 만천교萬川橋라 하며 다리를 지나면 바로 산영루山暎樓라는 누각을 만나게 되는데 이것이 장안사의 정문正門 문루門樓로 이곳에 오르면 그 동북쪽으로 열립列立한 석가봉釋迦峯, 관음봉觀音峯, 지장봉地藏峯, 장경봉長慶峯 등 빼어난 백색 암봉들이 한눈에 들어와 비로소 금강산에 들어온 느낌을 만끽하게 된다고 한다.

그래서 겸재도 반공중에 걸린 이 웅장한 무지개다리와 우람하게 솟아 있는 백색 암봉들에 압도당했던 듯, 내금강에서 제일 큰 사찰인 장안사마저도 서쪽 산자락 아래에 대수롭지 않게 벌여 놓고, 비홍교와 석가봉, 장경봉 등 백색 암봉들만 크고 높게 표현하여 화면구성의 주축을 이루어 놓고 있다.

즉 비홍교가 궁륭형穹窿形◆ 통혈洞穴◆을 이루면서 전면 중앙을 가로막아 금강천 너른 물을 한데 모아 그 아래로 흘러가게 하자 석가봉, 장경봉 등 백색 암봉들은 마치 금강주金剛柱◆인 양 동북쪽에서 힘차게 솟아올라 음양陰陽 동정動靜의 철저한 대비對比를 이룩해 놓는다. 겸재 아니고서는 상상도 못할 화면구성법이다.

이에 담헌은 이런 제사를 달아 놓았다.

◆**궁륭형**穹窿形
활이나 무지개처럼 둥글게 휘어 있는 모양

◆**통혈**洞穴
앞뒤가 툭 터져 뻥 뚫린 굴

◆**금강주**金剛柱
금강석으로 만든 기둥

장안사비홍교長安寺飛虹橋 도판132

1747년 정묘丁卯 3월 3일, 견본담채絹本淡彩, 24.8×32.0cm, 《해악전신첩海嶽傳神帖》, 간송미술관 소장.

산영루 앞에, 다만 이삼봉二三峯이 있어, 높게 빼어나 사랑스러우니, 이 화폭은 조금 모아 싸 놓은 듯하다. 어찌 원백元伯이 흥이 났을 때, 팔 가는 대로 휘둘러서, 다만 그 의취意趣를 구하고, 그 형사形似를 구하지 않은 것이 아니겠는가. 이는 곧 화가의 말 상 보는 법과 같으니, 검고 누른 것이나 암수를 가려야 하나, 이를 생략한들 무엇이 해로우랴!

山映樓前, 只有二三峰, 巉秀可愛, 此幅微似攢疊. 豈非元伯興到時, 信手揮洒, 只求其趣, 不求其形似歟. 此乃畵家相馬法, 驪黃牝牡, 略之何害.

李夏坤, 『頭陀草』 卷十四, 題一源所藏海岳傳神帖, 長安寺

그리고 삼연 김창흡도 이런 제사[삽도99]를 붙이고 있다.

기원祇園◆에 금을 깔던 넓이와, 범전梵殿◆이 구름에 닿는 웅걸함이, 모두 한 다리에 눌리는 바 되었으니, 그 무지개 날고 달이 눕는 형세 높기도 해라.

◆ **기원**祇園
불교 최초의 사원인 기원정사祇園精舍. 터를 사기 위한 대금으로 그 터 위에 깔아 덮을 만큼의 금을 주었다는 고사가 있다.

◆ **범전**梵殿
사찰 건물을 가리키는 말. 깨끗하게 수행하는 무리인 범중梵衆, 즉 승려들이 사는 전각이란 의미이다.

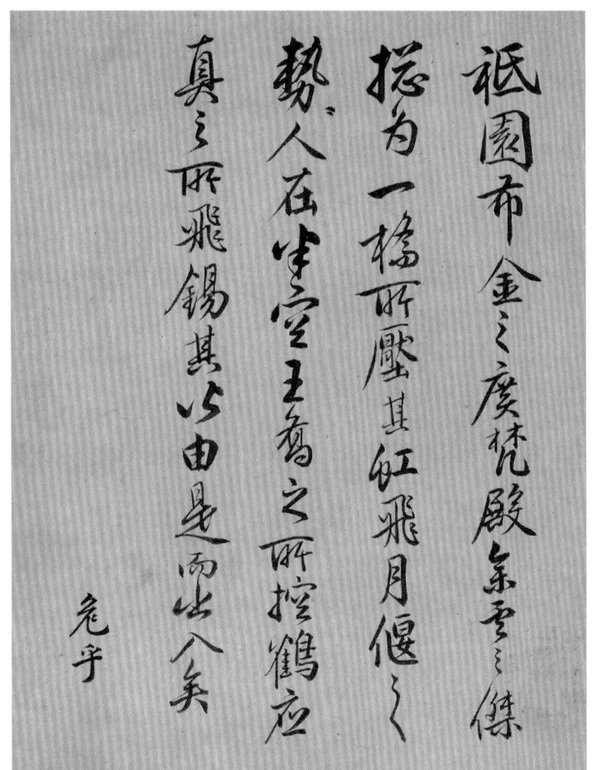

장안사비홍교長安寺飛虹橋 **제사**題詞[삽도99]
김창흡金昌翕 찬撰, 홍봉조洪鳳祚 서書, 1747년 정묘丁卯, 지본묵서紙本墨書, 25.0×32.0cm, 간송미술관 소장.

◆**왕교**王喬
주周 영왕靈王의 태자. 교喬가 직간을 하다가 폐서자가 된 다음 신선이 되어 백학을 타고 다녔다고 한다.

◆**응진**應眞
부처님의 제자인 아라한의 뜻 번역. 짚고 다니는 석장錫杖을 타고 날아다닌 이야기가 불경에 많이 보인다. 왕교와 응진 이야기는 진晋나라 손작孫綽의 유천태사부 遊天台山賦에서 따온 내용이다.

◆**호계**虎溪
중국 강서성 여산廬山 동림사東林寺 앞에 있는 시내. 동진東晋 때 혜원慧遠법사가 이곳에 살면서 이 시내를 건너 밖으로 나오지 않았는데 어느 날 대시인인 도연명陶淵明과 도사 육수정陸修靜이 찾아와 이들을 배웅하던 중 저도 모르는 사이에 이 시내를 건너자 호랑이가 울부짖어 경고했다 해서 생긴 이름이다.

◆**쇠젓대**鐵笛
쇠로 만든 피리. 주자朱子의 「철적정시서鐵笛亭詩序」에 의하면, 사랑侍郎 호명중胡明仲이 일찍이 무이산武夷山 은자隱者 유겸도劉兼道와 놀았는데 유겸도가 철적을 잘 불어서 구름을 뚫고 바위를 깨는 소리를 냈다 했으니, 오가철적吳家鐵笛은 유가철적劉家鐵笛의 잘못인 듯하다.

사람이 반공중에 있으니, 왕교王喬◆의 학을 탄 바나 응진應眞◆의 석장錫杖 탄 바가, 그 모두 이로 말미암아 출입하겠다.

祇園布金之廣, 梵殿參雲之傑, 摠爲一橋所壓, 其虹飛月偃之勢, 危乎.

人在半空, 王喬之所控鶴, 應眞之所飛錫, 其皆由是而出入矣.

金昌翕, 『三淵集』 卷二十五, 題李一源海嶽圖後, 長安寺

사천 이병연도 이런 제화시삽도100로 겸재의 화의에 공명한다.

신선다리仙橋 호계虎溪◆에 날아 나오니, 문득 멀어가는 종소리 무지개 속으로 오르는구나.
어찌 오가吳家의 쇠젓대鐵笛◆ 소리만 여기랴! 높은 곳 돌난간에서 찬바람을 맞는다.

仙橋飛出虎溪中, 却聽疏鐘上彩虹. 安得吳家鐵笛乎, 石欄高處御冷風.

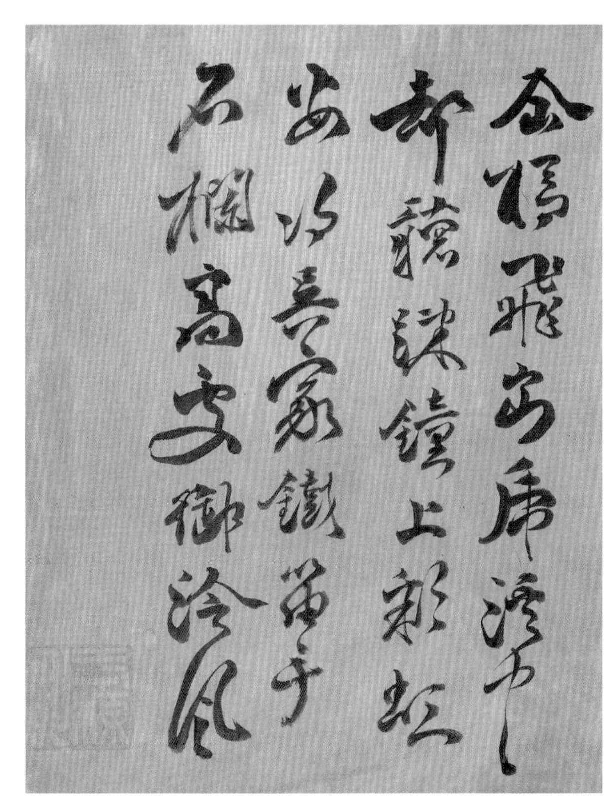

장안사비홍교長安寺飛虹橋 **제시**題詩삽도100
이병연李秉淵 시서詩書, 1747년 정묘丁卯, 지본묵서紙本墨書, 25.0×32.2cm, 간송미술관 소장.

겸재는 이 그림에서 금강산의 백색 암봉이 가지는 골력骨力의 표현을 위해 서릿발준법霜鍔皴法을 이끌어 쓰기로 작정했던 듯 백색 암봉의 표현에 한결같이 모지고 예리한 서릿발준법이 적용되고 있는데 골기탱천骨氣撑天◆ 한 암봉의 당당한 기세를 표현하는 데 이보다 더 적합한 묘법描法은 없을 듯하다. 여기서 성공한 겸재는 이 서릿발준법을 금강산 암봉 표현의 기본화법으로 자기화하여 겸재준謙齋皴이라고 부를 수 있는 예각수직준법銳角垂直皴法◆ 으로 발전시켜 나가게 된다.

한편 소나무와 전나무 등 침엽수림의 표현은 가로로 긴 대담한 먹점을 층층이 쌓아 올리고 나무둥치를 죽죽 그어 내리는 소위 미가편점수법米家扁點樹法◆ 을 이끌어 써서 창울임리蒼鬱淋漓◆ 한 원시림의 그윽한 분위기를 살리고 있으며 먼 산 수풀은 미점米點으로 불리우는 옆으로 긴 대담한 먹점만을 찍어 수림을 상징하고 있는데 이 역시 소나무, 전나무 등 침엽수림이 많은 우리 산천의 수림 양상의 표현에 적절하여 이후 겸재의 토산수림법土山樹林法◆ 의 한 특징으로 발전해 간다.

이로 보면 이 그림은 화면구성 상에서나 골산骨山 및 토산수림土山樹林의 표현법에서 겸재가 혁신적인 실험을 시도하여 최초로 성공한 작품이라 할 수 있겠는데 골산의 서릿발준법은 중국의 북방화법北方畵法에서 취하고 토산수림법은 남방화법南方畵法에서 취했으니 중국의 남북방화법의 이상적인 조화가 겸재의 손에 의해서 남김없이 이루어진 것이라고 보아야 하겠다.

이렇게 겸재가 필筆·묵墨으로 양분되는 중국 남북방화법의 대립적 표현기법에서 그 근원적 특징을 명료하게 적취摘取◆하여 조금도 무리 없는 조화를 이루면서 자기 화법으로 재창조해 낼 수 있었던 것은 겸재 자신의 타고난 예술적 천품도 천품이었겠지만 그 사상적 바탕을 이루고 있던 조선성리학 이념이 원천적으로 작용한 결과라고 생각된다. 당세 지식인의 통념인 이기理氣의 작용 및 음양조화의 원리가 자연스럽게 화법 창안의 방향성을 결정해 주었을 것이기 때문이다.

◆ **골기탱천**骨氣撑天
뼈 기운이 하늘을 찌름

◆ **예각수직준법**銳角垂直皴法
날카롭고 모진 수직 선묘법

◆ **미가편점수법**米家扁點樹法
미불米芾과 미우인米友仁 부자가 구름에 잠긴 산을 그릴 때 가까운 나무나 큰 나무를 그리면서 가로로 긴 대담한 먹점을 층층이 쌓아 올리고 나무둥치를 죽죽 그어 내리는 나무 그림법을 주로 썼으므로 이를 미가편점수법이라 한다.

◆ **창울임리**蒼鬱淋漓
짙푸르름이 뚝뚝 떨어질 듯 흥건히 배어남

◆ **토산수림법**土山樹林法
흙산에 나무숲을 그리는 법

◆ **적취**摘取
따냄

정양사正陽寺 도판133

『동국여지승람東國輿地勝覽』 권47 회양 불우佛宇 정양사正陽寺조에 이런 기록이 있다.

> 정양사는 금강산의 정맥正脈에 자리를 잡고 있는 까닭에 정양正陽이란 이름을 얻었으며, 지계地界가 높고 탁 트여 금강산의 내외 뭇 봉우리들을 하나하나 다 바라볼 수 있다. 전해 오기를 고려 태조가 이 산에 올랐을 때 금강산의 주처住處◆ 보살인 담무갈曇無竭◆ 보살이 바위 위에 몸을 나타내어 빛을 발하므로 태조는 신료들을 거느리고 정례頂禮◆를 드린 다음 이 절을 창건했다. 그래서 절의 뒷봉우리를 방광대放光臺◆라 하고 앞산마루를 배재拜岾◆ 또는 진헐대眞歇臺◆라 한다.

이로 보면 정양사는 금강산의 주봉인 비로봉으로부터 내려오는 금강산의 정맥상正脈上에 높이 자리 잡고 있어 금강산 일만이천봉을 한눈에 바라다볼 수 있는 명당을 차지한 절인 듯한데, 고려 태조가 금강산의 주인인 법기보살을 이곳에서 친견하고 이를 기념하기 위해 창건했다 하니 그 유서와 역사 또한 깊고 오래됐다 하지 않을 수 없다.

그래서 담헌 이하곤은 그의 금강산 여행기인 「동유록東游錄」에서 다음과 같이 써 놓고 있다.

> 정양사에 이르러 곧장 소위 팔각전八角殿이란 곳으로 가 보니 만듦새가 지극히 교묘하고 벽 위에는 모두 불화가 그려져 있다. 대대로 전해져 오기를 오도자吳道子◆ 그림이라 한다 하지만 이는 아니고 종합하건대 신라도 아니며 그 이후 그림이다. 연전에 승려들이 그 떨어져 나가는 것을 안타까워하여 범속한 화공을 데려다 채색을 덧입혀 고쳐서 옛 모습을 다시 볼 수 없다 한다. 그 무식함이 이에 이르니 정말 통탄할 일이다.
>
> 불전의 천판天板◆ 위에 대장경을 갈무려 두었으므로 승려들에게 꺼내 오게 하여 보니 일찍이 듣지 못하던 것들이다. 고려 문종文宗 때 관청을 두어 경판을 새겨

◆ **주처**住處
머물러 삶, 또는 머물러 사는 곳

◆ **담무갈**曇無竭
뜻으로 번역하면 법기法起가 된다. 『구화엄경舊華嚴經』 권29 보살주처품菩薩主處品에서는 지달산枳怛山에서 담무갈보살이 만이천 보살과 함께 항상 머물며 설법한다 했고, 『신화엄경新華嚴經』 권45 제보살주처품에서는 금강산에서 법기보살이 천이백 보살과 함께 항상 머물며 설법한다 했다.

◆ **정례**頂禮
이마가 땅에 닿도록 엎드려 절하는 예절. 극진한 공경을 표시할 때 행한다.

◆ **방광대**放光臺
빛을 놓는 대

◆ **배재**拜岾
절 고개

◆ **진헐대**眞歇臺
진인眞人, 즉 임금이 쉬던 대. 뒷날 천일대天逸臺(天一臺)로 불리었다.

◆ **오도자**吳道子
?~792. 8세기 중반경에 활동한 당나라 명화가. 산수·인물 등 모든 화과畵科에 뛰어났으며, 특히 불화를 잘 그렸다고 한다. 이름은 도현道玄, 자字가 도자道子이다.

◆ **천판**天板
천장 판자

정양사正陽寺 도판133

1747년 정묘丁卯 3월 3일, 견본담채絹本淡彩, 24.2×31.2cm,《해악전신첩海嶽傳神帖》, 간송미술관 소장.

내고 각각 한 벌씩 인쇄하여 여러 명산名山에 감춰 두었었는데 이것도 그 중의 한 벌이다. (중략)

점심을 마치고 헐성루歇惺樓를 걸어 나와 드디어 천일대天逸臺에 이르렀는데 저녁 안개가 걷히며 석양이 맞비치니 중향성衆香城 일대가 은성옥벽銀城玉璧◆처럼 휘황하게 빛나 눈길을 빼앗는다.

◆ **은성옥벽**銀城玉璧 은으로 만든 성과 옥으로 만든 벽

到正陽寺, 直抵所謂八角殿, 制作工巧, 壁上皆佛畵. 世傳爲吳道子筆, 非是, 要之亦非新羅, 以後筆也. 年前僧輩, 憫其剝落, 邀庸工, 改加丹彩, 無復舊觀. 其無識至此, 良可痛也. 佛殿天板上, 藏大藏經, 令僧輩取來, 皆曾所未聞者. 麗文宗時 設局鏤板, 各印一本, 藏諸名山, 此其一也.(中略) 午飯已, 步出歇惺樓, 遂至天逸臺, 昏嵐始褰, 夕陽照映衆香一帶, 如銀城玉璧, 熀耀奪目.

李夏坤,『頭陀草』卷十四, 東游錄

담헌이 팔각전이라 한 것은 사실 들보를 쓰지 않고 지었다는 육각전六角殿이다. 담헌이 무심하게 보아 일반적인 팔각전으로 오인했던 모양이다.

담헌이 점심을 먹었다는 헐성루는 정양사의 문루門樓로 바로 이곳에 올라야만 금강산 일만이천봉이 한눈에 들어온다고 한다. 그래서 고래로 문인 묵객들이 이곳에 올라 그 감회를 토로하는 많은 명작들을 남겨 놓고 있다.

우암尤庵 문인 직재直齋 이기홍李基洪(1641~1708)이 남긴 시는 다음과 같다.

남여 재촉해 정양사 문루 오르니, 만이천봉 눈 아래 떠오른다.
난간에 종일 기대 진면眞面 대했으니, 내 걸음 문득 이곳에서 그쳐야겠네.
肩輿催上正陽樓, 萬二千峰眼底浮. 盡日憑欄眞面對, 吾行到此便宜休.

곤륜崑崙 최창대崔昌大(1669~1720)는 또 이런 시를 남겼다.

금강산 일만이천봉, 백옥 연꽃 몇몇 겹인가.
가을 겨울 잎 질 적에, 헐성루 위에서 참모습 보리.
金剛一萬二千峰, 白玉芙蓉問幾重. 直是秋冬搖落際, 歇惺樓上見眞容.

이는 역대 문인묵객文人墨客들이 남긴 허구 많은 명시들 가운데 예로 든 2수의 시일 뿐이다.

그러나 겸재는 《해악전신첩》 속의 이 〈정양사〉는 금강산 일만이천봉이 다 바라다보이는 시각과는 전혀 무관하게 그려 내고 있다. 오직 방광대放光臺와 천일대天一臺의 토산에 둘러싸여 창울蒼鬱한 송림 속에 파묻힌 정양사의 모습만을 집중묘사했다. 그래서 짐짓 음양조화나 음양대비의 화면구성 원칙이 깨지는 듯하다.

그러나 다시 보면 수림 속 중앙에 우뚝우뚝 솟아난 정양사의 여러 전각들이 바로 양陽의 표상임을 알 수 있다. 그러면 창울임리한 토산수림과 더할 나위 없는 음양조화가 이루어지는 것이 아니겠는가. 음기가 너무 강성하다 생각했는지 겸재는 정양사와 대각선상의 화면 오른쪽 하단 귀퉁이에 금강대金剛臺 모진 암봉岩峯을 층층이 솟구쳐서 힘을 보태고 있다.

만폭동萬瀑洞도판134

내금강 표훈사表訓寺에서 왼쪽으로 산길을 따라 오르면 정양사가 나오지만 오른쪽으로 금강천의 큰 물줄기를 따라가면 만폭동萬瀑洞이 나온다.

만폭동은 내금강의 상봉인 비로봉 중향성衆香城 일대의 물이 기암괴석으로 이루어진 암산 계곡을 따라 골골마다 나뉘어 흘러오다가 한데 합수合水되는 곳이니 왼쪽 정양사 등 넘어 원통암圓通庵 골짜기 물로부터 중앙의 만회암萬灰庵 물, 보덕굴普德窟 물, 오른쪽의 금수대錦繡臺 물, 혈망봉穴望峰 물 등이 모두 이곳에서 만난다. 그래서 『동국여지승람』 권47 회양 산천의 만폭동조에,

> 백 가지 길로 흐르는 시내가, 골짜기로 쏟아져 내리는데, 그 형상이 하나도 같지 않으므로 만폭동이라 이름한다.
>
> 百道流川, 瀉出谷中, 其狀非一故名.

고 했다.

그런데 이렇게 암산 절벽을 타고 내리 떨어지는 만 폭의 물길이 한데 합수되는 곳에는 큰 마당보다도 더 넓은 너럭바위가 펼쳐져 있다. 그리고 그 뒤에는 오선봉五仙峯이라는 독립 암봉이 우뚝 솟아 너럭바위를 가려 줌으로써 너럭바위를 더없는 명당으로 만들어 준다. 이에 고래로 이곳을 찾은 문인 묵객들은 금강산 모두가 조화덩어리지만 그 조화의 신비가 극에 달한 곳이 바로 이곳이라는 데 생각을 같이하게 되었다.

그래서 조선 전기 4대 명필의 하나로 꼽히고 대시인으로 알려진 봉래蓬萊 양사언楊士彦(1517~1584)은 회양부사로 있으면서 이곳 만폭동을 사랑하여 자주 찾다가 끝내 그 흥취를 이기지 못하고 너럭바위 위에다 「봉래풍악 원화동천蓬萊楓嶽 元化洞天」* 이라는 여덟 글자를 한 붓으로 휘둘러 써 남겨 놓았다. 필세비동筆勢飛動* 하는 그 웅혼한 필력은 만폭동의 장엄한 경관과 서로 짝하기에 조금도 손색이 없다는 것이 역대 감식안의 품평이니 양봉래도 이 글씨를 쓸 때는 문득 몰아沒我의 경지에서 짐짓 조화옹造化翁의 솜씨를 발휘했던 모양이다.

* **봉래풍악 원화동천**蓬萊楓嶽 元化洞天 봉래산, 풍악산은 원래 조화로 이루어진 별천지이다.

* **필세비동**筆勢飛動 글씨 획의 기세가 날아 움직이는 듯함

만폭동萬瀑洞 도판134

1747년 정묘丁卯 3월 3일, 견본담채絹本淡彩, 24.9×32.0cm, 《해악전신첩海嶽傳神帖》, 간송미술관 소장.

그래서 뒷날 이곳을 찾은 담헌 이하곤은 「만폭동가십수萬瀑洞歌十首」를 지으면서 「청룡담靑龍潭」이란 제목으로 다음과 같이 읊고 있다.

금강대 높이 몇 천 척인가, 아래 있는 청룡담 물빛 짙푸르다.
선학仙鶴은 날아 날아 벌써 하늘로 갔고, 이제 오직 못 속에 용만 엎드려 있다.
봉래 노옹 필세 웅장해, 이 산과 하늘까지 높이를 다투려 했지.
고인古人은 이미 뵐 길 없기에, 소나무 기대어 휘파람 부니 바람만 쓸쓸히 지나쳐 간다.

金剛臺高幾千尺, 下有靑龍潭水綠. 仙鶴飛飛已上天, 至今唯有潭龍伏.
蓬萊老翁筆勢雄, 欲與此山爭穹崇. 古人已矣不可見, 倚松嘯吹來悲風.
李夏坤, 『頭陀草』 卷五, 萬瀑洞歌十首

그런데 이곳에서 보면 왼쪽으로 대소大小 향로봉香爐峰이 우뚝 솟고 오른쪽으로는 좌선암봉坐禪岩峯 절벽이 칼날같이 솟아 있으며 그 너머로 이곳에 물을 흘려 보내주는 중향성衆香城 일대의 백색 암봉들이 병풍을 두른 듯이 열립列立한다고 한다. 그래서 마치 백만 군사가 창검을 세워 도열한 열병식을 보는 듯한 장쾌한 경관 속에서 천병만마가 어우러져 싸우는 듯한 만 폭의 폭포성을 듣는 호방무쌍한 흥취가 일기도 하는 모양이다.

임진왜란 당시 승군을 이끌어 영웅이 된 사명당泗溟堂 유정惟政(1544~1640)이 다음과 같은 시를 남기고 있기 때문이다.

이곳은 인간의 백옥경白玉京, 유리동부에 중향성 있네.
떨어지는 만 갈래 폭포 천봉에 눈이 쌓인 듯, 휘파람 한 번 길게 불어 대니 천지天地가 깜짝 놀란다.

此是人間白玉京, 琉璃洞府衆香城. 飛流萬瀑千峰雪, 長嘯一聲天地驚.

이렇듯 만폭동이 금강산 절경 중의 절경이니 겸재가 그리지 않을 수 없었을 것이다. 그래서 많은 만폭동도를 남겨 놓고 있는데 한결같이 너럭바위를 근경으로 잡은 다음 대소향로봉과 좌선암봉을 좌우로 배치해 중경을 삼고 그 너머로 중향성의 골봉骨峰들을 삼엄하게 나열시키는 화면구성법을 쓰고 있다.

이런 구도는 정양사에서 보이던 토석土石의 구분에 따른 강렬한 음양대비법에 비교해 본다면 그 원칙에서 벗어난 듯한 느낌마저 들게 하지만 이곳에서도 원칙적으로 음양조화를 화면구성의 기본으로 삼고 있다는 것을 쉽게 발견해 낼 수 있다. 다만 대경對境이 전반적으로 골기름름骨氣凜凜◆ 한 암봉으로만 이루어져 있기 때문에 그 사생성을 무시할 수 없어 극단적인 대비를 삼가고 있을 뿐이다.

그래서 너럭바위를 둥글게 표현해 합수된 만폭동의 물줄기가 그를 에워싸 휘돌게 하면서 그 뒤 가운데로 오선봉五仙峯을 과시하게 했다. 그러나 이런 강경한 표현이 화면을 경직시킬 우려가 있으므로 그 좌우로는 창울한 송림을 포치해 짐짓 강유强柔◆ 의 조화를 얻게 한 다음 오른쪽 근경에도 송림을 더해 더욱 그 기세를 누그러뜨리고 있다.

◆ **골기름름**骨氣凜凜 뼈 기운이 소름 끼치도록 굳세고 당당함

◆ **강유**强柔 굳셈과 부드러움

한편 중경인 대소향로봉과 좌선암봉은 암산임에도 불구하고 송림을 층층이 배열해 스스로 조화를 얻게 하면서 원경 골봉에 대응하도록 했는데, 대향로봉 뒤로는 사자암獅子岩을 마치 운문雲文 형식으로 표현하고 좌선암봉 위에는 좌선암에 인간적 형상성을 부여함으로써 더욱 암산의 골기를 중화시켜 놓는다.

이런 경치를 송강 정철은 「관동별곡」에서 이렇게 읊고 있다.

영중營中이 무사無事하고, 시절時節이 삼월三月인제.
화천花川 시내길이, 풍악楓岳으로 벋어 있다.
행장行裝을 다 떨치고, 석경石逕에 막대 짚어.
백천동百川洞 곁에 두고, 만폭동萬瀑洞 들어가니.
은銀같은 무지개, 옥玉같은 용龍의 꼬리.
섯돌며 뿜는 소리, 십리十里에 잦았으니.
들을 제는 우뢰러니, 보니는 눈이로다.

금강내산金剛內山 도판135

〈금강내산金剛內山〉은 《해악전신첩海嶽傳神帖》 안에 합장合裝된 21면의 그림 중 한 폭이다.

일찍이 겸재는 숙종 37년(1711) 신묘에 36세의 한창 나이로 단금斷金의 벗인 진경시眞景詩의 대가 사천槎川 이병연李秉淵(1681~1751)이 금강산 초입의 금화 현감으로 나가 있는 기회에 사천의 초청을 받아 스승인 삼연三淵 김창흡金昌翕(1653~1722)을 모시고 금강산을 처음 여행하게 되었다. 이때 삼연과 사천은 진경시로 금강산을 사생하고 겸재는 진경산수화로 금강산을 사생하여 이를 합장하고 《해악전신첩》이라 이름 지었는데 이 시화첩이 세상에 알려지면서 겸재는 일약 국중 제일 명화가로 명성을 얻게 되었다.

이로부터 겸재는 세상의 기대를 일신에 모으며 평생 화도 수련을 쉬지 않아 결국 진경산수화풍을 대성해 낸다. 그렇게 대성자가 되고 나서 그는 자신의 출세작인 《해악전신첩》을 다시 꾸미고자 36세로부터 36년이 지난 72세 시(1747)에 금강산을 다시 여행하여 36세 시에 그렸던 그림들을 무르익은 72세 노대가의 솜씨로 다시 그려 낸다.

그러고 나서 그 당시 사천의 시는 아직 78세로 생존해 있는 사천에게 다시 쓰게 하고 이미 돌아간 스승 삼연의 시는 동문의 벗인 강원감사 우산盂山 홍봉조洪鳳祚(1680~1760)에게 쓰게 해서 예전처럼 합장하여 《해악전신첩》을 다시 꾸며 냈다. 이렇게 꾸며진 그 후後《해악전신첩》 속에 이 〈금강내산〉이 합장되어 있다. 그러니 겸재가 36세 시부터 그려 온 〈금강내산〉, 즉 내금강 총도가 이 그림에서 완성된 모습을 보인다 해도 과언이 아니다.

금화에서 금성을 거쳐 내금강으로 들어가려면 단발령斷髮嶺을 넘어야 하는데 그곳에 올라서면 비로봉을 주봉으로 하는 금강산 일만이천봉의 백색 화강암 암봉들이 마치 한 떨기 하얀 연꽃송이처럼 눈앞에 떠오른다고 한다. 그 감흥을 겸재는 부감俯瞰하는 시각으로 포착하여 내금강 전경을 한 화폭 안에 담아냈던 것이다.

이는 겸재가 노년기에 터득한 우주 자연의 섭리를 조선성리학에 투영시켜 진경산수화로 반사해 낸 결정체라 할 수 있다. 「금강내산金剛內山」이란 겸재 자필 화제

금강내산金剛內山 도판135

1747년 정묘丁卯 3월 3일, 견본담채絹本淡彩, 49.5×32.5cm, 《해악전신첩海嶽傳神帖》, 간송미술관 소장.

畵題 아래에 '겸재謙齋'라는 관서款書가 있고 '정鄭'·'선敾' 이라는 두 방의 방형方形 백문白文 인장이 찍혀 있다.

비로봉을 정점頂點으로 내금강 일만이천 백색 화강암봉을 부채꼴 모양으로 펼쳐 놓아 막 피어나는 백련白蓮 꽃봉오리처럼 화면을 구성했는데 음중양陰中陽으로 음양조화陰陽調和의 『주역周易』 원리를 표방하고자 미가운산식米家雲山式 토산土山이 상악세霜鍔勢의 백색 화강암봉을 포근하게 감싸고 있다. 부드럽고 질펀한 청묵靑墨과 날카롭고 삼엄한 골선骨線이 신묘한 대조를 이루며 산뜻하게 어우러지니 마치 백련 꽃봉오리에서 청향淸香을 토해 내는 듯한 느낌이 든다.

토산자락에는 장안사長安寺·표훈사表訓寺·정양사正陽寺 같은 큰 절이 정확하게 포치돼 있고 골따라 수림을 배설하면서는 장경암長慶庵·백련암白蓮庵·관음암觀音庵·청냉암淸冷庵·원통암圓通庵·만회암萬灰庵·보덕굴普德窟·마하연摩訶衍·은적암隱寂庵 등 암자들을 남김없이 그리고 있다.

뿐만 아니라 삼불암三佛巖·묘길상妙吉祥은 물론 방광대放光臺·금강대金剛臺·만폭동·오선봉五仙峯 등등 찾아서 찾아지지 않는 것이 없다. 금강산 일만이천봉一萬二千峯 팔백구암자八百九庵子가 가슴에 가득 차 있지 않고서는 그려 낼 수 없는 그림이다. 춘금강春金剛의 면모를 남김없이 표현해 낸 〈금강내산총도〉 중 백미白眉라 하겠다.

삼연의 제사[삽도101]는 《해악접신첩》 중 〈금강내산총도金剛內山摠圖〉에 붙인 것으로 그 내용은 다음과 같다.

> 산은 내외內外로 나누어졌는데, 하나는 신기하고 빼어났으며, 하나는 크고 넓음으로써, 합치면 만개 옥玉으로 이루어진 밭과 굴이 된다.
> 대체 멀리 보는 것이 가까이 보는 것보다 좋고, 다시 노니는 것이 처음 노니는 것보다 좋아서, 그런 까닭으로 빙빙 돌며 오가기를, 이에 예닐곱 번에 이르도록 지팡이를 끈 사람은, 이 늙은이 같은 이가 그일 뿐이다.
>
> 山分內外, 一以神秀, 一以宏博, 合之爲萬玉圃窟. 大抵遠觀勝近觀, 再遊勝始遊, 所以徊翔往復, 乃至六七度 理筇者, 如此翁, 是已.
>
> 金昌翕, 『三淵集』 卷二十五, 題李一源海嶽圖後, 金剛內山摠圖

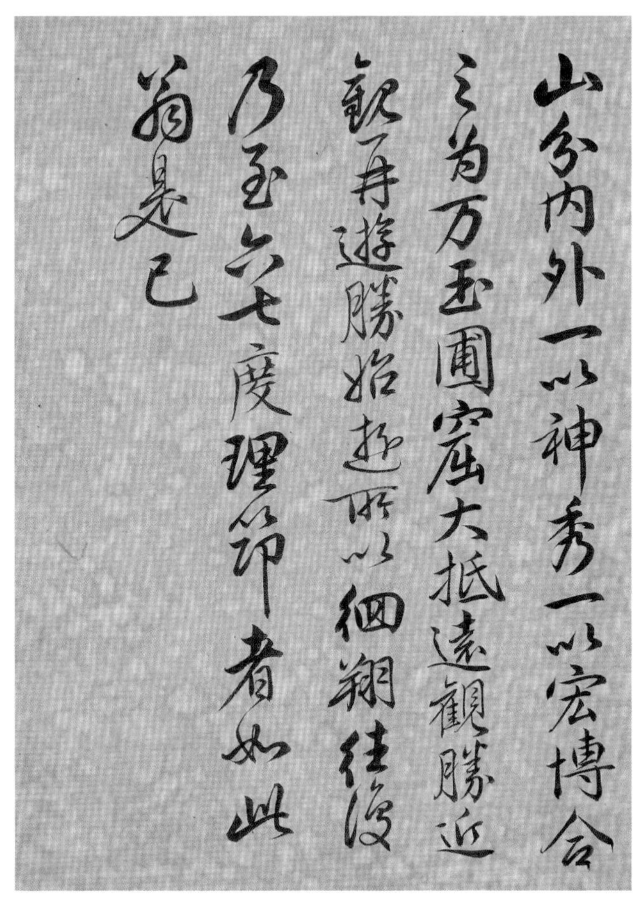

금강내산총도金剛內山摠圖 **제사**題詞 삽도101
김창흡金昌翕 찬撰, 홍봉조洪鳳祚 서書, 1747년 정묘丁卯, 지본묵서紙本墨書, 24.4×31.4cm, 간송미술관 소장.

사천의 제시삽도102는 〈비로봉毘盧峯〉도판118에서 인용한 「정원백鄭元伯이 안개 속에서 비로봉 그리는 것을 보고觀鄭元伯霧中畵毘盧峯」이다.

다음 동계東溪의 제사는 이렇다.

> 초楚나라 남쪽은, 사람이 적고 돌이 많다. 천지가 정령精靈을 기르는데, 돌과 사람이 항상 그 나누는 숫자를 다툰다 한다.
>
> 나는 이 일만이천 금강산 봉우리를 때려 부숴, 널리 일만이천 금강인金剛人을 얻어 내고 싶다.
>
> 楚之南, 少人而多石. 天地毓靈, 石與人, 恒爭其分數. 吾欲搥碎此萬二千金剛峰, 博取萬二千金剛漢矣.
>
> 趙龜命,『東溪集』卷六, 題十二兄(迪命)所藏海嶽圖屛, 內山摠圖

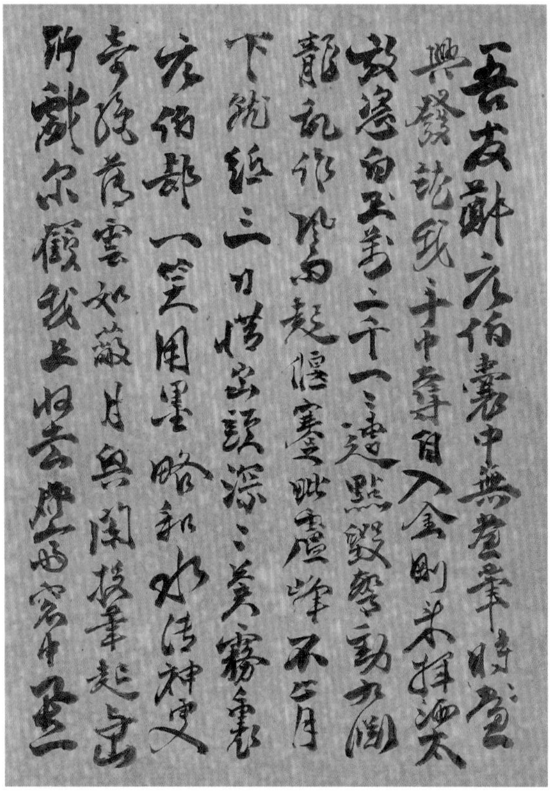

동계는 기기묘묘奇奇妙妙하고 형형색색形形色色인 금강산 일만이천봉의 빼어난 모습을 그와 같은 인재人材로 바꿔 놓았으면 얼마나 좋겠느냐는 차원 높은 욕심을 부리고 있는 것이다.

금강내산총도金剛內山摠圖 **제시**題詩 삽도102(왼쪽)
이병연李秉淵 시서詩書,
1747년 정묘丁卯,
지본묵서紙本墨書, 24.4×31.4cm,
간송미술관 소장.

비로봉毘盧峰 도판118-1(오른쪽)
1747년 정묘丁卯,
견본수묵絹本水墨, 19.2×25.0cm,
《겸재화謙齋畵》, 이학李鶴 소장.

불정대佛頂臺도판136

송강松江 정철鄭澈(1536~1593)은 「관동별곡」에서 다음과 같이 읊고 있다.

> 마하연摩訶衍 묘길상妙吉祥, 안문雁門재 넘어지어.
> 외나무 써근 다리, 불정대佛頂臺 올라 하니.
> 천심절벽千尋絶壁을, 반공半空에 세여 두고.
> 은하수 한 구비를, 촌촌히 버혀 내여.
> 실같이 풀쳐 이셔, 베같이 걸었으니.
> 도경圖景 열두 구비, 내봄에는 여러이라.
> 이적선李謫仙 이제 있어, 고쳐 의논하게 되면.
> 여산廬山이 여기도곤, 낫단 말 못하리니.

정송강보다 백사십 년 뒤에 나서 동국진경을 글이 아닌 그림으로 묘사해 낸 정겸재는 송강가사의 진경 묘사력에 감복했던 듯 그 내용에 영락없이 부합하도록 〈불정대〉를 그리기 시작했다. 그래서 그가 맨 처음 그려 낸 〈불정대〉 그림이라고 생각되는 국립중앙박물관 소장 《신묘년풍악도첩》 중의 〈불정대〉도판6도 마치 거대한 석주石柱 모양의 암봉岩峯이 차아嵯峨◆하게 솟아난 박달봉朴達峯 본산本山과 몇 걸음 되지 않는 천길 벼랑으로 분리되어 외나무다리를 걸쳐 놓은 양으로 그려 놓고 있다.

◆차아嵯峨 높게 우뚝 솟은 모양

이 외나무다리를 건너서야 대 위에 올라갈 수 있는데 이 위에는 수십 명이 함께 앉을 만한 넓고 편안한 공간이 있으며 그곳에서 서쪽을 보면 십이 폭十二瀑이 맞바라다보이고 동쪽으로 굽어보면 동해 바다가 발밑에 깔린다고 한다. 그 정경을 담헌 이하곤은 그의 「동유록」에서 이렇게 묘사하고 있다.

> 15일 비가 아직 쾌하게 개이지 않다. 드디어 비를 무릅쓰고 떠나다. 절 북쪽으로 한 재를 넘어 15리를 가서 불정대에 오르니 위태로운 바위가 불쑥 솟아나서 대臺를 만들었다. 서쪽으로 십이 폭을 바라보고 동쪽으로 큰바다를 바라보니 은선대隱

불정대佛頂臺 도판136

1747년 정묘丁卯 3월 3일, 견본담채絹本淡彩, 25.6×33.6cm,《해악전신첩海嶽傳神帖》, 간송미술관 소장.

불정대佛頂臺 도판6
1711년, 견본담채絹本淡彩,
34.5×37.4cm,
《신묘년풍악도첩辛卯年楓岳圖帖》,
국립중앙박물관 소장.

仙臺와 서로 백중伯仲을 다툴 만하다.

十五日 雨未快霽. 遂冒雨作行. 由寺北踰一嶺, 行十五里, 登佛頂臺, 危岩斗起作臺. 西望十二瀑, 東望大海, 可與隱仙相伯仲矣.

李夏坤,『頭陀草』卷十四, 東游錄, 甲午 四月 十五日

그래서 삼연은 겸재의《해악전신첩》〈불정대〉에「불정대에서 십이 폭을 바라보며佛頂臺 望十二瀑」라는 제목으로 이런 제사삽도103를 붙여 놓고 있다.

◆**은신대**隱身臺
은선대隱仙臺인 듯하다.

폭포를 바라다보는 통쾌함은, 은신대隱身臺◆만 못하나, 사다리가 허공에 멀리 세워져 있으니, 오히려 돌다리의 운치가 있다. 두루미 둥지가 기울었고, 소나무 넘어

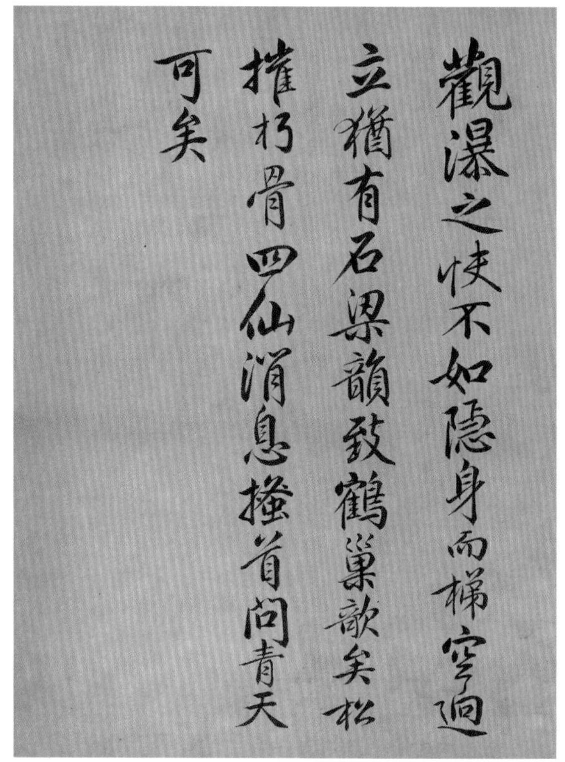

불정대佛頂臺 **제사**題詞 삽도103
김창흡金昌翕 찬撰, 홍봉조洪鳳祚 서書, 1747년 정묘丁卯, 지본묵서紙本墨書, 25.8×33.6cm, 간송미술관 소장.

져 속이 썩었으니, 사선四仙 소식을, 머리 긁으며 푸른 하늘에 묻는 것이 좋겠다.

觀瀑之快, 不如隱身, 而梯空逈立, 猶有石梁韻致. 鶴巢歛矣, 松摧朽骨, 四仙消息, 搔首問青天可矣.

金昌翕,『三淵集』卷二十五, 題李一源海嶽圖後, 佛頂臺 望十二瀑

사천도 그 아래에 다음과 같은 제화시삽도104로 겸재와 함께 여행하며 금강산을 시화詩畵로 사생하던 정황을 읊고 있다.

천추千秋에 빛날 송강松江 노인 가요歌謠에 있듯, 불정대佛頂臺 앞에는 외나무다리.
다병多病한 중년이라 심력心力 약해서, 지팡이 의지하고 산중턱을 되내려오네.

千秋松老有歌謠, 佛頂臺前獨木橋, 多病中年心力弱, 挾筇却下半山腰.

겸재가 칠십 노경에 그린 이 〈불정대〉는 바로 송강가사에서 읊었듯이 우뚝 솟

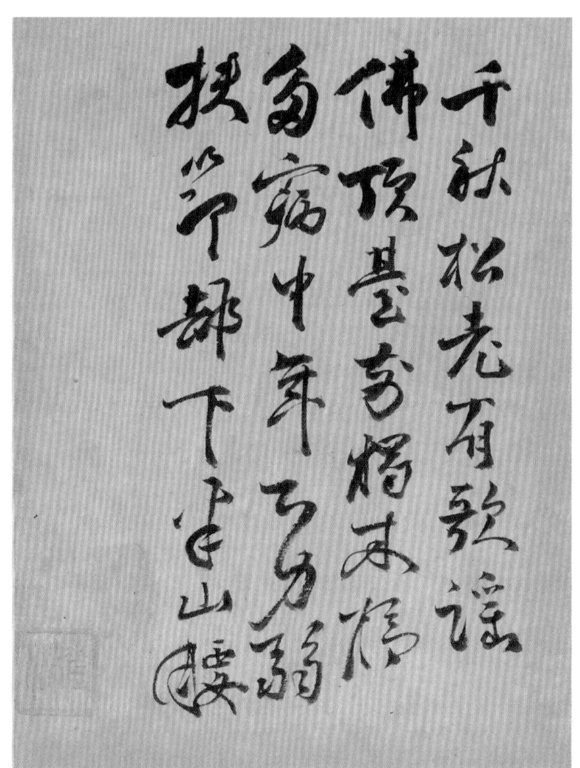

불정대佛頂臺 **제시**題詩 삽도104
이병연李秉淵 시서詩書,
1747년 정묘丁卯, 지본묵서紙本墨書,
25.5×33.5cm, 간송미술관 소장.

은 석주石柱 모양의 불정대에 두 가닥 널판을 걸쳐 놓아 사람이 통행할 수 있게 한 외나무다리를 표현해 놓고 있으며 그 뒤 병풍처럼 둘러쳐진 천야만야한 구정봉九井峰 암벽 아래로는 열두 굽이 십이 폭 폭포수가 정말 베폭을 펼쳐 내린 듯 까마득히 내리 떨어지게 그려 놓고 있다.

그래서 후계 조유수는 겸재의 이 〈불정대〉 그림을 보고 다음과 같은 제사를 붙여 두 정씨의 진경사생력을 함께 찬양하고 있다.

> 천추千秋의 불정폭佛頂瀑, 두 정씨鄭氏 드러내니.
> 뒤에는 원백元伯(겸재의 자字)의 그림이 있고, 앞에는 계함季涵(송강松江의 자字)의 가사가 있네.
> 千秋佛頂瀑, 二鄭發揮之. 後有元伯畵, 前有季涵詞.
> 『后溪集』 卷二, 題四帖小屛五絶, 佛頂臺

그러나 이 그림에서 동해 바다는 그리지 않고 있다. 불정대 아래로 운림雲林에 싸인 외원통암外圓通庵을 까마득하게 포치布置시켰을 뿐이다. 절 주변을 감싸고 있는 하늘빛 훈염의 연하煙霞◆만으로도 그 밖에 바다가 이어질 듯한 느낌이 드는데 수직으로 끊어져 내린 암벽의 발치가 허공에 잠기고 있음에랴! 겸재는 한 붓도 바다를 그리는 데 쓰지 않았으나 그 넓은 바다를 느끼게 하고 있는 것이다.

불정대와 박달봉은 대부벽준大斧劈皴에 절대준折帶皴◆을 가미한 대담한 필묵법으로 호방하게 묘사하여 임리淋漓한 미가수법米家樹法과 어우러져 웅혼한 기상을 표출시킨 데 반해 구정봉 암벽은 소부벽준小斧劈皴에 피마준披麻皴을 연결시킨 장부벽준長斧劈皴◆ 형태의 겸재준謙齋皴을 난만하게 구사해 장쾌한 기상이 하늘을 찌르게 했다.

그리고 외나무다리가 놓인 천 길 절벽의 틈새는 짙은 하늘빛으로 메워 한정 없이 깊은 허공임을 강조해 놓고 있다. 그것이 십이 폭의 흰빛 물줄기와 절묘한 대비를 이루는 것이라는 점을 간과해서는 안 된다. 일견 호방장쾌하게 일필휘지一筆揮之◆한 그림인 듯한 느낌이 드나 구도와 필묵법 어느 한 곳에서도 빈틈이 없다. 정녕 입신入神의 경지에 든 노대가의 진면목을 보여 주는 그림이라 하겠다.

◆ **연하**煙霞
안개와 놀

◆ **절대준**折帶皴
시루떡을 썰어 떡판에 고여 놓은 것처럼 바위 단면을 켜켜로 쌓아 올린 듯 표현하여 암벽을 이루어 내는 선묘법. 이런 형태의 형상을 짓고 있는 바위 절벽 표현에 주로 쓴다.

◆ **장부벽준**長斧劈皴
부벽준을 길게 쳐 내린 선묘법. 금강산처럼 드높은 수직 골봉 표현에 주로 쓴다.

◆ **일필휘지**一筆揮之
한 번 댄 붓으로 휘둘러 그려 냄

33

동해東海 승경勝景

해산정海山亭도판137

백천교百川橋를 건너 외금강을 벗어나서 남강 줄기를 따라 십여 리를 동진하면 고성高城읍이 나오고 다시 십 리쯤 더 가면 동해 바다와 만난다. 그러니 고성은 금강산과 동해를 좌우 지척에 끼고 있는 천하제일의 명승읍치名勝邑治일 수밖에 없다.

남강은 남쪽 성 밑을 감돌아 흘러가고 금강산 일만이천봉이 서쪽에 병풍처럼 둘려 있으며 동쪽으로는 동해의 푸른 물결이 한눈에 들어오는데 이런 곳에 어찌 명산대해를 감상할 만한 정자 한 채가 없을 수 있겠는가. 조망이 좋은 관아 서쪽 언덕 위에 정자 한 채를 경영했으니 해산정海山亭이 그것이다.

『고성읍지高城邑誌』에 의하면 이 정자는 조선 명종 22년(1567)에 이곳 군수로 와 있던 이재頤齋 차식車軾(1517~1575)이 처음 지었다 한다. 차식은 화담花潭 서경덕徐敬德(1489~1546) 문하에서 수학한 사대부였다. 그리고 그 자제 오산五山 차천로車天輅(1556~1615)는 선조 대에 간이 최립의 문장, 석봉 한호의 글씨와 함께 당대 삼절로 꼽히던 대시인이었는데 그의 저서 『오산설림五山說林』에서 다음과 같이 그 초건 사실을 기술해 놓고 있다.

> 고성은 예전에 올라앉아 승경勝景을 바라볼 만한 곳이 없더니, 병인丙寅년(1566) 겨울에 우리 선군先君께서 이 읍을 다스리러 납시어 그 다음 해 가을에 관아 뒤편 가시밭 속에서 한 곳 좋은 터를 찾아내시고 그 높은 곳을 깎아 내 정자를 만드셨다.
>
> 서쪽으로 개골산皆骨山 천봉을 우러러보면 책상에서 겨우 십 리 거리요 동쪽으로 대해大海를 내려다보면 십 리도 안 된다. 남쪽으로 남강을 수백 보 내려다보고

해산정海山亭[도판137]

1747년 정묘丁卯 3월 3일, 견본담채絹本淡彩, 25.4×33.5cm, 《해악전신첩海嶽傳神帖》, 간송미술관 소장.

북쪽으로 36봉을 바라보니 천하제일의 기승奇勝이다.

高城 舊無登臨觀勝, 丙寅冬, 吾先君 出宰是邑, 越明年秋, 乃於衙後荊棘中, 得一絶勝, 平其高而亭之. 西挹皆骨, 在案僅一由旬, 東臨大海, 無十里. 南壓南江數百步, 北望三十六峯, 天下第一奇勝.

이렇게 우리 산천의 아름다움을 재인식해 가는 사대부 군수의 손에 의해 초건初建된 해산정은 인조 6년(1628)과 숙종 12년(1686), 영조 30년(1754), 순조 19년(1819)의 중수를 거치면서 진경사생의 산실로 역대 사대부들의 사랑을 독차지하게 된다.

그 중에서도 진경문화를 주도해 간 율곡학파의 애호는 남다른 것이었으니 한석봉과 우암 송시열 및 곡운谷雲 김수증金壽增(1624~1701)의 글씨로 된 현판 셋이 함께 걸려 있었다는 사실로도 이를 짐작할 수 있다. 홍경모洪敬謨(1774~1851)의 『관암유사冠巖遊史』 권7 「해산정기海山亭記」에 의하면 우암과 석봉의 글씨는 해서楷書이고 곡운의 글씨는 예서隷書였다 한다.

우암과 곡운의 학맥을 이어 그 이념을 진경산수화라는 회화로 표출해내는 데 성공했던 겸재가 이 해산정을 찾았을 때도 이 세 가지 현판이 이미 모두 걸려 있었을 것이다. 그래서 겸재는 더욱 이들을 경모하는 마음으로 이 해산정의 진경 사생에 임했으리라 생각된다.

겸재가 이 해산정을 찾았을 때는 순조 외조부인 금석錦石 박준원朴準源(1739~1807)의 증조부 송담松潭 박태원朴泰遠(1660~1722)이 고성군수로 있을 때였다. 이 역시 율곡학파에 속하는 인물로 백악사단과 긴밀한 유대관계가 있었으니 겸재의 사생 유람에 막대한 후원을 아끼지 않았으리라고 여겨진다.

이때 고성에서 부친을 시종하며 겸재와 친교가 깊어 졌을 송담松潭의 유일한 적자嫡子 박필리朴弼履(1685~1752)가 겸재 환갑되던 해인 영조 12년(1736) 병진丙辰에 인왕곡仁王谷 겸재댁과 등 넘어 사이인 세심대洗心臺로 이사 와 살게 되면서부터는 장차 송담의 손자사위인 양오헌養梧軒 이현망李顯望(1713~1757)과 주증손胄曾孫(맏증손)인 근재近齋 박윤원朴胤源(1734~1799)이 겸재의 역제자易弟子가 되는 세연世緣을 맺기도 하기 때문이다.

담헌 이하곤도 그의 융숭한 대접을 「동유록」에서 누누이 기록할 뿐만 아니라 「해산정간월가海山亭看月歌」◆라는 시에서는 「태수太守 박군朴君에게 드림贈太守朴君」이라는 부제를 달면서 다음과 같이 읊고 있다.

◆해산정간월가海山亭看月歌 해산정에서 달을 보고 지은 노래

> 오늘 아침 고성을 향해 오니, 성 머리에 화각畵閣◆이 높이 솟았네.
> 영동의 명승은 천하에 다시없는데, 해산정 기관奇觀은 이 중에 제일.
> 붉은 기둥 그림자 남강 물에 일렁이다가, 멀리 뻗치어 다시 바다로 퍼진다.
> 구정봉 푸른빛은 발簾을 적시고, 칠성봉 기암은 문 앞에 벌려 서 있네.
> 주인은 내가 멀리서 와 반갑다 하여, 빛나는 잔치를 정자 위에 벌이었구나.
> 소반에 오른 해미海味 모두 진미珍味고, 술기운 진하여 홍로결紅露結일세.
> 今朝我向高城來, 城頭畵閣高突兀. 嶺東名勝天下無, 海山奇觀此第一.
> 朱欄影動南江水, 遠勢更接滄溟闊. 九鼎濃翠入簾滴, 七星奇岩當戶列.
> 主人歡我遠客來, 華筵爲向亭上設. 登盤海味味皆珍, 酒氣釀作紅露結.
> 『頭陀草』 卷五, 海山亭看月歌, 贈太守朴君 兼示李聖興 張震明二生

◆화각畵閣 단청으로 곱게 꾸며진 누각

담헌이 금강산에서 나와 고성 동문東門을 거쳐 해산정에 처음 이르렀을 때는 마침 담헌과 친교가 있던 박태원朴泰遠 군수의 둘째 사위인 이성흥李聖興(1679~1716)이 기생들과 이곳에서 풍악風樂 잡힌 풍류놀이를 하고 있었다 한다. 그래서 담헌은 처가에 와서 감히 이런 풍류를 해도 되는 거냐고 농담하며 함께 어울렸던 모양이다.(由高城東門, 抵海山亭, 主倅女壻李聖興仲麟, 方與妓輩, 作樂於亭上. 余戲謂曰, 君處甥館, 乃敢作此風流事耶. 李笑而不答. 『두타초頭陀草』 권14, 동유록東游錄, 갑오甲午 4월 15일)

겸재는 해산정에서의 이런 감흥을 하나도 놓칠 수 없어 〈해산정〉이라는 화제로 그림을 그리면서 해산정에서 조망되는 경개 일체를 화폭에 담아내는 대담성을 보였다.

서구암西龜岩 아래에 드높이 자리 잡은 해산정 큰 건물 아래에는 객사客舍 건물이 즐비하고 그 앞으로는 민가들이 초봄의 연초록빛 숲 속에 군데군데 무리지어 마을을 이루었다. 남강 가에는 대호정帶湖亭이 2층 누각 형태로 송림 속에 싸여 있

으며 마을 끝에는 누문 없는 성문이 보인다. 이것이 해산정을 둘러싼 고성읍의 전경으로 바로 이 그림의 주축을 이루는 중경에 해당한다.

원경으로는 금강산 백색 암봉들이 담묵의 서릿발준법으로 아련하게 표현되어 삼엄한 기세를 과시했고 남강 건너편에는 절벽을 이룬 적벽赤壁과 그 배후의 토산이 과감한 필법을 보임으로써 몽롱한 분위기의 고성 읍내에 활력을 불어넣고 있다.

근경은 객사 아래의 동구암東龜岩과 남강 입구 동해에 잠겨 있는 칠성암七星巖으로 연결되는 북동쪽 경치인데 모두 임리한 묵법으로 처리한 미가송법米家松法◆의 송림이 그 주변을 장식해 원경의 삼엄한 골봉骨峯들과 신묘한 대비를 이루어 놓고 있다. 해산海山이 내포한 음양의 묘리를 남김없이 드러낸 걸작 중의 걸작이다.

◆ **미가송법**米家松法 미불米芾 일가 특유의 소나무 그림법. 발묵과 파묵법을 함께 구사하여 짙고 옅은 큰 먹점으로 소나무의 잎과 가지를 상징하고 한 붓으로 쳐 낸 굵은 먹선으로 둥치를 그려 내는 기법이다.

그래서 삼연三淵은 이 그림에 이런 제사題詞[삽도105]를 달았다.

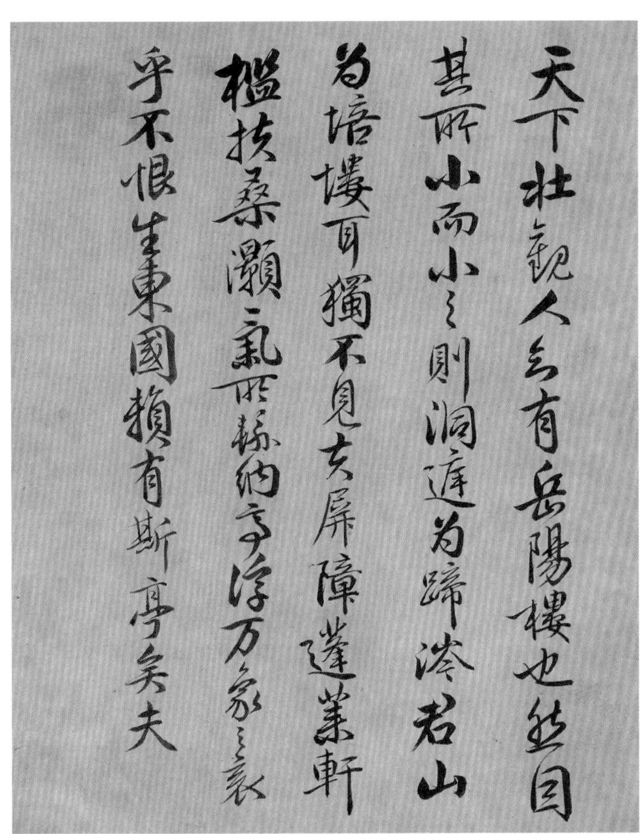
天下壯觀人人有岳陽樓也然自
其所小而小之則洞庭爲蹄涔君山
爲培塿耳獨不見丈屛障蓬萊軒
檻扶桑灝氣所稱納浮万象之表
乎不恨生東國顧有斯亭矣夫

해산정海山亭 **제사**題詞[삽도105]
김창흡金昌翕 찬撰, 홍봉조洪鳳祚 서書, 1747년 정묘丁卯, 지본묵서紙本墨書, 24.5×31.5cm, 간송미술관 소장.

천하 장관으로, 사람들은 악양루岳陽樓가 있는 것을 안다. 그러나 그 작은 바로 인해서 그것을 작다고 한다면, 동정호洞庭湖도 발굽자국에 괸 물이 되고, 군산君山도 작은 언덕이 될 뿐이다.

대체 봉래산蓬萊山으로 병풍 삼고, 부상扶桑으로 난간 삼아, 정자로 실어들인 호기灝氣◆를 만상萬象의 겉으로 떠오르게 하는 것을 (여기서) 홀로 보지 않는가. 동쪽나라에 태어난 것 한스럽지 않음은, 이 정자 있음에 힘입음이라.

天下壯觀, 人知有岳陽樓也. 然因其所小而小之, 則洞庭爲蹄涔, 君山爲培塿耳. 獨不見夫屛障蓬萊, 軒檻扶桑, 灝氣所輪納亭, 浮萬象之表乎. 不恨生東國, 賴有斯亭矣夫.

金昌翕, 『三淵集』 卷二十五, 題李一源海嶽圖後, 海山亭

◆ **호기**灝氣
천상天上의 맑은 기운

이에 사천은 다음과 같은 제시題詩삽도106로 그 뒤를 잇는다.

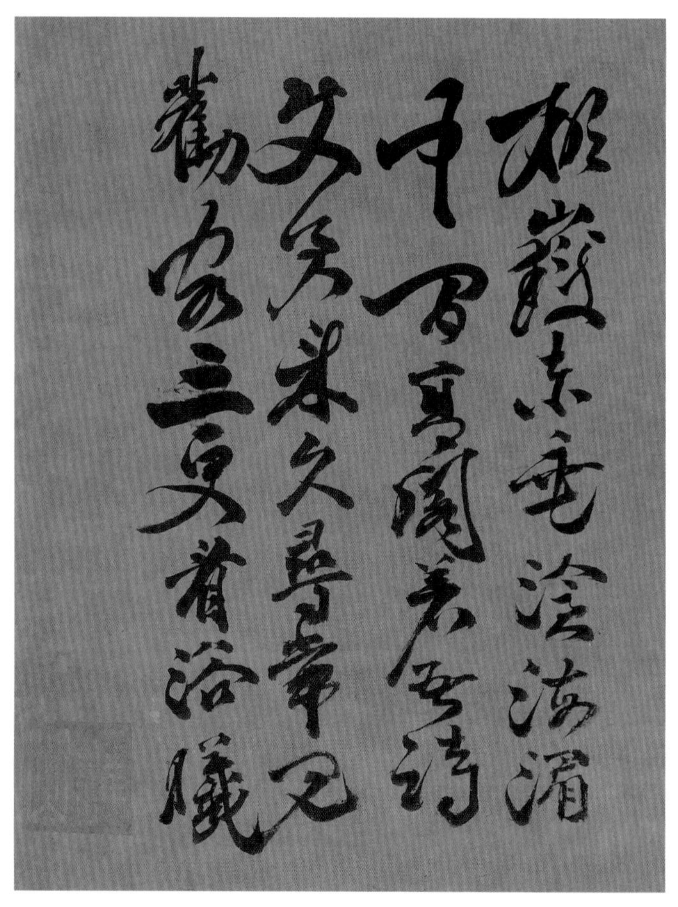

해산정海山亭 **제시**題詩삽도106
이병연李秉淵 시서詩書,
1747년 정묘丁卯, 지본묵서紙本墨書,
24.5×31.5cm, 간송미술관 소장.

풍악楓嶽이 동쪽으로 창해滄海물가에 드리우니, 중간 높은 누각에 내 시 붙였네.

원님 온 지 오래라서 심상히 보니, 손님에겐 삼경三更에 해 뜨는 것 보라 해야지.

楓嶽東垂滄海湄, 中間高閣着吾詩, 使君來久尋常見, 勸客三更看浴曦.

사선정四仙亭 도판138

삼일포三日浦는 삼일호三日湖라고도 부르는 천연의 호수로 고성 북방 오 리 지점 동해변에 위치한다.

외금강 신계사神溪寺 골짜기로부터 동류하여 흘러오는 신계천神溪川은 고성 서북쪽에서 북쪽으로 방향을 틀어 흘러가려다 법기봉法起峯 36봉의 연봉連峰에 가로막혀 더 나아가지 못하고 이를 비켜 둔 채 다시 동류를 계속해 고성 서쪽 가까운 지점에서 남강에 합류하고 만다. 이 결과 북류하던 물줄기가 막혀 만들어진 호수가 바로 삼일호다.

호수 주위가 십여 리 남짓하고 주변으로는 금강산으로부터 흘러내린 백색 화강암봉들이 온갖 형상을 지으면서 에워싸 주는데 그 숫자가 무려 36봉으로 헤아려질 만큼 많다. 36봉이 각양각색으로 그 산자락들을 호수 속에 밀어 넣어 크고 작은 바위섬들을 간간 호면 위로 떠올리다가 호수 중앙에 이르러서는 그 힘을 한데 모아 솟구쳐 낸 듯 큰 바위섬 하나를 만들어 놓는다.

이 섬이 바로 사선도四仙島니 신라 때 국선國仙* 인 영랑永郎·술랑述郎·안상安祥·남석행南石行이 이곳에 왔다가 그 경치에 홀려 3일 동안 돌아가는 것도 잊고 놀았다는 고사에서 비롯된 이름이다. 삼일포란 이름도 여기서 유래했다 한다. 이런 내용은 고려 후기 문사文士인 근재謹齋 안축安軸(1287~1348)이 충혜왕 원년(1331) 5월에 강릉도존무사江陵道存撫使로 임명되어 다음 해 9월까지 재임하는 동안에 지은 「삼일포기三日浦記」에 자세히 서술되어 있다. 『동국여지승람東國輿地勝覽』 권45 고성高城 삼일포三日浦조의 세주細註에서 이를 이기移記해 보겠다.

* **국선**國仙 화랑花郎

> 삼일포는 고성 북쪽 7, 8리에 있다. 밖으로는 중봉重峯이 첩장疊嶂*하여 둘러싸 있고 안으로는 36봉이 있다. 동학洞壑이 맑고 그윽하며 송석松石이 기이하고 예스러운데 물 가운데 작은 섬이 있어 푸른 돌이 평퍼짐하니 옛날에 사선四仙들이 여기서 놀다가 3일 동안 돌아가지 않았던 까닭에 이 이름을 얻었다.
>
> 물의 남쪽에 또 작은 봉우리가 있는데 봉우리 위에는 석감石龕이 있고 봉우리 북쪽 석면石面에는 붉은 글씨 6자字가 있으니 이르기를 "영랑도남석행永郎徒南

* **첩장**疊嶂 산봉우리가 겹겹이 쌓여 둘러쌈

사선정四仙亭 도판138

1747년 정묘丁卯 3월 3일, 견본담채絹本淡彩, 25.1×32.5cm, 《해악전신첩海嶽傳神帖》, 간송미술관 소장.

石行"이라 했다. 작은 섬에는 예전에 정자가 없었으나 존무存撫 박공朴公이 그 위에 지으니 곧 사선정四仙亭이다.

浦在高城北七八里. 外有重峯疊嶂合包, 而內有三十六峯. 洞壑淸幽, 松石奇古, 水中有小島, 蒼石盤陀, 昔四仙遊此, 而三日不返, 故得是名. 水南又有小峯, 峯上有石龕, 峯之北崖石面, 有丹書六字, 曰永郞徒南石行. 小島古無亭, 存撫朴公, 構之於其上, 卽四仙亭也.

그런데 숙종 25년(1699) 5월부터 동 29년(1703) 8월까지 고성군수를 지내면서 동 27년 신사辛巳(1701)에 사선정을 중수하고 그 중수기를 남긴 권세태權世泰(1659~1722)의 글에 의하면 원元 태정泰定 연간(1324~1327)에 존무存撫 박숙정朴淑貞이 처음 이 정자를 지었다 하고 있다.

그러니 안축이 존무 박공이라고 지적한 인물은 강릉도江陵道 존무 박숙정인 것이다. 그후 선조 17년(1584)에 군수 김간金僩(1537~?)이 중수한 기록부터 현종 4년 이숙진李叔鎭 중수, 숙종 6년 이식李湜(1643~?) 중수, 숙종 27년 권세태 중수, 정조 10년 이지광李趾光 중수, 순조 19년 윤광렬尹匡烈(1763~1833) 중수 등의 사실이 읍지에 기록되고 있다.

그렇다면 이 그림에서 보이는 사선정 모습은 겸재가 26세 나던 숙종 27년에 권세태가 중수한 그 집일 것이다. 돌기둥 넷을 높이 세우고 그 위에 나무 기둥을 짧게 얹은 다음 기와지붕을 덮은 단순한 건축양식인데 이렇게밖에 지을 수 없던 이유를 권세태의 중수기 내용에서 유추해 낼 수 있다.

정자가 서 있는 곳이 막힘없이 터져서 항상 풍우에 시달리니 손가락 한 번 튀기는 사이에라도 꺾어지고 부서져서 고치지 않으면 곧 파괴된다.

亭之處曠虛, 恒雨且風, 一彈指之間, 而撓折破缺, 不修且壞.

고 한 내용이다. 이런 상황에 견딜 만한 건축구조를 고심 안출한 것이 바로 그림에 보이는 정자양식이었을 것이다. 그래서 겸재 평생에는 늘 이 사선정이 사선도에 의연히 버티고 있어 겸재의 화의畵意를 북돋웠을 것이다.

겸재는 이 삼일포를 처음 그릴 때 삼일포 전경을 한 화면에 압축해 들이기 위해 일상 금강산 사생에 흔히 쓰던 부감법俯瞰法을 사용하면서 산수화 화면구성의 기본 법식인 주산主山의 설정을 강하게 의식한다. 그래서 국립중앙박물관 소장의 《신묘년풍악첩》 속의 〈삼일호〉에서는 삼일호 서북쪽에 있는 몽천암夢泉庵 주산인 법기봉法起峯이 높고 크게 표현되어 주산으로서의 당당한 자세를 과시한다. 그리고 그 아래 물가에 일출의 장관을 보기에 가장 적당한 장소라 하는 문암봉門岩峯 등을 종산從山으로 배치하고 있다.

이 그림에다 삼연三淵은 이런 제사題詞삽도107를 붙여 놓았다.

> 육육봉외六六峯外로, 십주十洲가 아득하구나. 물결 넘실대는 너른 호수에서, 완연히 중앙에 있으니, 이것이 사선정의 절묘함이다. 3일을 놀고도 싫지 않았고, 6자字

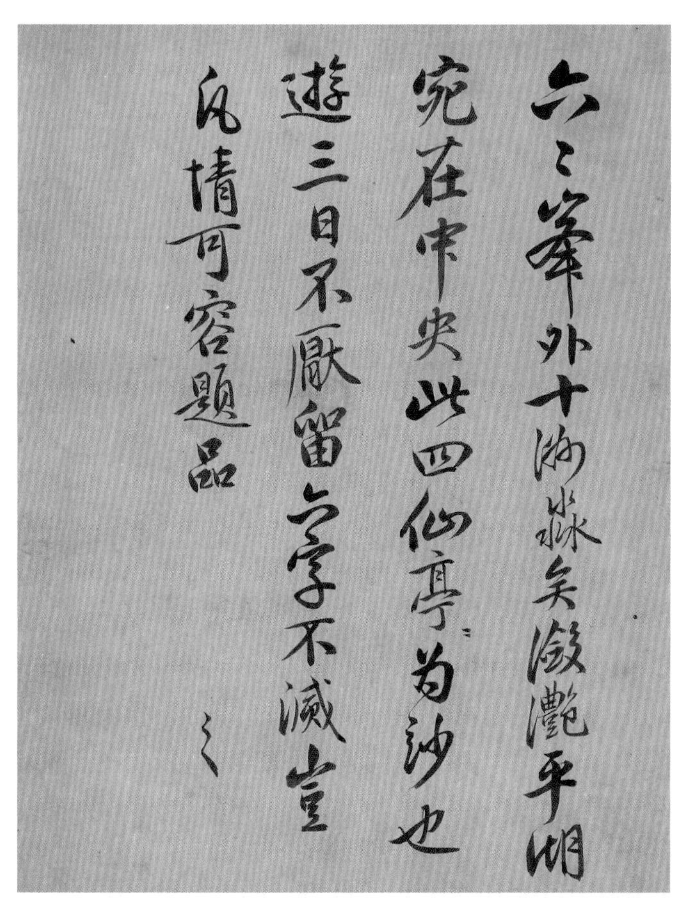
六〻峯外十洲淼矣瀲灩平湖
宛在中央此四仙亭爲妙也
遊三日不厭留六字不滅宜
風情可容題品〻

사선정四仙亭 **제사**題詞삽도107
김창흡金昌翕 찬撰, 홍봉조洪鳳祚 서書, 1747년 정묘丁卯, 지본묵서紙本墨書, 25.0×33.5cm, 간송미술관 소장.

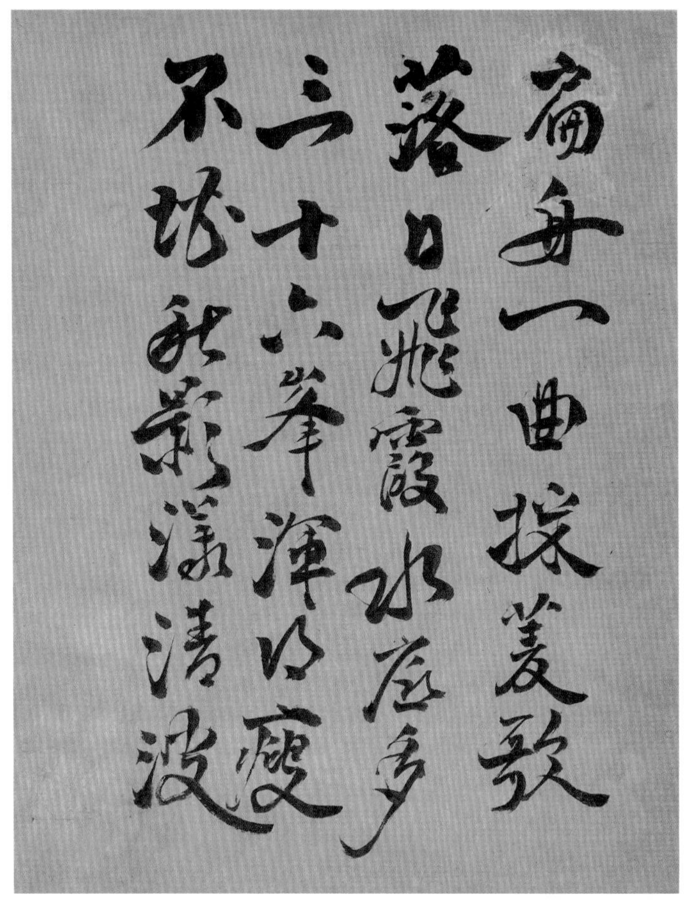

사선정四仙亭 **제시**題詩 삽도108
이병연李秉淵 시서詩書,
1747년 정묘丁卯, 지본묵서紙本墨書,
25.6×33.0cm, 간송미술관 소장.

를 남겨 없어지지 않았으니, 어찌 범상한 감정으로 제품題品할 수 있겠는가.

六六峯外, 十洲森矣. 瀲灩平湖 宛在中央, 此四仙亭之爲妙也. 遊三日不厭, 留六字不滅, 豈凡情可容題品.

金昌翕,『三淵集』卷二十五, 題李一源海嶽圖後, 三日湖

사천의 제화시題畵詩 삽도108는 이렇다.

작은 배의 한 곡조 채릉가採菱歌* 에, 지는 해 나르는 노을 물 밑으로 다 잠긴다.
삼십육봉 모두 야위어, 가을 그림자 맑은 물 위에 뜨기 어렵네.

扁舟一曲採菱歌, 落日飛霞水底多. 三十六峯渾得瘦, 不堪秋影漾清波.

李秉淵,『槎川詩抄』卷上, 三日浦

* **채릉가**採菱歌
악부樂府 강남농곡江南弄曲 속에 들어 있는 곡조. 노래하며 마름 딴다는 가사가 들어 있다.

서북쪽 법기봉 아래 송림에 둘러싸인 두 채의 기와집은 바로 숙종 8년(1682) 전임군수 조지겸趙持謙(1639~1685)의 부탁으로 신임군수 신여식申汝拭(1627~1690)이 중건하기 시작해 숙종 12년(1686) 이적길李迪吉 대에서 완성한 몽천암夢泉庵이 분명하다. 이 암자는 이후 영조 20년 갑자甲子(1744), 즉 겸재 69세 되던 해에 강원도 일대를 하루에 700리 지경 불태운 대화재로 소실되고 그 다음 병인丙寅년(1746), 즉 겸재 71세 시에 기와집으로 중건되었다.

문암관일출門岩觀日出 도판139

순조 19년(1819) 기유己卯 정월부터 동 23년 병신丙申 12월까지 거의 만 6년 동안 고성군수를 지낸 윤광렬尹匡烈(1763~1833)은 그 재임 기간 동안 군내의 문화유적들을 많이 손질해 놓는다. 진경시대를 대표하는 대수장가이자 제일감식안鑑識眼이던 상고당尙古堂 김광수金光遂(1699~1770)의 손녀사위다운 치적이었다.

우선 그가 도임하던 기묘년에는 마침 고래 한 마리가 해안에 떠밀려 들어와 그를 잡아 판 돈으로 사선정四仙亭을 중수하고 신사년辛巳年(1821)에는 몽천암夢泉庵을 크게 중창하여 관음전觀音殿·유선각留仙閣·함청루含淸樓 등의 건물을 짓는다. 그리고 사선정의 여덟 개 기둥에다 당시 국구國舅인 영안부원군永安府院君 풍고楓皐 김조순金祖淳(1765~1831)의 주련 글씨를 받아다 걸고 추사秋史 생부生父인 이조판서 유당酉堂 김노경金魯敬(1766~1838)에게서는 간이簡易 최립崔岦(1539~1612)의 사선정시四仙亭詩를 써 받아 걸며 우의정 금릉金陵 남공철南公轍(1760~1840)로부터는 「사선정중수기四仙亭重修記」를 짓고 써 받아 걸었다 한다.

함청루 편액 글씨는 자하紫霞 신위申緯(1769~1845)가 쓰고, 〈유리시경琉璃詩境〉 4자字 벽액壁額은 추사秋史 김정희金正喜(1786~1856)가 썼으며, 그 주련柱聯과 북향실北香室 현판은 예조판서 담녕澹寧 홍의호洪義浩(1758~1826)가 쓰고 유선각留仙閣 현판은 시임時任(현직) 강원도관찰사 취미翠微 신재식申在植(1770~1843)이 썼으며 관음전觀音殿 현판은 노승 화악당華嶽堂 지탁知濯이 쓰고 그 네 기둥의 주련은 자하가, 그 양 횡련橫聯은 추사가 썼다 했으니 윤광렬은 실로 당대 명필들을 모두 동원하여 삼일호 일대의 절승을 윤색하려는 욕심을 부렸던 모양이다.

그러나 어찌 알았으랴! 당시의 명필이 만고제일의 명필이 되어 천하제일 명승에 만고제일의 명필이 짝하게 될 줄을! 명승과 명인이 만나는 기연은 이렇게 절묘한 것인가 보다.

이런 내용들은 윤광렬이 임오년(1822) 한겨울에 쓴 「삼일포기三日浦記」에 기록되고 있는데, 계속해서 몽천암 동쪽 문암門岩의 빼어난 경관을 기술해 가니 그 내용은 다음과 같다.

문암관일출門岩觀日出 도판139

1747년 정묘丁卯 3월 3일, 견본담채絹本淡彩, 25.5×33.0cm,《해악전신첩海嶽傳神帖》, 간송미술관 소장.

몽천암 동쪽으로 한 작은 언덕을 올라가면 큰 바윗덩어리가 우뚝 솟아 있으니 이를 북고봉北高峯이라 한다. 북고봉 앞에 두 개의 돌 문짝이 깎아지른 듯 서 있는데 높이가 여러 길이고 너비도 한 길이 넘으며 위에는 한 개의 너럭바위가 있어 그것을 덮으니 이것을 석문石門이라 하며, 혹은 문암이라 일컫기도 한다. 그 문을 나서면 호수 전체의 경치가 눈 안에 들어오고, 그대로 동쪽으로 칠성봉을 바라볼 수 있으며 서쪽으로 외금강을 쳐다볼 수 있다.

由菴東上一小邱, 巨石矗崒, 名曰北高峯. 峯之前, 兩石扉壁立, 高數丈, 廣丈餘, 上有一盤石覆之, 是爲石門, 或稱門巖. 出其門, 則全湖之勝, 輪攬在阿睹中, 仍東望七星峯, 西瞻外金剛.

『高城郡邑誌』, 尹匡烈, 三日浦記

그러니 이런 곳에서 동해의 일출을 바라본다면 그 장관이 어떻겠는가.

겸재 37세 때 그와 함께 금강산을 여행했던 순암 이병성은 「석문암에 올라 일출을 보며上石門岩 觀日出」라는 시에서 그 감동을 이렇게 읊고 있다.

천 길 절벽 석문대, 지척에 동해 만 리 열려 있구나.
서생書生 담력 작단 말 못 믿으려나, 오색 채운 속을 감히 배회해 보네.
붉은 구름 만 무더기 바다 동쪽에서 몰려오자, 상서로운 빛깔로 환하게 한 길을 연다.
해가 솟아 뜨려다 다시 머무니, 큰 고래 뛰놀고 육룡六龍이 섯돌 듯.

千尋絶壁石門臺, 咫尺扶桑萬里開. 未信書生膽力小, 五雲光裏敢徘徊.
紅雲萬朶海東來, 瑞彩煌煌一道開. 日馭欲離還復住, 長鯨奔走六龍回.

李秉成, 『順庵集』 卷二, 東遊錄, 上石門岩觀日出

겸재도 이 숨 막히는 감흥을 〈고성문암에서 일출을 보다高城門岩觀日出〉도판10라는 화제로 함께 그려 내고 있다. 《신묘년풍악도첩辛卯年楓岳圖帖》 속에 들어 있는 이 그림은 문암을 지나 그 위에 있는 바위 위에서 동해 일출을 바라보는 정경을 사생적으로 묘사하고 있는데 초대면의 흥분 탓인지 아니면 아직 익숙지 않은 미숙성 때문인지 화면구성에서 상당한 허점을 보이고 있다. 문암봉(북고봉) 아래 삼일호 속에 사자암獅子岩과 사선정四仙亭을 표현하고 낮게 드리워진 36봉 연봉의 봉우리들을 해상海上 일출日出의 중간에 있는 대로 포치시킨 것이다. 이로 말미암아 화면구성이 산만하게 되고 시계視界가 옹색스럽게 되고 말았다.

그러나 72세 시의 사생도라 할 수 있는 《겸재화謙齋畵》라는 화첩 속에서의 〈고성문암高城門岩〉도판123에 이르면 화법을 일신하여 구도에서 사선정과 사자암을 생략하고 중간의 중첩한 산줄기도 송림 우거진 호안湖岸 소구小丘로 변형시켜 화면을 긴축하고 시야를 운치 있게 넓혀 놓는다. 뿐만 아니라 문암봉을 송림에 싸인 토산土山인 양 겸재 특유의 미가토산송림법米家土山松林法으로 처리하고 그 가운데에 마치 큰 감자 셋으로 문을 세워 놓은 듯 석문石門을 의도적으로 형상화시키고 있다.

그러자니 상대적으로 그 문암 앞의 높은 바위도 반석磐石으로 낮게 가라앉혀 그

고성문암관일출高城門岩觀日出 도판10
1711년, 견본담채絹本淡彩,
37.9×36.0cm,
《신묘년풍악도첩辛卯年楓岳圖帖》,
국립중앙박물관 소장.

고성문암高城門岩 도판123
1747년 정묘丁卯, 견본수묵絹本水墨,
19.2×25.0cm,《겸재화謙齋畵》,
이학李鶴 소장.

곳에서 편안하고 점잖게 일출日出을 즐길 수 있도록 변형시키지 않으면 안 되었다. 참으로 절묘한 음양대비의 화면구성법이다.

그런데 이 사생도를 보다 더 정제한《해악전신첩海嶽傳神帖》의〈문암관일출門岩觀日出〉도판139에 이르면 중경의 송림松林 소구小丘가 다시 단순 희미한 토파土坡로 생략되어 일출을 바라보는 시계는 막힘없이 광활하게 트이게 되고 문암의 돌올突兀한 기세는 더욱 고양되어 신선한 새벽 일출의 기상이 화면에 넘쳐흐르게 된다. 중경의 지나친 공허감을 메우기 위해 사자암을 의도적으로 삼일호 중앙에 띄워 놓고 법기봉法起峯의 인형석人形石도 그 모습을 찾아 주어 문암의 웅건한 자세와 조화를 이루게 했다.

문암門岩 도판140

홍경모洪敬謨는 『관암유사冠巖遊史』 권6 해악선불기海嶽仙佛記의 옹천瓮遷에서 다음과 같이 말하고 있다.

신계사神溪寺로부터 작은 언덕을 넘어 남여를 타고 오리를 내려가서 온정溫井을 보고 다시 큰 내를 건너 바다를 따라가는데 길 전체가 모두 고운 모래다. 해변 사람들이 일컫는 바 부는 길吹路인가 보다. 모래는 모두 눈 같아서 밟으면 뽀드득뽀드득 소리가 나니 명사鳴沙*라 일컫는다. 사람이 가면 다리에 힘이 빠지고 말이 밟으면 발굽이 빠져들어 길을 달릴 수가 없다.

* 명사鳴沙 우는 모래. 밟으면 '뽀드득뽀드득' 소리가 난다.

가끔 바위가 물 위에 떠오르고 물새가 그 위에 모여 있는 것을 보겠는데 해당화海棠花가 곳곳에 있어 붉은 꽃과 푸른 잎을 수놓아 짠 듯 모래 위를 빛내 주니 이른바 명사십리鳴沙十里 해당홍海棠紅이라는 것인 모양이다. 무릇 30여 리를 가면 쌍인암雙印岩이 있는데 심정로沈廷老(1653~1712)와 심정구沈廷耇(1656~1714) 형제가 일시에 고성과 통천에 군수가 되어 이곳에서 서로 만났으므로 이름했다 한다.

길은 쌍인암 뒤를 경유하며 석산을 파서 냈는데 겨우 말 한 필이 지날 만하고 아래는 바다 물결이 부딪쳐 일렁이니 올라서면 다리와 마음이 떨려서 어지럽다. 이것이 옹천이다.……문암門巖은 옹천 북쪽 30리에 있는데 두 개의 바윗돌이 마주보고 서 있어 사람이 그 사이를 길 삼아 왕래하니 마치 문과 같다. 바위 모양과 돌빛이 기이하고 아름다워 즐길 만하며 화초가 점점이 박혀 그 위에 수놓은 것 같다.

自神溪 越小峴, 輿下五里, 觀溫井, 再涉大川, 遵海而行, 一路皆軟沙. 海邊人所謂 吹路也. 沙皆如雪, 觸之戞戞有聲, 稱以鳴沙. 人行脚軟, 馬踏蹄沒, 不能趲呈. 往往見巖石浮出於水面, 水鳥翔集于上, 海棠在在, 如織紅花翠葉, 燭燿沙上, 眞所謂鳴沙十里海棠紅者也.

凡行三十餘里, 有雙印岩, 沈廷老 沈廷耇兄弟, 一時作宰於高城 通川, 相會於此, 故名. 路由巖後, 鑿開石山, 僅通一馬, 下則海濤 噴激洶湧, 臨之 悸慄足心酸澁. 此是瓮遷也.……門巖在瓮遷北三十里, 有二石對立, 人往來道其間若門. 巖容石色, 奇媚可喜, 花草班駁, 如繡被于其上.

문암門岩 도판140

1747년 정묘丁卯 3월 3일, 견본담채絹本淡彩, 25.0×32.8cm,《해악전신첩海嶽傳神帖》, 간송미술관 소장.

洪敬謨,『冠巖遊史』卷六, 海嶽仙佛記, 瓮遷

여기서 고성군수와 통천군수를 동시에 지냈었다는 심정로와 심정구 형제는 바로 겸재 제자 현재玄齋 심사정沈師正(1707~1769)의 당숙堂叔들이다. 그리고 그들이 동시에 재임하던 해는 겸재가 순암順庵 이병성李秉成과 함께 금강산 일대를 유람하던 바로 그 숙종 38년 임진壬辰(1712)이었다.

따라서 겸재는 순암의 백씨伯氏요 자신의 평생지기인 금화현감 사천 이병연의 초청으로 떠난 유람길이긴 했지만 우암 송시열의 학통을 철저히 계승하여 진경문화 창달에 일익을 담당했던 이들 스승뻘의 동문同門 대선배 형제들로부터도 극진한 환대와 후원을 받았을 것이다. 혹시 쌍인암에서 양군 태수가 합동 환영연을 베풀었을지도 모른다.

그러니 그 흥취로 말미암아 옹천의 그 위태로운 벼랑길도 진경의 소재가 되어 위기감이 극대화될 수 있었고 문암門岩의 기발起拔한 형태와 덮쳐드는 집채 같은 파도가 장쾌무비한 회화미로 승화될 수도 있었던 것이 아닌가 한다.

불행하게도 이 초대면 시기의 〈문암門岩〉은 세상에 알려져 있지 않다. 그러나 삼연三淵이 겸재의 원《해악전신첩海嶽傳神帖》에 붙인 제사題辭가 남아 있고 겸재 72세 때 다시 그린《해악전신첩》에도 〈문암〉이 포함돼 있는 것으로 보면 분명히 초대면 시기의 〈문암〉도 있었을 것이다.

삼연의 제사[삽도109] 내용은 다음과 같다.

> 바닷가이기 때문에 기이한 돌이 많으나, 홀로 이것이 굳세고 날씬한데, 뚫린 구멍에 소나무 이고 대치하니, 한결같이 어찌 그리 푸르고 우뚝한가. 두둥실 돛단배 지나니, 나귀 탄 이 흥도 또 살아난다.
>
> 海濱故多奇石, 獨此勁瘦, 嵌空載松而對峙, 一何蒼峭. 颯颯風帆之過, 騎驢者 興亦活矣.
>
> 金昌翕,『三淵集』卷二十五, 題李一源海嶽圖後, 通川門岩

이 제사 내용으로 보면 간송미술관에 수장된 3종의 〈문암〉 표현과 일치한다. 그러나《해악전신첩》에서 사천은 이렇게 읊고 있다.[삽도110]

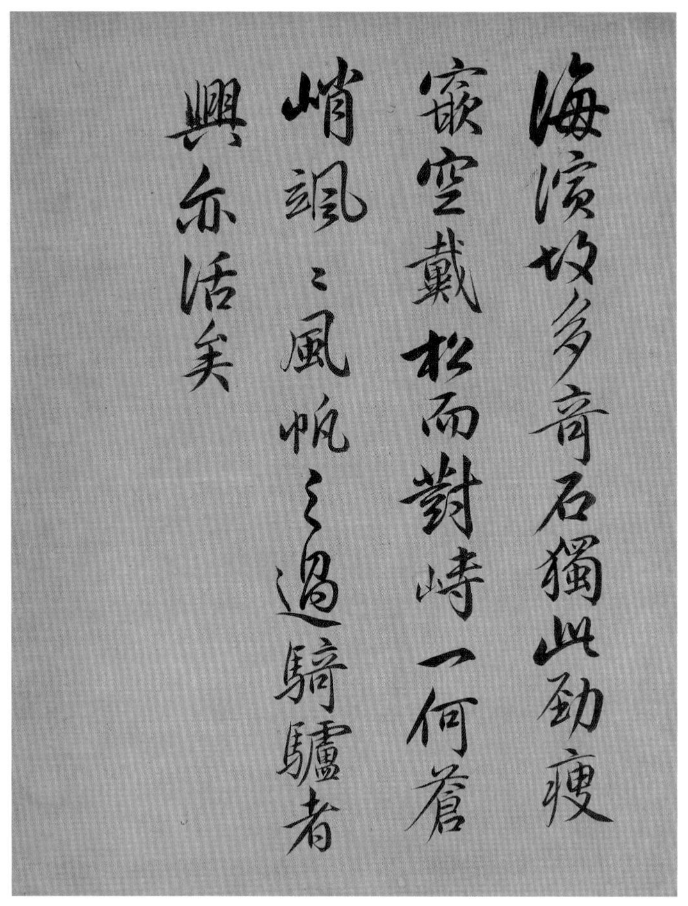

문암門岩 **제사**題詞 삽도109
김창흡金昌翕 찬撰, 홍봉조洪鳳祚 서書, 1747년 정묘丁卯, 지본묵서紙本墨書, 25.0×32.8cm, 간송미술관 소장.

> 석문石門이 어떤 문인가, 기이하구나 마주 솟았네.
>
> 저 나귀 탄 이, 어깨가 산자山字 같아 방불하구나.
>
> 石門何門, 奇哉對屹. 彼騎驢者, 肩山字而彷彿.

평이한 자유시 형태로 읊은 이 진경제화시眞景題畵詩의 내용대로라면 문암을 지나는 사람들은 덮쳐드는 파도에 놀라 두 어깨를 추슬러 올린 채 게걸음 쳐 지났던 모양이다. 실제로 2종의 〈문암〉에서는 인물의 표현을 그와 같이 해 놓고 있다. 그러나 최만년작이라고 생각되는 수묵의 〈통천문암〉에서는 그 길에 익숙한 선비들 일행인 듯 느긋한 자세로 기관奇觀을 완상하며 지나는 모습으로 인물을 표현했다. 겸재가 최만년기에 거리낌 없는 심경으로 그려 낸 그림이기에 가능한 표현이었다.

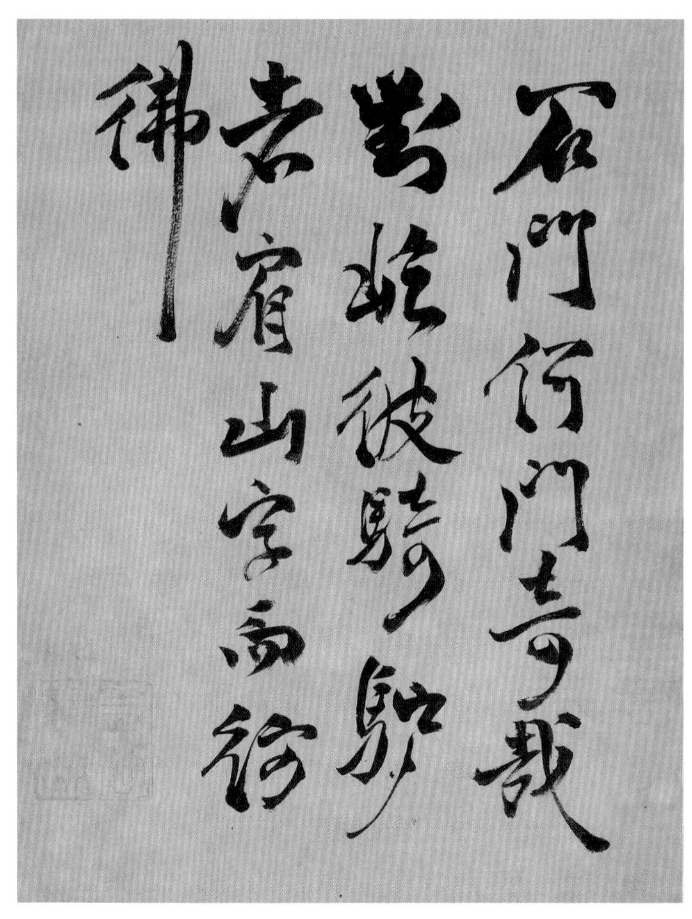

문암門岩 **제시**題詩 삽도110
이병연李秉淵 시서詩書,
1747년 정묘丁卯, 지본묵서紙本墨書,
24.5×32.0cm, 간송미술관 소장.

이로 보아 이 수묵 〈통천문암通川門岩〉은 겸재가 80세 전후의 최만년기에 그렸을 가능성이 크다.

《해악전신첩》본은 작은 규모라 문암의 기삭奇削한 암봉과 암벽을 다만 서릿발준법霜鍔皴法을 능란하게 구사하고 미점米點을 성글게 툭툭 찍어 담박하게 표현해 놓았다. 대신 흉용한 파도가 독립봉에 거세게 부딪어 낭화浪華를 집채만큼 일어나게 하고 이런 거센 풍랑 속에 돛단배 3척을 부침시킴으로써 화면에 생동감을 불어넣어 주었다.

총석정叢石亭 도판141

고래로 총석정은 소위 관동팔경 중에서 가장 빼어난 경치로 소문나 있다.

고려 말의 명문장인 근재謹齋 안축安軸(1287~1348)은 그 이유를 「총석정기叢石亭記」에서 다음과 같이 밝혀 놓았다.

정자는 통주通州(지금 통천通川) 북쪽 20허리에 있다. 가로놓인 봉우리가 있어 쑥 바다로 밀고 들어간 것이 이것이다. 봉우리의 절벽에 가닥돌條石이 즐비하게 서 있는 바 방주方柱와 같고, 돌의 둘레는 각 면이 한 자 정도이며 높이는 대여섯 길이다. 모지고 곧으며 평평하고 바르니 마치 먹줄을 띄워 깎아 세운 듯하며 크고 작은 차이가 없다.

또 해안에서 십여 척 떨어져서는 돌기둥 넷이 서로 떨어져서 물 가운데 서 있는 바 사선봉四仙峯이라 일컫는다. 모두 가닥돌로 몸체를 삼아 수십 가닥을 합쳐 한 봉우리가 되었으며 봉우리 위에는 작게 자란 소나무 한 그루가 있는데 뿌리와 둥치가 늙고 쭈그러들어 나이를 알 수 없다.

사선봉으로부터 조금 북쪽으로 가면 돌 모양이 또 변하니 혹은 길기도 하고 짧기도 하며 기대기도 하고 가로눕기도 하며 쌓이기도 하고 흩어지기도 하여 실로 모두 기괴하고 이상하다. 이는 재주 있는 장인이 치고 쪼아 만든 것이 아니라 대개 천지가 나뉘어지던 처음에 원기元氣가 모인 바인 것이다.

그 형상지워진 교묘함이 이와 같이 이상하니 참으로 괴이하다. 그 총석叢石이라 이름 지어진 까닭을 알 만하겠다. 예전 신라시대에 네 사람의 국선國仙이 이 정자에서 항상 놀았으며 그 낭도는 비석을 세워 그것을 기록했다 하는데 비석은 아직 남았으나 글자는 뭉크러져 알아볼 수 없다.

내가 작은 배를 타고 봉우리를 두루 돌아보니 이 돌의 기괴함이 실로 천하에 없는 것이라서 이 정자가 홀로 가지고 있는 바라고 일컬을 만하겠다. 어떤 이가 이르기를 자네는 일찍이 천하를 두루 돌아다녀 보지도 않았는데 어떻게 천하에 이런 바위가 없다고 하는가. 나는 이렇게 대답했다.

무릇 사방의 산경山經과 지지地誌는 기록하는 이가 천하의 물건을 궁구하여 신

총석정叢石亭 **도판141**

1747년 정묘丁卯 3월 3일, 견본담채絹本淡彩, 24.3×32.0cm,《해악전신첩海嶽傳神帖》, 간송미술관 소장.

는 일인데 바위가 이와 같은 것이 있다는 말은 듣지 못했고, 무릇 옛날의 기이한 병풍과 보배로운 가리개는 그리는 이가 천하의 물건을 궁구하여 본뜨는 법인데 아직 이와 같은 돌이 있음을 보지 못했네. 이를 통해 본다면 내가 비록 아직 천하를 편람하지 못했다 하더라도 또한 앉아서 그것을 알 수 있는 것일세 하니 어떤 이가 그것을 그렇겠다 한다.

대체 이 정자가 비록 만물萬物을 구비했다 하나 그러나 산수의 아름다움과 바람 안개 및 물고기 새와 같은 것이 있는 것은 동해 바닷가 작은 땅 어디라도 그렇지 않은 곳이 없거늘 어찌 이 정자만이 홀로 다 가진 것이라 하겠는가. 오직 돌의 기괴함은 이 정자만이 홀로 가진 바이다.

그런데 이 정자를 기記 내는 이들이 이 돌을 특별히 일컫지 않고 산수 사이의 여러 물건들과 더불어 싸잡아 말한다. 내가 속으로 괴이쩍게 생각한 까닭에 이와 같이 특별히 논평하노라.

시詩로 말한다.

천 가닥 괴이한 돌 기이한 봉우리 이루니, 푸른 절벽 안개 끼어 먹빛 짙구나.

고래파도 바람에 일어 눈서리 치고, 신기蜃氣◆가 허공에 떠 누각 무겁다.

모호하게 글자 사라진 것은 태곳太古적 비석, 마르고 뿌리 서린 것 언제적 소나무인가.

물가에 부들갓篛笠◆ 앉아서 서로 읍하니, 달 아래 깃털 옷羽衣◆ 불러 만나 볼 수 있으리.

선도仙徒◆ 이미 흩어진 것 애닯게 바라보며, 속자俗子◆들 구름 모이듯 함을 싫도록 본다.

만약 정자 앞의 짝 지운 갈매기 되면, 문득 인간의 티끌 자취 쓸어버리리.

亭在通州北二十許里. 有橫峯, 突然鬪海者是也. 峯之懸崖條石, 節立如方柱, 石周方各尺許, 高可五六丈. 方直平正, 如以繩墨削立, 無大小之異. 又去岸十餘尺, 有石四柱, 離立水中, 稱爲四仙峯. 皆以條石爲體, 合數十條爲一峯, 峯上有矮松一株, 根幹老蹙, 不知年紀.

自四仙峯小北, 而石狀又變, 或長或短或倚或橫或積或散, 實皆奇怪異常. 此非巧匠鎚琢之功, 蓋天地剖判之始, 元氣所鐘者也. 其賦狀之巧, 若是之異, 吁可怪也. 其所以名叢石者得之. 昔羅代四仙, 常遊是亭, 而其徒 立碣石誌之. 石猶存, 而字刓不可識.

◆**신기**蜃氣
이무기의 기운. 이 기운을 토해 내면 신기루가 생긴다 한다.

◆**부들갓**篛笠
어부漁夫나 초부樵夫가 쓰는 갓

◆**깃털 옷**羽衣
신선이 입는 옷

◆**선도**仙徒
신선 무리

◆**속자**俗子
세속 사람

余乘小舟, 遠峯遍覽, 以謂玆石之奇怪, 實天下所無, 而亭之所獨有也. 或者曰, 子未曾遍覽天下, 焉知天下無此石乎. 余曰 凡四方山經地志, 記者 窮天下之物而載之, 未聞有石之如是者, 凡古之奇屛寶障, 畵者 窮天下之物而摹之, 未見有石之如是也. 按此則 予雖未曾遍覽天下, 亦可以坐知之也. 或者然之.

夫斯亭雖萬物俱備, 然山水之美, 風烟魚鳥之類, 東海之濱, 尺地寸步, 無處不然, 豈斯亭之所獨全哉. 唯石之奇怪, 乃亭之所獨有也, 而記斯亭者, 未有特稱玆石, 而與山水之間衆物泛論. 余竊怪, 故特評之如此.

詩曰,

千條怪石成奇峯, 蒼崖烟霏水墨濃. 鯨濤起海雪霜漲, 蜃氣浮空樓閣重.

模糊字沒太古碣, 瘦瘦根盤何代松. 磯邊篛笠坐相揖, 月下羽衣招可逢.

悵望仙徒已雨散, 厭看俗子如雲從. 若爲亭前伴鷗鷺, 却掃人間塵土蹤.

『東國輿地勝覽』卷四十五, 通川 叢石亭

이 글에 의해서 총석정이 관동팔경의 으뜸일 뿐만 아니라 천하유일의 기관奇觀이 되는 이유를 충분히 알 수 있다.

그래서 겸재도 해악海嶽의 명승을 초대면하던 시기부터 이 총석정을 화폭에 올리기 시작해 이후 무수한 〈총석정〉을 남긴다. 우선 초대면 시기의 그림으로 여겨지는 국립중앙박물관 소장의 《신묘년풍악도첩辛卯年楓岳圖帖》 속에 든 〈총석정〉도판12을 보게 되면 총석정 일대의 경관을 충실하게 사생해 놓고 있다.

마치 방아공이처럼 날씬한 허리와 뭉툭한 머리 부분을 가진 채 바닷속으로 깊이 들이밀고 있는 총석봉의 전모가 근경의 중앙에 집중적으로 표현되니 네 개의 육각 총석주叢石柱라는 사선봉四仙峯을 포함한 총석군叢石群이 그 곁에 사생될 밖에 없다. 총석정은 이런 총석군을 한눈에 바라볼 수 있는 총석봉 머리부분의 상봉에 지어져 있다.

이렇게 총석정 일대의 경관을 근경 중앙으로 끌어들이게 되자 북쪽 대안의 환선정喚仙亭이 중경의 일변에 나타날 뿐 나머지는 광활한 바다로 남게 된다. 그 멀리로는 묘도卯島·천도穿島 등의 섬들과 3척의 배를 띄워 놓아 원경을 삼았다. 결과적으로 이런 과도한 표현욕구가 구성상 긴밀성을 잃게 하여 산만한 구도를 가져

총석정叢石亭 도판12
1711년, 견본담채絹本淡彩,
37.5×38.3cm,
《신묘년풍악도첩辛卯年楓岳圖帖》,
국립중앙박물관 소장.

오게 했는데 당세의 감식안들도 바로 이 점을 날카롭게 지적하고 있다.

총석을 보는 데 법이 있다. 위로부터 내려다보기를 마른 우물 들여다보듯 해야 하니, 두 군데 정자는 깨뜨려 부숴도 좋다. 만약 우뚝우뚝하고 뾰족뾰족한 기이함을 다 드러내고자 한다면, 이 출렁이는 배는 없애 버리고 그 아래 삼도三島 사이로 물리쳐 띄워야 한다. 멀리서 바라보아야, 더욱 층진 성이나 복잡한 초루譙樓처럼 성대할 터이라서, 사대부士大夫가 괴이쩍게도 가볍게 평제評第를 붙여 보았다.

이는 소동파가 이른바 "작은 배로 절벽 아래에 댈 수 없다" 는 것에 가깝다. 그렇다면 이 그림을 그린 사람이 어느 곳에서 그렸는지 모르겠다. 배인가 정자인가.

觀叢石有法. 從上臨瞰, 如窺眢井, 兩座亭子, 搥碎亦可. 若欲盡亭亭矗矗之奇, 除是漾舫, 其下退泛三島間. 遠而望之, 尤依依如層城粉譙, 而士大夫 或輕加評第. 是殆東坡所

총석정叢石亭 도판29
1738년 무오戊午 가을,
지본담채紙本淡彩, 57.8×32.3cm,
《관동명승첩關東名勝帖》,
간송미술관 소장.

謂 不以小舟 泊壁下也. 然則爲此畵者, 未知盤礴何處, 舟耶. 亭乎.

趙裕壽, 『后溪集』 卷八, 李一源海山一覽帖跋, 叢石亭

후계 조유수가 겸재 초기 〈총석정〉에 붙인 제사題詞 내용이다.

이에 겸재는 이후부터 다시는 총석정도를 이와 같이 산만한 구도로 그리지 않고 총석정만을 화면 가득히 집중적으로 그려 내는 화면구성법을 쓰게 되는데 겸재가 63세 때 그린 《관동명승첩關東名勝帖》 속의 〈총석정〉도판29이 그 첫 사례다. 그러나 이 그림에서는 총석봉 주변의 동해 바다를 모두 그려 놓는 실수를 범했다. 그 결과 총석봉은 바닷속으로 침몰하는 왜소한 방망이로 전락하고 말았다. 이 그림도 그렇게 그린 〈총석정〉 중의 하나다.

그러나 70대 중반 이후에 그린 〈총석정〉도판141은 그 시기의 그림답게 사선봉의 갯수를 셋으로 표현하고 높이도 마음대로 조정해 놓는 노련한 사의성寫意性을 보여 주고 있다. 어느 그림에서는 기둥이 두 개인 경우도 있고 주변의 총석군이 생략된 경우도 있다. 그러나 어떤 경우든 〈총석정〉으로 그 느낌이 가슴에 와 닿지 않을

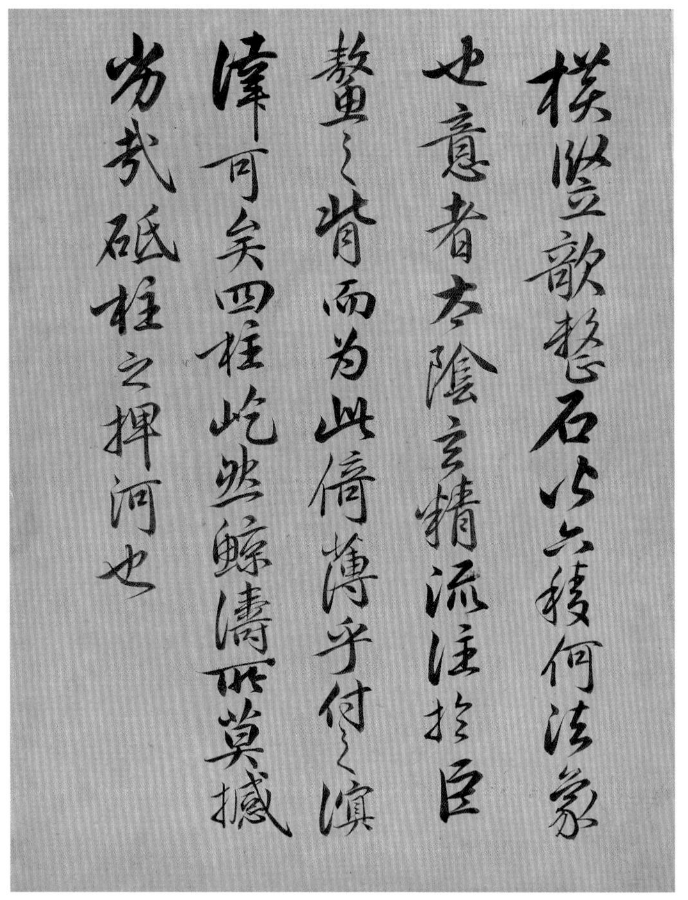

총석정叢石亭 **제사**題詞삽도111
김창흡金昌翕 찬撰, 홍봉조洪鳳祚 서書, 1747년 정묘丁卯, 지본묵서紙本墨書, 24.0×31.0cm, 간송미술관 소장.

때가 없으니 겸재는 사생으로부터 출발한 진경산수화풍을 이념화시키는 데 성공했다고 할 수 있겠다.

삼연三淵은 《해악전신첩》의 〈총석정叢石亭〉에 이런 제사題詞삽도111를 달아 놓았다.

> 가로세로 눕고 섰는데, 돌은 모두 육六모이니 무엇을 본받은 모습인가. 생각건대 태음太陰의 어두운 정기精氣가 큰 자라의 등으로 쏟아져 내려 이것이 된 듯하다. 얇은 데 의지했으니 넓은 바다에 붙이는 것이 좋겠다. 네 기둥 우뚝하여 고래 같은 파도도 흔들지 못할 바니, 갈잖구나. 지주砥柱* 의 황하 막음이여.
>
> 橫竪倚整, 石皆六稜, 何法象也. 意者 太陰玄精, 流注於巨鰲之背 而爲此, 倚薄乎 付之溟涬 可矣. 四柱屹然, 鯨濤所莫撼, 劣哉砥柱之捍河也.
>
> 金昌翕,『三淵集』卷二十五, 題李一源海嶽圖後, 叢石亭

* **지주**砥柱
중국 하남성 섬주 동쪽 40리 지점 황하 중류에 있는 기둥 모양의 돌. 위가 판판하여 숫돌 같은데 격류 속에 우뚝 솟아 꼼짝도 하지 않으므로 난세의 역경 속에 의연히 절개를 지키는 선비를 이에 비유한다.

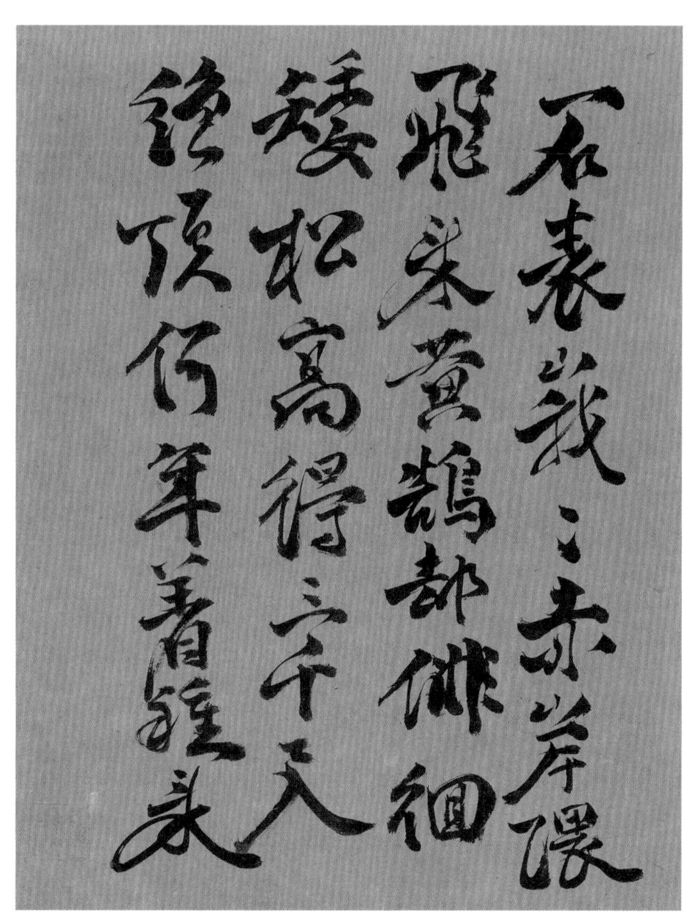

총석정叢石亭 **제시**題詩 삽도112
이병연李秉淵 시시詩書,
1747년 정묘丁卯, 지본묵서紙本墨書,
24.0×31.0cm, 간송미술관 소장.

이에 이어 사천槎川은 이렇게 읊었다. 삽도112

돌거죽 높이 솟아 붉은 언덕 구비지니, 날아온 황두루미 한가로이 배회한다.
작은 솔 높이는 3천 자인데, 절정에 어느 해 씨 내렸었나.
石表峨峨赤岸限, 飛來黃鶴却徘徊. 矮松高得三千尺, 絶頂何年着種來.

그 옛날에 정송강鄭松江도 「관동별곡關東別曲」에서 이 총석정을 벌써 이렇게 읊어 진경시眞景詩의 선구를 이루어 놓고 있다.

◆**공수**工倕
황제黃帝 때 조각을 잘하던 장인의 이름

◆**귀부**鬼斧
귀신의 도끼

총석정叢石亭 올라하니, 백옥루白玉樓 남은 기둥, 다만 네히 서 있고야.
공수工倕◆의 성녕인가, 귀부鬼斧◆로 다드믄가. 구타야 육六모는 무엇을 상象톳던고.

시중대侍中臺 도판142

흡곡歙谷은 강원도 영동嶺東의 맨 북쪽 고을이다. 통천에서 북쪽으로 30리 떨어져 있는데 이곳에서 다시 5리 남짓 북쪽으로 더 올라가면 동해변에 시중호侍中湖가 나온다.

이 호수는 동해변에 많이 있는 석호潟湖◆중의 하나로 동해와는 다만 낮은 사구沙丘◆로 막혀 있어 일견하면 그대로 동해와 연결된 듯이 느껴진다고 한다. 그래서 『동국여지승람』 권45 흡곡현歙谷縣 시중정侍中亭조에서는 다음과 같이 기록해 놓고 있다.

◆**석호**潟湖 파도가 모랫둑을 만들어 내 생긴 호수

◆**사구**沙丘 모래 언덕

> 현縣의 북쪽 7리里쯤에 있다. 긴 언덕이 있어 구불구불 동쪽으로 서리어 들어가니 3면이 모두 큰 호수다. 호수가 가득 차면 물굽이는 굽이쳐 돌고 밖으로는 큰 바다가 두른다. 작은 섬이 바닷속에 빽빽이 늘어선 것이 7개가 있으니 천도穿島, 묘도卯島, 우도芋島, 승도僧島, 석도石島, 송도松島, 백도白島다. 호수와 바다 사이에 청송青松◆을 낀 길이 있다.
>
> 대臺의 옛 이름은 칠보七寶였지만 우리 세조조世祖朝에 순찰사 한명회韓明澮(1415~1487)가 이곳에 올라 구경하는데 우의정을 제수한다는 왕명이 마침 이르렀으므로 지금 이름으로 고쳐 기쁨을 기억하게 했다. 경치는 경포대鏡浦臺와 서로 갑을을 다툰다.
>
> 縣北七里許. 有脩岡, 迤邐東蟠, 三面皆大湖. 湖水瀰滿, 汀回渚曲, 外周大海. 有小島森列海中者七, 曰穿島 卯島 芋島 僧島 石島 松島 白島. 湖海之間, 青松夾路. 臺之舊名七寶, 我世祖朝, 巡察使韓明澮, 登覽于此, 拜右議政之命適至, 改今名以志喜. 景致與鏡浦臺相甲乙.

◆**청송**青松 푸른 솔

이로 보면 7도島가 보인다 하여 칠보대七寶臺라 했던 것을 한명회가 시중된 소식을 이곳에서 들었다 하여 세조 때 시중대라 고친 모양이다.

겸재가 이곳에 처음 간 것은 《신묘년풍악도첩辛卯年楓岳圖帖》이 만들어지던 36세 시였던 듯하다. 이때는 사천 이병연의 삼종숙三從叔◆인 한주韓州 이집李準

◆**삼종숙**三從叔 9촌 아저씨

시중대侍中臺 도판142

1747년 정묘丁卯 3월 3일, 견본담채絹本淡彩, 25.5×33.0cm, 《해악전신첩海嶽傳神帖》, 간송미술관 소장.

시중대侍中臺 도판13
1711년, 견본담채絹本淡彩,
26.5×36.8cm,
《신묘년풍악도첩辛卯年楓岳圖帖》,
국립중앙박물관 소장.

(1670~1727)이 현령으로 재임하던 시기다. 그는 연전前年 10월에 흡곡현령으로 부임해 왔는데 나이도 사천보다 한 살 위인 42세로 겸재와 동년배였고 진경문화를 주도해 간 백악사단白岳詞壇의 중추가문 출신으로 그 맏사위는 겸재의 후견인이던 김창집의 손자 김달행金達行(1706~1738)이었으며 둘째사위는 이조판서를 지낸 옥오재玉吾齋 송상기宋相琦(1657~1723)의 손자 송재희宋載禧(1711~1776)였고 셋째

시중대侍中臺 도판33
1738년 무오戊午 가을, 지본담채紙本淡彩, 57.8×32.3cm, 《관동명승첩關東名勝帖》, 간송미술관 소장.

사위는 혜경궁惠慶宮의 부친 익익재翼翼齋 홍봉한洪鳳漢(1713~1778)이었다.

그러니 사천과 한주 두 숙질이 동시에 해악海嶽의 군태수가 되어 겸재를 어떻게 대접했겠는가 하는 것은 미루어 짐작할 수 있다. 겸재의 진경화법 창안이 그만의 힘으로 이루어진 것이 아님을 더욱 실감하게 하는 사실이다.

이 흡곡행은 다음 해 임진년 가을에도 거듭되는데 이때는 사천과 사천의 부친 수암樹庵 이속李涑(1647~1720), 사천의 아우 순암順庵 이병성李秉成 및 사천의 시우詩友인 국계菊溪 장응두張應斗(1670~1729)가 동행하는 사천 일가와의 해악 나들이 길이었다.

이때 겸재는 이들의 후의에 보답하기 위해 이 시중대를 그렸던 듯 《신묘년풍악도첩》 및 이일원李一源 소장 《해악전신첩海嶽傳神帖》 속에 모두 〈시중대〉가 들어 있다. 《신묘년풍악도첩》속의 〈시중대〉 도판13는 초기 진경산수화답게 거의 있는 그대로 진솔하게 사생했다. 유길치遊吉峙 산자락이 밀고 들어오다 멈춘 산봉우리들은 좌측으로 몰아 묵직하게 표현해 놓고 대안으로는 창울한 송림으로 뒤덮인 토구土丘◆가 날렵하게 호면을 가르고 들어오게 하여 둔예鈍銳◆의 대비를 시사했다.

◆**토구**土丘 흙 언덕

◆**둔예**鈍銳 둔중함과 예리함

사구沙丘는 유야무야로 가볍게 처리해 호수와 바다가 광활하게 연결되도록 하고 호수 속에 있는 칠보도七寶島와 화학도花鶴島는 『당시화보唐詩畵譜』 권1 제5판 운중해도법雲中海島法◆을 본떠 예리한 삼각봉으로 나타냈으며 해중海中 칠도七島는 상악형霜鍔形◆으로 원수遠水 중에 점점이 띄워 놓았다. 그리고 호안湖岸 절벽 위에 그림같이 들어선 마을 위에는 강곡촌江谷村이라 기명記名하고 칠보대七寶臺·화학대花鶴臺의 명칭도 써 넣고 있다.

◆**운중해도법**雲中海島法
구름 속에 잠긴 섬을 그리는 법

◆**상악형**霜鍔形
서릿발 모양

이런 호해전경도湖海全景圖◆ 외에 겸재는 시중호侍中湖 정취만을 압축 표현한 그림도 그려 냈던 모양인데 특히 중추仲秋 만월시滿月時에 한주韓州의 호의로 이곳에서 선유船遊하던 청흥淸興◆을 그대로 화폭에 올리기도 했던 듯하다. 그런 초기 〈시중대〉 역시 세상에 아직 알려져 있지 않다. 다만 《관동명승첩關東名勝帖》과 《해악전신첩海嶽傳神帖》 속에 들어 있는 〈시중대〉[도판33, 142]가 그런 유의 그림일 뿐이다.

◆**호해전경도**湖海全景圖
호수와 바다를 한꺼번에 그린 전체 그림

◆**청흥**淸興
맑은 흥취

당대 감상안들은 이런 월야선유도月夜船遊圖◆식의 〈시중대〉에 더 매혹되었던 듯 삼연 김창흡의 제사[삽도113]도 그러하다.

◆**월야선유도**月夜船遊圖
달밤에 뱃놀이 하는 그림

> 넘실넘실 일렁일렁, 울창한 산속에 호수 감추니, 그 툭 터져 드러낸 것보다 나은 것이 더 많다. 대臺의 형세가, 진정 중추中秋에 달을 즐기기에 마땅하겠다. 배는 삐꺼덕거리는 듯, 사람은 시를 읊는 듯, 남북 언덕 사이를 왕래하니, 그림이로다 그림이로다.
>
> 溶溶瀁瀁, 藏湖於茂山之內, 其勝於軒豁呈露者多矣. 臺之得勢, 眞於中秋翫月爲宜. 船如鴉軋, 人如吟嘯, 來往於南北坨之間, 畵哉畵哉.
>
> 金昌翕, 『三淵集』 卷二十五, 題李一源海嶽圖後, 侍中臺中秋泛月

후계后溪 조유수趙裕壽 역시 흡곡현령으로 내려와 사천이 소장하고 있던 《해악전신첩》에 제사를 붙이며 〈시중대侍中臺〉[도판142]에는 다음과 같이 쓰고 있다.

> 폐읍에는 다른 땅이 없고 오직 일만 이랑의 시중호侍中湖가 있을 뿐이다. 비록 멀리는 경포호에 못 미치고 가까이는 학호鶴湖에 뒤지지만 역시 연파烟波◆가 아득하니 마음대로 화방畵舫◆을 띄우고 스스로 호장湖長◆이 되어 이 사이를 우유優遊◆

◆**연파**烟波
안개나 아지랑이가 낀 수면에서 일어나는 아득한 물결

◆**화방**畵舫
용 또는 봉황 모양으로 꾸며 곱게 단청한 놀잇배

◆**호장**湖長
호수를 다스리는 우두머리

◆**우유**優遊
편안하게 마음대로 노닒

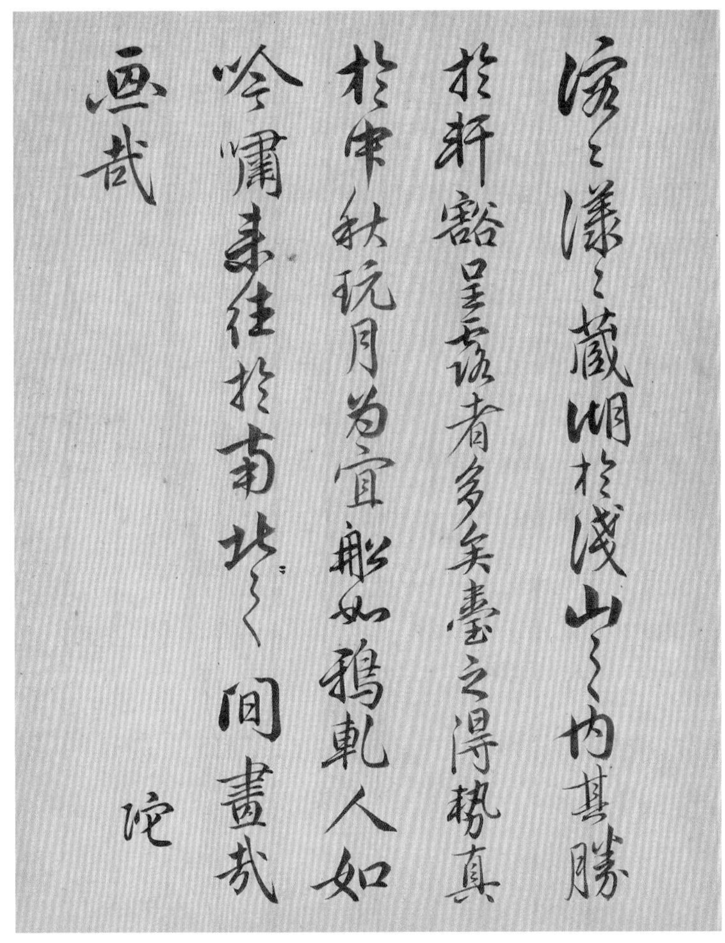

시중대侍中臺 **제사**題詞 삽도113
김창흡金昌翕 찬撰, 홍봉조洪鳳祚 서書, 1747년 정묘丁卯, 지본묵서紙本墨書, 25.5×33.0cm, 간송미술관 소장.

한다. 바다로부터 십 보十步도 떨어져 있지 않으니 또한 망양정望洋亭이 부럽지 않다.

올해 중추월中秋月인들 또 어찌 계통季通 때만 못하랴만, 다만 일원一源(이병연의 자字)과 원백元伯(정선의 자字)이 같이 타서 호수에 비친 달빛에 흥이 일도록 돕는 것을 얻을 수 없으니 이는 더욱 전 태수의 아름다운 정사에 지는 것이다.

幣邑無地, 只有一萬頃侍中湖耳. 雖遠慚於鏡湖, 近愧鶴浦, 亦自烟波極目, 畵舫隨意, 自命湖長, 優遊是間. 去海無十步, 亦不起望洋之羨. 今歲中秋月, 又何減季通時, 而獨不得一源元伯共載, 助發湖光月色, 此尤輸前令尹政.

趙裕壽, 『后溪集』 卷八, 李一源海山一覽帖, 侍中臺

용공동구龍貢洞口 도판143

백두산을 조종祖宗으로 삼고 벋어 내려온 백두대간白頭大幹은 혹은 남진하고 혹은 서진하여 함·평 양도를 나눠 놓으면서 남하해 오다가 안변 분수령分水嶺에 이르러 돌연히 한 번 뒤틀어 동진해 나감으로써 이른바 한반도의 척량산맥脊梁山脈*을 이루어 나간다.

* 척량산맥脊梁山脈 등줄기가 되는 큰 산맥

이 백두대간은 분수령에서 철령鐵嶺, 판기령板機嶺 등을 거치며 계속 동진해 가다가 돈합령頓合嶺에 이르러 남쪽으로 휘어져 내림으로 척량산맥의 본색을 드러내게 되는데 그 등줄기의 웃마디에 속하는 큰 재가 추지령楸池嶺이다.

이 추지령은 회양군과 통천군을 나눠 놓을 뿐만 아니라 두 곳을 이어 주는 통로가 나 있는 곳으로 통천에서는 서쪽으로 40리, 회양에서는 동쪽으로 70리 떨어져 있다. 따라서 이곳에서 서쪽으로 흐르는 물은 북한강으로 흘러들고 동쪽으로 흐르는 물은 남대천을 이루어 통천읍내 남쪽을 흘러간다.

이로부터 백두대간이 동해를 끼고 남쪽으로 벋어 가기 때문에 백두대간 동쪽 동해안 지역에서는 대체로 물이 짧은 거리를 굴곡 없이 동류해 간다. 그래서 동해변의 읍치들은 거의 산양수음山陽水陰의 자리, 즉 산봉우리를 북쪽에 두고 시냇물을 남쪽으로 바라보는 자리에 터를 잡게 된다. 이로 말미암아 어느 읍에서도 남대천이나 남강의 이름이 있게 마련이니 통천의 남대천도 그렇게 얻은 이름인데 이 남대천의 상류가 되는 추지령 동쪽 계변에는 용공사龍貢寺라는 절이 있다.

원래 이 용공사는 신라 홍덕왕 때 와룡조사臥龍祖師가 이곳 산수의 아름다움에 반하여 발삽사勃颯寺라는 절을 짓고 30여 년 동안 머물면서 화엄경을 강한 것으로부터 비롯된다. 이때 와룡조사의 학덕이 워낙 뛰어나서 사문沙門 종주宗主로 추앙되었기 때문에 왕건 태조가 고려를 건국하고 나서는 와룡조사의 학덕學德을 추모하기 위해 통천군의 군공郡貢, 즉 군에서 나라에 바치는 공물貢物을 모두 이 발삽사에 대신 바쳐 나라에서 바치는 시주를 삼게 했다. 그래서 와룡조사의 용龍자와 군공郡貢의 공貢자를 따서 용공사라는 이름으로 바꾸게 되었다 한다.

그러나 조선왕조에 들어와서 군공이 국가에 환수되자 사세가 크게 약화되기 시작하고 이후 여러 차례 화재를 만나 규모가 축소되었던 모양인데 특히 사천 이병

용공동구龍貢洞口 도판143

1747년 정묘丁卯 3월 3일, 견본담채絹本淡彩, 24.5×33.2cm, 《해악전신첩海嶽傳神帖》, 간송미술관 소장.

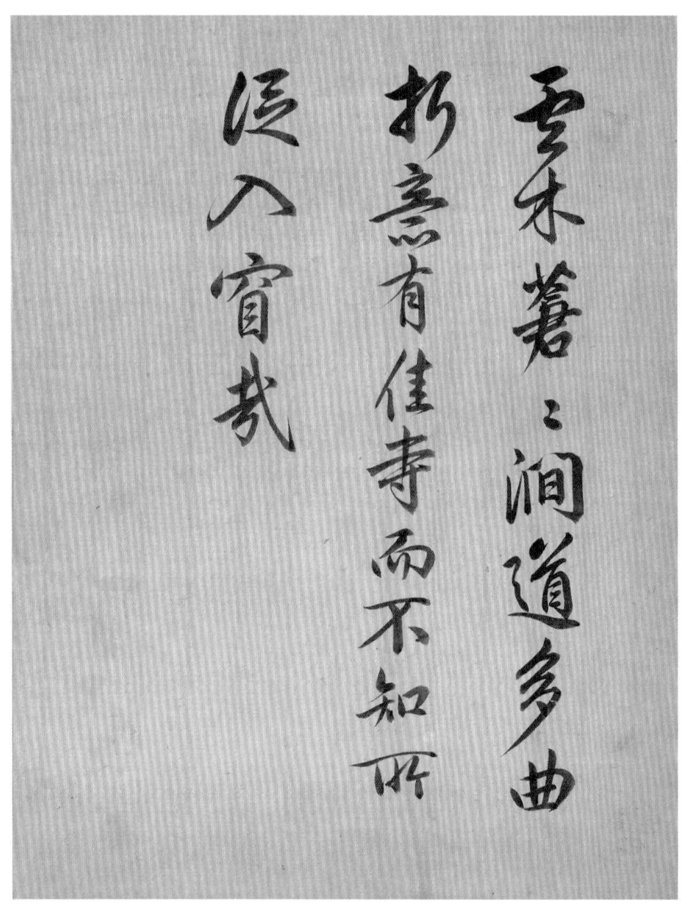

용공동구龍貢洞口 **제사**題詞삽도114
김창흡金昌翕 찬撰, 홍봉조洪鳳祚 서書,
1747년 정묘丁卯, 지본묵서紙本墨書,
25.7×33.1cm, 간송미술관 소장.

연이 금화현감으로 부임해 가던 숙종 36년 경인(1710)에 전소되어 완전 신건했다 하니 겸재가 그 다음 해 신묘년에 이곳을 들렀을 때는 아마 절을 새로 중건하고 있었거나 폐허 상태였을 것이다. 그러니 절 모습보다는 그 수구水口를 이루는 동구洞口의 수려한 암벽과 유수幽邃한 동학洞壑, 산골짜기에 취하여 그 빼어난 경관을 화폭에 담는 것으로 자족해야만 했던 듯하다.

불행하게도 이 초대면 시기의 〈용공사동구龍貢寺洞口〉도는 현재까지 세상에 알려져 있지 않고 이보다 36년 뒤에 그려진 간송미술관 수장 《해악전신첩》 속에만 〈용공동구龍貢洞口〉라는 화제로 그려진 그림이 들어 있을 뿐이다.

여기에는 삼연 김창흡의 이런 제사삽도114가 실려 있다.

구름 덮인 나무숲 짙푸르고, 시내 낀 바윗길 굽이치니. 좋은 절 있을 듯한데, 들어

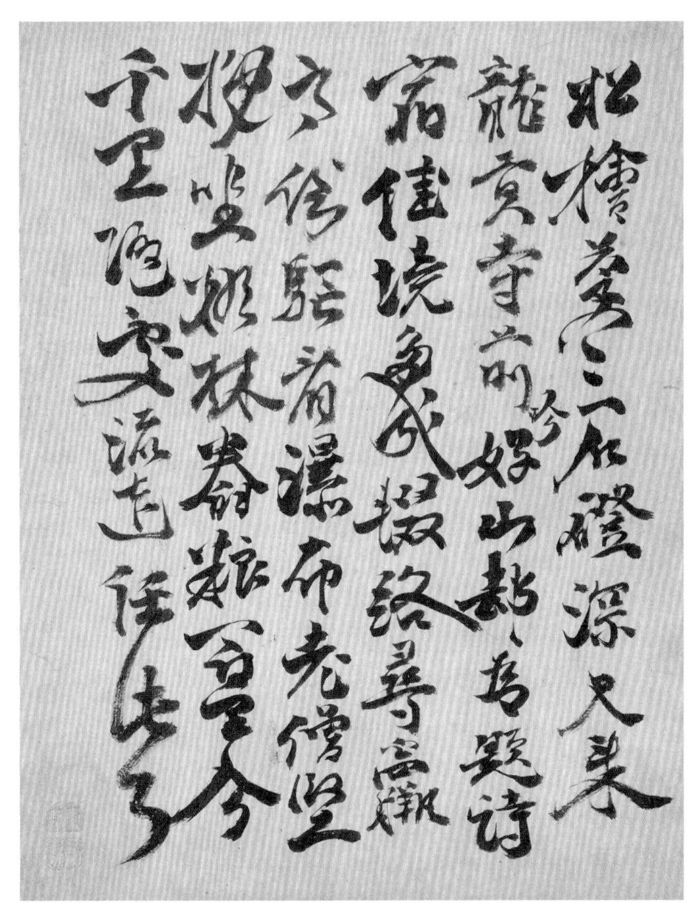

용공동구龍貢洞口 **제시**題詩 삽도115
이병연李秉淵 시서詩書,
1747년 정묘丁卯, 지본묵서紙本墨書,
25.6×33.1cm, 간송미술관 소장.

가는 곳 아지 못하겠다. 깊겠구나.

雲木蒼蒼, 澗道多曲折. 意有佳寺, 而不知所從入. 窅哉.

金昌翕, 『三淵集』 卷二十五, 題李一源海嶽圖後, 龍貢寺洞口

사천 이병연도 다음과 같이 제시[삽도115]를 붙여 놓고 있다.

소나무 전나무 짙푸르고 돌길 깊기만 한데, 또 용공사 앞에 와 읊게 되었다.
좋은 산 만나면 문득 시 짓기 위해 머물러 자고, 좋은 경치 만나면 길 찾기 그만두길 얼마나 했나.
약한 말 거꾸로 타고 폭포를 보니, 노승이 억지로 단풍숲에 끌어내 앉힌다.
백 리 길 양식 찧어 이제 천 리 됐건만, 간 곳마다 머물러 이맘 맡기네.

松檜蒼蒼石磴深, 又來龍貢寺前吟. 好山却爲題詩宿, 佳境多成輟路尋.

羸馬倒騎看瀑布, 老僧堅挽坐楓林. 春糧百里今千里, 隨處流連任此心.

李秉淵, 『槎川詩抄』 卷上, 龍貢寺

후계 조유수 역시 겸재 38세 되던 해인 숙종 39년(1713) 계사癸巳 3월에 흡곡현령으로 부임해 가서 겸재가 처음 그린 《해악전신첩》을 금화현감 사천 이병연을 통해 보고 다음과 같은 제사를 써 놓았다.

영동 산은 모두 금강산에 있는 것으로 갖다 대지만, 대체 이 동구는 어떻게 이처럼 만폭동과 꼭 같은가. 푸른 바다가 곁에서 일렁이지만, 이곳은 스스로 물 흐르고 꽃 피는구나.

嶺東山之 皆冒金剛有以也, 夫何此洞之甚似萬瀑也. 蒼海旁蕩, 此自水流花開.

趙裕壽, 『后溪集』 卷八, 龍貢寺洞口

그리고 그 뒤 겸재 39세 되던 해 금강산 여행을 하면서 사천댁에서 이 《해악전신첩》을 보았던 담헌 이하곤 역시 다음과 같은 제사를 붙인다.

내가 일찍이 마힐摩詰의 다음 시를 좋아했다.

'향적사를 아지 못하고, 몇 리쯤 가서 운봉雲峯에 드니.

고목 우거진 곳에 사람 다닌 자취 없건만, 깊은 산 어느 곳에서 종소리 들려오나.'

원백元伯의 이 화폭은 완연히 이 시다. 예부터 시를 잘 짓는 사람이 그림 잘 그리는 경우가 많다 하는데 대체로 시정詩情◆과 화의畵意가 상통하여 품격이 자연히 청고淸高하기 때문이다.

생각건대 원백도 역시 시를 잘하는 사람이겠지.

余嘗愛摩詰, 不知香積寺, 數里入雲峯. 古木無人逕, 深山何處鐘. 元伯此幅, 宛然此詩也. 自古工詩者 多善畵, 盖詩情與畵意相通, 品格自然淸高. 意者 元伯亦工於詩者耶.

李夏坤, 『頭陀草』 卷十四, 題一源所藏海岳傳神帖, 龍貢寺

◆ **시정**詩情 시로 나타내려는 정취

당세 제일의 감상안들이 제각기 붙인 이런 제사와 제시 내용들처럼 이 〈용공동구〉는 울창한 송림과 초삭峭削* 한 석벽, 격천분류激濺奔流*하는 계류수 등으로 빼어나고 그윽하며 시원한 선계仙界의 정취를 남김없이 표출하고 있다. 수구水口 앞 길가 바위 절벽 위에서 이런 시정詩情을 함께 나누는 두 선비 중 하나는 바로 겸재 자신인 모양인데 나귀에서 내려 걸어온 듯 나귀 두 필은 뒤에서 구종이 몰고 온다. 과연 경치를 진정으로 즐길 줄 아는 이다운 태도의 표현이다.

◆ **초삭**峭削
높이 솟아 깎아지름

◆ **격천분류**激濺奔流
부딪쳐 부서지며 급히 흐름

34

동국산해경 東國山海經

당포관어唐浦觀漁 도판144

《해악전신첩海嶽傳神帖》에 어울리지 않는 2폭의 그림이 말미에 장첩돼 있다. 〈당포관어〉와 〈사인암舍人岩〉 도판145 이다. 아마 사천이 꾸며 가지고 있던 원《해악전신

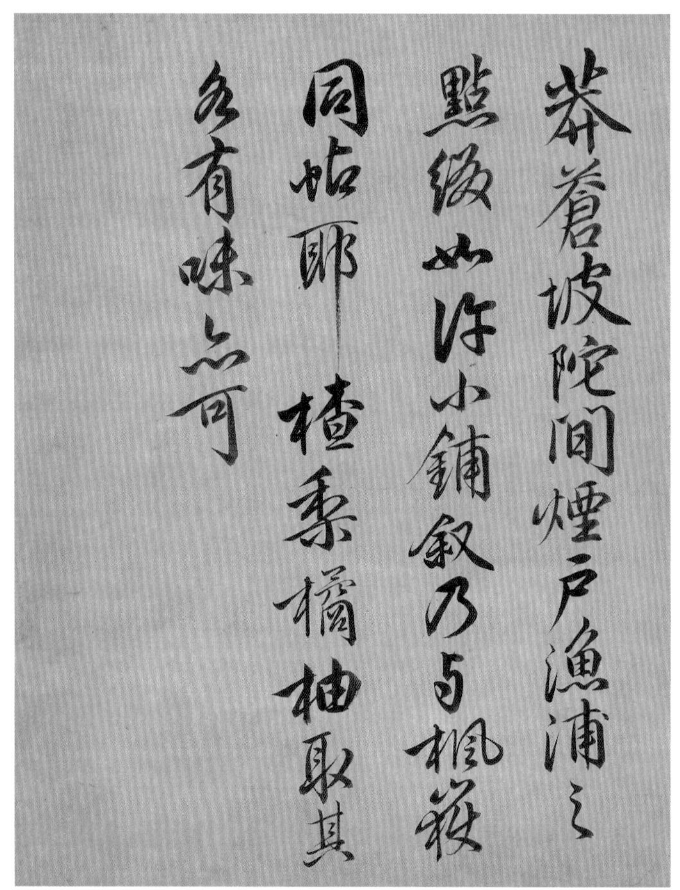

당포관어唐浦觀漁 **제사**題詞 삽도116
김창흡金昌翕 찬撰, 홍봉조洪鳳祚 서書, 1747년 정묘丁卯, 지본묵서紙本墨書, 25.0×32.3cm, 간송미술관 소장.

첩》에서부터 장첩돼 있었던 모양이다. 그래서 후계后溪 조유수趙裕壽도 이를 의아해했었다. 삼연三淵 김창흡金昌翕 역시 이를 이상하게 생각해서 이런 제사[삽도116]를 남기고 있다.

> 푸릇푸릇한 둔덕 사이에, 고기 잡는 시골집 널려 있는데, 이런 작은 그림이 이에 풍악과 더불어 첩을 함께하겠는가. 명자와 배, 귤과 유자가 그 각기 맛이 있음을 취한다면 또한 할 수 있으리라.
>
> 莽蒼坡陀間, 烟戶漁浦之點綴, 如許小鋪敘, 乃與楓嶽同帖耶. 楂梨橘柚, 取其各有味, 亦可.
>
> 眞蹟 及 金昌翕,『三淵集』卷二十五, 李一源所藏海嶽傳神帖, 唐浦觀漁

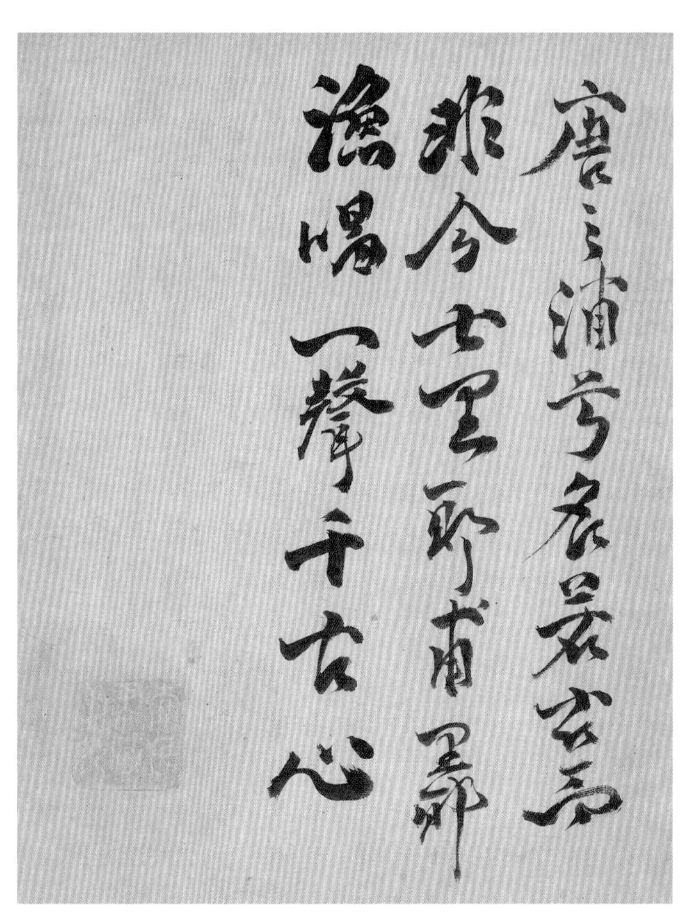

당포관어唐浦觀漁 **제시**題詩[삽도117]
이병연李秉淵 시서詩書,
1747년 정묘丁卯, 지본묵서紙本墨書,
25.3×33.1cm, 간송미술관 소장.

당포관어唐浦觀漁 도판144

1747년 정묘丁卯 3월 3일, 견본담채絹本淡彩, 25.0×32.3cm,《해악전신첩海嶽傳神帖》, 간송미술관 소장.

사천槎川 이병연李秉淵은 뒤이어 이렇게 읊었다.[삽도117]

> 당포여 그 이름, 옛날 같고 지금 같지 않네.
>
> 칠 리七里인가 팔 리인가, 고기잡이 노래 한가락이 천고千古의 마음일세.
>
> 唐之浦兮名, 若古而非今. 七里耶, 甫里耶. 漁唱一聲千古心.

이로 보면 이 당포는 마포 강변의 당인리唐人里 포구일 듯하다. 개울이 마포강으로 흘러드는 입구를 그물로 막아 고기잡이하는 모습을 갓 쓰고 도포 입은 일군의 선비들이 물가 언덕 위의 왕솔밭에 나와서 구경하는 장면이다. 앉기도 하고 서기도 했는데 동자도 몇 명 따라 나와 있다.

솔밭 뒤로는 초가집들이 마을을 이뤘는데 마을 뒤편으로는 송림이 에워싸고 앞에는 고목버들숲이 가로막고 있다. 뒷산은 피마준과 미점으로 성글게 산 모양을 갖춰 놓고 강변 모래사장은 수평먹선과 수평담묵찰법擦法으로 그 평활平闊함을 표출해 냈다. 시냇물과 강물에 수파문水波紋이 가득한 것을 보면 합수合水 과정에서 물이 서로 충돌하는 모양이다.

사인암舍人岩도판145

〈사인암〉이 여러 군데 있는데 세상에 널리 알려진 것은 단양 사인암이다. 그래서 뒷날 단원檀園 김홍도金弘道(1745~1806)는 이 단양 〈사인암〉을 심혈을 기울여 그려 낸다. 겸재도 이 단양 〈사인암〉을 《사군산수첩四郡山水帖》에서 마땅히 그렸을 테지만 이 〈사인암〉은 단양 사인암이 아니다. 일견해서 그 모습만으로도 단양 사인암이 아닌 것을 알 수 있는데 삼연의 제사삽도118로 더욱 확실하게 단양 사인암이 아닌 것을 확인할 수 있다. 옮겨 보겠다.

> 곡운谷雲◆, 삼부연三釜淵◆ 부근은 지팡이와 짚신으로 거의 다 돌아다녔다고 스스로 말했었는데 아직도 이런 경계를 빠뜨렸던가. 그윽하게 안개 서린 굴속에서

◆**곡운**谷雲
영평 백운산白雲山에 있다.

◆**삼부연**三釜淵
철원에 있다.

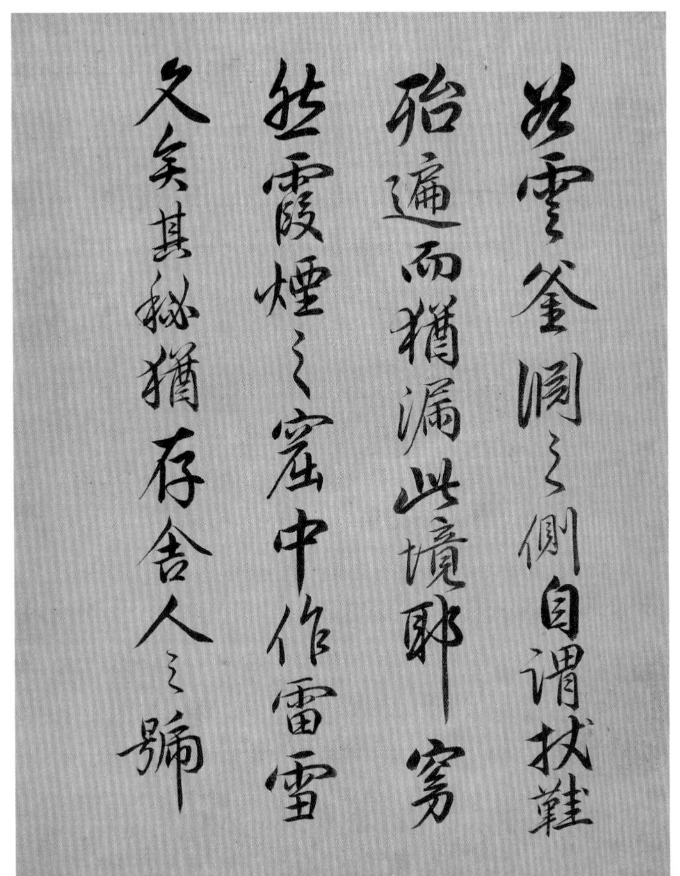

사인암舍人岩 **제사**題詞삽도118
김창흡金昌翕 찬撰, 홍봉조洪鳳祚 서書, 1747년 정묘丁卯, 지본묵서紙本墨書, 24.8×31.5cm, 간송미술관 소장.

천둥 치고 눈 뿌리기 오래였다. 그 비밀이 아직도 사인이란 이름에 남아 있다.

谷雲釜淵之側, 自謂杖鞋殆遍, 而猶漏此境耶. 窈然霞烟之窟中, 作雷雪久矣. 其秘猶存舍人之號.

眞蹟 及 金昌翕,『三淵集』卷二十五, 李一源所藏海嶽傳神帖 舍人巖

사천의 제화시[삽도119]는 이렇다.

물이 차가우니 절벽 우뚝 섰고, 산이 적막하니 새들 날아든다.

옛 친구 생각나나 보이지 않으니, 홀로 탄식하며 쓸쓸이 돌아온다.

水冷冷兮壁立, 山寂寂兮鳥飛. 懷古人而不見, 獨惆悵而空歸.

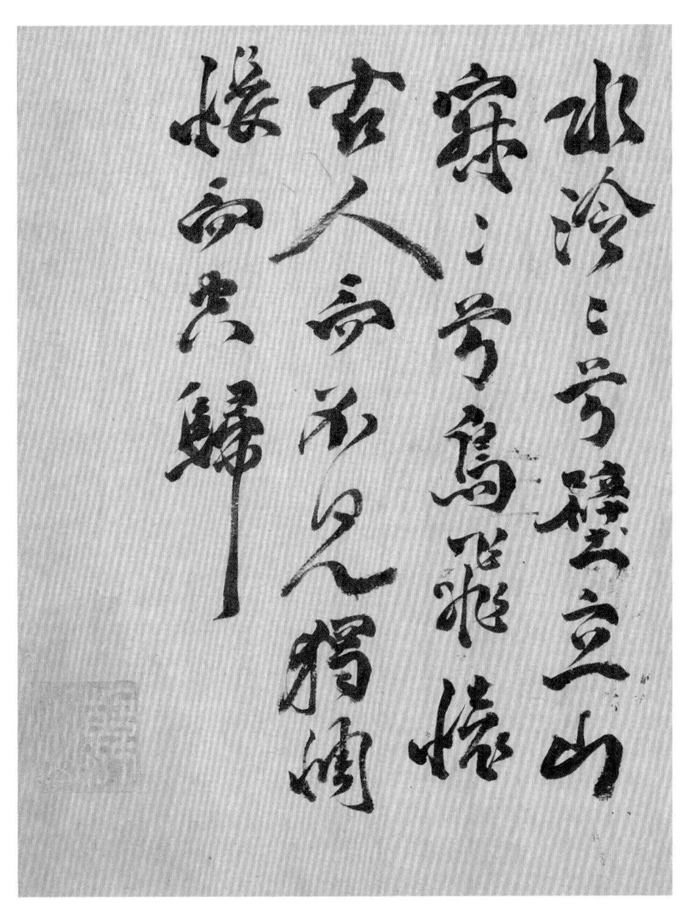

사인암舍人岩 **제시**題詩 삽도119
이병연李秉淵 시서詩書,
1747년 정묘丁卯, 지본묵서紙本墨書,
24.9×31.5cm, 간송미술관 소장.

사인암舍人岩 도판145

1747년 정묘丁卯 3월 3일, 견본담채絹本淡彩, 25.3×33.1cm, 《해악전신첩海嶽傳神帖》, 간송미술관 소장.

영평 백운산 속 어디쯤에 있는 비경秘景인 모양이다. 삼연도 이 그림을 보고서야 처음 알았다 했으니 얼마나 깊이 숨어 있는 곳인지 알 만하다. 절벽으로 이뤄진 암봉이기는 하지만 삼엄한 수직절벽은 아닌 듯 피마준을 주로 써서 산형을 표시하고 미가송법米家松法과 미점米點만으로 임상林狀을 드러냈다. 겸재가 토산을 그려 낼 때 주로 사용하는 기법이다. 아마 산세가 토산처럼 부드러웠던 모양이다. 까마득한 절벽 위에서 외줄기와 두 줄기의 변화를 보이며 웅장하게 내리 떨어지며 낭화浪華를 일으키는 3층 폭은 수량도 많은 듯 굽이쳐 흐르는 아래 시냇물의 수파문이 우렁차다.

칠성암七星巖 도판146

칠성암은 고성읍 동쪽 십 리 지점인 남강 하구 동해 바닷속에 있는 일곱 개의 바위섬이다. 백색 화강암이 수수만년 동안 동해 바다의 거친 파도와 바람에 씻겨 마치 하얗게 세어 버린 노인의 형상처럼 기이한 모습을 하고 있는 것인데 그 배열이 북두칠성과 같다 하여 혹은 칠성봉이라고도 하며 단지 바윗돌이 열립해 있다 하여 그저 입석이라고도 불리워진다.

그러나 칠성암은 해금강의 초입으로 고성 읍내 해산정에서 내려다보이는 해금강 기승奇勝의 첫 장관이라 금강산의 기수오묘奇秀奧妙* 한 산세에 놀란 눈이 미처 진정할 새도 없이 창파 만 리 일렁이는 동해의 푸른 물결에 압도당하며 대면하게 되므로 누구나 이를 대하면 실제 이상으로 경이감을 맛보게 되었던 모양이다.

* 기수오묘奇秀奧妙 기이하게 빼어나고 심오하고 미묘함

그래서 겸재도 해산정을 그릴 때부터 이 칠성암을 근경으로 끌어들이다가 결국 칠성암만을 따로 그리기에 이르렀다. 겸재 초기작에도 이런 칠성암만 그린 그림이 있었던지는 아직 세상에 알려진 예가 없어 알 수 없지만 이 그림은 겸재가 72세 시에 그린《해악전신첩》속에 포함된 한 폭이다.

겸재의 진경화법이 난만한 경지에 이르러 대경對境의 관찰과 요체 파악이 입신入神의 권역에 들어서고 대상의 물성物性에 따른 필묵筆墨 응대應對가 임의로운 시기에 그려진 그림이라서, 칠성암이 갖는 오묘한 형상성이나 동해 바다의 독특한 분위기가 이 그림 속에서 거의 완벽하게 표현되고 있다.

농담을 달리 하는 권운준卷雲皴* 계통의 대담한 필선을 분방하게 구사하여 혹은 서기도 하고 혹은 쭈그려 앉기도 하며 또는 의자에 앉기도 하는 등 각양각색으로 인물의 자태를 표현해 놓았는데 어쩌면 그렇게도 그 본질을 정확하게 추출해 내어 감필減筆*의 묘妙로 추상화시킬 수 있었는지! 과연 신기神技라 하지 않을 수 없다. 더구나 성긴 대빗자루로 대강대강 쓸어 간 듯한 물결 표현에서 일렁이는 동해 바다의 높고 큰 파도를 실감할 수 있어 어지러운 배멀미를 느끼게 해 주는 데 이르면 아연 말문이 막힐 뿐이다.

* 권운준卷雲皴 새털구름처럼 둥글둥글 말리는 듯한 필선을 중복시켜 바위나 산을 표현해 내는 선묘법. 침식된 해안 바위 등을 표현하는 데 주로 쓴다.

* 감필減筆 사물의 형태와 본질을 정확히 파악한 다음 그 형질을 함축한 최소한의 붓질

그렇다. 바로 그림은 이렇게 그리는 것이다. 대상을 정확히 관찰하여 그 물성을 터득한 다음 그 표현에 알맞는 화법을 찾아내 익숙하게 손에 익힌 다음 거침없이

칠성암七星巖 도판146

1747년 정묘丁卯 3월 3일,
견본담채絹本淡彩, 17.3×31.9cm,
《해악전신첩海嶽傳神帖》,
간송미술관 소장.

이루어 내야 하는 것이다. 그 화법을 전통 속에서 찾아내든 외래 것에서 빌려 오든 그것은 그리 큰 문제가 되지 않는다. 다만 그 표현에 알맞는, 그래서 남이 공감할 수 있는 화법이면 되는 것이다.

그런데 그것을 왜 그려야 하는지 또 왜 그렇게 그려야 하는지를 자기 자신도 뚜렷이 알지 못하면서 마구 그려 내 남에게 그것을 공감하도록 강요하는 것은 자기 기만일 뿐 미술행위가 아니다. 그런 광포한 폭거에 감상자가 유린당할 이유는 없다. 공감할 수 없는 그림을 억지로 이해하려고 애쓸 필요가 없다는 말이다.

겸재가 당시인들의 느낌 그대로를 그에 알맞는 표현법으로 그려 냈기에 당세 제일의 화가가 될 수 있었고 우리 미술사 속에서 화성畵聖으로 떠받들 만한 화가가 되었다는 사실을 우리는 이 그림과 담헌 이하곤의 다음 기록을 비교해 봄으로써 쉽게 확인할 수 있을 것이다.

> 내 창해를 헤쳐 보려니, 다만 거룻배 한 척.
> 안온하기 말 탄 듯하여, 맹풍이 겁나지 않네.
> 닻줄 풀고 처음 남강 머리를 뜨니, 강물빛 십 리는 명경을 연 듯.
> 중류에 떠 대호정 돌아봄에, 물 밑으로 붉은 난간 그림자 흐른다.……
> 남쪽 언덕 절벽은 빛이 푸른데, 억지로 적벽赤壁이라 지은 이름 속되지 않다.
> 내 여행길 바로 여름을 만나, 가을 달빛 싫도록 못 보는 게 한.
> 바닷물 사납게 빠르고 강물은 느려, 갑자기 부딪치는 파도 집채만 하네.
> 배 끝이 요동치며 오르내리니, 높을 땐 하늘로 오르는 듯 낮을 땐 골짜기로 떨어지는 듯.
> 동쪽 해구 벗어나니 파도는 잠잠, 만 리가 한 색으로 파려빛 벽색.
> 하얀 늙은이 나를 맞는 듯, 사공은 일컬어 칠성암이라네.
> 我欲淩滄海, 但有一舴艋. 安穩如騎馬, 不畏風力猛.
> 解纜初自南江頭, 江光十里開明鏡. 中流回顧帶湖亭, 水底動搖朱闌影.……
> 南岸絶壁色蒼綠, 强名赤壁無乃俗. 我行正值炎夏時, 恨未飽看秋月色.
> 海水悍疾江水緩, 猝然擊撞波如屋. 船尾搖搖低復仰, 高若升天下入谷.
> 東出海口浪勢平, 萬里一色玻黎碧. 皓然老翁如迎我, 蒿師云是七星石.

李夏坤,『頭陀草』 卷五, 汎海 觀七星巖 群玉臺 至海金剛 而還

겸재가 사생해 낸 〈칠성암〉 그림과 일치하는 사생시임을 알 수 있다. 물빛은 군청색을 우려내어 검푸른빛을 띠게 했다.

이렇게 겸재는 36년 동안 한 번도 흔들림 없이 그 진경산수화법을 보완 보충하는 일에만 전심전력을 기울였으니《관동명승첩關東名勝帖》,《사군산수첩四郡山水帖》,《영남첩嶺南帖》,《경교명승첩京郊名勝帖》 등은 모두 그 일을 위해 이루어 낸 주옥 같은 중간 결실이었던 것이다.

그래서 관아재 조영석은 겸재의《해악전신첩》과《영남첩》,《사군첩》은 일종의『동국산해경東國山海經』이니 목판본으로 만들어 전파해야 한다는 주장을 이해 8월 추석 전날에 써서 발표한다. 이를 옮겨 보겠다.

〈수옥정漱玉亭〉은 짙푸르고 사랑스러워서《고병화보顧炳畵譜》 중의 형호荊浩 필의가 있고 〈월탄月灘〉은 이함희李咸熙(이성李成, 919~967)의 뜻이 깊고 먼 것 같으며 〈화성읍리花城邑里〉는 소략하고 간단하며 전아하고 맑으니 내 조카네 집에 소장한 것과 같이 문대조文待詔(문징명文徵明, 1470~1559) 유법이다. 〈조경대釣鯨臺〉와 같은 것에 이르면, 정의情意와 운치가 아득하여 사람으로 하여금 마음과 눈을 함께 열리게 하니 그것을 대하면 문득 긴 바람이 물결을 가르는 것과 같은 생각이 나므로 대경對境과 그림이 마땅히 한 권 전체를 제압할 만하다 하겠다.

겸재의《해악첩》,《영남첩》,《사군첩》은 문득 일종의『동국산해경東國山海經』이라서 세간에 없을 수 없는 것인데 다만 우리 동쪽나라의 각법刻法이 둔하고 거칠어서 널리 펴고 멀리 전할 수 없음이 한스러울 뿐이다. 대저 서화가 동국에서 나온 것이 그 전함이 더욱 짧음은 새기는 법에 신묘함이 없어서인가. 정묘丁卯(1747) 8월 추석 전날. 관아재가 제題하고 아울러 쓰다.

漱玉亭, 蒼潤可愛, 有顧炳畵譜中, 荊浩筆意, 月灘, 如李咸熙之情意幽遠, 花城邑里, 疎簡雅潔, 如吾姪家所藏, 文待詔遺法. 至若釣鯨臺, 意致渺然, 令人心目俱開, 對之, 便有長風破浪之思, 境與畵, 當壓一卷. 謙齋海岳帖 嶺南帖 四郡帖, 便一東國山海經, 世間不可無者, 而獨恨我東刻法魯莽, 無以廣布傳遠. 大抵書畵之出於東國者, 其傳尤短, 無妙

於剞劂之法也歟, 丁卯八月 社前 觀我齋題竝書.

成均館大學校博物館,『槿墨』下, 823面 趙榮祏 眞蹟

그사이 이런 우리 국토 중 가장 빼어난 경치를 지닌 명승지들의 각기 다른 모습들을 그에 맞게 사생해 내면서 터득한 화리畵理를 이제 이 후《해악전신첩海嶽傳神帖》의 그림을 그려 내는 데 모두 적용시킨 것이다. 그래서 음양대비陰陽對比가 더욱 극명하고 음중양陰中陽의 자연섭리가 더욱 자연스럽게 표출되며 음陰을 상징하는 토산土山은 더욱 임리淋漓하고 양陽을 상징하는 암봉岩峯은 더욱 삼엄森嚴하다.

원산遠山은 아련하고 해산海山은 광활廣闊하며 파도는 흉용洶湧하고 입석立石은 기괴奇怪하니 과연 천공天工의 조화造化를 인공人工의 묘리妙理로 빼앗은 느낌이 든다. 진정 화성畵聖의 경지에 오른 것이다.

그래서 진경문화 절정기에 태어나서 진경문화 의식에 투철했던 송천松泉 심재沈梓(1722~1784)는『송천필담松泉筆譚』권4에서 역대 서화가書畵家들을 품평하면서 이렇게 말하고 있다.

동쪽 중화東華(즉 조선)의 중엽 이상에 명수名手로 일컫는 바는 졸렬하고 거칠어서 거의 볼 만한 것이 없다. 윤공재尹恭齋(두서斗緖, 1688~1715)로부터 비로소 문로門路가 조금 열리기 시작해 촌스러움을 떨쳐 버리고 세련돼 간다. 연옹蓮翁(윤덕희尹德熙, 1688~1766)이 그것을 계승해 신선을 그리고 말을 그리니 세상에서는 쌍절雙絶로 일컫지만 필법이 많이 나약懦弱한 편이다.

정겸재鄭謙齋의 산수는 장건웅혼壯健雄渾◆하고 호한임리浩汗淋漓◆하니 한창려韓昌黎(유愈, 768~824)의 문장 같고, 조관아재趙觀我齋의 인물은 깎은 듯이 드러나서 깔끔하고 산뜻하니 유유주柳柳州(종원宗元, 773~819)의 문장 같다.

유수운柳峀雲(덕장德章, 1675~1756)의 묵죽墨竹과 심청부沈靑鳧(정주廷冑, 1678~1750)의 포도도 아울러 세상을 치달리지만 오로지 한 가지 물건만 일삼으니 증자고曾子固(공鞏, 1017~1083)가 시 지을 줄 모르던 뜻이 있다. 심현재沈玄齋(사정師正, 1707~1769)는 오로지 중화中華만을 숭상하여 굵고 가늚을 모두 갖추고 세

◆**장건웅혼**壯健雄渾
씩씩하고 굳세며 사내답고 큼직함

◆**호한임리**浩汗淋漓
넓고 질펀함

로가로 멋대로 치달리니 소동파蘇東坡(식軾, 1036~1101)의 문장과 같은 데가 있지만 문선文仙의 변화경變化境이라 또한 가볍게 평가하기는 어렵다.

이원령李元靈(인상麟祥, 1710~1760)은 보산자寶山子라고 자호自號하는 데 예서를 쓰는 획으로 끌어다 그 한 언덕 한 골짜기의 경치와 한 나무 한 돌의 기묘함을 그린다. 필적이 간결하고 뜻이 담박하여 때로 필묵으로 형사하는 것 밖으로 뛰쳐나와서 진흙 속의 연꽃이나 백운 속의 닭과 개의 형상과 같으니 진실로 화가畵家에서 이른바 사기화士氣畵라 하겠다. 다만 먹장난이 심히 드물어 짙고 젖는 데 이르지 않으니 비교한다면 화류驊騮가 한 발짝 걷자 모든 말들이 사라진 것과 같고 곤륜산이 사방에 우뚝 솟자 다른 산들은 힘쓰기 어려운 것과 같다고 하겠다.

변상벽卞相璧(1730~?)의 고양이 그림이나 김홍도金弘道(1745~1806)의 풍속화는 매우 닮지 않은 것은 아니나 오로지 사물의 형태만을 숭상하여 문득 천취天趣가 결핍하니 마땅히 그림畵이라고는 하겠지만 사생寫이라고 할 수는 없겠다.

東華中葉以上, 所稱名手, 拙涉麤率, 專無可觀. 始自尹恭齋, 稍開門路, 祛野就華. 蓮翁繼之, 畵仙畵馬, 世稱雙絶, 而筆法率多懦弱. 鄭謙齋之山水, 壯健雄渾, 浩汗淋漓, 如韓昌黎之文, 趙觀我之人物, 巉巖刻露, 瀟灑縹緲, 如柳柳州之文. 柳峀雲之墨竹, 沈青凫之葡萄, 幷駈於世, 而專事一物, 有曾子固, 不能詩之意.

沈玄齋, 專尙中華, 巨細俱宜, 縱橫奔放, 有如東坡之文, 而文仙化境, 亦難輕評. 李元靈, 自號寶山子, 乃以作隷之畫, 流而畵其一丘一壑之勝, 一木一石之奇. 跡簡而意淡, 時出於筆墨形似之外, 如淤泥蓮花, 白雲鷄犬, 眞畵家所謂, 士氣畵也. 但墨戲甚罕, 未臻濃濕, 比如驊騮一步, 凡馬皆空, 而崑崙四極, 有難致力. 至於卞尙璧之畵猫, 金弘道之俗畵, 非不酷肖, 而專尙物態, 頓乏天趣, 宜曰畵也, 不可曰寫也.

沈梓,『松泉筆譚』卷四

그렇다. 겸재 그림은 그 스승인 삼연 김창흡이 평한 대로 화흥畵興이 일면 붓을 멋대로 휘둘러 먹물을 뿌려 대도 화면에 생동감이 흘러넘치는 자연스러움이 가득했다. 이것이 바로 천취자성天趣自成의 천재성이다. 이는 그림의 바탕을 이루고 있는 이념에 대한 철저한 이해가 있었기 때문에 가능한 일이었다. 그림을 왜 그렇게 그려야 하는가 하는 이유가 분명하니 필묵의 운용이 신속 정확하고 항상 창조적이고 자연스럽고 생동감이 넘쳐 날 수밖에 없었다.

그래서 그의 그림을 두고 신운자현神韻自顯이니 이견천취而見天趣이니 하는 평가를 하게 되었던 것이다. 그러면서 북방화법의 특장을 자기화했기에 골법骨法이 최강最剛하게 되고 남방화법의 특장을 역시 충분히 소화해 내어 묵법墨法이 가장 임리淋漓하게 되었는데, 이는 저들 중국의 남북방화법을 제대로 이해하고 소화해 내어서만 이루어진 것은 아니다.

우리 국토가 거의 대부분 바위 중에서도 가장 단단한 화강암으로 이루어져 있어 우리 성정이 그런 화강암같이 굳센 암석기岩石氣를 가지고 있기에 겸재는 우리에게 내재돼 있는 그 본성을 최대한 노출시켰을 뿐이었고, 장마철 습기 찬 구름산에서 남방화법의 임리한 미가운산법米家雲山法을 자기화할 수 있다고 생각했을 것이다. 그러면서 끊임없는 자연 관조와 사생 및 임모 수련에서 대상의 형사形似를 가장 적절하게(最適) 표현해 낼 수 있는 능력을 길러 가게 되었을 것이다.

그래서 겸재를 전후한 중국 그림들과 겸재 그림을 비교하면 겸재 그림이 화격畵格은 명나라 절파浙派 그림을 능가하고 골법骨法은 명대 오파吳派 그림을 압도하며 형사形似는 거의 동시대의 청나라 양주揚州화파를 뛰어넘게 된다는 사실을 확인할 수 있다.

이해 옥소는 「풍악도가 겸재로부터 오니 기쁘게 시 한 수 보내다楓岳圖 自謙齋, 喜寄一詩」라는 시를 남기고 있다. 내용은 다음과 같다.

> 금강산에서 백색삼엄하고 높은 것 보이지 않고, 마음대로 휘두를 때 붓기운 호방하다.
> 황홀한 그때 몸은 잠시 동안, 이 늙은이 전체가 습지였던가 보다.
> 金剛不見白森高, 縱意揮時筆氣豪. 恍惚當年身造次, 是翁都是九方皐.
> 權燮, 『玉所稿』 卷二

또 김익주金翊胄, 조영석趙榮祏(1686~1761), 조세걸曺世杰(1636~1706), 이인상李麟祥(1710~1760), 정겸재 등 5인 화가의 그림평인 「다섯족자평五簇評」에서 겸재 그림을 이렇게 평하고 있다.

흰 구름 천리만리인데, 어찌 먼 하늘에서 나부껴 드날리어 일정치 않은 형세를 그리지 않고, 다만 바위굴에서 나와 한가롭기만 한가.

밝은 달 앞시내 뒷시내인데, 어찌 맑은 호수에 달그림자 둥글둥글하고 또 어지럽게 바람맞은 나무 형세인가.

나귀 탄 행차가 매우 신속하게 바람에 불리워 가는 듯한데, 뒤따르는 시종이 이에 다시 편안하고 한가로우니 어째서인가.

그러나 필법은 곧 명화이다.

白雲千里萬里, 何不作遠空飄揚不定之勢, 而只出峀而閑閑. 明月前溪後溪, 何澄湖月影之團團, 而又作亂風樹勢. 騎驢之行, 似若快迅吹, 而隨後之僮, 乃復宴閑何耶. 然筆法卽是名畵.

관아재 그림평은 이렇다.

돌을 쌓아 높은 절벽 이루었고, 산 뒤로 한 봉우리 서 있으니, 이는 특별한 의취이다.

장사꾼이 옹기짐 지고 앉았는데, 뱃머리에서 나이 먹은 알상투가 삿대를 버티고 있으니, 분명 값을 달라는 말이 있을 것이다.

하나하나 정신이 일고 우뚝한 나무와 성긴 버들이 두 언덕에 나뉘어 서 있으니, 더욱 진짜에 가깝다. 신기하다.

疊石成高壁, 山背立一峯, 是別意趣. 賈客之負瓮擔而坐, 船頭長年之露髻, 撑篙, 分明有索價之語. 箇箇精神, 獨樹踈柳之分立兩丘, 尤逼眞. 神奇.

權燮, 『玉所稿』 卷八, 五簇評

그런데 이해 영조 23년(1747) 정묘丁卯 9월 29일은 대왕대비 인원왕후 경주김씨의 회갑일이었다. 그래서 1월 1일에 영조는 백관을 거느리고 축하문進箋을 올리고 수경壽慶으로 80세 이상의 백성과 70세 이상의 조관朝官에게 1품의 품계를 올려 주니 72세인 겸재도 당연히 종4품으로 품계가 올랐다.

뿐만 아니라 이해는 정묘호란丁卯胡亂(1627)이 일어난 지 두 갑자(120년)가 되는 해이라 조선으로서는 대청관계에서 매우 의미 있는 해였다. 그래서 영조는 1월 12

일에 지난해 무늬 있는 비단을 무역해 온 범금죄인 뇌자관賚咨官 이명직李命稷을 감사일등減死一等하여 섬으로 귀양 보내고 전인廛人* 우두머리는 먼 곳으로 귀양 보내라 한 다음 이를 범하는 시민도 같은 법률로 다스리고 이를 범한 역관이나 장사치는 의주부로부터 먼저 목 베어 매달고 뒤에 장계로 알리라는 가혹한 처벌내용의 교지를 내린다.

* **전인**廛人
전방인. 전방에 장사하는 사람

그리고 3월 29일에는 조선이 중화문화의 계승자임을 표방하는 황단제사皇壇祭祀의 의례儀禮 절차를 총망라한 『황단의궤皇壇儀軌』를 완성해 낸다. 더불어 정묘호란 당시 의주판관으로 있던 율암栗庵 최몽량崔夢亮(1579~1627)이 청군을 끝까지 저지하다 아우인 의주 건천乾川 권관權管 최몽직崔夢稷(1596~1627)과 조카 최호崔浩(1613~1627), 최준崔濬(1616~1727)과 함께 사숙질四叔姪이 동시 순절殉節한 사실을 알고 이를 포상하기 위해 왕자시절 사부師傅였던 관양冠陽 이광덕李匡德(1690~1748)에게 시장諡狀을 지어 올리게 한다.(이광덕李匡德, 『관양집冠陽集』 권11, 「의주판관최몽량시장義州判官崔夢亮諡狀」)

그리고 대의를 바로잡기 위해 9월 26일에는 안평대군 용瑢(1418~1453)을 복관復官한다. 한편 영조는 조송정국을 타파하기 위한 수단으로 영입했던 좌의정 정석오와 우의정 민응수를 8월 27일 동시에 파직하고 다시 조현명(1691~1757)을 좌의정으로 불러들인다. 6월 24일 약방도제조로 입시한 조현명에게 영조가 정치일선에서 물러나 쉴 뜻을 밝힌 다음의 일이었다. 왕세자에게 대리를 시키기 위한 준비작업이었다.

이에 조현명은 자신의 시대가 끝나감을 절감하고 11월 23일 노론 영수인 판부사判府事 유척기兪拓基(1692~1767)의 초치를 청한다. 유척기와 당색은 다르지만 창의리 한동네에서 태어나 자라며 백악사단의 일원으로 뜻을 함께해서 그 역량과 사람됨을 누구보다 잘 알기 때문이었다. 노론 주도의 대탕평정국을 이끌어 나가기에 가장 합당한 인물이라고 판단했던 것이다.

이해 3월 20일에는 겸재 그림을 지극히 애호하던 동포東圃 김시민金時敏(1681~1747)이 67세로 돌아간다. 행주 귀래정歸來亭 주인인데 겸재처럼 장동壯洞에 내외가가 있어 이곳에서 나고 자랐으므로 어릴 적부터 겸재와는 우의가 돈독했으며 농연문하의 동문사우로 둘다 효행이 뛰어나 백악동부의 쌍효자로 소문나 있었다.

7월 10일에 효종부마로 아직 생존해 있던 금평위錦平尉 박필성朴弼成(1652~1747)도 96세로 돌아간다.

8월 23일에 동문인 우산盂山 홍봉조洪鳳祚(1680~1760)가 68세로 강원감사에 제수되는 것은 기쁜 일이었다. 이해 12월 28일 현재 서울 5부의 호구는 3만 4,153호이고 인구는 18만 2,584인이며 전국 8도 호구는 172만 5,538호이고 인구는 734만 318인이었다.

제10장

화성의 길 4

- 중국고사도까지 진경화풍으로

35
오일五日 위수衛率

영조 24년(1748) 무진戊辰년은 겸재 73세 나던 해이다. 1월 17일 선원전璿源殿 봉안 숙종 어진의 눈꼬리 끝 부분에 점흔點痕이 발견돼 왕명으로 이의 개모改模를 지시한다.

그리고 1월 20일 모사에 종사할 인원을 다음과 같이 발표한다.

> 화원 장경주張敬周(1710~?)는 집필執筆 주관主管하고 장득만張得萬(1684~ 1764), 진응회秦應會, 김희성金喜誠(1710~?), 함세휘咸世輝, 정홍래鄭弘來(1720~?), 박태환朴泰煥은 동참하며, 유생으로 그림에 능한 자인 조영석趙榮祏(1686~1761), 윤덕희尹德熙(1685~1766), 심사정沈師正(1707~1769)은 또한 감동監董으로 명한다.
>
> 畫員張敬周, 執筆主管, 張得萬, 秦應會, 金喜誠, 咸世輝, 鄭弘來, 朴泰煥, 同參, 儒生能畫者, 趙榮祏, 尹德熙, 沈師正, 亦命監董.
>
> 『英祖實錄』卷六十七, 英祖 二十四年 戊辰 正月 二十日 乙巳條

1월 23일 어진모사에 관계할 인사를 모두 경현당景賢堂에 모아 놓고 모사를 감당할 만한 인사선발을 논의하는 자리에서 영성군靈城君 박문수朴文秀(1691~1756)[삽도120]가 이렇게 말한다.

> '정선鄭敾은 명화가로 일컬으나 나이가 70이 넘었으니 늙어서 참섭하기 어렵습니다.' 상감이 이르기를, '정선의 그림은 나 또한 그 잘하는 것을 안다. 그러나 이미 늙어서 감당할 수 없다.'
>
> 文秀曰 鄭敾, 以名畫稱, 而年過七十, 老難參涉矣. 上曰, 鄭敾之畫, 予亦知其善爲, 而已

靈城君朴文秀
字成甫高靈人號耆隱辛未生
景宗癸卯增廣文科歷兼說書翰林玉堂戊申
以嶺南別遣御史兼都巡撫使吳命恒從事
官討平逆亂 擢拜嶺伯策二等勳歷御將
守禦使兵戶禮刑判判義禁丙子卒享年六
十六 贈領議政府院君諡忠憲

박문수朴文秀 **초상**肖像 삽도120
1728년 무신戊申, 견본채색絹本彩色, 28.2×40.2cm, 개인 소장, 보물1189-2호.

老, 不堪當矣.

『承政院日記』 1,025冊

사실 겸재는 이때 화격이 최고에 도달해서 화가로서 절정기를 맞고 있을 때였다. 영조가 이 사실을 모를 리 없을 터이나 겸재를 어진모사에 끌어들이지 않기 위해 늙었다는 핑계로 제외했던 듯하다. 박문수가 선수를 친 것도 겸재를 외호하려는 사우들의 분위기를 대변한 내용이라고 보아야 한다.

어떻든 이 어진모사에서 유화儒畫 감동을 간절히 원했던 현재玄齋 심사정沈師正은 역적 심익창沈益昌(1652~1725)의 손자라 하여 쫓겨났고, 영조의 간절한 청탁에도 끝내 집필모사를 거부한 관아재 조영석은 유화 감동으로 그 역할을 다했다. 현재는 겸재의 제자로 조선남종화의 시조이고 관아재는 뜻을 같이하는 10년 후배로 풍속화의 시조이다.

관아재는 이 공로로 2월에 형조 정랑(정5품)과 사옹원 첨정(종4품)을 거쳐 5월에 배천白川군수로 나간다.

이때 주관 화원 장경주張敬周는 품계가 올라 첨사僉使(종3품)가 되어 나가고 김희성金喜誠(겸재를 존경하여 희겸喜謙으로 개명했음)은 변장邊將(종6품)이 되어 나간다. 김희겸은 전라우수영全羅右水營 관하의 변장이 되었던 듯 지난해 5월 29일에 임명받아 당시 전라우수사(정3품)로 있던 석천石泉 전일상田日祥(1700~1753)을 위해 6월에 〈석천한유도石泉閒遊圖〉삽도121를 그린다.

자못 사실감 넘치게 무장武將의 호협한 생활장면을 그려 내어 당시 풍속화의 백미로 꼽아야 할 이 그림에는 '무진 유월에 그리다戊辰流月日製'라는 관서款書 아래에 '김희겸인金喜謙印'이라는 방형백문 인장이 찍혀 있어서 벌써 이 당시 김희성이 '희겸喜謙'이란 이름을 쓰고 있던 사실을 확인할 수 있다. 이해에 강원감사 홍봉조는 스승인 삼연 김창흡이 살던 영시암永矢庵 옛터에 비석을 해 세워 기념한다.

3월에는 수운峀雲 유덕장柳德章(1675~1756)이 〈설죽도雪竹圖〉를 그리고 '해는 무진이고 봄 3월 수운 팔십 노인이 그리다歲戊辰春三 峀雲八耆翁作'라는 관서를 남겼다. 가을에는 노가재 김창업의 서자인 진재眞宰 김윤겸金允謙(1711~1775)이 영의

석천한유도石泉閒遊圖 삽도121

김희겸金喜謙, 1748년 무진戊辰, 지본담채紙本淡彩, 87.5×119.5cm, 전용국田溶國 소장.

동산계정東山溪亭 삽도122
김윤겸金允謙, 1748년 무진戊辰, 저본담채苧本淡彩, 18.0×24.3cm, 간송미술관 소장.

정을 지낸 평천군平川君 신완申琓(1646~1707)의 정자인 〈동산계정東山溪亭〉 삽도122을 그린다. '신평천 동산계정 무진년 가을申平川東山溪亭 戊辰秋'이라는 관서가 있다.

이해 윤7월 17일에 좌의정 조현명이 그의 형인 고 영의정 조문명趙文命(1680~1732)이 그려 남긴 《포도첩》에 발문을 지어 남긴다. 내용은 이렇다.

> 첩帖 중 그림 3폭은 셋째 형 문충공의 작품이고, 그 아래는 백하白下 윤순尹淳(1680~1741) 글씨 8폭과 소고嘯皐 서명균徐命均(1680~1745) 글씨 6폭이다. 아아! 그 정신은 이미 멀어졌는데 손때는 새것 같구나! 외로이 남아 머리가 희었으니 이를 쓰다듬으며 운다. 오늘밤 꿈에서 문충공을 뵈었더니 아침에 곧 재홍載洪(1713~1758, 조문명의 제3자)이 이 화첩으로 보인다. 정신의 감응이 모두 이와 같구나.

무진(1748) 윤7월 17일 현명이 발한다.

帖中畫三幅, 叔氏文忠公作, 其下白下書八幅, 嘯皐書六幅也. 嗟呼 其精已遠, 手澤如新. 孤露頭白, 撫之以泣也. 今夜夢拜文忠, 朝則載洪, 以此帖示之. 精神之感, 盖如此也. 戊辰閏七月十七日 顯命跋.

趙顯命, 『歸鹿集』 卷十八, 載洪所藏葡萄帖跋

이해는 노론 탕평파의 핵심인 전 병조판서 원경하元景夏(1698~1761)가 소론 탕평파의 실세로 떠오른 예조판서 이주진李周鎭(1691~1749)과 대탕평의 주도권을 겨루다가 현재玄齋 심사정沈師正의 어진모사 참여 문제에서 판정승을 거둬 대권을 장악해 간다. 1월 25일 원경하가 「심사정이 어진모사에 동참하는 명을 거둬 주기를 청하는 상소請寢沈師貞同參御眞模寫之命」를 올려 심사정이 역적 심익창沈益昌(1652~1725)의 손자이니 어진모사에 동참시켜서는 안 된다고 주장한다.

그 내용의 일부를 옮기면 다음과 같다.

오직 우리 숙종 어진모사는 한 번 이루어진 후에 공경하고 삼가기에 유감이 없었습니다. 성상의 효심을 우러르고 본받아 조정에 있는 신하와 화공은 새벽부터 저녁까지 스스로 힘쓰는 바인데 가만히 듣건대 심익창의 손자인 사정이 그 조금 화법을 앎으로 군직軍職을 붙여 동참하는 명이 있었다 하니 신은 놀라 탄식함을 이기지 못하겠습니다.

비록 사정이 오도자吳道子(?~792)나 염입본閻立本(?~673)의 신필神筆이 있다고 해도 신은 익창의 손자라고 한다면 마땅히 중대한 역사에 참여하지 못하게 해야 한다고 생각합니다. 엎드려 빌건대 성상의 총명으로 빨리 이 명을 거두소서.

惟我肅廟御眞模寫, 於攀髯莫逮之後, 敬愼無憾. 仰體聖孝, 乃在廷臣工, 夙夜所自勉, 而竊聞沈益昌之孫師貞, 以其秒解畵法, 至有付軍職, 同參之命, 臣不勝驚歎. 雖使師貞, 有吳閻神筆, 臣以爲益昌之孫, 不宜參於重役. 伏乞聖明, 極寢斯命焉.

元景夏, 『蒼霞集』 卷五, 請寢沈師貞同參御眞模寫之命疏

영조는 상소가 올라오자 즉각 도감으로 하여금 심사정을 뽑아내라고 명한다.

심사정은 대고모의 손자인 6촌형 예조판서 이주진의 추천으로 유화儒畵 감동監董에 발탁됐었다. 그러나 영조는 신임사화 때 자신을 모살하려 한 심익창의 역심을 도저히 용서할 수 없었다. 그래서 인현仁顯왕후 여흥민씨(1667~1701)의 오빠인 좌의정 민진원閔鎭遠(1664~1736)의 외동딸 사위로 그의 진외가 종조從祖인 심익창의 물증 없는 죄상을 어느 정도 실토하게 한 대공을 세운 이주진의 청을 과감하게 물리치고 원경하의 손을 들어 주었던 것이다.

그래서 4월 18일에 원경하를 우참찬右參贊(정2품), 박필주를 우찬성右贊成(종1품)으로 삼아 노론 탕평파의 입지를 굳힌다. 이렇게 영조의 탁월한 영도력이 조선을 정치적으로 안정시키고 문화발전을 선도해 나갔기 때문에 겸재·관아재·현재와 같은 사대부화가가 일시에 나와 그 기량을 마음껏 뽐내고 장경주張敬周(1710~?), 김희겸金喜謙(1710~?), 정홍래鄭弘來(1720~?) 등등 많은 화원畵員 화가들이 쏟아져 나와 진경시대 화풍을 계승 발전시킨다.

조각 분야에서는 최천약崔天若(1674~1755), 변이진卞爾珍(?~1764), 손수담孫壽聃, 현덕룡玄德龍, 김하정金夏鼎 등이 속출하여 사생조각기법을 창안 발전시킨다. 때맞춰 최고의 감식안이자 최대수장가인 상고당尙古堂 김광수金光遂(1699~1770)와 석농石農 김광국金光國(1727~1797)이 배출되어 미술품의 가치를 제대로 평가하고 수장하는 일에 신명을 바친다. 이는 곧 조선이 세계문화의 중심이라는 조선중화주의에 입각한 문화적 자존심의 표출이었다.

그런데 4월 29일 동지정사 낙풍군洛豊君 무楙(1698~1754), 부사 이철보李喆輔(1691~1770), 서장관 조명정趙明鼎(1709~1779)의 복명에 의하면 청나라가 위로는 가혹한 정치가 없고 아래로는 원망하는 말이 없으며(上無苛政, 下無怨言) 기강이 뚜렷하여 황제의 일정일령一政一令을 모두 준수하고 감히 거스르지 못하며 창춘원暢春苑의 꾸밈이 화려하다고 한다. 그 선정善政과 문화발전이 오랑캐라고 얕잡아 보아서는 안 된다는 내용이다.

뿐만 아니라 윤7월 30일 일본통신사日本通信使로 갔다 돌아온 홍계희洪啓禧(1703~1771)의 복명에 의하면 일본 막부幕府가 있는 강호江戶(동경東京)의 정비된 도시규모와 여염의 은성殷盛 및 질서 있는 생활자세가 중국을 지나친다고 한다. 그러나 영조는 이웃나라의 이런 문화발전 양상에 그리 큰 관심을 기울이지 않는 듯하다.

자국 문화발전에 대한 확고한 자신감이 있었기 때문이었을 것이다. 도리어 11월 5일에는 능단綾緞의 무늬 없는 것도 무늬 있는 것과 같은 예로 일체 수입을 엄금하는 교지를 내린다. 역관배들이 칙령을 교묘히 피해 무늬 없는 비단을 다투어 구입해 들이고 있다는 진위사 서장관 심관沈鏡(1708~1777)의 진언을 듣고 내린 결단이다.

이해(1748) 6월 24일에 영조는 금성위錦城尉 박명원朴明源(1725~1790)에게 하가下嫁한 둘째 따님 화평和平옹주(1727~1748)를 잃는다. 영조는 전례를 깨고 옹주상喪에 임곡臨哭하는 파격을 보이고 옹주상에 자주 내왕하기 위해 상주하던 경덕궁慶德宮*을 떠나 창덕궁昌德宮으로 7월 6일에 이어移御한다. 화평옹주궁이 창덕궁 서쪽 금호문金虎門 밖 관상감觀象監 부근 제생동濟生洞*에 있었기 때문이다.

이를 대비해 7월 4일 영조는 경덕궁에 남아 있는 왕세자를 위해 분사分司를 가설하니 분부총관分副摠管에 서성군西城君 작焯(1684~1763), 분도사分都事에 이영명李永命, 분위수分衛率에 정선鄭敾을 임명하여 왕세자를 보좌하도록 한다.(『승정원일기』 1,031책 참조)

그 중에 겸재를 가위수로 삼아 왕세자를 주야로 측근에서 시위하도록 하고 있으니 이는 영조가 겸재에게 무언중에 암시하는 특수임무를 부여한 것이었다고 생각된다. 겸재는 73세의 노인이고 왕세자는 14세의 소년이었다. 이미 양천현령을 지내면서 그의 진경산수화법은 최고의 수준에 올라 있었으니 겸재가 14세 소년 왕세자 측근에서 할 수 있는 일은 그림을 가르치는 것 이외에 아무것도 없었다.

그러나 왕세자라는 신분상의 위치 때문에 드러내 놓고 그림수업을 감행할 수 없는 일이니 영조는 이를 좋은 기회로 삼아 잠시나마 왕세자로 하여금 최고의 스승에게 그림을 배울 수 있는 길을 터 주려 했던 모양이다. 자신이 왕자 신분으로 창의궁을 사저로 구입한 다음 부근에 사는 겸재를 초빙해 그림을 배우던 것도 14세 어름이었다.

그런데 겸재를 왕세자 곁에 오래 둘 수는 없는 일이라 7월 8일에 왕세자도 창덕궁으로 옮겨 오게 하고 분사 관원들을 모두 해직하니 분위수인 겸재는 5일 만에 물러나고 말았다. 비록 이런 짧은 만남이었지만 이로 말미암아 사도세자의 그림

* **경덕궁**慶德宮
경희궁慶熙宮의 본명本名. 현재 서울역사박물관 자리에 있다.

* **제생동**濟生洞
지금 계동桂洞

솜씨는 상승에 이르렀던 모양이니 4년 뒤인 영조 28년(1752) 9월 22일 뒷날 정조가 되는 왕손이 태어날 때 꿈에 본 황룡을 경춘전景春殿 벽에 일필휘지一筆揮之할 수 있었고 영조 그림이나 겸재 그림 진경산수화에 제사를 달 수 있었을 것이다.

마침내 화평옹주를 일등 상례로 장사 지내도록 하여 8월 2일 장례를 치르니 의물儀物의 성대함이 국장에 버금갔다.

윤7월 9일에는 우찬성 박필주朴弼周(1680~1748)가 69세로 돌아간다. 은일로 이조판서가 되어 조송건곤의 소론탕평정국을 무너뜨리고 노론 주도의 대탕평정국을 이루어 낸 장본이었다. 금양위錦陽尉 박미朴瀰(1592~1645)의 증손자이자 금성위 박명원의 종조부였다.

6월 29일에는 겸재의 하나밖에 없는 매부인 연안 송희덕宋希德(1688~1748)이 61세로 돌아간다.

78세의 옥소玉所는 「원백의 바다바위에 제함題元伯海岩」이라는 제화시에서 이렇게 읊고 있다.

> 어느 곳 기암奇巖인들 그려 낼 수 없으랴만, 우뚝 홀로 나와 바닷속에 드높구나.
>
> 이런 기력이 파도형세 무너뜨리니, 이 노인이 석실의 후손임을 알겠구나.
>
> 何處奇巖不可畵, 亭亭獨出海中尊. 如斯氣力頹波勢, 知道斯翁石室孫.
>
> 權𢡧, 『玉所稿』 卷二, 題元伯海岩

겸재가 바위를 잘 그린 것이 석실서원의 후손이기 때문이라는 것이다. 석실서원은 농암 김창협이 상주하며 후진을 양성하던 곳으로 삼연 김창흡도 드나들며 제자들을 가르쳤으니 이른바 농연문도들의 배움터였다. 옥소도 농연문도였다. 겸재가 자신의 동문임을 분명히 밝힌 대목이다.

〈삼청동三淸洞〉이라는 진경산수화에는 이런 제화시를 붙이고 있다.

> 맑은 물 흰 돌 몇 번이나 지팡이 짚고 돌아다녔나. 큰 두루마리의 제시는 다섯 놀이 꾼 모습.
>
> 기색이 짙푸르니 겸재노인 그림인데, 한 채 초가집을 누가 백련봉에 기대었나.

清流白石幾年笻, 大軸題詩五傲容. 氣色蒼蒼謙老畵, 一廬誰倚白蓮峯.

權燮, 『玉所稿』 卷二, 題畵

이때 옥소가 겸재 그림에 탐닉하는 것은 거의 광적인 경지에 이르렀던 것 같다. 그래서 끊임없이 각체의 그림을 요구하니 겸재는 대강 응수할 수밖에 없었던 듯하다. 그 내용이 「화첩에 제함題畵帖」에 실려 있다. 옮겨 보겠다.

겸재노인의 세상에 드문 그림이 이미 각체로 한 화첩을 이루었는데, 곧 다시 그 사물의 종류를 넓히고자 해서, 이 12폭과 또 10폭이 있게 했더니 각각 얻고 잃은 차이가 있다. 어찌 이 벗이 늙고 게을러져서 그 아들로 하여금 손을 대신하게 했는가. 붓을 놓아 휘두를 때 또한 뜻대로 되고 안 될 때가 있었던가.

이미 겸재노인 그림이라 하는데 어찌 가히 망령된 견해로 취하고 버릴 수 있단 말인가. 아울러 붙여서 별첩別帖◆으로 꾸며 한천寒泉과 화지동花枝洞 두 향장鄕莊의 책상에 나눠 두었으니 78세 늙은이의 남은 세월 즐거움을 삼을 수 있으리라.

◆ **별첩**別帖 다른 화첩

謙翁稀世之畵, 旣各體之成一帖, 則更欲廣其物種, 有此十二幅, 又十幅而各有得失之異. 豈此友老倦, 而使其子代手耶. 縱筆揮洒之際, 亦或有得意未得意時耶. 旣曰謙翁畵, 則何可以忘見取舍. 幷付之爲別帖, 分置子寒泉花枝兩莊之案, 可作七十八歲翁餘年嬉怡.

權燮, 『玉所稿』 卷八, 題畵帖

문경 화지동에 전해지는 《영모인갑翎毛鱗甲》이라는 영모어해첩 10폭 그림삽도 123, 124을 보면 옥소가 이렇게 불만스런 제발을 남기고 있는 것이 이해된다. 정말 대강 휘둘러 낸 체본 그림이다. 이 화첩에서 옥소는 위 제발을 앞뒤로 이어 써 놓고 있다. 봄날 손자 신응으로 하여금 대필하게 했다 했는데 글씨는 양송체의 능필이다.

옥소는 이도 부족해서 21세의 손자 권신응으로 하여금 겸재의 《악해첩嶽海帖》 필법을 본떠서 금강산과 관동 및 사방의 명승지를 24폭에 그리게 하여 《명기첩名奇帖》이란 화첩을 꾸미고 그 제사를 짓는다.(권섭權燮, 『옥소고玉所稿』 권8, 명기첩제

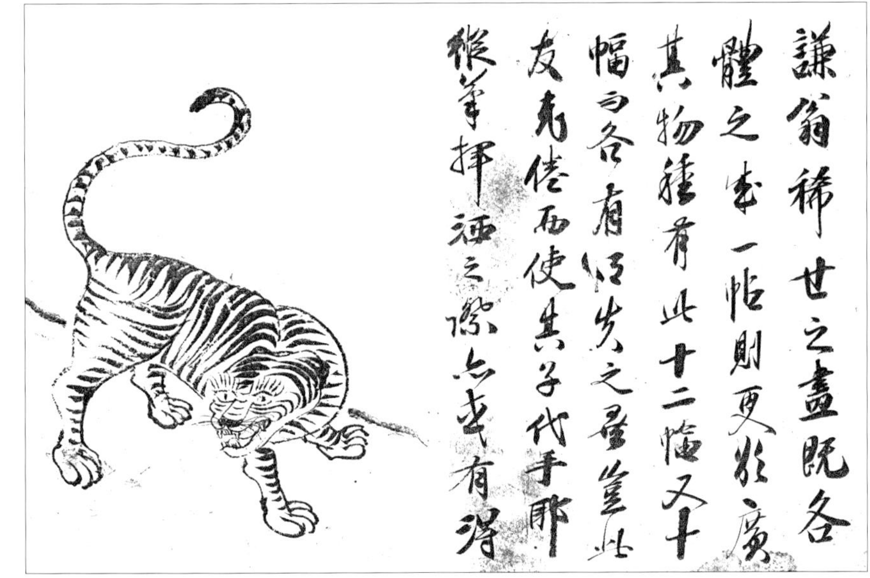

제사題詞·**맹호**猛虎 삽도123
권섭權燮, 지본묵서紙本墨書,
정선鄭敾, 지본담채紙本淡彩,
1748년 무진戊辰, 각 18.0×22.3cm,
《영모인갑翎毛鱗甲》,
안동권씨종중 소장.

명학鳴鶴·**기응**飢鷹 삽도124
정선鄭敾, 1748년 무진戊辰,
지본담채紙本淡彩, 각 18.0×22.3cm,
《영모인갑翎毛鱗甲》,
안동권씨종중 소장.

사名奇帖題辭 참조)

그리고 또 겸재의 작은 그림들을 모으고 그 뒤에 권신응의 겸재 모사작들을 붙여 겸재화첩을 다시 꾸민다. 손자 권신응이 겸재의 의발제자衣鉢弟子임을 세상에 알리고 싶은 조부의 사랑의 표시였을 것이다. 그 내용을 옮겨 보겠다.

내가 겸재노인 그림을 사랑하기를 심히 해서 병풍과 화첩에 붙이기를 이미 많이 했다. 그 작디작은 남은 본으로 따로 한 화첩을 꾸며 책상 위의 아침저녁 볼거리로 삼았다. 생각에 몇 폭을 더 보태서 그에 이어 붙이려고 했는데 손자 애 신응이 장난으로 모방한 것도 또 즐길 만하다. 시험 삼아 하단에 붙이고 그로써 그림 아는 사람의 한마디 말을 기다리겠노라. 신응의 그림은 내가 보기로는 거의 겸재노인과 구별하지 못하겠는데 게는 곧 더 나은 듯하고 매화는 특별히 좋다.

余愛謙翁畵甚, 付障帖已多. 以其小小餘本, 別作一帖, 爲案上朝暮. 思欲加得幾幅而續付之, 阿孫信應戱筆模倣, 亦可喜. 試付之下端, 以俟知畵者一言. 信應畵, 以余見之, 殆與謙翁不辨, 蟹則似勝, 梅則別好.

權燮, 『玉所稿』 卷八, 題謙齋畵

이해 늦여름에 겸재는 새로 지은 세검정洗劍亭에 초대됐던 모양이다. 그래서 선면扇面에 〈세검정〉을 그려 놓았다. 살펴보면 다음과 같다.

세검정洗劍亭도판147

세검정은 지금 종로구 신영동新營洞 168의 6번지에 남아 있는 정자다. 세검정네거리에서 신영삼거리 쪽으로 조금 올라가다 보면 세검정 길이 홍제천 냇가와 마주치는 곳에 정丁자 모양의 정자가 옛 모습을 자랑하며 백색 화강암 암반 위에 서 있다.

이 세검정이 언제 이곳에 처음 지어졌는지는 분명치 않다. 비봉과 문수봉, 보현봉, 북악산, 구준봉 등의 백색 화강암봉들이 둘러싸고 그곳으로부터 발원하는 맑은 물줄기들이 모여 시내를 이룬 것이 홍제천이다. 그러니 그곳의 경치는 세계 어느 곳에 내놓아도 빠지지 않는다.

신라 태종 무열왕(654~660)이 삼국쟁패의 과정에서 죽어간 수많은 장졸들의 넋을 기리기 위해 현재 세검정초등학교 부근에 장의사壯義寺라는 절을 지은 것도 그 때문이다. 이때부터 이곳이 정자터였을 것이다.

조선왕조가 한양에 도읍을 정하고 나자 이 빼어난 경치는 서울 풍류객들의 눈길을 벗어날 수 없었다. 그래서 연산군 12년(1506)에 왕명으로 장의사를 철거하고 이 일대를 왕의 놀이터로 만든다. 연산군은 세검정 물길 바로 위에 이궁離宮을 짓고 석조石槽를 파서 음란한 놀이의 장소로 삼았다고 한다. 그곳이 탕춘대蕩春臺다. 이에 세검정이 이 시기에 처음 지어졌으리라는 주장이 나오게 되었다.

또 하나의 주장은 이렇다. 인조반정仁祖反正(1623)을 일으킬 때 이귀李貴(1557~1632) 등 율곡 제자들이 주축을 이룬 반정군들은 홍제원에 집결한 다음 이곳에서 세검입의洗劍立義*의 맹세를 하고 창의문彰義門으로 진격해 들어가 반정을 성공시켰으므로 이를 기념하기 위해 세검정을 세웠다는 것이다. 세 번째 주장은 숙종 37년(1711) 건립설이다. 이해에 북한산성을 축조하고 그 수비군들의 연회장소로 이 세검정을 지었다는 것이다.

* **세검입의**洗劍立義 칼을 씻어 정의를 세움

이런 주장들이 모두 근거 없는 얘기는 아니다. 그러나 이 그림에 보이는 세검정은 영조 24년(1748)에 지어진 것이다. 겸재 나이 73세 때였다.

영조는 일찍이 백악산白岳山 아랫동네인 순화방順化坊 창의리彰義里에 그 잠저潛邸*인 창의궁彰義宮을 가지고 있었다. 천연기념물 4호 백송이 있던 종로구 통의동 35의 5번지 일대였다. 그래서 영조 자신이 백악사단白岳詞壇에 속했을 뿐만 아

* **잠저**潛邸 임금이 등극하기 전에 살던 집

세검정洗劍亭 도판147

1748년 무진戊辰, 지본담채紙本淡彩, 61.9×22.7cm, 국립중앙박물관 소장.

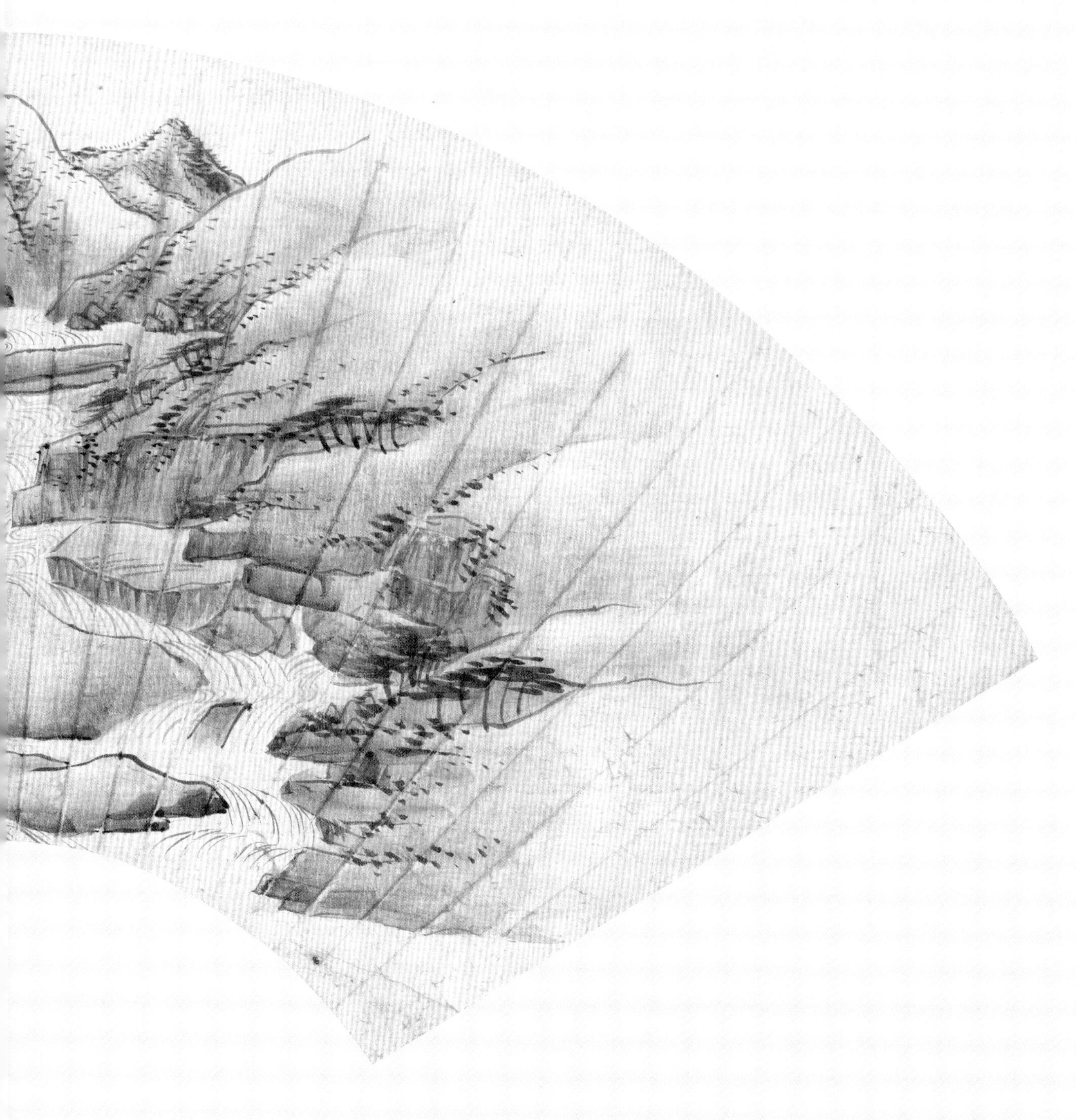

니라 그 백악사단의 강력한 후원에 힘입어 왕위에 오를 수 있었던 것이다.

이에 영조는 겸재가 66세 나던 해인 17년(1741) 당시 훈련대장이던 구성임具聖任(1693~1757)의 특청을 받아들여 인조반정군이 처음 들어온 창의문彰義門을 보수하고 그 문루門樓를 해 세워 인조반정의 의미를 되새기게 한다. 이는 백악사단이 바로 인조반정을 주도한 율곡학파의 적통을 이은 노론의 핵심 세력이었기 때문이다.

그래서 인조반정의 2주갑周甲이 되는 19년(1743) 계해癸亥 5월 7일에는 이를 기념하기 위해 창의문 문루에 친림하여 감구시感舊詩◆를 짓고 당시 반정공신들의 성명을 열서列書하여 시판詩板과 함께 문루 안에 걸게 하기도 한다. 그리고 겸재가 72세 나던 해인 23년(1747) 정묘丁卯 5월 6일 을미乙未에는 총융청摠戎廳을 창의문 밖 탕춘대蕩春臺로 옮기고 북한산성까지 관할 수비하도록 한다.(『영조실록英祖實錄』 권65, 23년 정묘 정월 을미조)

◆감구시感舊詩
옛일을 생각하고 감회를 읊는 시

바로 인조반정군이 집결했던 유서 깊은 곳에 군영軍營을 두어 자신의 세력기반인 창의리 일대를 수호하게 하기 위해서 도모한 일일 것이다. 그러고 나서 다음 해인 24년(1748)에 이 세검정을 지어 총융청 장졸들의 연회 오락장소를 삼게 했던 모양이다. 이렇게 이루어진 것이 이 세검정이니 연산군시대의 탕춘대 설화로부터 인조반정과 연관된 속설 및 숙종의 북한산성 연관설 등이 어째서 생겨났는지 대강 짐작할 수 있겠다.

그러나 세검정이란 정자는 분명 겸재 73세 시인 영조 24년(1748)에 처음 지어졌다고 보아야 한다. 따라서 겸재가 이 그림을 그린 것도 이 세검정이 지어진 바로 직후인 겸재 73세 시라고 해야 할 듯하다.

아마 신건新建된 세검정을 기록화로 남기기 위해 겸재는 이곳을 찾아가 노닐고 나서 이를 그려 냈을 것이다. 당시 좌의정으로 있던 귀록歸鹿 조현명趙顯命(1691~1752)이 겸재를 초청해 이곳에서 함께 호유豪遊하고 나서 이런 선면扇面 그림을 요구했을지도 모른다.

비봉碑峯, 문수봉文殊峯, 보현봉普賢峯 등에서 발원發源하는 물들을 모아 오는 홍제천弘濟川 물이 백색 화강암반 위를 쏜살같이 여울져 내리는 냇가 너른 바위 위에 정자형丁字形의 정자가 지어져 있다. 방형석주方形石柱를 높이 세우고 그 위에 다시 목주木柱를 올려 지은 누각형 정자로 기와지붕이 날아갈 듯 경쾌하다. 석주石柱 위에 마루판을 깔고 주변은 난간으로 돌렸는데 그 난간에 기대어 갓 쓰고 도포 입은 두 선비가 물소리를 즐기며 담소하고 앉아 있다.

개울 따라 총융청 쪽으로 올라가는 길은 정자 뒤로 나 있고 정자를 보호하는 나지막한 담장이 길 쪽으로 둘러쳐져 있다. 길에서 정자로 들어가는 일각대문一閣大門이 길 쪽으로 트여 있는데 높이는 거의 곡장과 같아 구부리고나 들어갈 만하다. 대문 뒤에 나귀를 등대시켜 놓고 있는 동자종이나 당나귀의 크기와 비교해 보면 쉽게 그 높이를 가늠할 수 있다. 높이 지을 줄 몰라 이렇게 낮게 지었겠는가. 겸양과 풍류와 조화를 가르치기 위해 고의로 이런 건축 구조를 채택했을 당시인들의 지혜에 감복을 금치 못할 뿐이다.

정자에서 개울로 내려가는 쪽문이 곡장과 정자 석주 사이에 설치되어 있고 거기서 난 길은 바위 사이로 사라지는데 물은 정자 아래에서 큰 바위를 만나 양 갈래로 갈라지면서 소용돌이쳐 흐른다. 물길 상류가 연산군이 이궁離宮을 짓고 석조石漕를 파 음희淫戲를 즐겼었다는 탕춘대라 하니 선바위가 있고 너럭바위가 있는 곳이 그곳인가 보다.

세검정을 사진寫眞하는 것이 목적이라는 사실 때문에 겸재의 탁월한 화안畵眼은 문수봉이나 보현봉 같은 배경의 빼어난 산세를 제거해 버렸다. 원산遠山으로조차 넣지 않고 다만 세검정만을 강조하기 위해 그 주변 경치만을 표현해 놓았다. 그래서 세검정에서 느낄 수 있는 수석水石의 아름다움만을 이 그림에서 공감共感할 수 있게 한 것이다.

길가에 서 있는 세 그루의 큰 소나무 표현에서 70대 겸재의 능란한 솜씨를 실감하겠는데 부벽찰법斧劈擦法을 연하게 써서 백색 화강암반들을 절묘하게 표현해 낸 것이나 유수문流水文을 유연하게 중첩시켜 여울지는 석간수石澗水의 촉급한 수세水勢를 통쾌하게 묘사해 놓은 것에서 다시 화성畵聖다운 그의 기량을 확인할 수 있을 듯하다.

산자락이나 산비탈에 미점米點을 크고 작게 툭툭 쳐 놓은 것은 초목이 무성한 것을 상징하려는 의도겠고 멀고 가깝게 군데군데 송림松林을 배치한 것은 운치를 살려 내려는 배려였을 것이다. 세검정과 선바위로 연결되는 일직선상에 날카로운 암봉岩峯들을 토산土山 위로 군집群集시킨 것은 화면에 주종主從의 질서를 부여하는 동시에 음양조화陰陽調和가 이루어지도록 하려는 묘산妙算이었으리라.

이런 세검정을 겸재와 친교가 깊던 한송재寒松齋 심사주沈師周(1691~1757)는 이렇게 읊고 있다.

> 성 밖에서 푸르고 먼 아지랑이 일기에, 냇가 푸른 숲으로 서로 다퉈 말 몰아 나갔다.
> 성지城池에 비 지나고 삼각산에 밤이 드니, 북소리 나팔소리 바람에 불려 오는 세류영細柳營일세.
> 솔 아래 길 좁은데 작은 집 감추었고, 시냇머리 돌 드러나니 높은 정자 있다.
> 백년百年 성세聖世에 싸울 일 없으니, 장군은 칼 씻어 맑게 한다 말하지 말게.
> 郭外蒼然遠靄生, 相嘶遊騎礀林青. 城池雨過華山夜, 鼓角風來細柳營.
> 松下徑微藏小屋, 溪頭石出有高亭. 百年聖世無兵事, 休道將軍洗劍淸.
> 『寒松齋集』 卷二, 洗劍亭

한송재는 효종부마孝宗駙馬 청평위青平尉 심익현沈益顯(1641~1683)의 손자로 현재玄齋 심사정沈師正(1707~1769)과 6촌형제간이었으며 귀록歸鹿 조현명趙顯命(1691~1752)과는 고종사촌형제였다. 그래서 겸재와도 일찍부터 친교가 깊었고 백악사단의 일원으로 진경문화 창달에 동참하던 노론老論의 핵심인물이었으니 그의 처남은 숙종초비인 인경왕후仁敬王后(1661~1680) 광산김씨光山金氏의 이질로 영의정을 지낸 진암晋庵 이천보李天輔(1698~1761)였다.

또한 겸재가 영조 32년(1756) 병자丙子 1월 1일에 81세로 동지중추부사同知中樞府事가 되었을 때 「정겸재선수직동추서鄭謙齋敾壽職同樞序」(『창암집蒼巖集』 권3)를 지어 이를 축하했던 사천槎川의 시제자詩弟子 창암蒼巖 박사해朴師海(1711~1778)도 영조 50년(1774)에 이런 세검정시洗劍亭詩를 남겨 놓고 있다.

> 이름난 누각은 공물公物이라, 일 많을까 문과 담장 설치하였네.
> 각각 난간 구비에 기대고 나면, 수석水石의 시원함을 공평하게 나누어 갖지.
> 사람마다 모두 계적桂籍◆에 올라 있고, 손님들은 운향芸香◆ 찬 이들뿐.

◆ **계적**桂籍
과거에 급제한 사람들의 명부名簿

◆ **운향**芸香
향초의 하나. 책 속에 넣으면 좀먹지 않아 글 읽는 선비들이 항상 책 속에 지니고 다녔다.

뉘라서 난정서蘭亭序 지어, 여기서 놀며 옛 뜻 키울까.

名樓是公物, 多事設門墻. 各據欄杆曲, 平分水石凉, 人皆通桂籍, 客有帶芸香. 誰作蘭亭序, 玆遊古意長.

朴師海, 『蒼巖集』 卷六, 和洗劍亭韻

불행하게도 이 그림에서 보이는 세검정 건물은 1941년에 부근의 종이 공장에서 일어난 화재로 소실되고 말았다. 그러나 1976년에 서울특별시가 이곳을 지방역사기념물 4호로 지정하고 1977년 5월에 바로 이 그림을 바탕 삼아 세검정을 복원해 내었다. 지금 남아 있는 건물은 이때 복원된 것이다.

36

진경眞景 고사도故事圖

겸재가 74세 나는 영조 25년(1749) 기사己巳에는 1월 27일에 15세 난 사도세자로 하여금 대리청정을 시작하게 한다. 이것이 장차 임오화변壬午禍變(1762)의 화근이 되는데 이때 영조의 측근은 좌의정 조현명趙顯命(1691~1752), 이조판서 정우량鄭羽良(1692~1754), 호조판서 박문수朴文秀(1691~1756), 병조판서 김상로金尙魯(1702~1766), 우참찬 원경하元景夏(1698~1761), 이조참판 이천보李天輔(1698~1761), 사직 조명리趙明履(1697~1755) 등이었다. 모두 겸재 그림의 애호자들이었다.

1월 23일 왕세자에게 기무機務를 대리하라는 왕명을 내린 직후인 1월 25일에 소론인 정우량鄭羽良(1692~1754)을 이조판서로 발령한다. 지난해 윤7월 5일에 노론 최측근인 이천보를 이조참판으로 기용했으므로 탕평인사를 단행하게 하기 위해서였다. 그러나 2월 5일 이조참판 이천보가 자진사퇴하자 3월 4일에 이조판서 정우량의 차자 정치달鄭致達(1738~1757)과 제4왕녀 화완和緩옹주(1738~1808)가 정혼하고 7월 6일 대례를 치른다.

이렇게 소론을 어르는 한편 3월 23일에는 대보단大報壇에 명나라 태조와 신종神宗·의종毅宗 3황제의 위패를 함께 뫼시고 망위례望位禮를 지내도록 하는 의례를 확정하여 조선중화의 기치를 분명히 한다. 노론의 주장이 정국을 주도하고 있음을 은근히 과시한 것이다. 이러는 중에 소론 중진인 판돈녕부사 이주진李周鎭(1691~1749)이 5월 25일에 돌아간다.

그러자 영조는 6월 9일 왕세자의 장인인 홍봉한을 도승지로 삼아 최측근에 두고 4월 19일 이조참판으로 임명한 윤급尹汲(1679~1770)을 8월 20일에 해임하고 8월 21일에 이천보를 다시 이조참판으로 삼아 인사행정에 차질이 없도록 한다. 그리고 8월 24일에는 경기감사 김약로金若魯(1694~1753)를 우의정에 특배하는데 영의정 김재로의 사촌아우였다. 이에 9월 2일에 좌의정 조현명이 물러나고 9월 5일에는 영의정 김재로도 물러나 조송건곤 금장식의 정부체제가 막을 내린다.

이어 12월 3일에 이조판서 정우량을 우의정으로 삼고 김약로를 좌의정으로 올리며 원경하를 이조판서로 삼으니 정국은 노론 주도의 대탕평파가 주도하게 되었다. 그래서 12월 17일에 임인년 무옥에 연좌되어 죽은 김성행金省行(1696~1722), 백망白望(?~1722), 장세상張世相(?~1722), 묵세墨世(?~1722) 등을 설원하고 관직을 추증한다. 김성행은 김창집의 장손이고 백망, 장세상, 묵세 등은 영조의 시종들이다.

이해 5월 하순에 겸재는 누구의 부탁이었던지 당唐대의 대시인인 사공도司空圖(837~908, 자字는 표성表聖)의 「이십사시품二十四詩品」을 소재로 24폭의 그림을 그려 시품詩品과 함께 시화첩詩畵帖을 꾸며 낸다. 글씨는 당시의 최고 명필로 소문나 있던 동국진체東國眞體의 대가 원교員嶠 이광사李匡師(1705~1777)가 쓰고 있다.

진경문화시대의 서화書畵 양절兩絶이 만고절창萬古絶唱이라는 사공표성의 시품을 매체로 한곳에서 만나게 되었으니 실로 시서화詩書畵 삼절첩三絶帖이라 할 만한 보물이 이루어진 것이다. 이런 발상을 해 낼 수 있는 이는 이 시기에 사천槎川밖에 없었을 터이니 아마 이것도 사천이 만들어 가졌던 삼절첩三絶帖이었을 것이다.

맨 끝 폭으로 그린 〈유동流動〉[도판148]에 「기사년 5월 하순, 74세옹 겸재己巳午月下浣, 七十四歲翁, 謙齋」라고 겸재 자신이 자필 낙관하고 있으니 이 그림이 겸재 74세, 사천 79세 시에 그려진 것임을 알 수 있다. 그런데 원교의 시품 글씨에는 신미 윤하閏夏에 쓴다[삽도125]했으므로 그림이 먼저 그려진 다음 2년 뒤인 영조 27년(1751) 신미 한여름, 즉 윤5월에 써진 것임을 알 수 있으니 사천이 돌아가던 그달에 이 삼절첩은 완성되었던 모양이다. 사천은 윤5월 29일에 81세로 돌아가기 때문이다.

어떻든 이 그림들은 겸재 72세 시에 그려진 후《해악전신첩》에서 보인 완성된 진경산수화법을 철저하게 계승하고 있어 중국소재를 조선적 화법으로 표현한 기준작이 되고 있으니 겸재는 이 시기에 이르면 중국고사도 이렇게 우리식의 진경화법으로 자연스럽게 표현해 냈던 모양이다.

정녕 조선중화주의朝鮮中華主義를 확실하게 행동으로 보여 준 물증이라 하겠는데 다만 의복에서 여인의 복색은 차마 우리식으로 할 수 없었던지 명대明代 화본

유동流動 도판148

1749년 기사己巳 5월 하순, 견본담채絹本淡彩, 29.6×34.5cm, 《사공표성이십사시품도司空表聖二十四詩品圖》 22폭, 국립중앙박물관 소장.

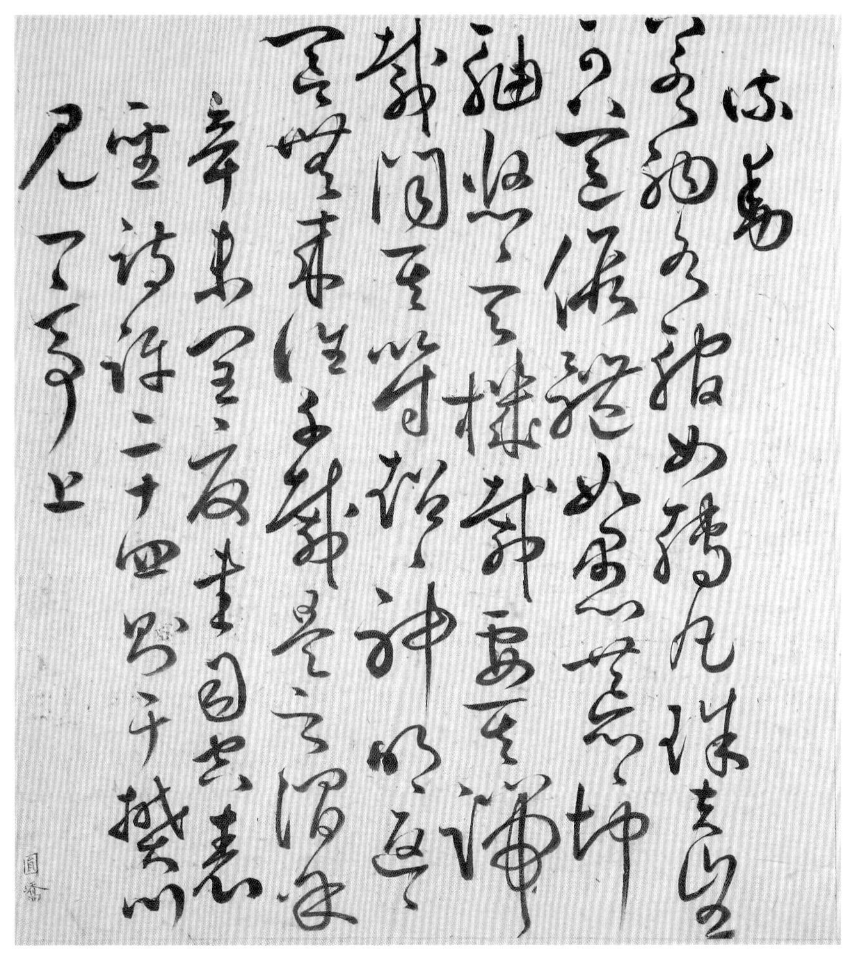

사공도시품첩司空圖詩品帖 **제발**題跋 삽도125
이광사李匡師, 1749년 기사己巳, 견본묵서絹本墨書, 29.6×34.5cm, 국립중앙박물관 소장.

畵本을 참작한 듯하고 남자 복색은 모두 당시 은일隱逸들이 즐겨 입던 학창의鶴氅衣에 맨상투거나 각종 건을 쓴 모습이라 우리와 다름없다. 오직 조선 고유의 사대부 차림인 갓 쓰고 도포 입은 형상만은 중국고사도에 넣고 있지 않다.

그러나 배경 산수는 그대로 완성된 진경산수화법이다. 미가운산米家雲山으로 변형시킨 겸재식 토산법土山法이라든가 해삭준解索皴을 변형시킨 대산법大山法, 금강산金剛山에서 터득해 낸 장부벽長斧劈 암산법岩山法 등이 그대로 겸재 진경산수화법이고 흉용洶湧한 파도가 일렁이는 해도법海濤法 역시 겸재가 동해 바다를 보고 터득해 낸 동해도법東海濤法이며 우람한 둥치의 낙락장송落落長松을 대담하게 죽죽 쳐올리되 천년 노송이 가지는 고고孤古한 기품을 잃지 않게 한 것도 겸재 특유의 소나무 그림법이고 우람한 둥치에 갑자기 잔가지를 드리우는 버드나무법도 겸재의 우리식 표현이다.

겸재는 진경산수화법을 완성시킨 다음 이렇게 중국고사도를 우리식으로 표현해 내는 것을 일종의 자부와 긍지로 여기고 있었던 듯 유사한 많은 그림을 그려 남기고 있다. 간송미술관 소장의 〈여산초당廬山草堂〉도판149이나 〈무송관산撫松觀山〉도판150이 그런 종류 중의 대표작이라 할 수 있겠다.

〈여산초당〉과 〈무송관산〉을 살펴보면 다음과 같다.

여산초당廬山草堂도판149
1750년 경오庚午경, 견본채색絹本彩色, 68.7×125.5cm, 간송미술관 소장.

무송관산撫松觀山도판150
1750년 경오庚午경, 지본수묵紙本水墨, 55.8×97.0cm, 간송미술관 소장.

여산초당廬山草堂 도판149

여산廬山은 중국 강서성江西省 성자현星子縣 서북쪽과 구강현九江縣 남쪽에 걸쳐 있는 명산名山이다. 원래 남장산南障山이라 했으나 주周 정왕시定王時◆에 현자賢者인 광속匡俗이 정왕定王의 부름을 피해 이곳에 초당을 짓고 은거하다가 신선이 되어 올라가고 빈집만 남았으므로 이후부터는 광려산匡廬山 혹은 광산匡山·여산廬山으로 불리게 되었다 한다.

◆정왕시定王時 서기전 606~586, 무왕시武王時(서기전 1122~1115)라고도 한다.

그런데 북송北宋 육유陸游(1125~1310)는 「백락천여산초당기白樂天廬山草堂記」에서 이렇게 말하고 있다.

> 광려산은 기이하고 빼어 나기가 천하의 으뜸인데 산의 북봉北峰을 향로봉香爐峰이라 하고 절을 유애사遺愛寺라 한다. 백낙천白樂天(772~846)이 보고 사랑하여 산봉우리와 마주하여 초당草堂을 지었다.

겸재는 바로 이 백낙천 여산초당의 고사를 소재로 하여 이 그림을 그린 모양이다. 그러나 이 그림에서는 경영經營의 제도制度나 주인공의 차림새 등이 당시 조선 선비의 은거정황隱居情況을 그대로 나타내 주는 것이어서 겸재 그림의 지향처指向處를 짐작할 수 있게 한다.

중국고사도이기 때문에 전체 구도는 『고씨화보顧氏畵譜』의 〈범관산수范寬山水〉 삽도126를 염두에 두고 약간 변형시킨 듯하다. 그러나 초당 앞의 네모진 연못이나 수림의 배치 등에서는 겸재가 즐겨 그리던 〈청풍계淸風溪〉 도판40나 〈삼승정三勝亭〉 도판43의 실경을 그대로 차용하고 있는 느낌이다.

산봉우리나 암석의 윤곽을 분명하게 드러내지 않으면서 와운준渦雲皴◆을 써서 뭉게구름이 일어나듯 산을 처리하고 미점米點과 수직준垂直皴을 요소에 배치하여 창윤고절蒼潤高絶◆한 산세를 강조하는 것은 『고씨화보』의 〈범관산수〉에서 보인 산석법山石法을 진경화풍으로 자기화시킨 겸재 독자의 필법이라 할 수 있겠다.

소나무 둥치를 굵은 두 줄의 묵선으로 사정없이 그려 내고, 그 위에 담적淡赤 훈염暈染을 가하며, 농묵濃墨의 자송점刺松點◆으로 솔잎을 짙게 처리한 다음 담청淡

◆와운준渦雲皴 뭉게구름이 뭉실뭉실 소용돌이치며 일어나듯 하는 모양의 필선을 거듭하여 산봉우리를 표현해 내는 선묘법

◆창윤고절蒼潤高絶 짙푸르고 높게 솟구침

◆자송점刺松點 소나무 잎을 반원 형태로 위만 보게 표현하여 찌를 듯한 모습을 나타내는 솔잎 표현법. 주로 늙은 소나무를 그릴 때 사용한다.

범관산수范寬山水 삽도126

『고씨화보顧氏畵譜』 제25판.

청풍계淸風溪 도판40

1739년 기미己未 봄, 견본채색絹本彩色, 58.8×133.0cm, 간송미술관 소장.

삼승정三勝亭 도판43

1740년 경신庚申 6월, 견본담채絹本淡彩, 66.7×40.0cm, 개인 소장.

여산초당廬山草堂 도판149

1750년 경오庚午경, 견본채색絹本彩色, 68.7×125.5cm, 간송미술관 소장.

靑으로 훈염하고 간간 그 위에 덧점을 쳐서, 죽죽 벋어 올라가 청청하게 가지를 드리운 우리 주변 소나무의 특징을 잘 표현해 내고 있다. 특히 솔잎의 훈염은 구름이 서린 듯 안개가 낀 듯 아련한 분위기를 자아내며 고산심처高山深處의 별천지를 상징한다.

초당 옆 괴석怪石과 석류화분石榴花盆은 연못가 마당 위를 거니는 단정학丹頂鶴과 함께 고사高士의 은거 분위기를 한층 고조시키고 있으며, 뒤틀린 해묵은 향나무 역시 초당 뒤의 대숲과 더불어 이를 조장한다. 뒷산으로부터 폭포져 내리는 물은 대숲을 지나 초당 곁으로 흘러, 장송長松이 숲을 이루고 있는 언덕 아래에서 초당을 감싸고 있는 절벽 아래로 흐르는 물과 만나 큰 개울을 이룬다. 상당히 유수幽邃한 동학洞壑인데도 깊이 감춰진 느낌이 덜한 것은 주제를 은폐하려 하지 않은 겸재의 대담한 구도감각에서 말미암은 특징일 것이다.

색조는 전체적으로 먹색과 청록계의 창울蒼鬱한 색채가 화면을 지배하는데, 주사朱砂로 초당의 난간과 서안書案◆, 그리고 동자의 짐보따리를 점채點彩◆함으로써 조화와 균형을 얻게 하고 있다. 왕몽王蒙을 연상시키는 와운준법과 겸재준이라 할 수 있는 수직준의 구사가 능숙하고, 대담하고 짙푸른 수목 처리법이 겸재 자득의 사생기법이라서 이 그림은 겸재가 진경화풍을 확립하고 그 기법을 정형산수定型山水에 응용하는 단계인 70대 중반 이후의 작품이라 생각된다. 박재표씨朴在杓氏 구장舊藏으로부터 간송미술관에 이장移藏된 것이다.

◆ **서안**書案
책상

◆ **점채**點彩
점을 찍듯 어느 부분만 채색함

무송관산撫松觀山 도판150

청淸 강희康熙 18년(1679) 금릉팔가金陵八家의 한 사람인 왕개王槩는 명明 이유방李流芳(1575~1627)이 만들어 놓은 고본稿本을 정리하여 『개자원화전芥子園畵傳』 초집初集 5권五卷을 편찬해 낸다. 이 책이 미구에 조선에 수입되어 이미 들어와 있던 고병顧炳의 『고씨화보顧氏畵譜』와 함께 회화입문서繪畫入門書로 크게 각광을 받았던 모양이다. 겸재도 이 두 화보를 모두 독파讀破해 소화함으로써 진경화법의 창안을 용이하게 이루어 낼 수 있었다.

이 그림은 『개자원화전』 초집 권4 인물옥우보人物屋宇譜 〈무고송이반환撫孤松而盤桓〉 삽도127의 방작倣作이다. 『개자원화전』에서는 다만 언송偃松을 어루만지며 망연茫然히 서 있는 고사高士의 모습만 보여 주고 있는데, 겸재는 이 소재의 원전原典인 도연명陶淵明(365~427)의 「귀거래사歸去來辭」를 알고 있어서 그 내용에 합당한 화면구성을 해 내고 있다.

구름은 무심하게 바위굴에서 피어나고, 새는 날다 지쳐 집을 찾는다.

무고송이반환撫孤松而盤桓 삽도127
『개자원화전芥子園畵傳』 초집初集 권4 인물옥우보人物屋宇譜.

햇살은 어둑어둑 저물어 가는데, 외로운 소나무 어루만지며 바작이노라.

雲無心以出岫, 鳥倦飛而知還. 景翳翳而將入, 撫孤松而盤桓.

일모日暮의 전원상락田園上樂을 노래한 위의 시 구절이 바로 이 그림의 소재인 것이다. 그래서 겸재는 '햇살은 어둑어둑 저물어 가는데, 외로운 소나무 어루만지며 바작이노라景翳翳而將入, 撫孤松而盤桓'의 한 구절을 제사題辭로 이끌어 쓰고 있다.

누운 듯 솟아 오른 낙락장송을 어루만지며, 산봉우리에서 피어나는 구름을 보는지 그 아래로 쏟아져 내리는 시냇물을 보는지, 망연히 서 있는 고사의 모습은 바로 겸재 자신이라고 생각된다. 얼굴 윤곽이 앞으로 튀어나오고 눈이 동그라며 코가 높이 솟아 마치 서구인西歐人의 용모를 연상케 하는 얼굴은 빈약한 수염과 함께 겸재가 자신의 용모를 그릴 때 항용恒用 표현하는 모습인데, 뒤허리가 잘록 들어가 작달막한 체구도 그의 특징이다.

무성한 버드나무가 서 있어 오류선생五柳先生* 댁을 상징하는 초옥草屋*이 사립문도 없는 섶울타리 속에 조촐하게 꾸며져서, 구름 피어나는 산봉우리와 우람한 소나무의 무게를 대각對角으로 받아 화면을 안정시킨다. 쏟아져 내린 물은 울타리 아래에서 넓은 소沼를 이루어 맞은 쪽 낮은 산봉우리와 연결되고, 낭화浪華와 수파문水波紋은 수운岫雲의 부드러운 곡선과 대칭을 이룬다. 지극히 단순한 구도이면서도 도연명의 시경詩境을 유감없이 드러내고 있으니 겸재가 연명淵明인지 연명이 겸재인지 분별하기 어렵다.

* **오류선생**五柳先生 도연명의 별호別號

* **초옥**草屋 초가집

70대 후반 내지 80대에 들어서서 많이 쓴 사방 28밀리미터의 '원백元伯'이라는 방형주문 인장方形朱文印章이 찍히고, 제사 글씨가 지극히 노필老筆인 것과 함께, 고사도故事圖임에도 불구하고 진경화법의 특징이 무르녹아 있는 것으로 보아 80세 전후한 시기의 작품으로 보인다. 겸재 최만년기最晩年期의 특징답게 강렬한 필묵법筆墨法이 온화한 운필運筆로 자제되어 외유내강外柔內剛의 묘리妙理를 보여준다.

「청송靑松은 늙어도 가을빛이 없고, 백일白日은 기울어도 달빛보다 밝다靑松寧老無秋色, 白日雖斜勝月明」라는 동몽童蒙 심창수沈昌壽의 봉교어제奉敎御題가 있다. 심창수가 누구인지 알 수 없어 어느 왕의 어제御題인지는 확인할 수는 없으나 일찍이 궁중宮中에 들여져서 어람御覽을 거친 사실을 증명하는 내용이라 하겠다.

같은 간송미술관 소장의 〈노자출관老子出關〉도판151이나 〈고산방학孤山放鶴〉도판152과 후《해악전신첩》의 밑그림들과 합장된 이학李鶴 소장 화첩 속에 합장된 〈염계상련濂溪賞蓮〉, 〈방화수류傍花隨柳〉, 〈부강풍도涪江風濤〉, 〈화외소거花外小車〉, 〈횡거영초橫渠詠蕉〉, 〈온공낙원溫公樂園〉, 〈무이도가武夷棹歌〉, 〈탁헌잠농拓軒蠶農〉 등 8폭과 독일 성오틸리엔 수도원 소장으로 되어 있는 겸재화첩 속의 〈행단고슬杏壇鼓瑟〉삽도128, 〈청우출관靑牛出關〉삽도129, 〈야수소서夜授素書〉, 〈초당춘수草堂春睡〉삽도130, 〈횡거영초橫渠詠蕉〉삽도131, 〈부강풍도涪江風濤〉 등 16폭 및 간송미술관 소장의 〈동정악루洞庭岳樓〉도판153, 〈오류풍월五柳風月〉도판154이나 〈고사관란高士觀瀾〉도판155 등이 모두 그런 유類의 그림들이다.

그 중에 간송미술관 소장의 〈노자출관老子出關〉도판151과 〈고산방학孤山放鶴〉도판152, 〈동정악루洞庭岳樓〉도판153, 〈오류풍월五柳風月〉도판154이나 〈고사관란高士觀瀾〉도판155 및 〈송암복호松岩伏虎〉도판156를 통해 겸재가 어떻게 중국고사도를 진경기법으로 번안하여 조선화시켰는가를 살펴보도록 하겠다.

노자출관老子出關도판151

고산방학孤山放鶴도판152

동정악루洞庭岳樓 도판153

오류풍월梧柳風月 도판154

고사관란高士觀瀾 도판155

송암복호松岩伏虎 도판156

행단고슬杏壇鼓瑟 삽도128

정선鄭敾, 1750년 경오庚午경, 견본채색絹本彩色, 23.2×29.8cm, 독일 성오틸리엔 수도원 소장.

청우출관青牛出關 삽도129

정선鄭敾, 1750년 경오庚午경, 견본채색絹本彩色, 23.0×24.6cm, 독일 성오틸리엔 수도원 소장.

초당춘수草堂春睡 삽도130

정선鄭敾, 1750년 경오庚午경, 견본채색絹本彩色, 21.5×28.8cm, 독일 성오틸리엔 수도원 소장.

횡거영초橫渠詠蕉삽도131

정선鄭敾, 1750년 경오庚午경, 견본채색絹本彩色, 23.4×29.0cm, 독일 성오틸리엔 수도원 소장.

노자출관老子出關도판151

불교가 중국에 들어오자 중국사람들은 불교사상과 가장 유사한 중국사상인 도가사상을 매개로 이를 이해해 나갔다. 이를 격의불교格義佛敎라 하는데, 이런 불교의 이해방식은 자연히 도가들로 하여금 불교를 모방模倣하게 하는 결과를 가져와, 불교의 윤회輪廻사상과 교단조직敎團組織이 도가에 영향을 주어 도교의 성립을 가져온다.

따라서 도교는 항상 불교에 대해 경쟁의식을 갖게 되는 바, 도교의 체제를 갖춰가던 서진西晋 혜제惠帝(291~306) 시에 도사道士 왕부王浮는 『노자화호경老子化胡經』이라는 위경僞經을 지어 석가모니불이 노자의 후신後身이라고 강변한다. 이 그림도 이 『노자화호경』의 내용을 소재로 그린 그림이다.

『노자화호경』에 의하면 노자가 중국에서 득도한 다음, 호인胡人들을 교화하기 위해 아무도 몰래 서역西域으로 가려고 청우靑牛를 타고 함곡관函谷關을 나서는데, 윤희尹喜라는 관리關吏가 노자를 알아보고 간곡하게 도道를 물으니, 처음에는 시치미를 떼던 노자가 그의 정성에 감복해 『도덕경道德經』 오천언五千言을 남기고 떠났다 한다. 그래서 현존하는 노자老子 『도덕경』이 세상에 전해지게 되었다는 것이다. 불교의 윤회사상을 역이용하여 노자의 우위優位를 강변한 맹랑한 내용이지만 그림의 소재로는 일품이라 할 수 있으므로 송대宋代 이후 도석화道釋畵의 화제로 많이 그려져 왔다.

우리나라에서도 고려시대부터 이런 그림이 많이 있었던 듯 역대 문사들의 문집 속에 실린 제화시題畵詩 속에 그 화제가 보인다. 겸재도 이 화제를 꽤 즐겨 현재 알려진 것만도 독일 성 오틸리엔 수도원 소장의 〈청우출관靑牛出關〉삽도129을 비롯한 여러 폭이 있다. 이 그림도 그 중 하나인데 같은 화면구성법이면서도 구도에서 심오감深奧感을 강조하고 설채設彩와 용묵用墨에서 수묵담채水墨淡彩의 훈염暈染에 주로 의지함으로써 깊이를 더하였다.

수법樹法은 극단적인 감필減筆로 조선전통 수법樹法으로부터의 회귀를 보여 주는 듯하니, 소나무는 차륜엽법車輪葉法◆에 거침없는 붓질의 둥치와 가지로 이루어지고, 잡수雜樹는 협엽법夾葉法◆과 서족점법鼠足點法◆으로 처리되며, 대나무는

◆**차륜엽법**車輪葉法
수레바퀴살 모양 솔잎을 원형으로 표현하는 그림법

◆**협엽법**夾葉法
윤곽선으로 나무 잎새의 형태를 그려 내는 법

◆**서족점법**鼠足點法
나무 잎새나 이끼 등을 쥐 발자국 모양의 점으로 그려 내는 법

노자출관老子出關 도판151

1750년 경오庚午경, 견본담채絹本淡彩, 23.2×28.5cm, 간송미술관 소장.

청우출관青牛出關 삽도129
정선鄭敾, 1750년 경오庚午경,
견본채색絹本彩色, 23.0×24.6cm,
독일 성오틸리엔 수도원 소장.

거친 밀죽법密竹法* 으로, 원수遠樹는 담청淡青으로 흐려진 미가원수법米家遠樹法으로 이루어 놓았다.

◆**밀죽법**密竹法
빽빽한 대숲을 그려 내듯 그리는 법

청우와 인물을 나타내는 선묘線描는 간결하면서도 필의筆意가 분명해 그 내면세계를 헤아릴 수 있을 만큼 생동감이 넘쳐흐른다. 그래서 후인後人은 「도기만면道氣滿面」* 이라는 제어題語를 아끼지 않았던 듯하다.

◆**도기만면**道氣滿面
도기가 얼굴에 가득함

소나무 밑둥 근처 바위 절벽에는 「탐수중서探袖中書」* 라는 글귀를 써 놓았다. 물론 뒷사람의 제사다. 노자가 소매 속에서 『도덕경道德經』을 찾고 있는 장면이라고 생각했던 모양이다.

◆**탐수중서**探袖中書
소매 속의 책을 찾음

굳게 닫힌 성문은 흰 구름 속에 반 넘어 잠겨 있고 웅장한 2층 팔작집 문루는 붉은 단청빛이 멀리 보인다. 함곡관을 멀리 벗어났는가 보다.

고산방학孤山放鶴 도판152

『송사宋史』 권457 은일隱逸 상上 임포전林逋傳에 다음과 같은 내용이 실려 있다.

> 임포(967~1028)는 자가 군복君復이고 항주杭州 전당錢塘 사람으로 어려서 부모를 잃고 가난했으나 힘써 공부해 시서화詩書畵에 능했으며 벼슬과 영리榮利에 뜻이 없어 의식衣食이 부족해도 걱정하지 않았다.
>
> 젊어서 양자강과 회수淮水 일대를 방랑放浪하며 떠돌다가 고향인 항주로 돌아와 무림武林의 서호西湖변 고산孤山에 집을 짓고 20년을 성시城市에 발을 들이지 않고 은거했다. 이에 진종眞宗(재위 998~1022)은 곡식과 비단을 내려 그 높은 뜻을 기리고 지방관으로 하여금 해마다 위문하도록 했다. 그리고 인종仁宗(재위 1023~1053)은 임포가 돌아가자 화정和靖선생이라는 시호를 내렸다.

그런데 임포는 고산에 은거하면서 장가도 들지 않고 홀로 살았는데 매화 심고 학 기르는 것으로 낙을 삼았다. 그래서 매처학자梅妻鶴子*를 자칭하니 이런 특이한 풍류은거생활이 문인묵객들의 부러움을 사서 수많은 전기傳記와 시화詩話로 전해지게 된다.

* 매처학자梅妻鶴子 매화를 처로 삼고 학을 아들로 삼음. 송나라 은일인 고산孤山 임포林逋(967~1028)가 이와 같은 생활을 했다.

그 중 『시화총구詩話叢龜』에서는 이런 내용을 전하고 있다.

> 임포가 무림武林의 서호西湖에서 은거했는데 장가를 들지 않아 자식이 없었으나 거처하는 곳에 매화를 많이 심고 학을 길렀다. 호수 가운데 배를 띄우다가 손님이 오면 학을 놓아 보내고 이르게 하니 이로 인연해서 매화를 처로 삼고 학으로 자식을 삼는다고 일컬었다고 한다.
>
> 林逋隱于武林之西湖, 不娶無子, 所居多植梅蓄鶴. 泛舟湖中, 客至則放鶴致之, 因謂妻梅子鶴云.

이에 매처학자梅妻鶴子는 아취 있는 풍류은거생활을 형용하는 관용어가 되고 화가들은 이를 소재로 많은 그림을 남기게 되니 매화 감상을 주제로 삼을 때는 〈고

고산방학孤山放鶴 도판152

1750년 경오庚午경, 견본담채絹本淡彩, 22.8×27.8cm, 간송미술관 소장.

산상매孤山賞梅〉라 하고 학의 사육을 주제로 할 때는〈고산방학孤山放鶴〉이라 했다. 이〈고산방학〉도판152도 겸재가 고산의 학 사육현황을 소재로 삼아 그린 그림이다.

몇 십 년이나 묵었는지 알 수 없을 정도로 고목이 된 매화나무 둥치에 복건 쓰고 학창의 입은 화정선생이 공수拱手한 채 기대어 학을 부르니 단정학丹頂鶴 한 마리가 힘차게 허공을 가르며 선생을 향해 날아 내린다. 자줏빛 긴 저고리만 걸친 동자의 자세도 목이 빠져라 기다리는 모습이다.

어둠이 내리는 해질 녘이라 하늘도 땅도 어둠에 묻혀 가니 후미진 언덕은 더욱 어둡고 가까운 나무는 우람하게 다가오며 먼 나무는 어둠 속으로 희미하게 잠겨 든다. 뒷산 능선의 송림도 어둠에 잠기노라 더욱 짙게 보이는데 허공의 어둠을 나타내기 위한 먹빛 훈염暈染이 사이를 남겨 놓아 마치 낙조落照의 잔광殘光이 송림이나 나뭇가지 끝에 걸린 듯하여 의외묘意外妙로 작용한다.

'고산孤山'·'겸재謙齋'라는 겸재 친필 관서款書와 '원元'·'백伯'이라는 주문방

노자출관老子出關도판151
1750년 경오庚午경, 견본담채絹本淡彩, 23.2×28.5cm, 간송미술관 소장.

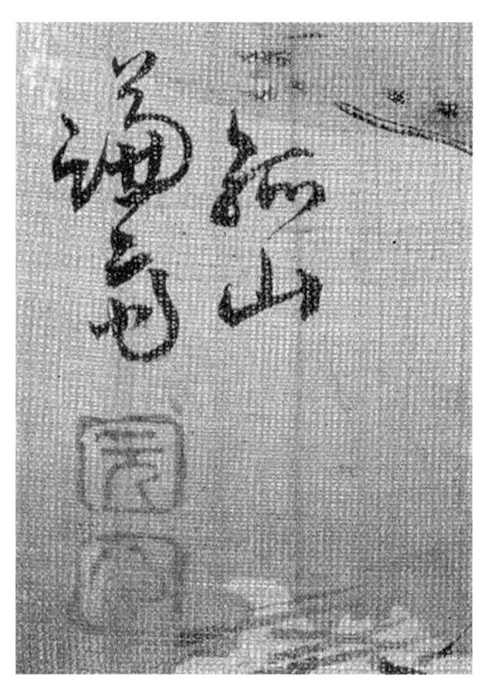

고산방학孤山放鶴 부분

형朱文方形 인장印章 두 방이 찍혀 있어 〈노자출관〉도판151과 함께 그려진 것을 알 수 있다. 〈노자출관〉에서 「도기만면道氣滿面」·「탐수중서探袖中書」라고 썼던 것과 같은 필체로 「매학생애梅鶴生涯」◆라 써 놓았다. 소장자나 감상자의 가필일 것이다.

◆ 매학생애梅鶴生涯 매화와 학의 생애

이 두 그림에 표현된 노자老子나 임포林逋의 옷차림은 당시 산림처사山林處士들의 복색 그대로다. 즉 은거하는 조선사대부의 복장을 그대로 갖춰 입고 있다. 소나무도 서울 주변의 잘생긴 소나무고 매화고목도 조선 매화다. 다만 노자가 타고 있는 청우靑牛만은 아직 완전한 우리 소가 아닌 듯하니 겸재가 신비감을 고양시키기 위해 고의로 이런 표현을 했던가 보다.

동정악루 洞庭岳樓 도판153

예전에 동정호 들었으나, 이제야 악양루岳陽樓에 올랐구나.

오吳 초楚는 동쪽 남쪽으로 터져 있고, 하늘과 땅은 밤낮으로 떠 있다.

친한 벗 일자 소식 없는데, 늙고 병든 몸 외로운 배 안에 있다.

싸우는 말 관산 북쪽에 있으니, 난간에 기대 눈물 흘린다.

昔聞洞庭湖, 今上岳陽樓. 吳楚東南坼, 乾坤日夜浮.

親朋無一字, 老病有孤舟. 戎馬關山北, 憑軒涕泗流.

두보杜甫(712~770) 시 「악양루에 올라登岳陽樓」다. 이 시를 화제畵題로 그린 그림이다. 〈노자출관〉, 〈고산방학〉과 함께 그린 중국고사도니 깁바탕도 같고 화제나 관서款書 글씨체도 같으며 '원元' · '백伯' 이라는 두 방짜리 방형주문方形朱文 인장도 같다.

왼쪽 아래 귀퉁이에 악양루岳陽樓가 3층 누각 팔작집으로 웅장하게 솟구쳐 올랐는데 성문의 문루답게 성벽이 좌우로 이어져 있다. 누각 앞에는 깃대 위에 깃발이 펄럭이고 뒷동산으로는 소나무와 잡수雜樹가 어우러진 수림이 빽빽이 들어차 있다.

동정호 너른 물을 상징하기 위해 악양루 대 안으로 나지막한 먼 산들을 배치하여 잔산잉수殘山剩水를 꾸며 냈다. 그 사이 돛단배 두어 척을 먼 산 가까이로 떠가게 하니 호수는 더욱 넓어 보인다.

물결은 악양루 가까운 물가에만 잔잔하게 표현했으니 바다가 아니라 호수이기 때문이다. 다만 「동정洞庭」이라고만 화제를 쓰고 '겸재謙齋'라 관서款書했다. 〈노자출관〉이나 〈고산방학〉의 제사와 동일한 서체로 「시험 삼아 여러 작가로 하여금 악양루를 그려 내게 해서 비교해 보자試使諸家, 作岳陽樓出而較之」라는 자신감 넘치는 제사를 왼쪽 그림 머리에 써 놓았다. 소나무도 조선 소나무고 악양루도 조선 누각이며, 잔산의 미점토산米點土山도 겸재 노년의 진경식 토산이라 70대 이후 중국고사도를 진경산수화법으로 조선화시켜 가는 과정에서 그려진 그림이라 생각된다.

동정악루洞庭岳樓 도판153

1750년 경오庚午경, 견본담채絹本淡彩, 23.2×28.4cm, 간송미술관 소장.

오류풍월梧柳風月 도판154

음력 7월 보름날望日이거나 그 다음 날旣望 밤인가 보다. 둥근달은 휘영청 밝고 소슬바람이 늘어진 수양버들 가지들을 춤추게 한다. 벽오동 한 그루도 훌미끈하게 자라나서 무성한 잎사귀를 가지 끝에 소담하게 달고 있다. 버들가지의 예리한 필선과 오동잎의 묵직한 묵면墨面은 달과 바람을 사이에 두고 신묘한 조화를 이루는데 긴 지팡이 짚고 산책 나선 선비는 이 분위기에 심취한 듯 허공에 눈을 두고 하염없이 바라다보고 있다.

그래서 겸재는 이런 제사題辭로 화흥畵興을 돋우고 있다.

> 버드나무로 바람이 오니 바로 위에서 분다.
>
> 楊柳風來正上吹.

'겸재謙齋'라는 관서官署도 노필老筆이고 '정鄭'·'선敾'의 두 방짜리 방형백문 인장도 66세 시 양천현령 시절부터 70대 후반경까지 두루 쓰던 것이라 이 그림 역시 70대 중반 이후에 그려진 겸재식 시의화詩意畵라 하겠다.

오류풍월梧柳風月 도판154

1750년 경오庚午경, 견본담채絹本淡彩, 12.5×18.3cm, 간송미술관 소장.

고사관란高士觀瀾 도판155

『맹자孟子』 진심장盡心章 상上에 이런 말이 있다.

> 물을 관찰하는데 기술이 있으니 반드시 그 큰 물결을 보아야 한다.
>
> 觀水有術, 必觀其瀾.

물이 흘러가다 파란波瀾을 만나는 것을 보면 세상의 파란이 어째서 일어나는지 그 이치를 터득할 수 있다는 내용일 것이다.

그래서 조선 선비들은 관란觀瀾, 즉 물 구경을 수행의 한 덕목으로 삼아 이를 이행했다. 겸재도 그런 교육적인 의미로 이런 관란도, 즉 물 구경 그림을 그렸던 모양이다. 태풍이 지난 뒤끝인지 물결이 거세게 흘러가는데 선비 하나가 비탈진 언덕에 나 앉아서 그 파란의 현장을 진지하게 바라보고 있다.

두 손으로 땅바닥을 짚고 상체를 비틀어 구부리고서 자세히도 관찰하는 모습이다. 낭화浪花는 유연한 필선으로 부드럽게 피워 냈으나 격천激濺의 느낌은 강렬하기만 하다. 등 뒤 암벽과 그곳에서 자라난 고목나무는 대담한 용묵법으로 휘쇄난타揮灑亂打했는데 빗물이 뚝뚝 떨어질 것 같은 임리淋漓한 표현이다.

바람기가 아직 잠들지 않은 듯 덩굴의 휘날림이 멈추지 않고 있다. 손바닥만 한 그림이지만 암벽을 쳐 낸 농묵의 무게와 고목나무의 짙은 잎새들로 화면이 가득 차서 여간 무거워 보이지 않는다. 〈오류풍월梧柳風月〉과 쌍폭으로 함께 그려졌던 듯 '겸재謙齋'라는 관서 글씨와 '정鄭'·'선敾'이란 두 방의 백문 인장이 동일하다. 그림의 필치가 같은 것은 두말할 나위 없다.

고사관란高士觀瀾 도판155

1750년 경오庚午경, 견본담채絹本淡彩, 13.0×18.5cm, 간송미술관 소장.

송암복호松岩伏虎 도판156

18나한羅漢 중 제13인게다因揭陀(Aṅgada) 존자尊者가 호랑이를 길들여 데리고 있는 모습을 그린 복호도伏虎圖◆이다. 당 현장玄奘(602~664) 삼장三藏이 『대아라한난제밀다라소설법주기大阿羅漢難提密多羅所說法住記』를 번역해 낸 이래, 16나한羅漢, 혹은 18나한의 개성적인 면모가 종교화宗敎畵의 획일성에서 탈피할 수 있는 구실이 됨으로써 도석화道釋畵의 소재로 크게 환영된다. 이에 중당中唐·만당晩唐을 거치면서 법현法顯·법경法鏡·승요僧繇 등의 화승畵僧들이 나와서 소위 호모범상胡貌梵像◆이라는 기괴한 형태의 나한상羅漢像을 만들어 냈다.

◆복호도伏虎圖 길들인 호랑이 그림

◆호모범상胡貌梵像 서역인 모습의 승려상僧侶像

그러나 이 나한상의 전형이 확립되는 것은 오대五代와 북송北宋에 걸쳐 활동한 화승인 선월대사禪月大師 관휴貫休에 의해서였다. 이후 이 나한도는 선기도禪機圖◆나 문인화文人畵◆의 소재로 선승禪僧 문사文士들에게 애호를 받아 도석화道釋畵의 한 화과畵科를 이루어 왔다.

◆선기도禪機圖 선승들이 깨달은 상황을 표출해 낸 그림

◆문인화文人畵 문인들이 고답적인 정신세계를 표출해 낸 그림

그래서 북송의 신종神宗·철종哲宗 연간에 예원藝苑을 주도하던 동파거사東坡居士 소식蘇軾(1036~1101)이 일찍이 〈18나한도羅漢圖〉에 찬을 지으면서 〈제13인게다존자因揭陀尊者 복호도伏虎圖〉에 다음과 같이 써 놓았다.

> 한 생각의 차이로 이렇게 맹수猛獸로 떨어졌으니, 도사導師께서 슬퍼하시고 너를 위해 찡그려 탄식하시나, 너의 맹렬함으로써 본성을 되찾기는 어렵지 않으리라.
>
> 一念之差, 陀此鬖髵, 導師悲憫, 爲汝嚬歎, 以爾猛烈, 復性不難.

이 그림이 바로 〈18나한도〉 중 〈제13인게다존자 복호도〉인데 명明 오파吳派계 화가인 고병顧炳이 편찬한 『고씨화보顧氏畵譜』(1603) 제1책 제3판 양梁 장승요화張僧繇畵 삽도132의 내용을 방작仿作◆한 것이다.

◆방작仿作 본떠 그린 그림

앞서 말한 대로 〈16나한도〉가 중당 이래로 주로 그려진 것이라면 양梁의 불화대가佛畵大家인 장승요의 그림일 수가 없는데, 장승요의 그림이라 한 것은 만당기晩唐期의 화승인 승요僧繇와 혼동한 데서 생긴 착오이거나 일부러 대가인 장승요에게 갖다 붙이려 한 데서 빚어진 오류일 것이다.

송암복호松岩伏虎 도판156

1750년 경오庚午경, 지본담채紙本淡彩, 51.0×31.5cm, 간송미술관 소장.

장승요화張僧繇畵 삽도132
『고씨화보顧氏畵譜』 제1책 제3판.

어떻든 겸재는 이 『고씨화보』의 복호도를 범본範本으로 하여 이 〈송암복호〉를 그려 냈음이 분명하니 복호伏虎의 자세나, 나한이 반가半跏 형태로 바위에 걸터앉아 호랑이의 머리를 쓰다듬는 좌세坐勢에서 이를 확인할 수 있다.

그런데 겸재는 가사袈裟를 어깨에 넘겨 입은 『고씨화보』의 의복 표현을 자세히 이해하지 못하고 조선 승복의 장삼長衫만 염두에 둠으로써, 어깨 너머로 흘러내린 가사자락 표현을 마치 작은 도롱이를 어깨에 둘러 입은 듯하게 표현하고 있다. 불교를 이해하려 하지 않았던 유자儒者로서의 자세가 이런 오류를 서슴지 않게 했을 것이다. 나한의 얼굴은 그대로 조선 노승의 모습이고 엎드린 호랑이의 양순良順한 표정도 조선 호랑이 특징 그대로이다.

겸재식의 노송법老松法대로 휘어져 올라가 가지를 드리운 거목을 연지臙脂빛으로 윤곽을 훈염暈染하고, 둥치는 송린松鱗*을 배열하여 사실성을 강조했으며,

* **송린**松鱗
비늘처럼 생긴 소나무껍데기

◆**굴경**屈勁
굳세게 구부러짐

◆**앙두점**仰頭點
붓끝을 옆으로 끌되 머리부분이 위로 들리도록 엇비슷하게 쳐 낸 점

◆**핍진**逼眞
실물과 아주 비슷함

가지 역시 담묵선淡墨線과 연지빛 훈염으로만 처리했다. 그런데 굴경屈勁◆한 곡법曲法의 묘妙가 용틀임을 연상시켜, 마치 노을 속에 잠겨 드는 한 마리의 창룡蒼龍을 보는 듯한 느낌이다.

청색훈염 위에 앙두점仰頭點◆으로 속력 있게 쳐 나간 솔잎 표현이 더욱 노송에 핍진逼眞◆한 생동감을 더해 준다. 서너 개의 둥근 바윗돌이 시내 중간에 솟아나서 여울을 만드는데 시내 저편으로는 겸재가 즐겨 쓰는 미가원수법米家遠樹法의 수림樹林이 전개된다. 담청의 훈염이 이를 연하煙霞에 잠기게 하여 심산深山의 정취를 드높여 준다. 종교적인 소재까지도 조선화시킨 겸재의 기량을 엿볼 수 있는 작품이다.

취성도聚星圖도판157

이 시기에 겸재는 같은 화법으로 〈취성도聚星圖〉를 그려 낸다. 〈취성도〉를 그려 내게 되는 배경은 이렇다. 후한後漢의 명사名士 태구장太丘長 진식陳寔(104~187)이 낭릉후朗陵侯 순숙荀淑(83~149)의 집을 방문할 때 복역僕役할 사람이 없어 장자長子인 진기陳紀로 하여금 양차를 몰게 하고 막내아들 진심陳諶으로 하여금 지팡이를 들고 따라오게 하며 진기의 아들 진군陳群이 아직 어리므로 차에 함께 태워 가게 되었다.

그러자 순숙은 순씨팔룡荀氏八龍이라 부르는 여덟 아들 중 가장 재주가 뛰어난 셋째 순정荀靖으로 하여금 문에 나가 맞아들이게 하고 여섯째 순상荀爽으로 하여금 술을 따르게 하며 여섯 아들은 당하堂下에서 먹게 했는데 둘째 순곤荀緄의 아들 순욱荀彧이 아직 어려 조부인 순숙의 무릎 앞에 앉았었다 한다. 그러니 진씨陳氏 명사 3대와 순씨荀氏 명사 3대가 한자리에 모인 것이다.

이때 덕성德星이 취회聚會했다 하여 이를 기념하기 위해 진식의 후손들이 취성정聚星亭을 지었던 모양이다. 어느 때 허물어진 것을 주자朱子(1130~1200)가 살던 시대에 다시 그 후손들인 고정考亭진씨들이 이를 중수하고 그 아름다운 고사를 그림으로 그려 병풍으로 만들고 주자에게 그 찬문을 부탁했다.

그때 주자가 지은 「취성정화병찬병서聚星亭畵屛贊幷序」가 『주자대전朱子大全』 권85에 실려 있는데 조선성리학파의 중진으로 주자를 절대 신봉하던 곡운谷雲 김수증金壽增(1624~1701)이 이 글 내용에 감동하여 이를 명필로 소문난 그의 예서 솜씨로 써서 걸어 놓게 되었다. 이를 본 조선성리학파의 영수인 우암尤庵 송시열宋時烈(1607~1689)은 주자의 찬사에서 혹시 오해가 있을까 하여 남헌南軒 장식張栻(1133~1180)과 면재勉齋 황간黃榦의 찬도 함께 쓴 다음 그 내력을 밝히는 발문을 지어 붙인다.(『주자대전宋子大全』 권147, 「취성도발聚星圖跋」 참조)

이 우암의 발문이 지어진 것이 겸재가 출생하기 일 년 전인 숙종 원년(1675) 을묘 정월 초하룻날인데 겸재가 누구의 청탁을 받고 그렸던지 역시 70대의 완성된 진경산수화법으로 이 〈취성도〉라는 중국고사도를 재현해 내고 있다.

곡운의 장손으로 입후入後하여 영빈寧嬪 친정의 대를 이은 스승 삼연의 둘째 자

취성도聚星圖 도판157

1750년 경오庚午경, 견본채색絹本彩色,
61.5×145.8cm, 개인 소장.

聚星亭畫屛贊 幷序

按世說陳太丘詣荀朗陵貧儉無僕役乃使元方將車季方持杖從後長文尙小載著車中旣至荀使叔慈應門慈明行酒餘六龍下食文若亦小坐著膝前于時太史奏眞人東行考亭陳氏故有雜樹名以聚星蓋取續陽秋語中更廢壞近始作新適遇赦廬因得相與從事旣又爲之李原事蹟畫著屛上幷爲之贊以視來者云

猗歟陳子神嶽鍾異文淵範彛道廣心卑危孫汚隆卷舒自我是曰庶幾與可不可獻身安衆弔堅全邦炯然方寸秋月寒江顧言懷人曰我同志故朗陵君荀季和氏連峰對起麗澤潛滋優而不見有翼其恩薄言造之顧無僕役獨呼二兒駕言以出青蛇黃犢命幅柴車策杖前衛杖讀後隨所造伊何高陽之里維時荀君闓至而喜顧謂汝靖往應乎門七龍槁槁命席開尊靖肅而前翁拜其辱何悟斯晨得見清穆命爽行觴旅讀次陳戲酬交錯禮度情親載哄載言罔非德義諠邁乃獻以輔斯古髮髦兩稚亦眞膝前原深李固身出匪譽維此慈明特謝儔匹晩際國屯殷憚濡迹登旒之命時以少迹邦朋之冣孰與爲光或乃附曹羣亦忘廉嗣守之難古今其歎棠臺囬極弓以占天猶曰茲野德星萃焉我寓有亭舊蒙斯號今刺前聞象儀以告高山景行好德所同諫忠貴孝獨騂余衷百禽窺臨鏡考自息死國承家永奉明式

晦菴先生曰荀淑正言於梁氏用事之日而其子爽濡迹於董卓或則遂爲唐衡之壻曹操之臣想其父兄師友一種論議文飾蓋覆輓之者不覺其非邪說橫流所以甚於洪水猛獸也又曰荀淑能譏刺梁氏而爽已不能忤董卓至或遂爲唐衡之壻曹操之臣人家父祖辟立千仞子孫猶自倒東來西況太丘制行如此其末流之弊爲賊佐命亦何足怪哉

南軒先生曰陳太丘在當時隱迹自晦豈無其方何至送宦者之葬以此免禍君子不貴也

黃勉齋曰陳太丘送張讓父喪人以爲善類賴以得生嘗竊疑之枉尺直尋而可爲歟若是眞丈夫豈畏宦官之禍而稽太丘屈辱以全其身哉

金壽增追之取朱夫子聚星贊爲模特以傳於士夫間而衰世意也然贊中弔堅濡迹等語覽者或昧夫子微辭則大有害故幷書三先生說於下方以爲足以發明原贊之意云崇禎柟蒙單閼元日恩津宋時烈識

취성도聚星圖 부분

취성도聚星圖 부분

제 김치겸金致謙(1677~1747)의 부탁을 받았던지 혹시 그 자제이자 자신들의 제자인 화음華陰 김문행金文行(1701~1754)의 소청으로 이루어졌을 가능성이 크다.

양차羊車를 타고 온 진식 일가와 이를 맞는 순숙 일족이 명당에 자리 잡은 순숙의 집 초당에서 대면하는 장면을 실감 나게 그려 놓고 있는데 그 산천초목과 초당 인물 표현은 한결같이 무르익은 진경산수화법으로 일관되고 있을 뿐이다. 간송미술관 수장의 〈여산초당〉과 거의 동일한 필법이므로 《기사년 사공표성 시품첩己巳年 司空表聖 詩品帖》이 이루어지는 전후한 시기에 그려진 그림일 것이다.

아마 이 「취성정화병찬병서」를 곡운이 쓰고 우암이 발문을 지어 걸었던 것은 당시 삼수三壽 십창十昌의 벌열閥閱을 자랑하던 김수항金壽恒 일가의 안동安東 김문金門과 일자오손一子五孫을 거느리고 이 댁을 방문한 우암 집안과의 회동을 기념하기 위해서였던 듯하니 그 현장은 바로 겸재가 나서 자란 곳의 이웃인 백악산 아래 악록유거岳麓幽居였다. 따라서 겸재보다 그곳을 잘 아는 사람은 없었을 터라 이 그림을 그렇게 현장감 있게 그려 냈나 보다.

이때 예서 잘 쓰는 이로는 곡운의 예서맥隸書脈을 잇고 있던 퇴어退漁 김진상金鎭商(1684~1755)과 한정당閒靜堂 송문흠宋文欽(1710~1752), 능호관凌壺觀 이인상李麟祥(1710~1760)과 원교員嶠 이광사李匡師(1705~1777)가 있었는데 원교는 송·김 양가와 세혐世嫌이 있어 이 글씨를 썼을 리 없다.

퇴어는 율곡학파의 적통을 계승하던 사계沙溪 김장생金長生(1548~1631)의 현손이었고 한정당은 사계 제자로 우암과 함께 양송兩宋으로 불리던 동춘同春 송준길宋浚吉(1606~1672)의 현손이며 능호관도 사계 제자인 영의정 백강白江 이경여李敬輿(1585~1657)의 현손이라서 누구든 이 글을 자진해서 쓰려 했을 것이다. 따라서 이 셋 중 누구의 글씨로 보아야 할 터인데 우암과의 관계로 보아 겸재보다 8세 아래였던 퇴어의 글씨로 보는 것이 타당하지 않을까 한다.

방차만리별업訪車萬里別業 도판158

이와 비슷한 시기에 겸재는 우리나라 고사도 한 폭을 거의 비슷한 진경산수화법으로 그려 낸다. 〈방차만리별업訪車萬里別業〉이다. 차만리車萬里는 송도 출신의 형제 시인으로 이름을 날리던 창주滄洲 차운로車雲輅(1559~?)를 가리키니 만리萬里는 그의 자字이기 때문이다. 즉 '차운로의 별장을 찾아감'이라는 제목이 된다. 이는 선조 때 대사헌을 지낸 풍산홍씨豊山洪氏의 중시조 모당慕堂 홍이상洪履祥(1549~1615)의 시제詩題를 화제畵題로 하여 그려 낸 그림이다.

아마 모당의 6대손이며 영안위永安尉 홍주원洪柱元(1606~1672)의 현손인 홍상한洪象漢(1701~1769)삽도133이나 홍봉한洪鳳漢(1713~1778)삽도134의 청에 의해서 이 그림이 그려졌을 듯하다. 홍봉한은 사도세자의 장인으로 사도세자가 대리청정을 시작하던 영조 25년(1749) 기사己巳 6월 9일부터 도승지가 되어 있었고 그 사촌형인 홍상한은 형조판서와 평안감사를 거치고 있기 때문이다.

더욱이 그림이 이들 손에 의해서 꾸며졌으리라 생각되는 것은 「방차만리별업訪車萬里別業」이라는 모당의 시를 원교 이광사가 쓰고 있다는 사실 때문이다. 원교의 조부 이대성李大成(1651~1718)이 홍봉한의 증조부 금화산인金華山人 홍만용洪萬容(1631~1692)의 큰사위라서 홍봉한의 부친 수재守齋 홍현보洪鉉輔(1680~1740) 형제들과 원교의 부친인 각리角里 이진검李眞儉(1671~1727) 형제들은 내외종사촌 간의 가까운 친척이었다.

따라서 홍봉한 형제들과 이광사 형제들도 진외가를 통한 6촌형제간 사이였으니 아무리 당색이 노소로 나뉘었다 한들 원교가 어찌 그 진외가 선대인 모당 고사도에 글씨를 쓰지 않겠다 할 수 있었겠는가. 겸재와 원교가 함께 삼절첩三絶帖을 이루어 놓는 예가 드문데 이 경우는 이런 혈연과 학연 관계가 묘하게 얽혀 이루어진 것이라 하겠다.

이해 3월에 호생관毫生館 최북崔北(1712~1786)은 〈단구승유도丹丘勝游圖〉를 그린다. 원교圓嶠 이광사李匡師(1705~1777)가 동행하여 이런 제사를 남긴다.

기사년 늦봄에 한벽루에서 쓴다. 월성(경주) 최북 유용有用(최북의 자字)도 또한 더

방차만리별업訪車萬里別業 **제시**題詩 도판158

이광사李匡師 찬서撰書, 지본묵서紙本墨書.

방차만리별업訪車萬里別業 도판158
1750년 경오庚午경, 견본채색絹本彩色, 15.0×26.0cm, 개인 소장.

홍상한洪象漢 **초상**肖像 삽도133
1751년 신미辛未, 견본채색絹本彩色, 55.1×69.1cm, 국립중앙박물관 소장.

불어 같이 놀며 이를 쓰다. 원교 이광사.

己巳春季, 書于寒碧樓. 月城崔北有用, 亦與之同遊, 而書之. 圓嶠 李匡師.

또 초가을에는 43세의 현재玄齋 심사정沈師正(1707~1769)이 79세의 사천 이병연에게 〈계산모정溪山茅亭〉 삽도135을 그려 선물한다. 「기사년 초가을에 사천노인을 위해 그리다. 현재 심이숙. 己巳孟秋, 爲槎川老人寫. 玄齋沈頤叔.」이라는 진적 친필제사로 확인할 수 있다. 이 그림은 간송미술관 소장품이다.

한편 옥소 권섭은 「금강입산출산도에 제함. 그림은 겸재노인 그림이다. 題金剛入山出山圖. 圖是謙翁.」에서 이렇게 쓰고 있다.

팔팔한 노새와 느린 남여, 질펀한 기색은 비 쏟아진 뒤끝.

어떤 사람이 붓끝에서 홍을 날리듯 하는가. 곧 이 노인은 오랫동안 초당에 누웠었

홍봉한洪鳳漢 **초상**肖像 삽도134
19세기, 견본채색絹本彩色,
29.1×37.0cm,
일본 덴리대天理大 도서관 소장.

다네.

勃勃之騾緩緩輿. 淋漓氣色沛然餘. 何人筆下如飛興, 卽是斯翁久臥廬.

權韠, 『玉所稿』 卷二

다시 「비홍교 입산도평飛虹橋入山圖評」에서는 이렇게 쓰고 있다.

경충경충 연달아 나는 듯 뛰어가니 기색은 팔팔, 한 길을 구비 도니 이에 신선 사는 집에 앉을 만하다.
3일을 다녔으나, 먼저 이미 뜻을 얻어 갔구나.

蹇衛聯翩, 氣色勃勃. 一逕回轉, 乃可坐於瓊瑤窟宅. 行行三日. 先已得趣.

權韠, 『玉所稿』 卷八

계산모정溪山茅亭 삽도135

심사정沈師正, 1749년 기사己巳, 지본수묵紙本水墨, 47.4cm×42.5cm, 간송미술관 소장.

또 겸재는 〈박달나무등걸그림檀査圖〉을 그렸던 모양이다. 그래서 옥소는 「또 박달나무등걸그림에 쓴다又書檀査圖」에서 이런 글을 남기고 있다.

> 둥치는 어찌 그리 크며, 가지는 어찌 그리 기이하게 굽었는가.
> 굽은 곳 중간은 소머리와 구별하지 못하겠다.
> 등은 어찌 그리 수평하며, 그 꽁무니도 낮지 않다.
> 기이하구나! 그 입이여, 긴 외침이 들리는 듯하다.
> 붓끝 삼매에서, 너를 만난 이 겸재노인이구나.
> 사납게 짖는 개. 두 눈이 고리로구나.
> 붓 휘두르는 장난, 또한 몹시 끝이 없구나.
>
> 體何輆輵, 支何奇屈. 屈處中間, 不辨牛首. 背何脩平, 不底其尻.
> 異哉其口, 若聆長吼. 筆下三昧, 偶爾謙老. 捍吠之狗, 雙目之環也. 縱筆之戲, 亦太無端也.
>
> 權燮,『玉所稿』卷八

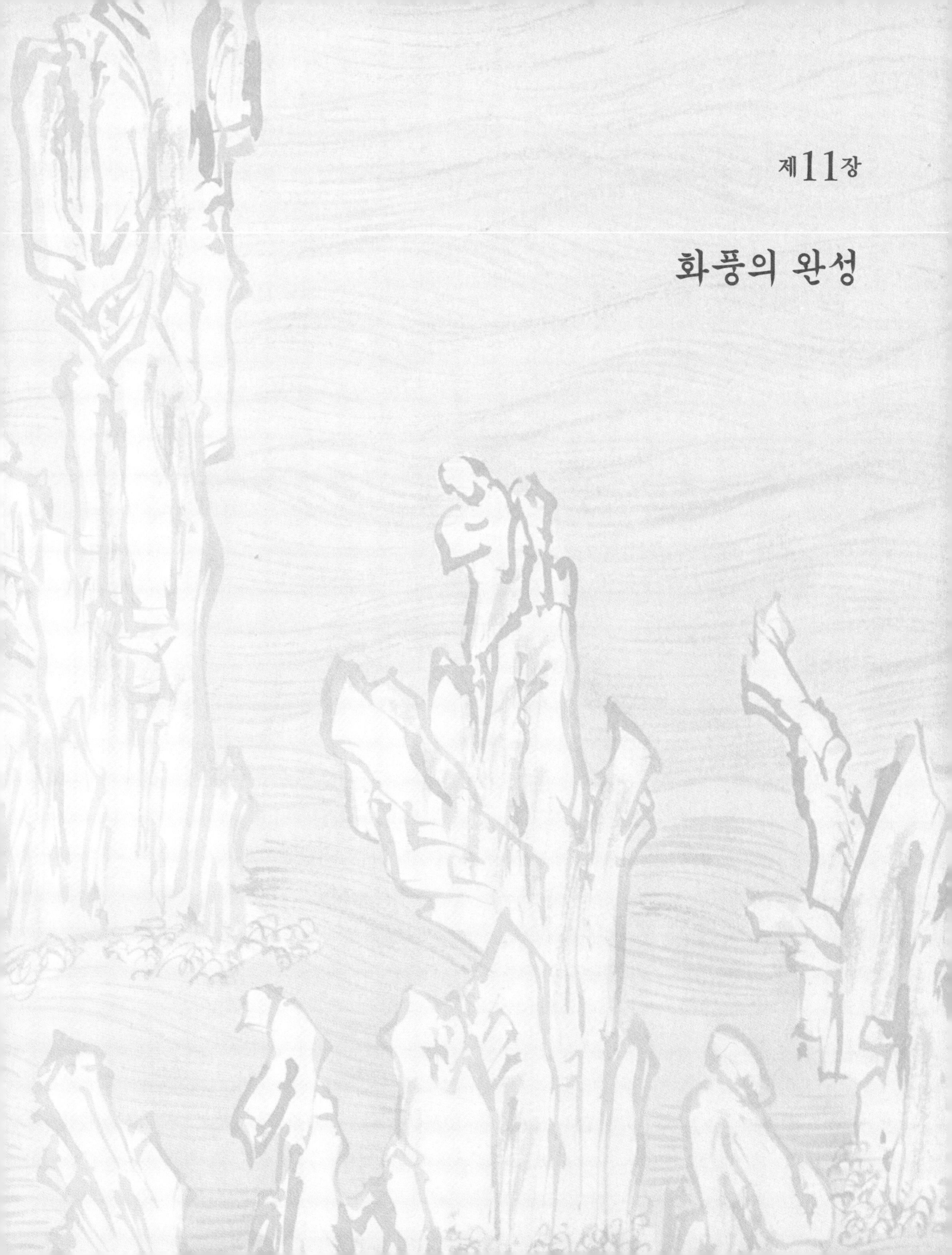

제11장

화풍의 완성

37

추상세계 抽象世界

겸재가 75세 되는 영조 25년(1750) 경오庚午 2월 10일에는 국왕이 사대부들의 의식衣食사치와 기마騎馬, 온돌溫突의 남용 및 무변武弁의 비대화肥大化 등을 지적하며 사치의 폐해를 통렬히 지적한다. 그리고 5월 19일과 20일에는 양역良役 변통 문제를 백관사서百官士庶 등 각계각층에게 하문하여 마침내 7월 11일에는 균역청均役廳을 설치하고 양민良民들이 군포軍布로 1년에 무명 2필씩 나라에 바치던 것을 1필로 줄이는 개혁을 단행하려는 의지를 보이는 등 경제정책에 관심을 쏟는다.

이는 이미 일본과 청의 직교역으로 숙종 대까지 누려 온 중개무역의 차익을 얻지 못하는 데서 오는 수지불균형으로 수입초과 현상이 누적되어 국내의 소비성향만 높여 가므로 이에 대한 대응책이 시급했기 때문이었다.

이 문제는 영조의 경제정책을 총책임지고 있던 호조판서 박문수가 주도하여 개혁해 나가려 하지만 이미 기득권층으로 변신한 노론 측의 강력한 반발로 쉽게 그 개혁을 단행하지 못한다. 이에 영조는 사농공상士農工商으로 하여금 각기 그 맡은 바 직분에 충실하기를 장려하기 위해 스스로 〈경직도耕織圖〉 9폭을 그려 대소신료에게 회람시켰던 듯 사도세자는 이해 불과 16세로 이런 제화시를 지어 이를 찬미한다.

> 찬연히 빛나는 꽃다운 먹 구름종이에 움직이니, 사농공상士農工商이 각기 재주 있구나.
> 아홉 폭 그림을 살펴 깨달을 때에, 삼가 성상께서 백성 위하시는 뜻 아옵겠노라.
> 粲然花墨動雲紙, 農士工商各有技. 九幅畵圖省識時, 恭知聖上爲民志.
>
> 思悼世子, 『凌虛閣漫稿』 卷一, 恭題御畵

그림을 보지 않고 말하기 어려우나 이 제화시의 내용으로 보면 영조가 그린〈경직도〉 9폭은 진경풍속화법眞景風俗畵法으로 그린 그림이었을 듯하다. 영조의 그림솜씨가 뛰어났었다는 사실을 다시 한 번 확인할 수 있는 자료다. 그런 영조이기 때문에 겸재의 진경산수화나 관아재의 풍속인물화를 그렇게 높이 평가하고 그의 대성을 위해 아낌없는 후원을 보냈을 것이다.

11월 23일에 강화도에 비장돼 있던 선조宣祖(1552~1608) 어화御畵 〈난죽병蘭竹屛〉을 올려다 감상하는 것도 영조의 그림사랑을 짐작하게 하는 대목이다. 선조가 돌아가기 3년 전인 55세 때 그린 것이 먹색이 금방 그린 것처럼 새로웠었다 한다.

이해 1월 5일에 현재 심사정의 부친으로 포도를 잘 그리던 죽창竹窓 심정주沈廷胄(1678~1750)가 73세로 서거하고 3월 26일에는 월성위月城尉 김한신金漢藎의 부친인 전 영의정 김흥경金興慶(1677~1750)이 74세로 작고한다.

이런 와중에 겸재 후원자의 하나인 조현명이 3월 11일 영의정에 올랐다가 10월 29일 물러나는 경사도 있고 겸재 제일의 후원자인 국왕 영조는 8월 27일에 왕손王孫을 얻는 경사를 보기도한다. 11월 25일에는 사천 이병연이 동지중추부사(종2품)에 오르고 12월 28일에는 한성우윤漢城右尹(종2품)에 임명된다. 80세 고령에 이른 진경문화계의 원로에 대한 영조의 특별배려였다. 겸재 그림의 최고 애호자임을 자처하는 이천보李天輔가 12월 3일 이조판서에 제수되는 것과도 무관하지 않을 것이다.

80세 옥소는 23세 손자 신응이 그린 부채 그림에 제사를 달며 신응의 그림스승인 겸재가 알아주기를 바란다. 옮기면 다음과 같다.

> 일리一理가 마음으로부터 나옴을 누가 알랴, 매양 보면 천 가지 그림이 손 따라 다르네. 이 그림 어떤지 내 물으려는데, 겸재노인 안목은 아직 흐리지 않겠지.
>
> 誰知一理從心會, 每見千模逐手殊. 此畵何如吾欲問, 謙翁眼目未糊塗.
>
> 權燮, 『玉所稿』 卷二, 題阿信扇畵

그리고 「부채그림 10평扇畵十評」이라 해서 함세휘咸世輝, 윤두서尹斗緖(1668~1715), 관아재觀我齋 조영석趙榮祏(1686~1761), 청은옹淸隱翁 권영權瑩(1678~1745),

겸재, 김익주金翊冑, 변상벽卞相璧 등 8인의 부채그림 10폭에 평어를 붙이고 있다. 관아재와 겸재 그림은 각각 두 폭씩이다. 옮겨 보겠다.

이와 같은 반송盤松이라면, 어찌 화국畵局 장인工으로서라도 이를 쉽게 하리오. 함세휘.

如此盤松, 豈以局工, 而易之. 咸世輝.

짙은 그늘 울창한데, 지팡이 세워 잡고 앉아, 무슨 물건 내려다보는가? 어찌 또한 물가의 즐거움이라고만 하겠는가. 윤두서.

濃陰盤鬱, 拄杖而坐, 俯視何物. 豈亦濠上之樂耶. 尹斗緖.

사천노인이 평하기를 '키 큰 나무 만여 그루에, 맑은 물이 그 속을 관통한다. 5, 6월에 펴서 부치면, 뛰어난 화가 홀로 고생한 것 알 만하리라.' 라고 했다. 나는 다시 할 말이 없다.

槎翁評曰, 喬木萬餘株, 淸流寬其中. 五六月披拂, 可知良工獨苦, 我無容更言.

병풍산屛風山 위주로 그리니 그런 까닭으로 한벽루寒碧樓는 희미하고, 북진은 감춰졌다. 관아재.

主屛山而畵, 故碧樓依微, 北津隱約. 觀我齋.

이는 내 아우가 장난으로 그린 풀꽃과 기이한 돌이다. 평일 모습을 볼 수 있다. 청은옹.

此我弟戲筆 草花奇石, 可見平日風神. 淸隱翁.

바닷가 험한 나루를 십분 본떠 냈다. 촌 울타리 모습이 또한 즐길 만한다.

海口險津, 十分模得. 村籬景色, 又可嘉.

높은 강 급한 골짜기에 천둥 번개가 다투고, 고목나무 푸른 넝쿨은 해와 달을 어둡게 한다. 기이하고 빼어나다. 기이하고 빼어나다. 이에 다시 짙고 무성하며 한가롭고 아득하다. 겸재.

高江急峽雷霆鬪, 古木蒼藤日月昏, 奇絶奇絶. 乃復濃郁閑曠. 謙齋.

겸재노인 이외에 다시 이 김익주를 내놓았다. 김익주.

謙翁之外, 復出此金翊胄. 金翊胄.

이는 고양이 그림인데 나머지는 닭과 함께 했다. 이와 같으면 만족한데 하필 동물마다 모두 신묘함에랴! 변상벽.

此是猫畵, 餘與鷄. 如是足, 何必物物妙. 卞相璧.

權燮, 『玉所稿』 卷八, 扇畵十評

인왕제색仁王霽色 도판159

다음 해, 즉 영조 27년(1751) 신미辛未는 왕대비王大妃인 인원왕후仁元王后가 모림母臨 50년, 즉 왕비가 된 지 50년이 되는 해가 되어서 왕실에 다시 경사가 겹친다. 겸재에게는 모두 해롭지 않은 일들이었다. 그러나 어찌 즐거운 일만 계속될 수 있으랴. 호사다마好事多魔격으로 윤5월 29일에 겸재 단금斷金의 벗으로 평생 동안 그림자처럼 함께 지내던 사천槎川 이병연李秉淵이 81세의 고령으로 세상을 떠나고 말았다.

그 슬픔이 어떠했겠는가. 평생 동안 자신의 그림을 가장 아끼고 사랑해 준 사람이다. 다만 화가 지망생일 뿐이었을 때 자신의 재능을 미리 간파하고 금강산으로 해마다 초청하여 마음 놓고 유람하며 사생해 내게 해서 그 그림들로《해악전신첩》을 꾸미고 스승 삼연의 제화시를 받아 내고 사천 자신도 제화시를 붙여서 천하제일의 명화가로 자신을 발신시켜 준 친구다.

그래서 누구나 삼연문하의 시화쌍벽으로 부러워하던 한 쌍이었는데 이제 그 짝을 잃었으니 겸재의 슬픔은 이제까지 당했던 그 어떤 이별의 슬픔보다도 더 컸던 것이다.

육친을 잃은 슬픔이 육신을 손상당한 고통이라면 사천을 잃은 슬픔은 정신을 손상당한 고통이었다. 겸재는 이 고통을 이기기 위해 오히려 사천이 그렇게도 아끼던 자신의 그림솜씨를 마음껏 발휘해 사천의 영전에 바치려 한다.

그래서 늘 백악산 남쪽 산기슭의 사천댁에 놀러 가면 함께 뒷동산인 백악산 기슭에 올라 바라보던 인왕산을 그려 내게 된다. 어려서부터 바라보던 인왕산이고 지금은 그 아래에 살고 있는 인왕산이었다. 때마침 장마철이라 인왕산은 늘 비구름에 잠겨 있었는데 잠시 해가 떠올랐던가 겸재는 이 그림을 〈인왕제색仁王霽色〉이라 이름 붙이고 있다.

'인왕산 비 개는 모습'이라는 뜻이다. 사천의 극락왕생을 기원하는 의미가 담긴 화제畵題다. 그리고 '겸재謙齋'라는 관서 아래 '정선鄭敾'이라는 방형백문方形白文 인장과 '원백元伯'이라는 방형주문方形朱文 인장을 찍고 '신미년 윤달 하순辛未閏月下浣'이라는 제작시기를 밝히고 있다. 이는 곧 사천이 윤5월 29일에 운명

인왕제색仁王霽色 도판159

1751년 신미辛未 윤5월 하순, 지본수묵紙本水墨, 138.2×79.2cm, 호암미술관 소장.

仁王霽色
謙齋
辛未閏月下浣

하자 그 슬픔 속에서 그렸다는 사실을 밝히는 단서가 된다.

여기서 겸재는 백색화강암봉인 인왕산 봉우리를 늘상 해 오던 대로 장쾌한 농묵쇄찰법濃墨刷擦法으로 장쾌하게 쓱쓱 쓸어내리고 장지바탕을 그대로 두어 산 아래를 감싸고 있는 운무雲霧를 상징하게 하는 등 대담한 필묵법筆墨法을 구사하여 장마철 비 개인 인왕산 모습을 실감나게 표현해 내고 있다. 과감한 생략과 익숙한 함축을 바탕으로 이제 진경산수화를 추상화시켜 나가기 시작한 것이다.

우주의 섭리도 짐작하겠고 만물의 물성도 헤아리겠으며 자연의 이치도 터득하게 되었으니 인왕산 그 자체가 가지고 있는 본질을 추출해 내는 것도 그리 어려운 일은 아니었다. 금강산을 다시 여행하면서 어렴풋이 터득해 가던 그 여여如如한 자연의 이치를 이제 사천의 죽음으로 확연히 깨닫게 된 것이다.

이로부터 겸재 그림은 대담한 생략과 단순한 색조로 대상의 본질만을 명료하게 추출해 내려는 추상적인 경향을 강하게 띠어 간다. 어떻게 보면 이 경지가 한 화풍이 종당에 도달해야 할 구극처究極處이기에 자연스럽게 도달해 간 것인지도 모른다. 그러나 겸재의 타고난 천재성과 부단한 화법수련 및 성리철학性理哲學에 대한 끝없는 탐구가 이를 한 개인의 일생 속에서 이루어지게 했을 것이다.

이처럼 겸재가 일생 동안 갈고 닦은 모든 기량을 총동원하여 혼신의 힘으로 추상해 낸 〈인왕제색〉(국보 216호)은 겸재가謙齋家에 비장되어 있다가 《경교명승첩》 등 겸재 그림의 최고 걸작품들과 함께 겸재의 손자 손암巽庵 정황鄭榥(1735~1800)에 의해 1790년경 노론 벽파의 거두로 영의정을 지내는 만포晩圃 심환지沈煥之(1730~1802)의 수장으로 넘어간다. 만포는 겸재 그림을 익애溺愛하여 보물처럼 아끼었으므로 뒷세상에 잘 전해질 방도를 강구하던 겸재의 막내 자제 정만수鄭萬遂(1710~1795)와 그의 조카 손암 정황이 이를 만포에게 넘겼기 때문이다.

그래서 만포는 《경교명승첩》을 개장改粧하고 초가을(7월) 하순에 그 발문을 쓰는데 바로 그해 초여름(4월) 하순에 이미 이 〈인왕제색〉에도 다음과 같은 제화시[삽도136]를 붙이고 있었다.(이해 10월 18일에 만포는 73세로 서거한다.)

삼각산 봄 구름 비 보내 넉넉하니, 만 그루 소나무의 푸르름이 그윽한 집 두른다.
주인옹은 아마도 깊은 장막 아래에 앉아, 홀로 하도河圖와 낙서洛書를 완상하겠지.

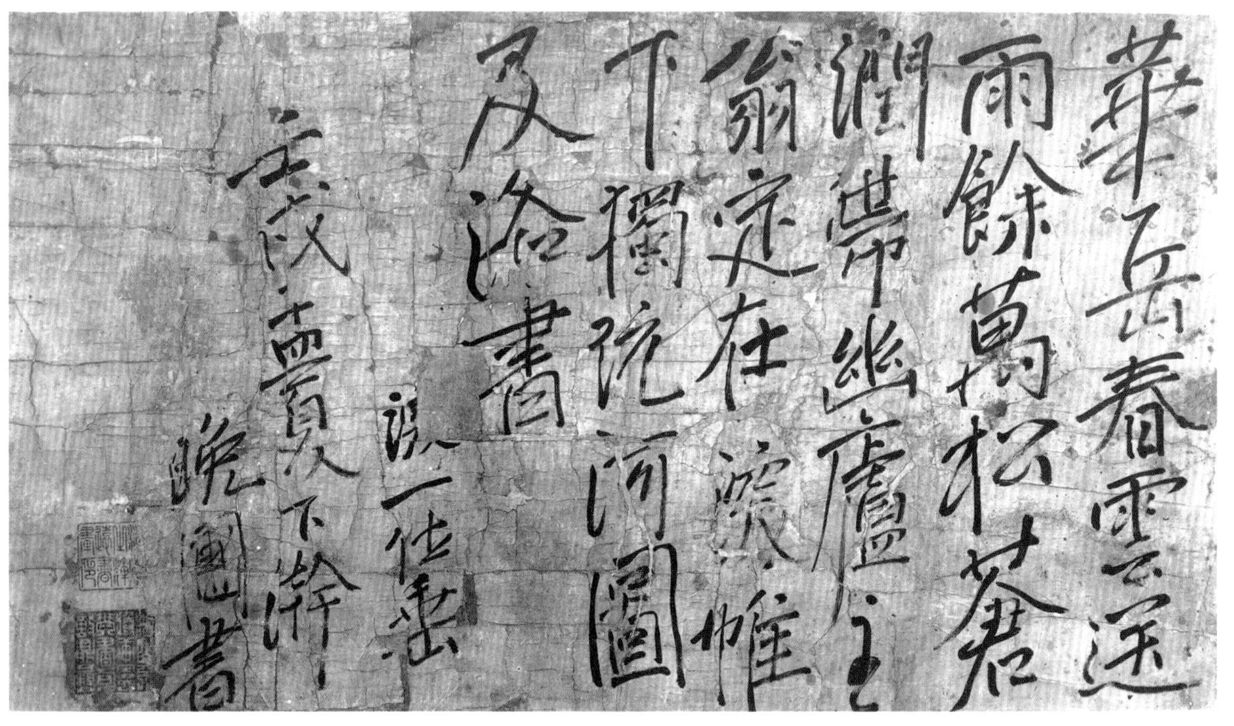

인왕제색仁王霽色 **제화시**삽도136
심환지沈煥之, 지본묵서紙本墨書.

華岳春雲送雨餘, 萬松蒼潤帶幽廬. 主翁定在深帷下, 獨玩河圖及洛書. 深一作垂. 壬戌孟夏下瀚, 晩圃書.

이 제화시는 국망國亡 후 충남 당진에 살던 만포의 후손가에서 이 〈인왕제색〉이 타인의 손에 넘어갈 때도 합장合粧돼 있어서 그 내용을 우현又玄 고유섭高裕燮(1904~1944)이 「인왕제색도仁王霽色圖」라는 배관기拜觀記에 남겨 놓았기 때문에 세상에 알려지게 되었다. 이 〈인왕제색〉은 일제강점기에 서울의 최난식崔暖植, 개성의 진호섭秦豪燮 등의 수장을 거쳐 현재는 호암미술관에 비장되고 있다. 호암미술관으로 이동될 때 제화시가 분리되이 그림만 남아 있게 된 것이다.

관동팔경關東八景 병풍

이렇게 추상성이 노정되기 시작하는 진경산수화를 꼽자면 우선 간송미술관 소장의《관동팔경關東八景》8곡曲 병풍과〈통천문암通川門岩〉도판168, 호암미술관 소장의〈금강전도金剛全圖〉도판169를 들어야 한다.《관동팔경》은〈장안사長安寺〉도판160,〈정양사正陽寺〉도판161,〈만폭동萬瀑洞〉도판162,〈백천동百川洞〉도판163,〈삼일포三日浦〉도판164,〈문암門岩〉도판165,〈총석정叢石亭〉도판166,〈낙산사洛山寺〉도판167 등이다.

이제 이 그림들을 살펴보기로 하겠다.

통천문암通川門岩 도판168

금강전도金剛全圖 도판169

장안사長安寺 도판160

정양사正陽寺 도판161

만폭동萬瀑洞 도판162

백천동百川洞 도판163

삼일포三日浦 도판164

문암門岩 도판165

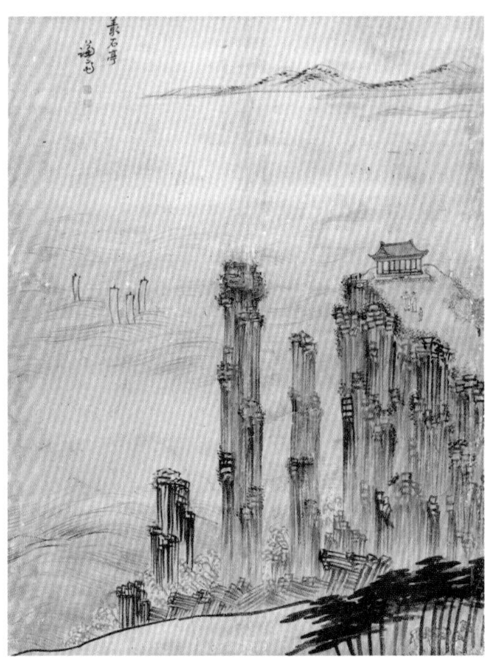

총석정叢石亭 도판166

낙산사洛山寺 도판167

장안사長安寺 도판160

단발령斷髮嶺과 철이현鐵伊峴을 넘어 내금강內金剛으로 들어가는 초입에 장안사가 있다. 이 절은 신라 법흥왕法興王 때의 창건이라고도 하고 진표율사眞表律師의 창건이라고도 하는데, 고려 성종成宗 원년 임오壬午(983)에 회정선사懷正禪師의 중창을 거쳐 충혜왕忠惠王 4년(1343), 원元의 황후가 된 기씨奇氏의 발원發願으로 굉변선사宏卞禪師에 의해 면모를 일신한다.

그 후 정조正祖 15년 신해辛亥(1791)에 강원감사江原監司 윤사국尹師國(1728~1809)의 후원으로 중수를 한 다음, 고종高宗 10년 계유癸酉(1873)의 석담대사石潭大師 중창과 동왕同王 26년 기축己丑(1889) 심공화상心空和尙 중건을 거쳐 지금의 규모를 이루게 된다. 따라서 이 그림에 보인 장안사는 기황후 중건 이후 400여 년이 지난 겸재 당시의 모습으로 현존한 사찰 규모와는 약간의 차이가 있는 듯하다.

이 당시에는 내금강의 물이 모여 내리는 금강천金剛川을 건너는 비홍교飛虹橋

곁에 산영루山映樓라는 누각이 있었던 것으로 겸재와도 친분이 있었던 월곡月谷 오원吳瑗(1700~1740)의 정미년丁未年(1727) 금강산유람기金剛山遊覽記인 「유풍악일기遊楓嶽日記」에 기록되어 있다. 이에 의하면 산영루의 동북쪽에서부터 동쪽으로 석가봉釋迦峯, 지장봉地藏峯, 관음봉觀音峯, 장경봉長慶峯이 차례로 보인다 했으니, 지금 비홍교 곁의 웅장한 누각이 바로 산영루인 듯하고 그 위에서 비홍교를 가리키며 담소하는 선비 일행은 겸재 자신의 모습이 아닌지 모르겠다.

동북쪽으로 보이는 암봉岩峯은 오원이 열거한 여러 봉우리들일 터인데, 수림이 울창한 절의 앞뒷산과 좋은 대조를 보이고 있다. 암봉은 겸재 특유의 꺾음붓질과 피마준披麻皴을 섞어 써서 준초峻峭한 형상을 강조하고, 간간 미점米點을 가하여 초목을 상징했다. 절 주변을 감싸는 토산수림土山樹林은 미점과 미수법米樹法으로 창울蒼鬱한 분위기를 조성하니 그윽하고 신비로운 장안사 경내의 진면목이 유감없이 드러난다. 금강천 시냇물에 두고두고 씻겨, 닳고 단 바위들은 뭉게구름 같은 권운준법卷雲皴法을 써서 암봉의 준법皴法과는 또 다른 대조를 이룬다.

장안사長安寺 도판160

1751년 신미辛未경, 지본담채紙本淡彩, 42.8×56.0cm, 간송미술관 소장.

정양사正陽寺 도판161

송강松江 정철鄭澈은 「관동별곡關東別曲」에서 이렇게 읊어 냈다.

정양사 진헐대, 고쳐 올라 앉은 마리.
여산 진면목이, 여기야 다 뵈나다.
어와 조화옹이, 헌사도 헌사할사.
날거든 뛰지 마나, 섯거든 솟지 마나.
부용을 꽂았는 듯, 백옥을 묶었는 듯.
동명東溟을 박차는 듯, 북극北極을 괴웠는 듯.
높을시고 망고대望高臺, 외로울사 혈망봉穴望峰.
하늘에 치밀어, 무슨 일을 사뢰리라.
천만겁千萬劫 지나도록 굽힐 줄 모르는다.
어와 너여이고, 너 같은 이 또 있는가.

담헌 이하곤도 「원통암에서 정양사까지 본 글自圓通至正陽所見記」이라는 장편 기행시에서 다음과 같이 묘사하고 있다.

잠깐 헐성루에 앉아, 눈 가는 대로 한 번 두루 살피니.
보이는 바 어찌 크지 않으랴만, 아직도 내 뜻 쾌치 않아서,
드디어 천일대天逸臺에 오르니, 경치 빼어나 정말 둘도 없겠다.
일만이천봉, 또렷이 차례로 늘어선다.
동쪽에 혈망봉 있으니, 구멍 뚫려 입과 코 같고.
대소大小 두 향로봉, 형제처럼 어깨를 나란히 하네.
少坐歇惺樓, 縱目一周視. 所見豈不偉, 猶未快我志.
遂上天逸臺, 勝絶固無二. 一萬二千峰, 了了分次第.
東有穴望峯, 嵌空如口鼻. 大小二香爐, 差肩若昆季.
李夏坤, 『頭陀草』 卷五, 東游錄, 自圓通 至正陽 所見記

정양사正陽寺 도판161

1751년 신미辛未경, 지본담채紙本淡彩, 42.8×56.0cm, 간송미술관 소장.

겸재도 바로 송강이나 담헌이 읊은 시각을 가지고 이 〈정양사〉를 그려 냈다. 방광대放光臺를 주산으로 한 정양사 전경을 부감법俯瞰法*으로 그려 내려면 정면 앞 언덕인 진헐대에서 그려야 하기 때문이다. 그러니 임리淋漓한 토산수림土山樹林으로 둘러싸인 정양사 전경이 근경으로 내려다보이면서 중향성衆香城과 혈망봉으로 이어지는 금강산 일만이천봉의 골기骨氣 삼엄森嚴한 백색 암봉들이 동쪽 하늘 저 멀리로 또렷이 떠올라 원경을 이루어 놓을 수밖에 없다.

양원음근陽遠陰近*의 천지天地 이치대로 암산岩山과 토산土山을 배분하여 화면을 구성해 가면서 다시 근경 처리에 창울蒼鬱한 송림과 밀생한 잡수림이 이루는 그윽한 수해樹海*를 펼쳐 놓은 다음 그 속에 붉은 기둥들이 열립列立한 웅장한 사우寺宇의 건물들을 대담하게 집중 배설해 놓았다. 거듭 음양조화의 이치를 강조한 화면구성법이다.

정양사에서 왼쪽 돌기둥이 받치고 있는 통창한 공간을 가진 누각 형식의 문루가 헐성루일 터인데 육각전六角殿은 절 마당 한가운데 우뚝 솟아 마치 육화탑六和塔 모양으로 위용을 과시한다. 이 육각전은 들보를 쓰지 않고 지었다 한다.

* **부감법**俯瞰法 높은 곳에서 낮은 곳을 내려다보는 시각으로 사물을 그려 내는 화법

* **양원음근**陽遠陰近 양이 멀고 음이 가까움

* **수해**樹海 나무숲이 바다처럼 넓게 펼쳐진 모양을 일컫는 말

만폭동萬瀑洞도판162

내금강 표훈사表訓寺로부터 금강대金剛臺를 지나 계곡을 오르노라면 소향로봉小香爐峯이 나타나고, 그 아래로 여러 골 물들이 흘러들어, 한데 합수合水지는 큰 개울을 만나게 된다. 원통암圓通庵 쪽에서 흐르는 물과 만회암萬恢庵 물, 보덕굴普德窟 물, 금수대錦繡臺, 혈망봉穴望峯 물이 모두 모여드는 곳이다.

그래서 『동국여지승람東國輿地勝覽』 권47 회양淮陽 산천山川의 만폭동조條에서는 '백 가지 길로 흐르는 시내가 곡중谷中에 쏟아져 내리는데 그 형상이 하나도 같지 않으므로(만폭동이라) 이름했다百道流泉, 瀉出谷中, 其狀非一故名' 하고, 이어서 '곡중에 산봉우리가 있으니 오인봉五人峯이라 하며 사람들은 그 위에 청학靑鶴이 깃든다고 한다谷中有峯, 曰五人峯, 人言靑鶴棲其隈' 라고 하고 있다. 두 선비가 이 장관에 취해서 손을 들어 천류泉流를 가리키면서 감탄하고, 안내해 온 듯한 스님은 합장合掌으로 외경畏敬을 표하고 있다.

겸재는 만폭동을 그릴 때 항상 동학洞壑의 광활함을 강조하기 위해 물길이 돌아 합수合水지는 너럭바위를 중심에 두고, 그 뒤로 내금강의 중봉衆峯을 병풍처럼 두르는 화면구성법을 쓴다. 이 그림도 예외 없이 소향로봉과 보덕굴봉普德窟峯을 근봉近峯으로 하고 중향성衆香城 이하의 중봉들을 열무식전閱武式典의 창검槍劍인 양 그 배후에 열립列立시켜 후방을 막아 버렸다. 그런데도 답답한 느낌이 들지 않는 것은 농담대소濃淡大小로 원근을 나타내어 그 사이에 전개될 무한한 공간이 암시되고, 중경中景 이하에서 동곡洞谷이 완전 노출된 개방성 때문일 것이다. 곡구谷口에 솟아 있는 오인봉五人峯은 상당히 기삭奇削한 모습을 보이나 이는 겸재의 손끝에서 이상화된 결과로 실경實景과는 약간의 거리가 있으니, 사진을 통해 확인할 수 있다.

겸재 만폭동 그림에서 오인봉의 이상화 정도로 그 제작시기를 가늠할 수 있는 것은 겸재화풍의 성립과정과 겸재 진경산수의 지향처를 한눈에 보여 주는 것이라서 매우 중요하다. 초기에는 사생에 가깝다가 점점 이상화시켜 80대에 이르러서는 기봉奇峯을 만들어 내는데, 이 그림에서도 이미 청학이 깃들기에 알맞을 만큼 기이한 암봉이 되고 있다.

만폭동萬瀑洞 도판162

1751년 신미辛未경, 지본담채紙本淡彩, 42.8×56.0cm, 간송미술관 소장.

이로 보아 《관동팔경》은 70대 이후에 이루어진 역작이라고 보아도 좋을 것 같다. 소향로봉의 사자암獅子岩과 보덕굴봉 정상의 좌선암坐禪岩에서 보이는 상징적인 표현도 이 그림이 만년기의 이상화된 진경임을 시사한다.

보덕굴의 19마디 동주銅柱의 표현은 실감나는 사생기법이며 지붕의 뒤가 높은 것은 겸재가 건물을 그릴 때 항상 쓰는 특기인데, 한옥을 부감俯瞰해 보면 실제로 느껴지는 시감각視感覺이기도 하다.

백천동百川洞[도판163]

예리한 각필법角筆法과 수직준垂直皴이 골기骨氣 늠름하게 구사된 겸재의 전형적인 금강산도金剛山圖이다. 차아기삭嵯峨奇削한 암산岩山으로 화면을 가득 채우면서 창윤蒼潤한 미가수법米家樹法과 복잡한 점엽법點葉法으로 살벌한 금기金氣를 중화中和시키고 있다.

이 백천동은 서쪽의 만폭동萬瀑洞 물과 동쪽의 영원동靈源洞 물이 합수合水되는 곳으로 실상 북한강의 상류를 이루는 곳이다. 월사月沙 이정구李廷龜(1564~1635)는 「유금강산기遊金剛山記」(『월사집月沙集』 권38)에서 이렇게 기록하고 있다.

> 시왕백천동十王百川洞에 들어가니 괴석怪石이 길에 가득하고, 참대苦竹가 뒤덮여 있으며 좌우의 삼나무와 소나무가 푸르름을 사람에게까지 물들이려 한다. 못이 있는데 맑고 깊으며 못의 동쪽에는 고성古城이 있다. 성북城北의 대봉大峯은 허공을 찔러 높이를 쳐다볼 수 없으니 지난밤에 이른바 지장봉地藏峯이다.

이 그림 내용과 일치하는 기록이다.

왼쪽 화면을 가득 채운 초삭峭削한 암산岩山이 지장봉이고 그 오른쪽에 암문暗門이 있는 석축石築이 고성의 잔해인 모양인데 신라 마의태자가 망국의 한을 품고 들어와 쌓았다는 전설이 깃들어 있는 곳이다. 지장봉의 상봉上峯에도 축성築城의 흔적을 남기고 있어 상하성上下城이 어떤 연결을 갖는 것인지 궁금하다.

참대가 산을 뒤덮고 있다는 사실도 밀죽법密竹法으로 암벽의 곳곳을 장식한 것에서 이를 확인할 수 있으며 삼송杉松의 푸르름도 겸재 특유의 미가식米家式 삼송에서 이를 실감할 수 있다. 고성 옆에 우뚝 솟은 기암입석奇岩立石은 아마 겸재가 실제 이상으로 과장 표현한 암봉이리라 생각된다. 이는 오월곡吳月谷이

> 백천동은 물이 동쪽에서는 영원동으로부터 오고 서쪽에서는 만폭동으로부터 와서 합류하는데 천석泉石이 자못 웅장하나 심히 기려奇麗하지는 않다.

백천동百川洞 도판163

1751년 신미辛未경, 지본담채紙本淡彩, 42.8×56.0cm, 간송미술관 소장.

고 한 기록으로도 짐작이 가능하다.

동양위東陽尉 신익성申翊聖(1588~1644)은 「유금강내외산제기遊金剛內外山諸記」 『악전당집樂全堂集』 권9에서 이렇게 기록해 놓고 있다.

> 백탑동白塔洞의 물과 백마봉白馬峯의 물이 합류하여 시왕백천동을 이루는데 기암 절벽이 냇물을 끼고 내려와서 때때로 발鉢이 되기도 하고 못이 되기도 했다. 영원동으로부터 오 리五里쯤 되는데 궁전의 남은 터가 있으니 신라 태자가 도망 와서 숨었던 곳이다.
>
> 그 곁에 입석立石이 있어 병풍 같으며 돌 아래 못이 있고 못가에 대臺가 있다. 승려들이 입암을 명경대明鏡臺라 하고 성문을 지옥문地獄門이라 하며 못을 황천강黃泉江이라 하고 대를 업경대業鏡臺라 하여 명부어冥府語로 대중을 홀린다고 한다.

이로 보면 초삭한 기암은 명경대이고, 암문 형식의 성문은 지옥문이며, 소나무가 서 있는 대는 업경대이고, 양쪽에서 흘러와 대 아래에서 못을 이루는 것이 황천강임을 알 수 있다. 이렇게 보면 지장봉, 시왕동十王洞의 의미가 모두 저승세계와 연결된 이름들인 것이 이해가 간다.

금강산의 동학洞壑을 화면에 담을 때 후면을 암봉으로 가리는 겸재식의 화면구성법대로 지장봉 오른쪽으로도 암산을 배치했는데 담묵淡墨을 사용하여 원봉遠峯임을 시사하고 있다. 투시도법透視圖法에 구애받지 않은 시감각視感覺임을 주의해야 한다.

삼일포三日浦도판164

겸재는 내금강의 산세석태山勢石態에 이르면 문득 각필角筆과 수직준垂直皴을 구사하여 그 특징을 방불하게 묘사해 내더니 이곳 해금강海金剛, 삼일포三日浦에 와서는 또 전무한 패각준법貝殼皴法을 창안하여 조개껍질 무늬와 같은 준법皴法으로 바위를 쳐내고 있다. 뿐만 아니라 환선곡필圜線曲筆을 자재自在롭게 변형시켜 그 생김대로 대처하니 일일이 그 이름조차 붙이기 힘든 준법을 마음대로 써서 호중湖中의 기암괴석을 실감나게 표현해 냈다. 과연 '마음 내키는 대로 해도 법도에 어그러짐 없는' 성인聖人의 경지에 이르렀다고 할 수 있다.

전경前景에 보이는 인형입암人形立岩(무선석舞仙石인 듯)은 손을 이마에 대고 큰 절을 하는 여인과 도포 입고 읍揖하는 남자 모양으로 의인화하고 있는데, 그 분방한 운필運筆은 가히 전광석화電光石火와 같다 하겠다. 소암小岩은 백합白蛤처럼, 큰 바위는 홍합紅蛤 모양으로 처리하면서 원산소석遠山小石은 반두준법礬頭皴法을 모죽여 쓰고 있다.

밖으로는 중봉重峯이 겹겹이 싸고 안으로는 36봉峯이 있으며, 수중水中에 소도小島가 있다는 삼일포 십리경十里景을 한 화폭 위에 담는 겸재의 구도감각은 다른 진경眞景의 화면구성법과 마찬가지로 타의 추종을 불허한다. 겸재의 대가大家다운 면모는 수석옥수水石屋樹 등 실경實景의 구체적인 대상을 어떻게 표현해 냈느냐 하는 데서도 찾아볼 수 있지만, 그 경개景槪를 어떻게 화폭에 올려 회화화했느냐 하는 데서 찾는 것이 더 중요할지 모른다.

이런 관점에서 보면 사선정四仙亭이 있는 중도中島를 화면의 구심점으로 하여 호면湖面을 화폭에 가득 채우고, 사방에서 암괴岩塊, 토구土丘를 끌어내어 36봉을 상징하면서 호면을 에워쌈으로써, 십리소호十里小湖의 가경佳境을 한눈에 잡히게 한 화면구성법은 겸재의 대가다운 면모를 보여 주는 가장 적절한 실례일지도 모르겠다.

중봉重峯 첩장疊嶂의 외관外觀은 원산고봉遠山高峯으로 처리하고, 산만해지기 쉬운 공활空闊한 호면湖面은 사선정과 축을 이루면서 마주 대하고 서 있는 상하의 입석立石무게로 시점을 집중시킬 수 있어 그 위기를 넘기게 했다. 배를 끌어들이

삼일포三日浦 도판164

1751년 신미辛未경, 지본담채紙本淡彩, 42.8×56.0cm, 간송미술관 소장.

는 사공과 구종驅從을 거느리고 담소하며 가는 호사스런 기마유람객騎馬遊覽客의 행차가 화면을 활성화시켜 주고 있다.

겸재는 이 삼일포를 처음 그릴 때 삼일포 전경을 한 화면에 압축해 들이기 위해 일상 금강산 사생에 흔히 쓰던 부감법俯瞰法을 사용하면서 산수화 화면구성의 기본 법식인 주산主山의 설정을 강하게 의식한다. 그래서 국립중앙박물관 소장의 《신묘년풍악첩》 속의 〈삼일호〉에서는 삼일호 서북쪽에 있는 몽천암夢泉庵 주산인 법기봉法起峯이 높고 크게 표현되어 주산으로서의 당당한 자세를 과시한다. 그리고 그 아래 물가에 일출의 장관을 보기에 가장 적당한 장소라 하는 문암봉門岩峯 등을 종산從山으로 배치하고 있다.

그러나 이 〈삼일포〉에 이르면 약간 부감기가 있기는 하지만 전체적으로 평원법平遠法◆에 해당하는 시감視感으로 대경對境을 파악하여 법기봉을 멀리 흐려 놓은 다음 사선정을 중심으로 한 호수의 주변을 강렬하게 표현함으로써 평원광활平遠曠闊◆한 의취를 크게 고양하고 있다. 이는 대경의 미적 특성을 명확히 파악하여 그 고유의 미감을 표출해 내야 한다는 화가로서의 깨달음이 확고해진 다음에 그려진 그림이기 때문이라 여겨진다.

◆**평원법**平遠法
동양화에서는 3원법遠法을 설정하는데 아래에서 높은 봉우리를 쳐다볼 때 생기는 원근감을 고원高遠이라 하고 높은 곳에서 아래로 볼 때 생기는 원근감을 심원深遠이라 하며 수평적인 시각으로 사방을 둘러볼 때 생기는 원근감을 평원平遠이라 한다. 평원법은 평원광야平原廣野를 그릴 때 적용한다.

◆**평원광활**平遠曠闊
평평한 공간이 텅 빈 듯이 넓은 느낌이 드는 현상

이것만 보아도 이 그림이 겸재 70대 이후 작품으로 짐작할 수 있는데, 근경의 동문洞門을 이루는 대형 입암立巖의 표현에 소용돌이 모양의 와권준渦卷皴◆을 자유분방하게 구사하여 마치 남녀가 절하며 손님을 맞듯 표현한 것이나 사선도 및 문암봉門岩峯 큰 바위를 홍합紅蛤처럼, 무선대舞仙臺 작은 바위들을 백합白蛤처럼 표현한 합문준蛤文皴의 호방한 구사에 이르면 겸재화법이 상승의 경지에 이르는 70대 중반에 그려진 그림이라는 사실을 분명히 깨닫게 된다.

◆**와권준**渦卷皴
소용돌이 모양의 필선을 중복시켜 바위 등을 표현해 내는 선묘법

36봉 봉우리마다 노송림老松林을 창울하게 배치한 것은 자칫 삭막해지기 쉬운 광활한 호수 경관에 청징晴澄◆한 윤기潤氣를 부여하기 위한 겸재다운 배려일 터이나 실제 이곳은 나라에서 소나무를 심어 보호하고 있는 금송禁松◆지대라 항상 낙락장송의 노송림이 우거져 송도풍뢰松濤風籟◆가 찾는 이들을 감동시켰다 한다.

◆**청징**晴澄
맑고 깨끗함

◆**금송**禁松
소나무 벌목을 금함

◆**송도풍뢰**松濤風籟
소나무 물결에서 이는 바람 소리라는 의미로 소나무숲이 바람을 만나 파도치는 듯한 소리를 내는 현상을 일컫는다.

서북쪽 법기봉 아래 송림에 둘러싸인 두 채의 초가집은 바로 숙종 8년(1682) 전임군수 조지겸趙持謙(1639~1685)의 부탁으로 신임군수 신여식申汝拭(1627~1690)이 중건하기 시작해 숙종 12년(1686) 이적길李迪吉 대에서 완성한 몽천암夢泉庵이 분

명하다. 이 암자는 이후 영조 20년 갑자甲子(1744), 즉 겸재 69세 되던 해에 강원도 일대를 하루에 700리 지경 불태운 대화재로 소실되고 그 다음 병인丙寅년(1746), 즉 겸재 71세 시에 기와집으로 중건되는 바 여기서 초가로 표현된 것을 보면 늦어도 69세 이전에 그려진 그림이어야 한다. 그러나 전체 그림에서 느껴지는 원숙한 기법과 노련한 표현으로 보면 70대 중반 이후의 작품이라 해야 마땅하니 아마 겸재는 예전에 보았던 초가집이 더 마음에 들어 기와집을 그대로 초가로 환원시켜 표현했던 모양이다.

문암門岩[도판165]

삼연이《해악전신첩》속의〈문암〉에 붙인 제사[삽도109] 내용은 다음과 같다.

> 바닷가이기 때문에 기이한 돌이 많으나, 홀로 이것이 굳세고 날씬한데, 뚫린 구멍에 소나무 이고 대치하니, 한결같이 어찌 그리 푸르고 우뚝한가. 두둥실 돛단배 지나니, 나귀 탄 이 흥도 또 살아난다.
>
> 海濱故多奇石, 獨此勁瘦, 嵌空戴松而對峙, 一何蒼峭. 颯颯風帆之過, 騎驢者 興亦活矣.
>
> 『三淵集』 卷二十五, 題李一源海嶽圖後, 通川門岩

이 제사 내용으로 보면 간송미술관에 수장된 3종의〈문암〉표현과 일치한다. 그러나《해악전신첩》에서 사천은 이렇게 읊고 있다.[삽도110]

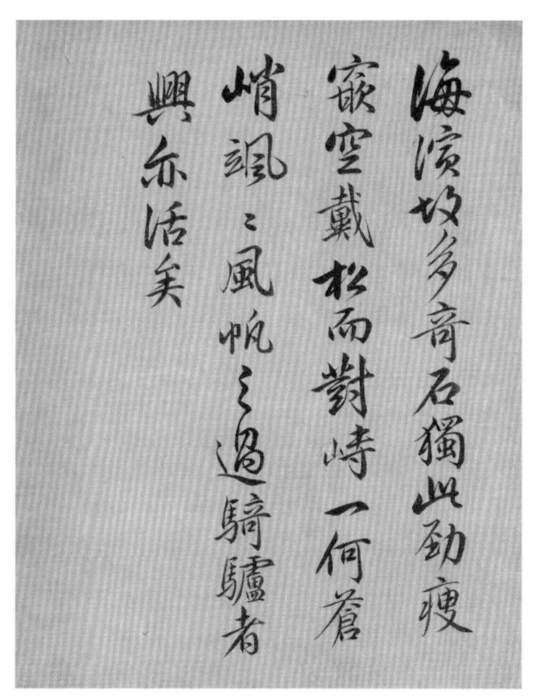

문암門岩 **제사**題詞[삽도109]
김창흡金昌翕 찬撰, 홍봉조洪鳳祚 서書,
1747년 정묘丁卯, 지본묵서紙本墨書,
25.0×32.8cm, 간송미술관 소장.

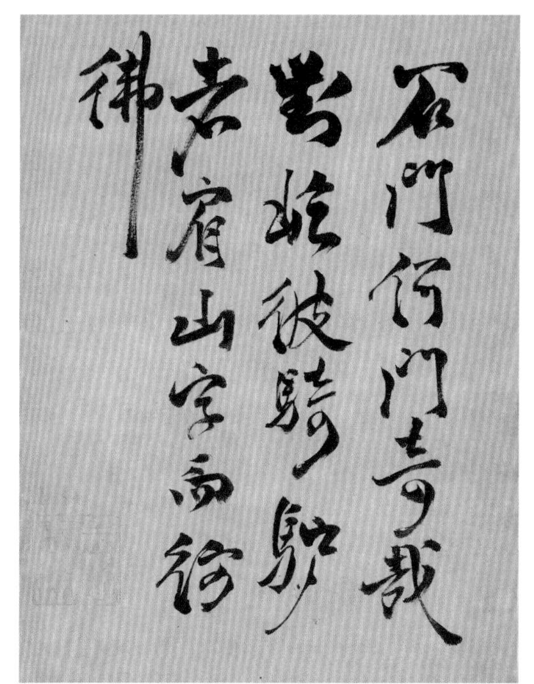

문암門岩 **제시**題詩[삽도110]
이병연李秉淵 시서詩書,
1747년 정묘丁卯, 지본묵서紙本墨書,
24.5×32.0cm, 간송미술관 소장.

석문石門이 어떤 문인가, 기이하구나 마주 솟았네.

저 나귀 탄 이, 어깨가 산자山字 같아 방불하구나.

石門何門, 奇哉對屹. 彼騎驢者, 肩山字而彷彿.

평이한 자유시 형태로 읊은 이 진경제화시眞景題畵詩의 내용대로라면 문암을 지나는 사람들은 덮쳐드는 파도에 놀라 두 어깨를 추슬러 올린 채 게걸음 쳐 지났던 모양이다. 실제로 2종의 〈문암〉에서는 인물의 표현을 그와 같이 해 놓고 있다. 그러나 최만년작이라고 생각되는 수묵의 〈통천문암通川門岩〉도판168에서는 그 길에 익숙한 선비들 일행인 듯 느긋한 자세로 기관奇觀*을 완상하며 지나는 모습으로 인물을 표현했다. 겸재가 최만년기에 거리낌 없는 심경으로 그려 낸 그림이기에 가능한 표현이었다.

* 기관奇觀 기이한 경관

이로 보아 〈통천문암〉은 겸재가 80세 이후의 최만년기에 그렸을 가능성이 크다.

《해악전신첩》 본 〈문암〉도판140은 작은 규모라 문암의 기삭奇削한 암봉과 암벽을 다만 서릿발준법霜鍔皴法을 능란하게 구사하고 미점米點을 성글게 툭툭 찍어 담박하게 표현해 놓았다. 대신 흉용한 파도가 독립봉에 거세게 부딪혀 낭화浪華를 집채만큼 일어나게 하고 이런 거센 풍랑 속에 돛단배 3척을 부침시킴으로써 화면에 생동감을 불어넣어 주었다.

한편 8폭 병풍본 〈문암〉에서는 서릿발준법과 부벽준斧劈皴을 혼용하여 우뚝 솟은 바위기둥과 깎아지른 절벽의 굳세고 험준한 기상을 과감하게 표출해 내고 있다.

그런데 〈통천문암〉에 이르면 삼엄한 부벽준법이 부드러운 수직쇄찰법垂直刷擦法으로 무르녹아 원만한 노숙성을 보인다. 반면 파도는 한 이랑이나 두 이랑이 화면을 뒤덮을 만큼 대형화되고 문암 사이에 시동 하나만 따른 선비가 도보로 완상하는 장면이 더 첨가된다. 3폭 모두 동일한 구도이다. 일렁이는 물결 속에 장대한 문암바위가 우뚝 솟구쳐 일어나고 그 바위 위 맞뚫린 굴 속에서 천년 노송이 마디지게 자라나 있는데 문암 사잇길로 선비의 행차가 지나고 있는 것이다. 문암바위의 웅자를 이처럼 대담하게 회화미로 승화시켜 낼 수 있는 것은 겸재만이 할 수 있는 일이었다. 조선성리학에 바탕을 둔 음양조화를 화리畵理*로 삼았기 때문이다.

* 화리畵理 그림의 이치

문암門岩 도판165

1751년 신미辛未경, 지본담채紙本淡彩, 42.8×56.0cm, 간송미술관 소장.

총석정叢石亭 도판166

『동국여지승람』 권45 통천通川 누정樓亭 총석정조條에 의하면 총석정은 군치郡治 북쪽 18리里 떨어진 곳에 있는데 수십 석주石柱가 해중海中에 총립叢立해 있고 모두 6면으로 되어 있으며 모양이 옥玉을 깎아 세운 것 같은 것이 넷이고 정자는 바닷가 총석에 임해 있으므로 총석정이라 한다고 했다. 그리고 전하는 말이라 하여 이 네 석주는 신라시대 술랑述郎·남랑南郎·영랑永郎·안상安祥이 이곳에서 놀았으므로 사선봉四仙峯이라 한다고도 했다.

이어서 안축安軸의 「총석정기叢石亭記」를 싣고 있는데 여기서 총석정과 사선봉의 형상을 비교적 잘 서술하고 있다. 즉 사선봉은 총석정으로부터 10여 척尺 떨어진 바닷물 속에 서로 떨어져 서 있고 모두 수십 가닥의 가닥진 돌이 합쳐져 이루어져 있으며 그 한 봉우리 위에는 왜송矮松 한 그루가 나 있어 둥치가 늙어 뒤틀려 있으니 몇 년이나 묵었는지 알 수 없다고 했다. 이런 대체적인 내용은 오월곡吳月谷의 「유풍악일기遊楓嶽日記」에서도 비슷하게 기록돼 있다.

위에서 기술된 내용과 가장 일치하는 〈총석정〉은 현존하는 많은 겸재의 〈총석정〉 중에서 간송미술관 소장의 《해악전신첩》에 수재收載된 〈총석정〉 도판141뿐이다. 따라서 이 《해악전신첩》만이 실경사생實景寫生이고 다른 〈총석정〉은 모두 이를 겸재의 화의畵意대로 변형시킨 것임을 알 수 있다. 여기 든 〈총석정〉 역시 그 중 하나다.

넷이 서 있어야 할 석주를 셋으로 줄이고, 비슷비슷한 크기를 산자형山字形으로 조절했으며, 보이지 않는 원산遠山을 배설排設하여 진경에 회화성을 부여했다. 그렇게 멀어 보이지도 않는 돛단배의 표현을 돛폭만 물 위에 뜨게 한 것이라든지, 있어야 할 소나무를 가운데 석주에 초점을 맞추기 위해 표현하지 않은 것 등에서도 역시 회화성을 중시한 겸재의 의도된 화면처리법이 엿보인다.

그러면서도 사선내유기四仙來遊記가 적혀 있었으나 모두 마멸된 무자비無字碑를 총석정 옆에 그려 놓고 있다. 그리고 총석정으로 가려면 늘 지나야 하는 송림松林을 잊지 않아 총석의 사실적인 표현과 함께 이것이 〈총석정〉임을 누구나 직감할 수 있게 했으니, 겸재가 진경에 성공할 수 있었던 요체가 바로 이곳에 있었던 듯하다.

총석정叢石亭 도판166

1751년 신미辛未경, 지본담채紙本淡彩, 42.8×56.0cm, 간송미술관 소장.

총석정에 두 선비가 종자 하나만 데리고 올라 장쾌한 경색景色을 감상하는 것이나 구종驅從들이 솔밭 속에 말을 매어 놓고 저희끼리 놀고 있는 것 등이 모두 자연스런 유람의 장면들이라서 더욱 겸재 진경의 진수를 보는 듯하다. 총석의 표현에서 겸재는 그의 적성適性을 발견한 듯 수직준垂直皴을 마음 놓고 후려쳐 내어 호방한 기상이 동해를 압도한다. 패어 놓은 장작더미처럼 종횡으로 산재한 총석군叢石群과의 조화를 위해 무수한 낭화浪華를 일으키고 있음도 주의해야 한다.

통천 북쪽으로 7킬로미터 정도, 고저항庫底港 남쪽으로 7킬로미터 정도 떨어져 있는 고저갑庫底岬의 돌출부에 위치해 있는 명승이다.

낙산사洛山寺도판167

강원도 양양군襄陽郡 강현면降峴面 전진리前津里에 있는 낙산사는 서울에서 홍천·인제를 거쳐 설악산 한계령을 넘어 양양으로 들어가서 속초 쪽으로 북상해 는 동해안 국도변에 위치해 있다. 설악산에서 동쪽으로 벋어 나온 산줄기가 동해변에서 불끈 솟구쳐 낸 오봉산五峯山(혹은 낙가산洛迦山)을 등지고 동해를 내려다보며 서 있는 절이다.

이 절의 창건 유래는 『삼국유사』 권3 낙산이대성洛山二大聖조와 『동국여지승람』 권44 양양 낙산사의 세주에 이기된 고려 승 익장益莊이 쓴 「낙산사기洛山寺記」에 자세히 기록되어 있는데 대동소이한 그 두 내용을 종합 요약해 보면 다음과 같다.

> 양주襄州(지금의 양양) 동북쪽 강선역降仙驛 남쪽 동해 중에 굴이 있는데 높이가 백 척이나 되어 만 섬 실은 배가 들어갈 수 있으며 항상 바다 물결이 드나드니 그 깊이를 알 수 없다. 세상에 전해 오기를 관세음보살께서 상주하시는 곳이라 한다. 굴 앞 50보쯤에 바위가 있고 그 위는 자리 한 닢 깔 만큼 넓은데 항상 물결이 넘나든다.
>
> 신라 때 의상법사가 관세음보살의 모습을 친히 뵙고자 하여 바위 위에 앉아서 배례를 하며 이칠일二七日 동안을 정근했으나 뵙지 못하자 문득 바다에 투신했다. 동해 용왕이 끌어내 도로 바위 위에 올려놓자 관세음보살께서 굴속으로부터 팔을 뻗어 수정염주를 주며 산마루에 쌍대나무가 나 있는 곳이 내 정상頂上이니 그곳에 절을 지으라고 이르신다.
>
> 이 말씀대로 쌍죽이 나 있는 곳을 찾아 절을 짓고 용왕이 준 옥으로 관세음보살상을 조성 봉안한 곳이 낙산사다. 그리고 사람이 관음굴 앞에 이르러 지성으로 배례하면 파랑새가 나타나는데 이것이 바로 관세음보살의 현신이다.

고려 명종 때 유자량庾資諒이 병마사가 되어 10월에 굴 앞에 이르러 향을 사르며 배례했더니 과연 파랑새가 꽃을 물고 울며 날아와 복두幞頭 위에 꽃을 떨어뜨

낙산사洛山寺 도판167

1751년 신미辛未경, 지본담채紙本淡彩, 42.8×56.0cm, 간송미술관 소장.

렸다 한다. 그래서 유자량은 다음과 같은 시를 지어 자부한다.

> 해안 높은 곳, 가운데 낙가봉洛迦峰 있다.
> 대성大聖이 계시든 말든, 보문普門이 닫히든 말든.
> 명주明珠는 바라지 않되, 파랑새 내가 만났다.
> 다만 바라노니 큰 파도 위에서, 달덩이 같은 모습 직접 뵙기를.
> 海岸高絶處, 中有洛迦峰. 大聖住無住, 普門封不封.
> 明珠非我欲, 靑鳥是人逢. 但願洪波上, 親瞻滿月容.

이런 시화詩話 때문에 이후 역대의 수많은 시인들이 비슷한 시제를 가지고 낙산사를 계속 읊고 있는데 조선 숙종대왕도 관동팔경시의 하나로 이렇게 읊고 있다.

> 유쾌하게 남쪽 마을 낙가봉에 오르니, 바람이 구름 발 헤쳐 내 달빛 해맑다.
> 관세음보살 이치를 알고자 하면, 때때로 파랑새 꽃 물고 와 만나게 되리.
> 快登南里洛迦峰, 風捲纖雲月色濃. 欲識圓通大聖理, 有時靑鳥含花逢.
> 『列聖御製』 卷九, 詠關東八景, 洛山寺

겸재도 이런 시정 어린 낙산사 풍광을 진경산수화로 그려 내고 있다. 봄날 금강산을 거쳐 이곳에 이르러 소위 낙산일출洛山日出로 불리우는 일출의 장관에 매혹되었던 듯 금강산 일대의 해악진경海嶽眞景 8폭으로 병풍을 꾸민 속에 이 〈낙산사〉가 들어 있다. 겸재가 절을 그릴 때 흔히 쓰는 방식대로 주봉인 낙가산洛迦山을 창울임리하게 표현하고 그도 부족해 주색 찬연한 사우寺宇의 둘레로는 짙푸른 소나무숲을 빽빽이 둘러놓았다.

이것만으로도 음중양陰中陽의 음양조화가 갖춰지는데, 관음굴觀音窟로 이어지는 바윗덩이들을 그가 만년에 터득해 낸 합문준법蛤文皴法으로 둥글둥글 융기시켜 나감으로써 일렁이는 파도와 다시 한 번 큰 조화를 유발해 낸다. 뜰 안의 고목에 흰 꽃들이 만발한 것은 배꽃인 듯하고 일출을 즐기는 선비들이 앉은 곳은 이화대梨花臺일 것이다.

관음굴 속에서 치솟는 파랑과 그 위에 위태롭게 서 있는 정자의 아슬아슬한 모습을 이처럼 대담하게 회화미로 승화시켜 낼 수 있는 화가가 겸재 말고 또 누가 있더란 말인가. 낙산사에 가 보면 겸재의 천재적 회화감각을 다시 한 번 실감할 수 있을 것이다.

송강 정철도 이미 낙산 일출에 매혹되었던 듯 그 장관을 「관동별곡」에서 이렇게 읊고 있다.

> 이화梨花는 벌써 지고, 접동새 슬피 울 제.
> 낙산동반洛山東畔으로, 의상대義相臺 올라 앉아.
> 일출을 보리라, 밤중만 일어하니.
> 상운祥雲이 집피는 동, 육룡六龍이 받치는 동.
> 바다에 떠날 제는, 만국萬國이 어리더니.
> 천중天中에 치뜨니, 호발毫髮을 헤리로다.
> 아마도 열구름, 근처에 머물세라.
> 시선詩仙은 어디가고, 해타咳唾만 남았느니.
> 천지간天地間 장壯한 기별, 자세히도 할셔이고.

통천문암通川門岩도판168

동해 바다를 처음 대했을 때 바다가 육지 위에 있는 것처럼 느꼈다. 그리고 일렁이는 파도가 곧 덮쳐들지 않는 것을 이상하게 생각했었다.

이제 이 그림을 보니 겸재도 그렇게 보았던 모양이다. 물결은 하늘과 맞닿아 땅 위에 군림하고 먼 하늘에는 뭉게구름이 흐르는데 거대한 바위산이 육지로 들어가는 문인 듯 우뚝 솟아 파도의 침노를 막고 있다. 그 사이를 동자 하나만을 데리고 나선 단출한 선비의 행차와 말 타고 구종驅從 잡힌 호사스런 행차가 함께 지나고 있다.

모두 선비 차림인데 형편의 차이 때문이라기보다는 의취意趣의 고하高下가 두 행차의 차이를 가져오게 한 듯하다. 아마 겸재가 스스로이고 싶어한 것은 긴 지팡이를 짚고 앞서가는 단출한 행차였을 것이다.

그래서 문암門岩 사이에 들어서다가 발을 멈추고 고개를 돌려 바다를 바라보는 유연한 모습으로 선비를 표현하고, 이런 일이 한두 번이 아니어서 지루하기만 하다는 듯 심술기 어린 철모르는 동자의 심정은 왈자걸음으로 나타내고 있다. 이에 비하면 말 탄 양반의 몰풍취沒風趣한 모습은 차라리 말이나 종복從僕이 감탄하는 표정만도 못한 듯한 느낌이 들어 겸재의 심정을 읽을 수 있을 듯하다.

겸재는 관동의 여행 때마다 이 통천문암을 많이 그렸던 듯하니 간송미술관에 전하는 것만도 3폭이 있다. 그 중에 이 폭이 가장 노숙한 필치筆致를 보이는 바, 수직준垂直皴을 찰법擦法에 가깝도록 부드럽게 구사해 거의 윤곽을 노출시키지 않으면서 골기骨氣를 내재시키는 기법으로 대상의 본질을 함축 표현하고 있다.

따라서 이 그림은 겸재 최만년最晩年의 득의작得意作으로 보아야 하겠고, 어느 순간의 사생이라기보다 이전의 사생을 토대로 이상적인 가경佳景을 구현한 것이라고 보는 것이 타당하리라 생각된다. 겸재의 진경에는 만년으로 갈수록 이러한 이상화理想化의 경향이 강하게 나타난다.

'원백元伯' 이라는 사방 28밀리미터의 주문朱文 인장印章이 80세 때 그린 〈사문탈사寺門脫蓑〉에 찍혀 있는 것과 같아서 이 그림도 80세 전후한 시기에 그려졌으리라 여겨진다.

통천문암通川門岩 도판168

1752년 임신壬申경, 지본수묵紙本水墨,
53.4×131.6cm, 간송미술관 소장.

금강전도金剛全圖 도판169

화면구성에서 태극太極 양의兩儀를 연상시킬 만큼 음양조화陰陽調和를 극대화시킨 고도의 추상화다. 그래서 비로봉을 주봉으로 하여 중향성을 비롯한 금강산 일만이천 암봉이 열병식장의 기치창검처럼 삼엄하게 늘어서고 송림 우거진 토산이 이를 태극 양의 모양으로 감싸고 돈다.

그런데 수정기둥처럼 예리하게 솟구쳐 겹겹이 중첩된 바위봉우리를 이루어 낸 필선은 뜻밖에 담묵의 부드러운 필선이다. 뿐만 아니라 하단의 장경봉이나 석가봉같이 근경으로 가장 힘차게 솟아올라야 하는 경우에는 필선을 휘어 구부려 놓았다. 이런 현상은 우측 상단의 혈망봉으로부터 보이기 시작하여 망고대望高臺, 사자봉使者峯, 시왕봉十王峯 등으로 이어지는데 화면을 태극 양의처럼 원형圓形 분리分離하려는 의도에서 시도된 기법일 터이나 결과적으로 암봉의 기세를 더욱 양강陽剛하게 하는 효과를 가져왔다.

토산수림을 이루는 묵법의 구사도 담박한 청묵靑墨으로 일관하고 있다. 이것이 더욱 그윽하고 해맑은 느낌을 자아내어 극도의 음양대비가 이루어지도록 하고 있다. 시점視點은 부감법俯瞰法과 투시법透視法을 겸용하여 전체를 내려다 보되 근경을 더욱 선명하게 표현해 내고 있다. 이런 경지에 이르려면 『주역』 원리에 대한 이해도 최고로 무르익어야 하고 진경산수화법도 절정을 지나 추상단계에 접어들어야 한다. 따라서 이 그림은 겸재가 70대 중반을 넘어서 80 가까운 시기에 그렸을 가능성이 높다. 그래서 이 그림의 제작시기는 겸재 77세 때인 1752년경으로 추정하고자 한다.

겸재 66세 때인 1741년 제작으로 추정하는 간송미술관 소장 〈풍악내산총람〉 도판46과 비교해 보면 사생에 충실한 간송본과 추상에 역점을 둔 호암본의 차이가 확연히 드러나 그만한 시차를 두는 것이 무리하지 않음을 알 수 있다.

그 사이 이 〈금강전도〉의 제작시기에 관해서 학계에서는 겸재 59세 때인 1743년 갑인년 제작설을 주장하는 이들이 적지 않아 필자의 문인들 중에서도 양분되는 현상을 보여 왔다. 그림 오른쪽 상단에 제화시가 있고 그 아래에 「갑인동제甲寅冬題」, 즉 「갑인년 겨울에 제함」이라는 제화시 제작시기가 밝혀져 있기 때문이다.

금강전도金剛全圖 도판169

1752년 임신壬申경, 지본담채紙本淡彩, 94.1×130.7cm, 호암미술관 소장.

풍악내산총람楓岳內山摠覽 도판46

1741년 신유辛酉경, 견본채색絹本彩色, 73.8×100.8cm, 간송미술관 소장.

그림 기법만 50대의 겸재 그림에 해당한다면 이를 이의 없이 받아들이겠으나 그림 기법이 도저히 50대 기법일 수 없다는 것은 이제껏 살펴본 여러 겸재 그림들을 통해서 알 수 있다.

따라서 이 갑인년은 60년 뒤인 정조 18년(1794) 갑인이고 이 제화시는 그 당시에 추서追書된 것이라고 추정할 수밖에 없다. 글씨도 겸재 글씨는 아니다. 이런 사실들이 이 그림의 가치를 더욱 높여 주게 된다. 제화시 내용은 이렇다.

> 만이천봉 개골산을, 어떤 사람 생각 내어 진짜 얼굴 그려 냈나.
> 중향(봉)이 동해 밖으로 떠오르니, 쌓인 기운 온 세상에 서린다.
> 몇 송이 연꽃 흰빛을 드날렸고, 반쪽 수풀 소나무, 잣나무는 현관玄關을 가린다.
> 가령 밟고 다니며 지금 꼭 돌아다니겠다 한들, 어찌 베개 맡에서 실컷 보는 것과 같겠는가.
>
> 萬二千峰皆骨山, 何人用意寫眞顔. 衆香浮動扶桑外, 積氣雄蟠世界間.
> 幾朶芙蓉揚素彩, 半林松柏隱玄關. 縱令脚踏須今過, 爭似枕邊看不慳.

38

장동팔경첩壯洞八景帖 1

그 다음은 역시 간송미술관 소장의《장동팔경첩壯洞八景帖》을 들 수 있으니〈자하동紫霞洞〉도판170,〈청송당聽松堂〉도판171,〈대은암大隱巖〉도판172,〈독락정獨樂亭〉도판173,〈취미대翠微臺〉도판174,〈청풍계淸風溪〉도판175,〈수성동水聲洞〉도판176,〈필운대弼雲臺〉도판177 등이 그것이다. 이 그림들을 살펴보기로 하겠다.

자하동紫霞洞 도판170

청송당聽松堂 도판171

대은암大隱巖 도판172

독락정獨樂亭 도판173

취미대翠微臺 도판174

청풍계淸風溪 도판175

수성동水聲洞도판176

필운대弼雲臺도판177

자하동紫霞洞도판170

자하동紫霞洞은 지금 종로구 청운동 3, 4 및 15번지 일대의 창의문彰義門 아래 북악산 기슭을 일컫던 동네 이름이다. 한자로는 '붉은 노을 속에 잠긴 마을'이라는 환상적인 뜻이지만 사실 순우리말 '잣동'을 한자음으로 표기한 것이다. 그래서 우리는 그 이름의 흔적을 창의문의 속명에서 찾아볼 수 있다. 서울 도성의 북소문에 해당하는 창의문을 서울 사람들은 지금도 창의문이라 부르지 않고 '자하문' 또는 '자문'이라 일컫고 있기 때문이다.

풍수지리상 북문인 숙정문肅靖門을 사용하지 말아야 서울 도성 안 여인네들의 바람기가 잠잔다 하여 북문을 오백 년 동안 폐쇄해 놓고 살아왔으므로 서북쪽 일대에서 도성으로 출입하고자 하면 모두 이 자하문을 통과해야 했었다.

그래서 내왕이 빈번한 소문小門의 하나로 꼽혀 서울 사람들에게는 매우 친근한 성문이었는데 특히 북악산과 인왕산이 마주치는 곳에 위치해서 경치가 빼어난 까

자하동紫霞洞 도판170

1753년 계유癸酉경, 지본담채紙本淡彩, 29.5×33.7cm, 간송미술관 소장.

닭에 더욱 사랑받게 되었던 모양이다. 이에 동소문, 서소문, 시구문屍口門 등 평범하거나 험오스런 별칭 대신 선계仙界를 상징하는 듯한 자하문이란 고상한 별명을 붙였던 모양이다.

원래 자하문이란 순수 우리말인 잣문에서부터 유래했으리라 생각된다. 우리나라는 산악이 많은 까닭에 예로부터 도읍은 산악으로 둘러싸인 천연의 요새에 건설해 왔다. 그래서 자연히 성곽이 산마루를 따라 쌓아지게 되니 성城의 의미는 산마루와 공통되는 것이었다.

이에 산마루를 뜻하는 '재' 혹은 '자'가 그대로 성城을 의미하게 되어 성을 우리말로 훈訓을 낼 때 '잣 성'으로 풀어 읽고 있다. 그러므로 산마루에 나 있는 성문은 당연히 잣문이란 이름이 붙게 되고 그 아랫마을은 잣골의 이름을 얻게 되며 그 고개는 잣고개로 불리우게 된다.

그런데 이 잣골이나 잣문은 한자로 표기될 때 그 음音을 취해서 자하동紫霞洞이나 자하문紫霞門이 되기도 하고 훈을 취해서 잣 백栢의 백동栢洞이 되거나 자 척尺의 척동尺洞 혹은 백문栢門, 척문尺門 들이 되기도 했다. 그래서 고려왕도王都 개성의 진산鎭山인 송악산松岳山 북성문北城門 아래에도 자하동紫霞洞이 있게 됐고 조선왕조의 한양漢陽 서울에도 그 진산인 북악산 북소문北小門 아래에 자하동이 있게 됐으며 북소문이 자하문으로 불려지게 된 것이다.

한편 서울의 내청룡內靑龍 줄기 위에 세워진 동소문도 잣문으로 불려졌던 모양이나 같은 잣문이면서 백문栢門으로 표기되어 그 아랫마을을 백동栢洞이라 불렀다. 이렇게 생긴 자하동이므로 자하동은 자하문을 전제로 해서 생긴 동네 이름이라 해야 한다.

따라서 자하동은 자하문 아랫동네라 할 수 있겠는데 그림으로 보아도 바로 북악산 산자락이 동쪽에서 내려와 인왕산 줄기로 이어지는 언덕 아래에 마을이 들어서 있다. 시점을 근접시켰기 때문에 한양성의 성벽과 자하문은 보이지 않지만 이 마을 위로는 북악산 능선을 따라 내려온 성벽과 자하문이 분명 존재하고 있을 것이다.

이 그림에서는 고루거각高樓巨閣* 큰 집이 한 마을을 거의 다 차지한 듯 표현되고 있다. 산동네에 큰 집을 지으려니 터가 가파르므로 축대를 높이 쌓고 석제石梯*를

* **고루거각**高樓巨閣 높고 큰 다락집
* **석제**石梯 돌계단

곳곳에 놓아 층층으로 집을 지어 나가는 건축기법을 구사했다. 우선 바깥사랑채가 몇 단의 석축과 축대 위에 누각 형태로 높이 지어진 집이다. 사방에 난간을 두른 홍각虹閣◆ 형태의 큰 사랑채는 서울 지방 고루 건축의 특징을 한눈으로 확인할 수 있게 해 준다.

이 바깥사랑채 뒤로는 고패집 형태의 안채가 큰 규모로 이어지고 동산으로 올라가는 후원에는 사당채가 별구를 이루며 높이 지어져 있다. 그곳에도 축대가 높게 쌓아져 있고 돌계단이 놓여 있으며 삼문三門이 있고 담장이 따로 둘러쳐져 있다.

사당 뒤로는 송림이 병풍처럼 둘려 있으며 사당 아래 안채의 후원에는 대숲이 우거져 있다. 벼랑진 언덕을 따라 둘러친 후원 담장 안에도 대숲이 우거져 있다. 모두 내정內庭◆을 외부의 시각으로부터 자연스럽게 차단하려 한 지혜로운 치정법治庭法◆을 보여 주는 것이다. 앞마당 가에는 노거수老巨樹들이 듬성듬성 서 있는데 한결같이 죽죽 벋어 있다.

그늘이 넓어지면 음습해지기 쉽게 되니 이렇게 나무를 곧게 기른 것이다. 이웃집과도 노거수에 의해 자연스럽게 구역이 나뉘게 되니 경계수境界樹들이 경관을 해치기는커녕 오히려 돋보이게 해 준다. 이렇게 가능한 한 인위적인 설치물을 배제하며, 자연환경에 순응하는 생활 분위기를 조성하던 것이 우리 선조들의 생활 방식이었다.

일제 이후 서구 문화가 들어온 이래 각박하게 변모된 서울 생활환경과 비교하면 하늘과 땅만큼이나 큰 차이가 있음을 이 그림에서 분명히 확인할 수 있다. 이 그림을 통해서 우리가 반성해야 할 점이 한둘이 아니라는 것을 깨닫는 이가 많았으면 좋겠다.

조방粗放◆한 파필점破筆點◆과 발묵법潑墨法◆, 그리고 대담한 필선으로 처리된 나무 그림이나 장중하면서도 당당한 필법으로 여유 있게 처리된 건축물의 표현에서 겸재 만년기의 노숙한 화풍을 실감할 수 있다. 고루거각을 한 켠으로 몰아가면서 중앙에 많지 않은 집들을 밀집시키는 치밀한 구도 감각도 만년기의 노련성이 아니고는 이루어 내기 힘든 것이다.

북악산 산자락도 그 특징적인 바위 벼랑을 쇄찰법刷擦法◆으로 한 군데만 쓱쓱

◆**홍각**虹閣
높은 기둥 위에 누마루를 얹은 다락집

◆**내정**內庭
안뜰

◆**치정법**治庭法
정원 가꾸는 법

◆**조방**粗放
거칠고 거리낌 없음

◆**파필점**破筆點
옅은 농도의 먹점 위에 보다 짙은 농도의 먹점을 계속 찍어 먼저 쓴 먹색을 차례로 파괴해 나감으로써 농도 차이로 나타나는 다양한 농담의 변화로 입체감 내지 질량감 등의 효과를 얻어 내는 먹점법

◆**발묵법**潑墨法
먹물을 흥건하게 찍어 발라서 번지는 효과로 분위기를 표현해 내는 먹칠법

◆**쇄찰법**刷擦法
붓을 뉘어 쓸어내리는 먹칠법. 주로 벼랑 바위의 매끄러운 표면이나 수직 단면의 표현에 쓴다.

자하동紫霞洞 부분

쓸어내렸을 뿐 나머지는 태점苔點* 을 군데군데 찍다가 그마저 생략해서 마치 연하煙霞에 잠긴 듯 안개에 묻어 버렸다. 자하동의 분위기를 살려 내기 위한 의도적인 표현이라고 생각된다.

* **태점**苔點 이끼를 표현하기 위해 붓을 뉘어 반복해서 찍어 낸 큰 먹점

청송당聽松堂 도판171

청송당聽松堂은 '솔바람 소리를 듣는 집' 이란 뜻이다. 조선 중기에 큰 선비로 이름나 있던 청송聽松 성수침成守琛(1493~1564)의 독서당 이름이었다. 지금 종로구 청운동 89번지 청운중학교 자리에 있었다.

겸재시대까지도 청송당은 옛 모습 그대로 잘 보존되고 있었던 듯 일자一字 와옥瓦屋◆이 울창한 소나무숲 속에 호젓하게 놓여 있다. 앞으로는 시냇물이 여울져 흐르다 동구洞口에서 다시 다른 물줄기와 합쳐지는데 그 뒷산은 북악산 산자락이다.

◆ **와옥**瓦屋 기와집

『경성부사京城府史』가 편찬되는 1934년경까지만 해도 이 부근의 지형이 크게 변하지 않아 청송당 뒤편에 있던 거암巨岩◆에 '청송당지聽松堂址'라는 각자刻字◆가 남아 있고 물줄기가 합쳐지는 동구 석벽에는 '유란동幽蘭洞'이라는 각자도 있었다 한다.

◆ **거암**巨岩 큰 바위

◆ **각자**刻字 새겨 쓴 글자

이는 『동국여지비고』 권2 제택조 성수침 제第의 세주細註에서 밝힌 다음과 같은 내용과 일치하는 기록이다. 「백악산 아래 유란동幽蘭洞에 있다. 송림 가운데 서당書堂 몇 간을 짓고 청송당聽松堂이라는 편액을 걸었다. 在白岳山下幽蘭洞. 松林中, 構書堂數間, 扁曰聽松堂.」 지금은 이 일대가 모두 민가로 들어차고 터널이 뚫리는 등 큰 변화를 보이고 있어 이 각자들이 어느 민가 안에 들어 있는지 알 수 없다.

청송은 정녕 평생을 은일隱逸◆로 일관한 고사高士답게 소나무의 타고난 청절淸節◆을 숭상해서 소나무를 지극히 사랑했던 모양이다. 그래서 그가 태어나 살아온 북악산 밑 솔밭 속에 서당을 짓고 솔바람 소리와 더불어 독서에 열중하여 성리학性理學의 이해 기반을 마련했던 것이다.

◆ **은일**隱逸 학문 연구에 전념하기 위해 세상을 피해 사는 학자

◆ **청절**淸節 맑은 절개

그의 학통은 자제인 우계牛溪와 우계의 집우인 율곡에게 전해져서 장차 율곡학파를 형성하게 한다. 이에 청송은 사후에 최고의 호강을 하게 되니 행장行狀은 율곡이 지었고 묘갈명墓碣銘은 퇴계退溪 이황李滉(1501~1570)이 지었으며 묘지명墓誌銘은 고봉高峯 기대승奇大升(1527~1572)이 지었기 때문이다. 일세 유림의 종장宗匠들일 뿐만 아니라 만세 유종儒宗으로 받들어지는 거유들이 그 청절淸節과 학행學行을 한결같이 높이 기린 것이다.

이에 겸재도 백악사단의 학문적 발상지인 청송당을 항상 외경의 눈으로 바라보아 종종 화폭에 올리고 있으니 이 그림도 바로 그렇게 그려진 것이다. 울창한 솔숲과 절벽을 이룬 바위들을 임리淋漓한 묵법墨法으로 대담하게 처리했는데 방 두 간 마루 한 간 퇴 반 간인 듯한 청송당의 조촐한 모습이 솔숲의 그윽한 정취와 함께 통창하고 고즈넉하게 드러난다. 중후한 풍모의 노선비 하나가 시동의 인도를 받으며 유란동 개울을 건너 청송당으로 향하고 있다. 겸재 자신의 모습일 것이다.

박상이 「청송당서聽松堂序」에서 서술하고 있는 내용이 이 그림에 거의 그대로 묘사돼 있다. 겸재가 이 〈청송당〉을 그리는 것이 영조 27년(1751) 경이니 박상의 글이 지어진 지 225년이 지난 뒤이건만 청송당의 모습은 그대로 유지되고 있었던 모양이다. 이는 성수침의 자제가 우계牛溪 성혼成渾(1535~1598)으로 율곡栗谷 이이李珥(1536~1584)와 뜻을 같이해 율곡학파를 일궈 낸 장본인이기 때문이었으리라.

청송당은 율곡학파, 즉 조선성리학파들에게 있어서 그 학파의 발상지에 해당되는 성지聖地라 할 수 있었다. 이에 율곡학파가 조선성리학을 이념 기반으로 해서 혁명에 성공하는 인조반정(1623) 이후에 이 청송당은 더욱 잘 가꿔지고 보존돼 나갔을 것이다. 그래서 솔숲은 더욱 울창해지고 솔바람 소리는 더욱 그윽하고 우렁차게 되었으리라. 지금은 청운중학교 학생들의 수업 받는 소리가 솔바람 소리를 대신하고 있을 뿐이다.

일찍이 겸재의 스승인 삼연에게 지극한 지우知遇◆를 받아 위항시인委巷詩人◆의 비조鼻祖◆가 된 창랑滄浪 홍세태洪世泰(1653~1725)도 그가 40세 되던 해인 숙종 18년(1692)에 청송당을 이렇게 읊고 있다.

> 만 그루 소나무가 둘러싸고 한 시내 휘도는데, 골짜기엔 사람 없고 빈 집 열려 있다.
> 밤마다 밝은 별 서악西岳에 가깝고, 때로 반가운 비 북단北壇에서 내려온다.
> 산언덕 적적하니 다시 누가 감상하랴! 골짜기에 바람만 냉랭하게 헛되이 불어 댄다.
> 홀로 외로운 구름 바라다보니 옛 모습 그대로요, 하늘은 높아 움직이지 않으니 백악白岳만 높고 높구나.
>
> 萬松環抱一溪回, 中谷無人寒广開. 每夜明星西岳近, 有時靈雨北壇來.

◆ **지우**知遇 알아보고 대우해 줌

◆ **위항시인**委巷詩人 조선 후기 진경시대부터 출현하는 중인中人 출신 시인. 위항은 거리 또는 골목, 마을이라는 뜻이다.

◆ **비조**鼻祖 처음 시작한 조상. 시조 또는 원조

청송당聽松堂 도판171

간송본, 1753년 계유癸酉경, 지본담채紙本淡彩, 29.5×33.7cm, 간송미술관 소장.

청송당聽松堂 도판182

국박본, 1754년 갑술甲戌경, 지본담채紙本淡彩, 29.5×33.0cm, 국립중앙박물관 소장.

山阿寂寂更誰賞, 風壑泠泠虛自哀. 獨見孤雲猶舊態, 天高不動白崔嵬.

『柳下集』 卷二, 聽松堂

이〈청송당〉 역시 국립중앙박물관 소장본《장동팔경첩》에 들어 있다. 간송본 도판171이 지금 경복고등학교가 있는 아래 기슭에서 서북쪽으로 올려다 본 시각으로 그린 데 반해 국박본도판182은 정남에서 북쪽을 바라보고 그렸다. 물론 둘 다 시점을 허공에 약간 띄워 부감俯瞰하는 심원법深遠法을 구사하고 있지만 간송본이 보다 가까운 시각으로 잡고 있어 깊고 그윽한 분위기가 더욱 고조되고 있다. 그 대신 국박본은 시점이 멀어져서 주변경치를 한눈에 조망眺望하게 함으로써 청송당 일대의 뛰어난 경관을 총체적으로 실감할 수 있게 해 준다. 북악산 능선을 타고 오르는 한양성의 성벽 표현도 분명히 드러나 있다.

대은암大隱巖 도판172

훤칠하게 키 큰 노송들에게 가려진 초당草堂 뒤로 검게 보이는 바위가 대은암인 모양인데 겸재 특유의 쇄찰법刷擦法으로 몇 번 쓱쓱 문질러 놓은 듯하다. 백악산에 검은 바위가 어디 있는가. 흰 바위를 검게 표현한 것이다. 그런데도 그 바위의 인상은 동일하게 감지되니 무슨 조홧속인지 모르겠다.

초당 아래로는 만리뢰萬里瀨 개울물이 콸콸 여울져 흐르고 만리뢰 아래쪽에 대저택이 번듯하게 지어져 있다. 본채와 사당채만 보이고 사랑채와 행랑채는 그림 밖으로 몰아냈다. 대은암과 만리뢰가 이루는 자연의 아름다움에 주안점을 둔 화면구성임을 강조한 노숙성이다.

노거수가 된 잡목 잎새들을 파필점破筆點을 변형시킨 대담한 점법點法으로 짙게 난타한 것이나 담장 밖의 수림樹林을 첨두점尖頭點◆으로 빽빽이 채워 놓은 것 등으로 보아 노염老炎이 극성을 부리는 늦여름의 어느 날 정경인 모양이다. 초당문을 활짝 열어 놓았지만 쇄락한 느낌이 화면 전체에 감도니 아침저녁으로 선들바람이 부는 그런 계절일 것이라는 생각이 든다.

◆**첨두점**尖頭點
머리끝이 송곳처럼 뾰족한 점. 짧고 억센 풀밭 모양을 그릴 때 주로 사용한다.

이 저택이 바로 숙종대왕의 세 번째 왕비인 인원왕후仁元王后 경주김씨慶州金氏(1687~1757)가 탄생한 양정재養正齋일 것이다. 『동국여지비고東國輿地備攷』 권2 제택조에서는 이를 인원왕후仁元王后의 친정아버지인 경은부원군慶恩府院君 김주신金柱臣(1661~1721)의 제택第宅이라 하고 그 세주細註에 이렇게 기록하고 있다.

> 순화방順化坊 대은암동大隱岩洞에 있으니 연호궁延祜宮 곁이다. 양정재養正齋가 있는데 인원왕후仁元王后께서 탄강하신 곳이다.
>
> 在順化坊大隱巖洞, 延祜宮傍. 有養正齋, 仁元王后誕降之所.

그러나 『임천조씨대동세보林川趙氏大同世譜』 권1에 의하면 이 기록이 잘못된 것임을 알 수 있다. 백악사단의 종사宗師격인 죽음竹陰 조희일趙希逸(1575~1638)조에 이런 기록이 남겨져 있다.

공公의 제이손第二孫 경창景昌의 따님이 경은부원군慶恩府院君 김주신金柱臣의 처妻가 되어 가림부부인嘉林府夫人에 봉해졌는데 처음 임신함이 있자 공의 유택遺宅인 양정재養正齋에서 해산하여 인원성모仁元聖母를 탄강했다. 성모聖母가 돌아가신 후에 이르러서 영조의 성효聖孝가 추모追慕함을 깊고 독실하게 하사 공의 유택遺宅이 성모聖母의 탄강하신 땅이라 하시고 여러 번 양정재에 임어臨御하셨으며 추모하는 뜻을 어제御製로 지어 당중堂中에 현판으로 걸게 하시고 공의 제손諸孫을 불러 보시며 벼슬을 제수하시고 단조丹詔를 내리시며 공조에 명하사 유택을 중수하게 하셨다.

무인戊寅 3월 28일에 양정재에 임어하심에 이르러서는 이해가 곧 공의 돌아간 해라 성심聖心이 크게 감동하사 곧 공에게 제사를 지내게 하고 어제로 제문祭文을 하사하시니라.

公之第二孫 景昌之女, 爲慶恩府院君金柱臣之妻, 封嘉林府夫人, 始有娠, 免乳於公之遺宅養正齋, 誕仁元聖母. 及至聖母禮陟之後, 英祖聖孝, 追慕深篤, 以公遺宅 爲聖母誕降之地, 屢臨養正齋, 御製追慕之意, 揭板堂中, 招見公諸孫, 除官賜丹, 命考工, 重葺遺宅. 及至戊寅三月二十八日, 臨御養正齋, 是年卽公卒之年, 聖心曠感, 卽命致祭于公, 御製賜祭文.

이 기록의 진위眞僞여부를 확인하기 위해 영조 34년 무인戊寅 3월의 『영조실록英祖實錄』 권91 기사를 살펴보니 3월 8일 갑오甲午와 9일 을미乙未조에 다음과 같은 기록이 있다.

갑오甲午, 상께서 육상궁毓祥宮에 나아가 친제親祭를 행하시다. 을미乙未, 돌아오실 때 양정재養正齋를 지나다 임어하시다. 양정재는 곧 조학천趙學天의 집인데 인원왕후仁元王后께서 여기에서 탄생하셨다. 양정재기養正齋記를 어제御製하사 친필로 쓰시고 현판으로 해서 걸도록 하명하시며 조학천趙學天은 올려 쓰고 조명욱趙明勖(1694~1765)도 직책을 주어 조용調用하도록 하다.

甲午 上詣毓祥宮 行親祭. 乙未 回鑾時, 歷臨養正齋, 養正齋 卽趙學天之家, 而仁元王后, 誕生于此也. 御製養正齋記, 親筆書之, 命揭板, 趙學天陞敍, 趙明勖 右職調用.

『英祖實錄』 卷九十一, 三十四年 戊寅 三月 甲午, 乙未條

이로 보면 『임천조씨대동세보』의 기록이 날짜만 틀릴 뿐 다른 내용은 실록기사와 일치하는 것을 알 수 있다. 따라서 이 양정재는 경은부원군 김주신의 저택이 아니라 그 처가댁인 조경창趙景昌(1634~1694)의 저택이었음을 알 수 있다. 이때는 조경창의 백씨伯氏가 무후無後하여 죽음竹陰의 봉사奉祀를 맡게 된 중씨仲氏 조경망趙景望(1629~1694)의 주현손冑玄孫 조학천趙學天(1723~1776)이 이 집의 가주家主로 있었던 모양이다. 조명욱은 조경창의 장손이니 인원왕후의 외사촌 아우에 해당하는데 영조와는 서로 동갑내기였다.

그런데 원래 이 집은 죽음竹陰의 증조부 조익趙翊(1474~1547)이 처음 터 잡았다 하니 『임천조씨대동세보』 권1 조익趙翊조에 이렇게 기록되어 있다.

> 공公은 대대로 진잠 구봉산 아래 수곡리에서 살아왔는데,……만년에 한성漢城의 북쪽 창의문彰義門 안으로 이사해 와 살기 시작했다. 집은 경복궁景福宮 신무문神武門 밖 대은암동大隱岩洞에 있었다. 『성원총록姓苑叢錄』에서 이르기를 공의 처남인 민수천閔壽千·민수원閔壽元 등이 남곤南袞과 더불어 일대一隊가 되어 공을 그 당으로 끌어들이려고 백단으로 유혹했으나 공은 정도를 지켜 흔들리지 않고 한 번도 남곤의 집 문 안에 발걸음을 하지 않았다.
>
> 公世居鎭岑九峯山下樹谷里,……晩年 移於漢城之北 彰義門內, 始居焉. 家在景福宮 神武門外 大隱岩洞. 姓苑叢錄云, 公之妻男 閔壽千 閔壽元等, 與南袞爲一隊, 欲引公入其黨, 誘百端, 公守正不撓, 一不踵袞門.

이 〈대은암〉도 국립중앙박물관 소장본 《장동팔경첩》에 들어 있는데 봄에 그린 듯 집 앞에 서 있는 고목 버드나무가 연둣빛 새잎을 피워 내는 데 초점을 맞추고 있다. 간송본[도판172]에서 키 높은 노송과 열어젖힌 초당이 화면을 주도하는 것과는 대조적이다. 간송본은 아마 장마가 끝나고 더위가 고비에 오르는 시점의 정경인 듯하다. 본채 기와집과 초당 사이를 여울져 흘러가는 만리뢰 물살 표현에서 더욱 이를 실감할 수 있다.

대은암大隱巖 도판172

간송본, 1753년 계유癸酉경, 지본담채紙本淡彩, 29.5×33.7cm, 간송미술관 소장.

대은암大隱巖 도판183

국박본, 1754년 갑술甲戌경, 지본담채紙本淡彩, 29.5×33.0cm, 국립중앙박물관 소장.

대은암大隱巖 부분

그러나 국박본도판183은 아직 황사를 몰고 오는 쌀쌀한 봄바람이 채 가시지 않은 듯 웅장한 기와집이 늙은 버드나무 숲 뒤로 숨어 좀처럼 그 자태를 드러내려 하지 않고 있다. 시내도 메말라 물소리를 짐작할 수 없다. 같은 경치를 그리면서도 철따라 그 표현을 이렇게 다르게 할 수 있어야 한다. 겸재의 대가다운 면모를 다시 한 번 확인할 수 있다.

독락정獨樂亭 도판173

독락정獨樂亭은 지금 청와대가 들어서 있는 세종로 1번지 동쪽 산골짜기에 있던 정자이다. 이 〈독락정獨樂亭〉이 그려지던 당시에는 이 북악산 남쪽 기슭 일대는 대은암동大隱巖洞이라 불렀다 하니 그때로 보면 대은암동의 동쪽 끝자락쯤에 위치해 있던 듯하다.

〈독락정〉 진경에서 북악산 상봉 부근 동쪽 기슭에 지금도 의연히 앉아 있는 비둘기바위를 확인할 수 있기 때문이다. 그 아래로 계곡물이 골골마다 흘러내려 합쳐지는 여울목 반석 위에 사모정 형태의 모정茅亭으로 지은 정자가 있으니 이것이 독락정인 모양이다. 화면의 중심을 이루고 있는 그곳을 향해 산줄기와 물줄기가 모여들었다가 아래로 빠지고 있는 것이 특이하다. 이에 능선 따라 배치한 소나무 숲의 표현도 독락정 쪽으로 집중될 수밖에 없어 독락정의 분위기는 한결 그윽하게만 느껴진다.

이 그림이 북악산 전경을 다 그린 것이 아니라 독락정 부근의 산 중턱 부분만 그려 냈으므로 여간 북악산에 익숙한 사람이 아니고서는 이곳이 북악산 중턱이라고 알아보기 힘들 터인데, 상단 동쪽 능선 위에 비둘기바위를 표현해 놓음으로써 웬만한 서울사람들이라면 모두 이곳이 비둘기바위 아래 북악산 중턱의 진경임을 알 수 있게 했다.

이렇게 대상의 특징을 정확하게 파악하여 그 요체를 간명직절하게 표현해 줌으로써 감상자의 공감을 불러일으키게 하는 것이 명화가다운 능력이다.

한 덩어리의 바위산 같은 북악산도 가까이 가 보면 골짜기도 있고 암벽도 있게 마련이다. 그것들을 대담한 필묵법筆墨法으로 휘쇄난타揮刷亂打◆하여 그 특징만 드러내 놓고 대부분의 바위산은 희미한 윤곽선 안에 바탕색을 그대로 방치한 채 미점米點 계통의 횡점橫點◆을 군데군데 찍어서 초목을 상징했을 뿐이다. 그리고 청묵흔靑墨痕◆으로 대담하게 골짜기와 산기슭을 우려내니 남기嵐氣◆ 자욱한 북악의 늦여름 정취가 화면에 가득 차 넘친다.

비둘기바위의 위치로 보아 독락정은 지금 청와대 본관 동쪽 후원 산기슭의 어느 시냇가에 있었을 듯하다. 겸재가 이 그림을 그릴 당시는 청와대 본관 부근에 인

◆ **휘쇄난타**揮刷亂打
휘둘러서 어지럽게 두드림

◆ **횡점**橫點
가로점

◆ **청묵흔**靑墨痕
푸른 먹물을 엷게 타서 붓질 흔적만 남기는 우림법

◆ **남기**嵐氣
이내

독락정獨樂亭 도판173

간송본, 1753년 계유癸酉경, 지본담채紙本淡彩, 29.5×33.7cm, 간송미술관 소장.

독락정獨樂亭 도판184

국박본, 1754년 갑술甲戌경, 지본담채紙本淡彩, 29.5×33.0cm, 국립중앙박물관 소장.

원왕후仁元王后의 외가댁인 조경창趙景昌(1634~1694)공의 저택이 있었다 하므로 혹시 이 독락정도 임천林川조씨댁의 정자가 아니었던지 모르겠다.

이미 겸재가 7세밖에 안 되었던 시절인 숙종 8년(1682) 임술壬戌에 겸재의 스승인 삼연三淵 김창흡金昌翕(1653~1722)은 이곳 독락정獨樂亭에 와서 노닐던 시를 남겨 놓고 있으니 늦어도 숙종 초년 이전에 이 정자가 지어지는 듯하다. 시詩를 옮겨 보면 다음과 같다.

「독락정獨樂亭에서 밤에 사경士敬을 작별하며 獨樂亭 夜別士敬」
이별하는 뜻 길 위에 가득 차니, 자네는 호반湖畔으로 돌아가겠지.
떠나는 날은 응당 어느 하루이렸만, 문득 다가와 오늘 아침이라니.
별빛 가득하여 이불 끼고 밤샐 만하고, 산에 새잎 나니 봄이 오는데.
나 홀로 떠들며 외친다 해도, 끝내 허수아비 향하고 말한 듯하리.
別意滿阡陌, 君歸登綠蘋. 信行應一日, 聊厚及玆辰.
星爛携衾曙, 山回細草春. 豪談雖自强, 終是向隅人.
金昌翕,『三淵集』拾遺 卷二, 獨樂亭 夜別 士敬

사경士敬은 청풍계靑楓溪 소주인小主人이던 모주茅洲 김시보金時保(1658~1734)의 자字다. 삼연의 삼종질三從姪로 나이 차이는 얼마 나지 않지만 농암農巖과 삼연 문하에 와서 성리학과 시문詩文을 배우던 제자였다. 특히 삼연이 각별 사랑해 금강산과 설악산을 동행하는 것은 물론 청풍계와 낙송루洛誦樓를 비롯한 장동壯洞 일대의 명승지에서 조석으로 만나 항상 시주詩酒로 즐기면서 학예 전수에 심혈을 기울이던 상대였다.

모주가 22세 나던 숙종 5년(1679) 기미己未에 충청도 결성結城 해변의 모도茅島로 낙향하면서 이들의 만남은 항상 이별을 아쉬워하게 되었다. 이 독락정 이별시도 호서湖西 해변인 모도로 떠나는 모주茅洲를 보내기 애달파 삼연이 독락정에서 둘이만 만나 밤새워 미진한 회포를 풀며 지은 시일 것이다. 그런 단출한 만남을 위해서는 이 독락정의 그윽한 분위기가 부근에서 가장 적당했을 듯하다.

이런 〈독락정〉 진경 그림은 국립중앙박물관에서 소장하고 있는 《장동팔경첩莊

洞八景帖》 속에도 들어 있다. 간송수장본《장동팔경첩》과 5곳이 서로 겹치는데 이 〈독락정〉도 겹치는 중의 하나다.

두 폭을 서로 비교하면 국립중앙박물관 소장본[도판184]이 훨씬 더 추상화되어 있다. 우선 가장 눈에 띄는 비둘기바위 표현을 놓고 비교해 보겠다. 간송본[도판173]에서는 석대 위에 올라앉은 비둘기바위의 형상이 비록 거북머리 형태를 보이기는 했어도 이를 받쳐 주는 석대와 별개로 구분해 표현함으로써 현무의 거북머리를 상징하는 듯했었다.

그런데 국립중앙박물관본에서는 이를 보다 추상화시켜 석대와 비둘기바위를 하나로 통합시키고 말았다. 이에 비둘기바위는 석대의 끝이 북악산 주봉 쪽으로 휘어 나간 형태로 그 흔적을 남기게 되었다. 결과적으로 기세등등한 남근석男根石의 형상이 되고 만 것이다. 비둘기바위 바로 밑에 있는 바위봉우리 역시 극도로 추상화시켜 음낭陰囊을 연상케 함으로써 남근석의 의미를 부추기고 있다.

간송본은 겸재 70대 중반에 그려진 것이고 국립중앙박물관본은 80대 초반에 그려진 것이라고 생각된다. 간송본은 아래위를 잘라서 보다 깊숙하고 그윽한 풍취를 느끼게 하는 데 반해 국립중앙박물관본은 아래위를 모두 끝간 데까지 표현해내어 속을 있는 대로 다 드러내 보이는 듯하다. 같은 경치라도 어디까지 표현하느냐에 따라 드러나게 느껴지기도 하고 감춰지게 느껴지기도 한다는 사실을 이 두 그림에서 확인할 수 있다.

취미대翠微臺 도판174

취미翠微라 하는 것은 산중턱을 일컫는 말이다. 『이아爾雅』 석산釋山에서 '산이 정상에 미치지 못하면 취미라 한다山未及上, 翠微' 하고 주소注疏에서는 '정상에 미치지 못하고 곁으로 비탈진 곳을 일컬어 취미라 한다. 일설一說에는 산기山氣가 청옥靑玉색이기 때문에 취미라 한다고도 한다. 謂未及頂上, 在旁陂陀之處, 名翠微, 一說 山氣靑縹色, 故曰翠微.' 라 한 것에서 그 뜻을 헤아릴 수 있다.

그 어원語源에 대해서는 『신하만필愼夏漫筆』에서 '무릇 산은 멀리 바라보면 푸르고 가까이 갈수록 푸른빛이 점점 희미해지므로 취미라 한다凡山遠望之則翠, 近之翠漸微, 故曰翠微' 고 밝히고 있다.

이에 고래로 이 취미를 시어詩語로 택한 명시가 허다하니 당나라 시인 백거이白居易(772~846)는 「향산香山에서 피서하다香山避暑」에서 이렇게 읊었다.

> 깁두건 짚세기에 죽소의竹疎衣 떨쳐입고, 저무는 향산香山으로 취미를 밟아 간다.
>
> 紗巾草履竹疎衣, 晩下香山蹋翠微.

두목지杜牧之(803~852, 이름은 목牧이고 목지는 자다) 역시 「아흐렛날 제산에 높이 올라九日齊山登高」라는 시에서

> 강물에 가을 그림자 잠기고 기러기 처음 날아옴에, 손님과 더불어 술병을 차고 취미에 오르다.
>
> 江涵秋影雁初飛, 與客携壺上翠微.

라고 읊었다.

농암農巖 김창협金昌協의 문인門人으로 백악사단白岳詞壇 중추인물의 하나이던 담헌澹軒 이하곤李夏坤(1677~1724) 역시 이 취미라는 시어詩語를 겸재가 그린 사시병풍화四時屛風畵의 제화시題畵詩에 쓰고 있다. 담헌은 비록 소론少論 가계 출신이나 그 장인 옥오재玉吾齋 송상기宋相琦(1657~1723)가 농암의 내종사촌으로

노론의 핵심인물이고 그 자신이 농암문인이었으므로 겸재와 더불어 진경문화 창달에 매진하던 인물이었다.

그 자신이 진경시眞景詩의 대가였고 서화를 특히 좋아해 감상안은 당세 제일로 자타가 공인하던 터였다. 그래서 진경풍속화의 출현을 고대하여 초기에는 공재恭齋 윤두서尹斗緖(1668~1715)에게 기대를 걸었지만, 동문同門인 겸재가 진경산수화에 뛰어난 천품을 타고난 것을《해악전신첩海嶽傳神帖》에서 확인하고 나서부터는 겸재에게 매혹되어 죽는 날까지 겸재 그림을 애호하며 수많은 제화시를 남긴다. 이 시도 그 중의 하나다.

「정원백鄭元伯의 사시四時병풍 그림에 제題함題鄭元伯 四時屛畵」

동쪽 언덕 집들은 취미에 있는데, 살구꽃 모두 떨어지고 사립 닫혔다.

시내 남쪽 비 온 뒤에 논 간 것 보고, 외길로 구름 뚫고 천천히 돌아온다. 봄.

東人家住翠微, 杏花落盡掩荊扉. 溪南雨後看耕罷, 一道穿雲緩緩歸. 春.

『頭陀草』卷八, 題鄭元伯 四時屛畵

여기서 동쪽 언덕 집들이 취미에 있다는 말은 단순히 봄경치를 그린 일반 산수화에 붙인 일상적인 시어詩語라고 볼 수도 있다. 그러나 담헌의 경저京邸*가 경복궁 궁장 동쪽, 즉 삼청동에 있어 북악산 남쪽 기슭의 동쪽 산언덕에 있던 취미대와 이웃해 있고 겸재는 북악산 남쪽 기슭의 서쪽에 있던 유란동幽蘭洞에 살았다. 따라서 이들이 틈만 나면 이곳에 찾아와 함께 놀았던 것을 생각한다면, 아무래도 이 그림은 취미대 일대의 진경을 그린 봄경치였고 그렇기 때문에 취미라는 시어를 골라 쓴 것이 아닌가 하는 생각이 든다.

* **경저**京邸 서울 집

어떻든 이 〈취미대〉 그림을 보면 이곳이 지금 청와대 동쪽 일대의 북악산 기슭임을 짐작할 수 있다. 앞에 넓은 들판이 호수처럼 비어 있고 그 너머로 경복궁 북쪽 담장이라고 생각되는 회색빛 긴 담장이 둘러쳐져 있으며 담장 안에는 노송림과 잡수림이 가득 우거져 있고, 그 수풀 건너 저쪽에 남산이 우뚝 솟아 있기 때문이다.

겸재는 율곡학파의 정통학맥을 이은 조선성리학자였다. 그래서 성리철학에 대

취미대翠微臺 도판174

간송본, 1753년 계유癸酉경, 지본담채紙本淡彩, 29.5×33.7cm, 간송미술관 소장.

취미대翠微臺 도판185

국박본, 1754년 갑술甲戌경, 지본담채紙本淡彩, 29.5×33.0cm, 국립중앙박물관 소장.

한 정확한 이해를 가지고 이를 바탕으로 하여 우리 산천의 아름다움을 회화미로 표현해 내는 독특한 방법을 창안해 내게 되었던 것이다.

그 기본 원칙은 『주역周易』의 원리인 음양陰陽 양의兩儀의 엄존과 그 조화에 두고 있었다. 화면구성법에서나 초목, 암석의 표현법 등에서 항상 음양조화를 기본으로 하던 이유가 여기에 있다. 그러나 간혹 대상의 형세에 따라서 주양법主陽法◆이나 주음법主陰法◆을 대담하게 구사하여 화면구성 그 자체에서 음양대비陰陽對比를 강조해 놓는 경우도 있게 된다.

◆**주양법**主陽法 양을 주체로 삼는 법

◆**주음법**主陰法 음을 주체로 삼는 법

이 그림도 그런 주음법主陰法 화면구성을 보여 주는 대표적인 진경산수화다. 이런 경우에 겸재는 화면 중앙을 공허하리만큼 대담하게 비워 둔다. 대체로 호수나 바다, 강 그리고 이처럼 넓은 들판을 중점적으로 표현해야 할 필요가 있을 때 이런 주음主陰구도를 주로 쓴다. 사방팔방에서 산자락들이 우뚝우뚝 밀고 들어와 빙 둘러 막아서면 음양조화가 이루어지기는 하지만 어디까지나 주음종양主陰從陽◆의 형세는 면치 못하는 것이다.

◆**주음종양**主陰從陽 음을 주主로 하고 양을 종從으로 함

여기서도 연초록빛 경적전耕籍田◆ 너른 들판이 중앙에 광활하게 펼쳐져 있고 그 주변으로 산자락들이 포위하듯 이를 에워싸면서 검푸른 소나무숲을 거칠게 배열시킴으로써 주음법의 기묘한 음양조화를 이루어 놓고 있다.

◆**경적전**耕籍田 국왕이 농정農政의 시범을 보이기 위해 직접 농사 짓던 논과 밭

취미대도 경적전으로 밀고 들어온 그런 산자락 중의 하나일 터인데 오른쪽 하단의 높은 언덕 위 소나무숲 속에 고광高廣한 암대岩臺가 솟아 있고 그 위에 세 사람의 선비들이 모여 있는 것을 보면 이곳이 바로 취미대인가 보다. 두 사람은 등을 돌리고 남산 쪽을 바라보며 앉아 있고 한 사람은 얼굴을 이쪽으로 돌린 채 손을 들어 남쪽을 가리키며 무어라 설명하고 있다. 의관을 정제한 것으로 보아 사대부들이니 혹시 겸재와 담헌 그리고 사천 이 세 벗들이 이곳에 와 노닐던 모습을 그린 것은 아닌지 모르겠다.

남산은 원산법遠山法으로 처리하여 청묵훈염법靑墨暈染法으로 윤곽만 우려낸 다음 미점米點을 대담하게 횡타橫打◆하는 겸재 특유의 미가운산식토산법米家雲山式土山法으로 그려 냈고, 경적전을 둘러싸고 있는 산자락들은 소림암봉疎林岩峯의 북악산 특징을 살리기 위해 담묵의 윤곽선에 미점을 성글게 찍어 나간 암산법岩山法으로 처리했다.

◆**횡타**橫打 빗겨 침

주음법 화면구성의 성공비결이 경적전 주변을 울창하게 둘러싼 검푸른 소나무 숲의 표현에 있다는 것도 간과해서는 안 된다.

국립중앙박물관 소장《장동팔경첩》속에 들어 있는〈취미대〉도판185는 대은암 쪽에서 취미대를 바라보는 시각으로 그린 그림이다. 즉 서쪽에서 동쪽을 바라본 것이다. 간송본〈취미대〉도판174가 북쪽에서 남쪽을 바라본 시각이었으니 두 그림의 구성요소가 다를 수밖에 없다. 간송본은 앞산이 남산이었는데 국박본은 삼청동 쪽의 백련봉이 맞바라다보인다. 경적전은 그쪽으로도 넓게 전개돼 있었던 듯 취미대와 백련봉 사이가 역시 넓게 비어 있다. 다만 그 한가운데 네모반듯하고 높은 단의 표현이 있으니 이것이 공신자손들이 모여 회맹제를 지내던 회맹단會盟壇인가 보다.

취미대의 비탈진 언덕은 비슷하지만 시각이 달라지니 곁에 있는 언덕이 보이지 않아 이 그림에서는 다만 취미대 언덕 하나만 오른쪽 아래 구석에 그려 놓았다. 그 위에 늙어 휘어진 낙락장송 두세 그루를 성글게 배치해 놓고 말았다. 제일로 큰 소나무 그늘 아래는 선비 하나가 홀로 나와 앉아서 앞산을 바라보고 있는데 쥘부채를 들고 오뚝하게 앉은 것이 시상詩想에 잠긴 듯하다.

청풍계淸風溪 도판175

간송미술관 소장 《장동팔경첩》이나 국립중앙박물관 소장 《장동팔경첩》 속에도 이 〈청풍계〉가 들어 있다. 간송본 도판175 은 태고정에 초점을 맞춰 늠연당과 청풍지각 등 건물을 그 주변으로 몰고 만송강萬松岡 창옥봉 등으로 그 둘레를 에워싸게 하는 특수한 구도를 보이고 있다.

장맛비 그친 여름날의 경치인 듯 주변의 수림과 바위들이 물기에 젖어 온통 짙푸르기만 하다. 그러나 태고정과 늠연당, 청풍지각 등 건물에는 햇살이 환히 비치고 있어 흐린 날이 아님을 알게 해 준다.

태고정 주변으로 네모진 연못 세 개가 모두 그려지니 층층이 이어진 돌계단들과 어지러이 섞이면서 청풍계 안뜰이 온통 평행직선으로 가득 차는 느낌이다. 이런 직선의 양강陽强함을 만송강에 우거진 울창한 송림을 비롯한 태고정 주변 수림의 짙푸른 녹음이 음유陰柔한 기운으로 부드럽게 감싸서 음양조화를 이루어 놓는다. 만송강의 소나무는 선원이 심은 것이라 하니 벌써 백 년이 훨씬 넘은 노송림일 것이다.

국립중앙박물관 소장 《장동팔경첩》 속의 〈청풍계〉 도판180 도 간송본 《장동팔경첩》 중 〈청풍계〉 도판175 와 비슷한 구도인데 이 역시 시점을 보다 높이 띄워 선원고택 전체가 그림의 중심을 이루게 했다. 따라서 태고정이 그림의 중심이 되었던 간송본에서처럼 격렬한 음양대비감은 느낄 수 없으나 선원고택인 〈청풍계〉의 전모를 파악하는 데는 부족함이 없다.

이렇게 많은 〈청풍계〉를 그려 남기려면 겸재가 얼마나 자주 청풍계를 드나들었겠는가. 그 사실을 사천槎川 이병연李秉淵(1671~1751)의 다음 시에서 가늠해 볼 수 있다.

「태고정에서 원백元伯, 공미公美와 더불어 두율운杜律韻으로

太古亭 與元伯公美 拈杜律韻」

이곳 처음 오지 않았으나, 처음 와서도 또한 알 수 있었네.

문에 들어서 홀로 선 전나무 지나면, 청풍댁宅 세 못 거친다.

바위 골짜기에 술 항아리 남겨 둔 지 오래니, 구름 낀 봉우리 자리 따라 옮아간다.

성중 티끌이 만 섬이지만, 한 점도 따라올 수 없구나.

此處非初到, 初來亦可知. 入門由獨檜, 淸宅以三池.

巖壑留樽久, 雲巒與席移. 城中塵萬斛, 一點不能隨.

李秉淵,『槎川詩抄』卷下, 太古亭 與元伯 公美 拈杜律韻

원백元伯은 겸재 정선의 자字이고 공미公美는 겸재의 큰외숙 동지중추부사同知中樞府事 박견성朴見聖(1642~1728)의 제3남 박창언朴昌彦(1677~1731)의 자字다. 겸재는 사천 형제들이나 외사촌인 박창언 형제들과 함께 늘 이곳 태고정에 드나들며 진경시화眞景詩畵로 이곳의 풍광風光을 묘사해 냈던 모양이다.

청풍계淸風溪 도판175

간송본, 1753년 계유癸酉경, 지본담채紙本淡彩, 29.5×33.7cm, 간송미술관 소장.

청풍계青風溪 도판180

국박본, 1754년 갑술甲戌경, 지본담채紙本淡彩, 29.5×33.0cm, 국립중앙박물관 소장.

수성동水聲洞 도판176

『한경지략漢京識略』 권2 명승名勝조에 보면 수성동水聲洞이 들어 있는데 그를 소개하는 내용은 아래와 같다.

> 인왕산 기슭에 있으니 골짜기가 그윽하고 깊숙하며 시내와 암석의 빼어남이 있어 여름에 놀며 감상하기가 가장 좋다. 혹은 이르기를 이 골짜기가 비해당匪懈堂의 옛 집터라 하기도 한다. 다리가 있는데 기린교麒麟橋라고 한다.
>
> 在仁王山麓, 洞壑幽邃, 有泉石之勝, 最好暑月遊賞. 或云此洞, 匪懈堂舊基也. 有橋名麒麟橋.

그리고 비슷한 내용이 『동국여지비고東國輿地備攷』 권2 제택第宅조 북부北部 효령대군제孝寧大君第의 세주細注 기사로 옮겨져 있다.

> 인왕산록에 있으니 골짜기가 깊고 그윽하다. 곧 비해당의 옛 집터로, 시내와 바위의 빼어남이 있어 여름에 놀며 감상하기에 마땅하다. 다리가 있는데 기린교라고 한다.
>
> 在仁王山麓, 洞壑深邃, 則匪懈堂舊基, 有溪石之勝, 宜於夏月遊賞. 有橋名麒麟橋.

세종대왕의 제3왕자로 시·문·서·화·금·기詩文書畵琴棋 육절六絶로 일컬어지던 풍류왕자 안평대군安平大君 용瑢(1418~1453)의 대군궁이 있었던 옛터라 하니 그 높은 안목으로 잡은 집터라면 가히 도성 안에서 제일 명당으로 일컬어질 만한 곳이었을 것이다. 그래서 세조의 왕위 찬탈 과정에서 안평대군이 피살되자 그 중부仲父인 효령대군孝寧大君 보補(1396~1486)가 탐내어 차지해 살았던 모양이다.

지금 옥인동 어느 곳일 듯한데 인가가 들어차고 암석이 파괴되며 시내가 복개된 상태라서 정확하게 어느 곳인지 가늠할 길이 없다. 그림으로 보면 둥근 바위벼랑이 우뚝 내려와 멈춘 아래에 널찍한 평지가 있고 그 앞뒤로는 수직의 바위벽이 병풍처럼 둘러 있으며 평지 아래로는 계곡물이 힘차게 흐르고 있다.

수성동水聲洞 도판176

1753년 계유癸酉경, 지본담채紙本淡彩, 29.5×33.7cm, 간송미술관 소장.

인왕산의 동쪽 기슭이라는 점을 감안해 보면 이 터전은 남향집을 지을 수 있는 집터였을 듯하다. 물론 동향을 한 사랑이나 누각 위에서라면 경복궁을 비롯한 한양 서울 도성을 한눈에 내려다볼 수도 있었을 것이다. 물소리가 마당가에서 여울지고 솔바람이 밤낮없이 송뢰松籟를 일으키며 흰빛 바위가 사시장철 청결 고아한 자태로 울싸주는 그런 곳이니 바로 이곳이 선계仙界가 아니면 무엇이겠는가.

그래서 안평대군 쌍삼절雙三絶의 예술세계가 이곳에서 이루어질 수 있었을 것이며 항상 이곳을 중심으로 회동하여 학문과 예술을 담론하고 그 기량을 길러 가던 집현전 학사들의 학예 수준이 상승에 이를 수 있었을 것이다. 그러나 학예에 정통한 이들이 가지는 과단성의 부족은 결국 수양대군을 과감히 제거하지 못하는 오류를 범하고 수양은 안평대군 측근의 문사들을 일망타진함으로써 왕위 찬탈에 성공한다.

이에 세종대왕이 심혈을 기울여 길러 놓은 집현전 학사들이 대거 학살되고 집현전은 결국 폐쇄되어 세종성시의 문예진흥정책은 무위로 돌아가고 만다. 이후에 이 터전을 차지했던 효령대군이 이 좋은 집에서 어떤 일을 했던지 알 수 없으나 아마 성리학적 명분론에 용납될 수 없던 세조가 불교로 도피하여 그 안심입명처를 찾으려 했던 일을 돕는 것에 골몰하고 있었을지 모르겠다. 효령대군은 아우인 세종대왕이 세자로 책봉되자 출가하여 승려가 되어 있었기 때문이다.

참으로 세상의 인연은 미묘하여 이루어 놓는 자가 있으면 반드시 깨뜨리는 자가 뒤따라 나와 이를 파괴해 무궁한 발전을 이루어 가지 못하게 한다. 세종대왕이 30여 년 동안 각고면려하여 기틀을 잡아 놓은 성리학적 기반이 그 적자賊子◆에 의해 일조에 파괴되는데 세종대왕에게 왕위를 양보해야만 했던 두 형들인 양녕대군(1394~1462)과 효령대군이 모두 오래 살아 이 일에 앞장서 협조하고 있는 것이다.

◆ **적자**賊子 불충불효한 아들

효령대군이 이 집을 평생 유지했는지는 알 수 없으나, 어떻든 겸재 시절에는 벌써 이 터가 그대로 공지화해 버린 것을 이 그림에서 확인할 수 있다. 그런 곳을 세 사람의 선비들이 유상遊賞하러 나와 있다. 동자 하나를 데리고 나온 일행 중 앞장선 이가 행중의 존장인 듯 긴 지팡이를 짚고 무엇을 얘기해 주고 있는 것 같다. 혹시 비해당 구기로서의 해묵은 유래를 들려주는지도 모르겠다. 뒤따르는 두 선비는 문생이거나 자제들인 듯 공수拱手하여 근청謹聽하고 있다. 겸재 스스로가 두

자제를 대동하고 올랐던 것은 아닌지 모르겠다.

여름인 듯 바위와 숲이 습윤濕潤한 기색을 띄어 울창한 기운이 화면에 가득하다. 대담한 묵법墨法과 통쾌한 운필로 난타亂打한 듯 분방한 화법이나 수성동의 분위기는 오히려 이로 인해 더욱 살아나는 것 같다. 뒷날 이곳에서 머지않은 동네인 지금 적선동에 살던 추사秋史 김정희金正喜(1768~1856)는 이런 정취를 공감하기 위해 비를 맞으며 이곳에 와 이런 시를 남겨 놓는다.

「수성동에서 비를 맞으며 폭포를 보고 심설沁雪의 운韻을 빌린다
水聲洞 雨中觀瀑 次沁雪韻」
골짜기 들어오니 몇 무 안 되고, 나막신 아래로 물소리 우렁차다.
푸르름 물들어 몸을 싸는 듯, 대낮에 가는데도 밤인 것 같네.
고운 이끼 자리를 까니, 둥근 솔은 기와 덮은 듯.
낙숫물 소리 예전엔 새소릴러니, 오늘은 대아송大雅誦 같다.
산마음 정숙하면, 새들도 소리 죽이나.
원컨대 이 소리 세상에 돌려, 저 속된 것들 침 주어 꾸밈없이 만들었으면.
저녁 구름 홀연히 먹을 뿌리어, 시의詩意로 그림을 그리게 한다.
入谷不數武, 吼雷殷屐下. 濕翠似裹身, 晝行復疑夜.
淨苔當鋪席, 圓松敵覆瓦. 簷溜昔啁啾, 如今聽大雅.
山心正肅然, 鳥雀無喧者. 願將此聲歸, 砭彼俗而野.
夕雲忽潑墨, 敎君詩意寫.
金正喜, 『阮堂先生全集』 卷九, 水聲洞 雨中觀瀑 次沁雪韻

필운대弼雲臺 도판177

필운대는 필운동 9번지 일대로 필운동 북쪽 끝 인왕산 산기슭에 있는데 지금은 배화여자중고등학교 교정 안에 편입되어 그 앞에 고층건물을 지어 놓았기 때문에 그 경개와 운치가 완전히 망가져 버렸다. 이곳은 인왕산 남쪽 줄기의 중턱에 가까워 여기서 보면 서울 장안이 거의 한눈에 조망되던 곳이다. 북악과 남산이 등거리로 잡히고 경복궁과 창덕궁은 물론 동대문까지 내려다보이게 되니 그렇게 전망이 좋을 수 없었을 것이다.

그래서 일찍이 중종 때 양관兩館 대제학大提學을 지내며 문명文名을 드날리던 양곡陽谷 소세양蘇世讓(1486~1562)은 그 아래에 터를 잡고 청심당淸心堂, 풍천각風泉閣, 수운헌水雲軒 등의 집을 지어 당대 제일 문사들인 용재容齋 이행李荇(1478~1534), 기재企齋 신광한申光漢(1484~1555) 등과 풍류를 즐겼다 한다. 뿐만 아니라 임진왜란 시기에 구국의 영웅들이었던 만취당晩翠堂 권율權慄(1537~1599) 장군과 그 사위 백사白沙 이항복李恒福(1556~1618)도 모두 이 필운대 아래 살면서 평생 필운대 정취에 취해 살았다고 한다.

백사가 젊은 시절 당시 권신으로 조정을 좌우하던 홍여순洪汝淳(1547~1609)이 기화이초奇花異草와 괴석진목怪石珍木을 구하고자 갖은 불법을 자행하자, "내 집에는 아침에 새벽안개가 일어나고 저녁에 석양이 비껴들며 낙락장송이 돌 틈에 자라 있는 괴석怪石이 있다" 고 하여 홍여순을 달뜨게 한 다음 중가重價로 사고자 함에 남산 잠두봉을 가리키며 저것이니 가져가라 했다고 하는 고사가 이를 증명해 준다. 지금도 필운대 석벽에는 '필운대弼雲臺' 라는 백사의 친필 각서刻書가 남겨져 있다.

이 사실을 냉재冷齋 유득공柳得恭(1748~1807)의 자제인 수헌樹軒 유본예柳本藝가 지은 『한경지략漢京識略』 명승名勝조 필운대弼雲臺에서 이렇게 기록하고 있다.

> 필운대는 성내 인왕산 아래에 있다. 이오성李鰲城이 어렸을 때 필운대 아래 권도원수 댁에 와서 살면서 필운弼雲이라고 자호했다. 지금 석벽에 새겨진 필운대 3자字는 곧 오성의 글씨라 한다. 대 곁의 인가人家에서는 화목花木을 많이 심어 서울

필운대弼雲臺 도판177

1753년 계유癸酉경, 지본담채紙本淡彩, 29.5×33.7cm, 간송미술관 소장.

사람들이 봄에 꽃을 보려고 하면 반드시 이곳을 먼저 꼽고 여항인閭巷人들은 술을 들고 와서 시를 짓노라 매일 북적거린다. 속칭 그 시를 일컬어 필운대 풍월風月이라 한다.

弼雲臺 在城內仁王山下. 李鰲城小時, 贅寓於弼雲臺下 權都元帥家, 自號曰弼雲. 今石壁所鐫弼雲臺三字, 卽鰲城筆云. 臺傍人家多種花木, 京城人 春日看花, 必先數此地, 而閭港人, 携酒賦詩, 日日坌集. 俗稱其詩曰, 弼雲臺風月.

柳本藝,『漢京識略』卷二, 名勝, 弼雲臺

겸재 후배로 거의 동시대를 산 명시인 석북石北 신광수申光洙(1712~1775)는 필운대를 이렇게 진경시로 읊었다.

필운대 꽃기운 성중 누르니, 아리따운 꽃 만호장안 집 수와 같네.
저녁 해 비끼어 안개 이루면, 티끌먼지 날지 않고 바람도 잔다.
귀공자 말을 몰아 북에서 오고, 두 대궐 용마루는 동쪽에 있다.
삼십 년 전 봄에 바라보던 곳, 이제 다시 오니 백두옹白頭翁일세.

雲臺花氣壓城中, 滿眼芳華萬戶同. 晩照蒸深都作霧, 輕塵飛靜暫無風.
五陵鞍馬遙從北, 雙闕船稜盡在東. 三十年前春望處, 再來今是白頭翁.

申光洙,『石北集』卷十, 歸路 登弼雲臺 賞花 復用前韻

그리고 사천의 시제자詩弟子로 필운대 부근에서 살며 겸재가 수직壽職으로 동지중추부사同知中樞府事(종2품從二品)가 되었을 때「정겸재선수직동추서鄭謙齋敾壽職同樞序」를 지었던 창암蒼巖 박사해朴師海(1711~1778)는 무수한 필운대 시 중에서 이런 시도 남겨 놓는다.

필운대 그윽하고 곁에 길 있어, 고삐 매 놓고 맑은 개울 버렸다.
깊고 얕게 꽃은 무수하고, 높고 낮게 버들은 들쭉날쭉.
구름 걷혀 삼각산 솟아나니, 봄은 옛 궁궐 들어가 헤맨다.
취기로 자못 마음 거나해져, 시 짓고 손에 맡겨 제목 붙인다.

臺幽傍有路, 紆轡捨淸溪. 深淺花無數, 高低柳不齊.

雲開華岳聳, 春入舊宮迷. 倚醉心頗傲, 詩成信手題.

朴師海, 『蒼巖集』 卷五, 弼雲臺 其三

백악 기슭 굽이굽이 내려온 곳, 중간 지세 드넓다.

산에 기대니 초가집 깨끗하고, 절벽 깎아지르니 흙마당 편안하다.

나무 심어 가계家計 위하나, 꽃피면 객客과 함께 바라다본다.

삼각산 봉우리 홀연 다가드니, 서로 두 푸른 얼굴을 맞대어 본다.

白麓逶迤處, 中間地勢寬. 依山茅屋淨, 削壁土床安.

種樹爲家計, 開花與客看. 華峯忽來壓, 相對兩蒼顔.

朴師海, 『蒼巖集』 卷五, 弼雲臺 其五

겸재는 이 경치를 어느 시원한 여름날 화폭에 올렸던 듯하다. 뒤편 인왕산 봉우리를 거의 생략해 버리고 낮은 구릉만 태점苔點과 흐린 윤곽선으로 간결하게 암시하고 있다. 그리고 2단으로 된 필운대의 석대상石臺狀을 분명하게 표시하고 상단 뒤 석벽 아래는 노송림老松林으로 병풍을 둘러 석벽을 가려 놓았다.

대 아래 넓은 공터가 있고 그 건너 이쪽 소나무 언덕 아래에는 집 한 채가 서 있으며 그 맞은쪽 선바위 밑으로는 시원한 개울물이 쏟아져 내린다. 뒷산 봉우리를 무질러 놓아 상부가 허전해지자 두 봉우리 사이에 암봉岩峯 하나를 삐죽이 내밀게 했다. 평퍼진 필운대와 질펀한 소나무숲에 음양 조화감각을 부여하려는 의도인 듯하다. 대담한 청묵선염법靑墨渲染法과 거친 파묵破墨으로 일관한 호방豪放한 필법인데 필운대의 삽상颯爽 청랭淸冷한 정취가 고스란히 살아나는 느낌이다.

39

장동팔경첩 壯洞八景帖 2

이보다 약간 더 추상성을 띠는 것은 국립중앙박물관 소장의《장동팔경첩》이다. 〈창의문彰義門〉도판178, 〈백운동白雲洞〉도판179, 〈청풍계〉도판180, 〈청휘각晴暉閣〉도판181, 〈청송당〉도판182, 〈대은암〉도판183, 〈독락정〉도판184, 〈취미대〉도판185 등 8폭인데 간송 수장《장동팔경첩》과 비교해 보면 더욱 대담한 생략이 이루어지고 화면구성이 단순해지며 필법筆法이나 색조色調도 담박淡泊해지고 인장도 '정선鄭敾' 이라는 방형주문方形朱文 대신 '원백元伯' 이라는 방형백문方形白文 인장이 찍혀져 있다.

간송미술관 소장본과 겹치지 않는 그림을 살펴보기로 하겠다.

창의문彰義門 도판178

백운동白雲洞 도판179

청풍계靑風溪 도판180

청휘각晴暉閣 도판181

청송당聽松堂 도판182

대은암大隱巖 도판183

독락정獨樂亭 도판184

취미대翠微臺 도판185

창의문彰義門도판178

태조 5년(1396) 한양漢陽 도성都城인 경성京城 축조를 끝마쳤을 때 사방의 정방正方에 사대문四大門을 내고 그 간방間方에 사소문四小門을 냈다는 것을 『태조실록』 권10 태조 5년 병자 9월 24일 기묘己卯조의 기록에서 확인할 수 있다.

이때 각 성문의 월단月團과 누각樓閣을 지었다고 했는데 그것이 사대문과 사소문 모두에게 해당한 기사인지는 분명치 않다. 그런데 사소문의 문루를 영조 때 비로소 해 세우는 것을 보면 국초부터 사소문의 문루는 없었던 것이 아닌지 모르겠다. 영조 이전 사소문 문루에 관한 기사는 아직 어디에서도 찾아볼 수 없기 때문이다.

겸재가 65세 나던 해인 영조 16년(1740) 경신庚申 8월 1일 당시 훈련대장이던 구성임具聖任(1693~1757)은 영조에게 이런 특청을 한다. '창의문彰義門은 인조반정仁祖反正 시에 창의군唱義軍이 들어온 곳이니 마땅히 보수하고 고쳐서 표시해야 합니다八月朔 己亥,……訓鍊大將 具聖任言, 彰義門 乃仁祖反正時, 義旅之所由入也, 宜修改表示. 上命 以明春 改葺之(『영조실록英祖實錄』 권52, 영조 16년 경신庚申 팔월삭八月朔 기해조己亥條)'

이에 대해 영조는 명년 봄에 고치라고 명령한다. 다음 해인 신유辛酉(1741)년 정월 22일에 구성임은 고치는 김에 아예 초루譙樓까지 해 세우자고 청하게 되고 영조는 이를 허락하니 창의문은 사소문 중에서 제일 먼저 문루를 가지게 된다.

이 대목을 『영조실록』에서는 이렇게 기록해 놓고 있다. '창의문 초루譙樓를 설치하도록 명하다. 그때 장신將臣◆ 구성임이 장차 성문을 개수하려다가 내쳐 초루를 건설하자고 청하니 이를 따랐다.命設彰義門譙樓. 時將臣具聖任, 修改城門, 仍請建樓, 從之.(『영조실록英祖實錄』 권53, 영조 17년 신유辛酉 정월正月 무자戊子)'

◆**장신**將臣
장군 직책을 맡고 있는 신하

구성임이 이와 같이 창의문 보수에 열성을 보인 것은 그 자신이 인조반정의 원훈元勳인 능성부원군綾城府院君 구굉具宏(1571~1642), 능풍부원군綾豐府院君 구인기具仁墍(1597~1676)의 후손이기 때문이다. 능성부원군은 그 고조부이고 능풍부원군은 그 증조부다. 이들은 인조의 외숙外叔과 외사촌 아우로 인조반정을 앞장서 주도한 인물들이었다. 능성부원군은 율곡栗谷의 수제자인 사계沙溪 김장생金長生의 제자였으며 인조와 능풍부원군은 그 문하에서 동문수학한 사이였다.

창의문彰義門 도판178

1754년 계유癸酉경, 지본담채紙本淡彩, 29.5×33.7cm, 국립중앙박물관 소장.

그런데 영조는 율곡학맥의 적통을 이은 노론老論세력에 의해 옹립된 임금이었고 구성임은 오세장문五世將門을 자랑하는 반정 원훈의 후예였으니 인조반정군이 입성했던 창의문에 대한 애착과 감회는 서로 일치하고 있었을 것이다. 이를 통해 그들 사이의 유대관계를 재확인하는 계기를 삼으려 했을지도 모른다.

더구나 영조의 잠저潛邸가 이 창의문 안 지금 적선동에 있어 이를 창의궁彰義宮이라 했고 그를 옹립한 노론세력의 핵심인물들이 대대로 창의문 안 장동壯洞 일대에 살아 백악사단을 이루고 있음에랴 더 말해 무엇하겠는가. 그래서 그 보수는 물론 문루의 설치까지도 흔쾌하게 허락했을 것이다.

이때 백악사단의 영수인 지수재知守齋 유척기兪拓基(1691~1767)가 우의정으로 세도를 좌우하고 있었기 때문에 영조 16년(1740) 정월 10일에는 신임사화에 피살된 김창집金昌集, 이이명李頤命 양 대신의 복관작復官爵이 이루어지고 겸재도 이해 12월 11일에 양천현령陽川縣令에 제수되었다. 그러니 백악사단의 근원보장지지根源保藏之地인 백악동부白岳洞府로 들어오는 성문인 창의문彰義門에 문루門樓를 해 세우는 것은 당연한 일이었을 것이다. 이에 겸재 동네에 있는 창의문의 문루는 겸재가 양천현령으로 나가 있는 사이에 세워지게 된다.

그 뒤 영조는 그 19년(1743) 계해癸亥 5월 7일 인조반정 이주갑二周甲을 기념하기 위해 창의문 문루에 올라와 감구시感舊詩를 짓고 이를 판각해 걸게 하며 당시 인조반정 공신들의 성명을 열서列書하여 그 역시 이 문루 안에 걸게 한다.(己丑, 上行祀于北郊, 歷臨彰義門樓, 感舊製詩, 命刊揭之, 靖社諸勳臣姓名, 亦命列書揭板, 敎曰 使後嗣過此, 必欲惕然, 念聖祖中興之艱難也.『영조실록英祖實錄』권58 영조 19년 계해癸亥 오월五月 기축조己丑條)

창의문 문루 건설을 통해 근위세력의 결속을 재다짐한 것이다. 겸재가 영조 21년(1745) 70세 나이로 양천현령의 임기를 마치고 돌아왔을 때는 이런 일들이 모두 이루어지고 난 뒤였다.

새로 보는 창의문 모습이 얼마나 감격스러웠겠는가. 자신이 나고 자란 동네에 소문小門의 문루가 처음 지어졌고 그것도 자신이 속한 백악사단의 승리를 상징하는 기념비적인 것임에랴. 겸재는 이에 감개무량한 감회와 애정으로 이를 화폭에 올렸을 듯하다.

인왕산 자락과 북악산 자락이 서로 마주치는 골짜기 능선 위에 날아갈 듯이 지어진 문루와 성문, 그 좌우 인왕산과 북악산 능선을 따라 날개를 펼치듯이 뻗어 나간 성벽, 마치 날개를 퍼덕이며 내려앉는 한 마리의 독수리와 같은 형상이다.

그 좌측 인왕산 자락에는 호군부장청護軍部將廳이라고 생각되는 성문 수호 관청 건물이 마치 암자처럼 바위 벼랑 위에 지어져 있고 백운동과 유란동으로 흘러가는 인왕산 물줄기, 북악산 물줄기가 계곡을 굽이쳐 내리고 있다. 유란동 쪽에서 물길 따라 올라왔을 길이 성문 저 아래에서부터는 물길을 버리고 성문이 있는 산마루로 바위 사이를 구불구불 타고 오른다.

군데군데 송림이 우거지고 작고 큰 바위들이 널려 있는데 성안 바위산은 기운찬 부벽찰법斧劈擦法으로 쓸어내리지 않고 그와는 대조적인 아주 부드러운 피마준披麻皴을 구사하고 있다. 얼핏 보면 운두준雲頭皴에 가까울 만큼 온유溫柔하니 이것은 노련미老鍊味를 드러내는 겸재 만년 기법의 특징인가 보다.

그러나 성 밖의 벽련봉碧蓮峯에 이르면 문득 겸재 본 면목이 약여하게 살아나서 장쾌한 쇄찰묵법刷擦墨法이 난무亂舞한다. 강약强弱, 경유硬柔가 조화를 이루는 음양 이치를 슬며시 드러내 보인 원숙한 화면구성이다.

인왕산 맨 북쪽 봉우리인 벽련봉碧蓮峯은 한 덩어리의 거대한 바위로 이루어진 백색 암봉岩峯이다. 이 그림에서 보면 그 위에 축구공같이 생긴 바위 하나가 올려져 있다. 이 부침바위는 지금도 있다. 그러나 이 바위는 보이는 이의 눈에만 보인다.

겸재는 경복고등학교 자리에서 태어나 51세 때까지 살다가 옥인동 20번지의 인왕곡으로 이사 간 다음 그곳에서 84세로 돌아갔다. 그렇기 때문에 북악산과 인왕산에 어떤 바위가 어느 위치에 있는지를 훤히 꿰뚫고 있었다. 그래서 벽련봉 부침바위를 이렇게 표현해 놓을 수 있었다. 겸재가 진경산수화에서 내재된 아름다움까지 표출해 냈다는 것은 이를 두고 하는 말이다.

백운동白雲洞 도판179

백운동은 인왕산 자락이 북악산 자락과 마주치는 인왕산 동편 북쪽 끝자락에 해당하는 곳의 지명이다. 지금 청운아파트가 들어서 있는 종로구 청운동 8번지 일대로 자하문 터널과 이어지는 자하문길 서쪽 골짜기다.

청운동이란 이름도 1914년 일제가 경성부京城府제도를 실시하며 동리를 통폐합하여 동명을 개칭할 때 그 아랫동네인 청풍계青楓溪와 백운동을 합쳐 지은 것이다. 따라서 청운동淸雲洞은 마땅히 푸를 청青자를 쓰는 청운동青雲洞이 됐어야 하는데 당시 이 개명작업을 담당하던 동 서기들이 실수해서 청운동淸雲洞으로 짓고 말았다.

어떻든 이곳은 인왕산의 세 봉우리 중 중앙에 해당하는 낙월봉落月峯 줄기가 흘러내려 와 북악산 자락과 마주치는 곳이므로 계곡이 깊고 개울물이 풍부하며 바위절벽이 아름다워 일찍부터 도성 안에서 가장 빼어난 명승지로 손꼽히고 있었다.

그래서 세조의 왕비인 정희貞熹왕후 윤씨尹氏(1418~1483)의 형부로 84세까지 살면서 평생 부귀를 누렸던 지중추부사知中樞府事(정2품) 이념의李念義(1409~1492)가 이곳에 대저택을 짓고 호사를 누리며 살았다. 그 집이 얼마나 굉장한 저택이었던지 『동국여지승람東國輿地勝覽』 권3 한성 산천 백운동조에 수록될 정도였다.

이 집의 풍치에 대해서는 당대 일류문사들이 시문으로 무수히 읊고 있어 그 대강을 짐작할 만한데 그 중 사숙재私淑齋 강희맹姜希孟(1424~1483)의 시를 옮겨 보면 다음과 같다.

백운동 안은 백운에 가리고, 백운동 밖은 홍진紅塵이 깊다.
외길을 굽이 돌아 구름 속 드니, 홀연 놀랍게도 성시城市는 산림山林에 묻힌다.
시냇물 콸콸 졸졸 제소리 간곳없고, 장송長松은 서로 가려 바람에 슬피 운다.
안개 덩굴 사이사이 등성이 드러나나, 화당華堂은 조용하여 언제나 그윽하다.
물어보자 그 누구가 주인옹主人翁인가. 당시의 권세 부귀 장씨나 김씨겠지.
산천 사랑이 가슴에 파고들었으니, 비단옷에도 이런 연하심煙霞心 있었구나.
봄이 와서 바위골에 산꽃 피어나면, 지저귀는 그윽한 산새 소리 허공에 되울리고.

황매철 장맛비가 세상을 가리울 때, 동문洞門에 이끼 돋아 푸르름 깊어진다.

가을빛 씻은 듯이 숲 언덕 맑아지면, 달 밝은 만호장안 다듬이 소리 해맑고.

눈 쌓여 가지에 눈꽃 피고 인적이 끊어지면, 등걸 땐 방 안에 명주 이불 따사롭다.

동중洞中의 바람 안개 사철 제제금이요, 물은 갓끈 빨고 산은 올라앉을 만하다.

빼어난 늙은이들 맞아다 고회高會를 열면, 말굴레 울리며 동네 들어와 붕회朋會 이루네.

노래와 투호로 즐거움 끝이 없는데, 몇 발의 빗긴 햇살 청잠靑岑으로 숙여든다.

제공諸公의 높은 기개 구름도 무찌를 듯, 해마다 선비들이 서로 와 찾는구나.

풍월風月은 태평하고 동부洞府는 널찍하니, 대경對境과 사람 만남 남들이 부러워 한다.

내 듣자니 송산松山◆ 좌측은 신선구神仙區요, 자하紫霞◆에 곡曲이 있어 지금도 전한다네.

풍류風流 문아文雅로 당년當年을 생각하니, 천 년千年을 오르내리며 지음知音이 되고지고.

내 글이 거칠어서 가락을 못 이루되, 또한 신선의 노래 속에 날아들었네.

흘러 전해져서 문득 한양요漢陽謠되면, 거의 고인故人과 옷깃을 같이하겠지.

◆송산松山 개성 송악산

◆자하紫霞 개성 자하동

白雲洞裏白雲陰, 白雲洞外紅塵深. 一逕回盤入雲中, 忽驚城市藏山林.

溪流灝汨循除鳴, 長松掩暎風哀吟. 烟蘿隙處露觚稜, 華堂窈窕常沈沈.

試問何人作主翁, 勢貴當時張與金. 愛他泉石入膏肓, 紈綺有此烟霞心.

春來巖谷山花明, 響空磔磔鳴幽禽. 黃梅細雨暗人寰, 洞門苔蘇青深深.

秋光如沐淨林巒, 月明萬戶聞清砧. 瓊枝雪壓輪蹄絶, 榾柮暖氣生紬衾.

洞中風烟自四時, 水可濯纓山登臨. 邀致耆英作高會, 鳴珂入洞朋盍簪.

雅歌投壺樂未央, 數竿斜日低青岑. 諸公高氣可凌雲, 年年冠蓋來相尋.

太平風月洞府寬, 境與人會時人歆. 吾聞 松山左畔神仙區, 紫霞有曲傳至今.

風流文雅想當年, 頡頏千載爲知音. 我詞蕪拙不成腔, 且可飜入瑤徽音.

流傳便作漢陽謠, 庶與古人同期襟

『東國輿地勝覽』 卷三, 漢城, 山川, 白雲洞

백운동白雲洞 도판179

1754년 갑술甲戌경, 지본담채紙本淡彩, 29.5×33.0cm, 국립중앙박물관 소장.

이렇게 드러난 명승지의 대저택은 권세와 부귀의 흐름에 따라 주인이 자주 바뀔 수밖에 없다. 그래서 이념의가 죽고 나서 불과 30년 남짓한 시기인 중종 25년(1530)에 증보되어 새로 발간한 『신증동국여지승람新增東國輿地勝覽』에서는 '지중추부사 이념의가 예전에 살던 곳이다' 라고 표기하고 있다.

그러나 이 집은 워낙 유명해서 조선이 망할 때까지도 그대로 남아 있었던 모양이니, 순조(1801~1834) 때 유본예柳本藝가 지은 것으로 알려지고 있는 『한경지략漢京識略』 권2 고적조에도 그 집이 그대로 있다 했고 고종 때 지어졌을 『동국여지비고東國輿地備攷』 권2 제택조에도 그 내용이 그대로 실려 있다.

당연히 겸재 당시에도 그 이념의의 옛집이 그대로 있었을 터이니 여기 보이는 골짜기 안의 큰 저택이 그 집인가 보다. 굽이쳐 흐르는 시냇물을 끼고 고루거각高樓巨閣이 산속에 높이 지어져 있다. 해묵은 터인 양 집 주변에는 노거수들이 숲을 이루었다.

주변의 모든 산이 암산岩山일 터인데 겸재 특유의 부벽찰법斧劈擦法을 쓰지 않고 다만 담묵淡墨 담청淡青의 훈염暈染과 태점苔點 및 부드러운 피마준披麻皴만으로 부드럽게 산을 처리하고 있다. 장쾌한 맛은 없으나 쇄락灑落한 분위기는 더욱 살아나는 듯하다. 80대 초반 겸재 만년기의 노숙한 화풍 중 한 가지 특징이다.

위에 인용한 사숙재私淑齋의 백운동시白雲洞詩 내용으로 보면 사숙재가 살던 조선 초기에는 이 백운동白雲洞을 개성의 자하동紫霞洞에 비기고 있었던 모양이니 산 성문 아랫동네라는 의미인 잣동의 이름이 이 시기부터 있어서 백운동 일대를 자하동으로도 부르고 있었던 모양이다. 그런데 겸재시대에 이르면 백운동과 자하동이 구분되었던 듯 두 곳을 따로따로 그려 내고 있다.

그렇다면 잣문山城門인 창의문彰義門 바로 아랫동네인 윗동네를 자하동이라 하고 그 아랫동네를 백운동이라 했던 모양이다. 사천의 시제자詩弟子로 「정겸재선수직동추서鄭謙齋敾壽職同樞序」를 지은 창암蒼巖 박사해朴師海(1711~1778)가 「백운동」이란 시제詩題 아래에 '도화동桃花洞 서쪽에 있다在桃花洞西'는 세주細註를 붙이고 있으니 인왕산 쪽 산기슭에 있던 동네라고 생각된다. 도화동은 북악산 서쪽 기슭에 있던 동네이기 때문이다.

이제 그 「백운동」 시의 내용을 옮겨서 시정화의詩情畵意를 연계시켜 보겠다.

만장봉萬丈峯이 집 앞에 우뚝하니, 빈 수풀에 사립문 내지 않았네.
꽃은 떠서 물에 흘러가고, 누각은 흰 구름과 함께 난다.
봄 늦어 새들은 서로 지저귀는데, 날 저무니 사람은 홀로 돌아간다.
시끄럽게 앞에 가는 사람아, 어찌 앉아서 권세를 잊으려 하지 않는가.
萬丈峯當戶, 空林不設扉. 花浮流水去, 樓與白雲飛.
春暮鳥相語, 日斜人獨歸. 紛紛前路客, 何不坐忘機.
朴師海,『蒼巖集』卷六, 白雲洞 在桃花洞西

겸재의 지기였던 동포東圃 김시민金時敏(1681~1747)은 겸재가 62세 때인 영조 13년(1737)에 「백운동에서 일원, 신로 등 여러 사람과 모였는데 술과 풍악이 있었다. 취중에 입으로 읊다.白雲洞 與一源莘老諸人作會, 有杯盤絲竹. 醉中口呼.」라는 제목으로 이렇게 읊고 있다.

답답한 가슴 툭 터 놓으니 이 누각 있고, 나무 그늘 시냇물 소리 풍류를 기다린다.
산골 좋은데 거문고와 노랫소리 들리니, 세속 밖에 선비놀음 항상 있지 아니하다.
늙은이 젊은이 서로 뒤섞여 앉고, 흰 구름 노란 꾀꼬리 함께 머문다.
이 늙은이 취한 뒤에 광태 많으니, 버려두자 곁에 사람 웃음 못 참네.
開豁煩襟有此樓, 樹陰泉響待風流. 山間也好琴歌聽, 方外無常翰墨遊.
華髮翠娥相雜坐, 白雲黃鳥共淹留. 此翁醉後多狂態, 一任傍人笑不休.

일원은 사천 이병연의 자이고 신로는 김상리金相履(1671~1748)의 호다. 모두 겸재와 가장 절친했던 친구들이고 겸재는 이해 5월 16일에 모친의 3년상을 마친다. 혹시 이 모임이 겸재를 위로하는 성격의 모임은 아니었던지 모르겠다.

김상리는 선조 국구인 연흥延興부원군 김제남金悌男(1562~1613)의 현손으로 그 부친은 우암尤菴 제자인 김지金漬(1643~1699)였다.

청풍계青風溪 도판180

국박본, 1754년 갑술甲戌경, 지본담채紙本淡彩, 29.5×33.0cm, 국립중앙박물관 소장.

청휘각晴暉閣도판181

청휘각晴暉閣은 현재 종로구 옥인동玉仁洞 47번지 부근에 있던 정자다. 문곡文谷 김수항金壽恒(1629~1689)은 청음淸陰 김상헌金尙憲(1570~1652)의 손자로 청음이 살던 궁정동宮井洞 2번지 무속헌無俗軒에서 출생하여 그 형제들과 함께 그곳에서 생장하고 일가一家를 이루지만 점차 자손이 번성하고 벼슬이 높아지자 여러 곳에 저택을 마련한다. 안국동과 옥류동玉流洞 저택들도 그 중의 하나인데 그 옥류동 저택의 후원에 지었던 정자가 바로 이 청휘각晴暉閣이다.

문곡文谷의 옥류동 저택 사랑채는 육청헌六靑軒이라 했다 한다. 이는 문곡의 육자六子 창집昌集(1648~1722), 창협昌協(1651~1708), 창흡昌翕(1653~1722), 창업昌業(1658~1721), 창즙昌緝(1662~1713), 창립昌立(1666~1683)의 이른바 육창六昌을 상징하는 이름이었다. 6형제가 한결같이 학예에 뛰어나 당대를 주름잡는 대선비들이었기 때문에 세상에서 이를 부러워하여 육창으로 이들을 존칭했기 때문이다.

육창 중에서도 가장 학문이 빼어났던 농암農岩 김창협金昌協은 육청헌六靑軒 뒤 석벽石壁에서 감천甘泉이 흘러나오므로 이곳을 옥류동玉流洞이라 이름 짓고 그 앞으로 흐르는 시내를 탄뢰란灘瀨瀾이라 불렀다 하는데 그 후원에 지었던 정자를 청휘각이라 한 것도 그의 의사라 한다.

청휘각晴暉閣이란 비 개인 뒤 맑은 햇빛이 찬란하게 비치는 집이라는 뜻이다. 이곳의 지세가 그렇기도 하지만 당시 문곡가文谷家의 형세가 이와 같기도 하여 그를 자축하는 의미로 이런 정자 이름을 지은 것은 아니었던지 모르겠다.

숙종 즉위년(1674) 갑인甲寅 예송禮訟에서 남인에게 패하여 정권을 빼앗겼던 서인이 숙종 6년(1680) 경신대출척庚申大黜陟으로 7년 만에 남인을 몰아내고 정권을 되찾게 되는데 이때부터 문곡은 영의정이 되어 정국을 좌우해 오고 있었다. 더구나 이해 4월 22일에는 문곡의 백씨伯氏 곡운谷雲 김수증金壽增(1624~1701)의 손녀가 빈어嬪御로 간택되어 숙의淑儀로 입궁入宮하게 되었음에랴! 이 숙의淑儀 김씨金氏(1669~1735)는 장차 영빈寧嬪으로 진봉進封된다.

그리고 7월 20일에는 차자 창협昌協이 36세로 성균관 대사성이 되고 7월 25일에는 장자 창집昌集이 39세로 사간원 헌납獻納이 되었다. 육청헌六靑軒 후원에 청휘각을 지을 만하지 않았겠는가. 과연 "쨍하고 볕들 날" 이 왔으니 말이다.

그래서 문곡은 이해 가을 청휘각을 지어 놓고 단금의 벗인 형조판서 호곡壺谷 남용익南龍翼(1628~1692)과 개성유수 매간梅磵 이익상李翊相(1625~1691)을 초청하여 시회詩會를 열었던 모양으로 『문곡집文谷集』 권6 병인丙寅(1686)년 시에는 다음과 같은 시화詩話 곁들인 시가 실려 있다.

> 옥동玉洞의 누추한 집에 새로 청휘각晴暉閣을 지으니 본디 수석水石의 빼어남이 있었으나 감히 시詩를 구하기 위해 큰 계획을 꾸미지 못했다. 이에 호곡壺谷 사백詞伯이 먼저 일률一律로 시제詩題를 붙이고 매간梅磵 태형台兄이 또 이어 그것에 화답함을 무릅쓰게 됨에 문득 이로부터 산문山門에 안색顔色이 살아남을 깨닫겠다. 여기서 그 운韻에 발맞춰 감사하는 뜻을 펴고 겸해서 매옹梅翁을 받들어 가르침을 구하겠노라.
>
> 층진 언덕 가운데 끊어 소정小亭을 여니, 동화東華◆의 백 길 티끌에서 멀리 벗어난다.
>
> 반생을 수석水石에 눈멀어 있다가, 늙은 나이 물러나 삶에 산속 우렛소리 얻었다.
>
> 처마 끝에 자는 안개 옷에 스며 적시고, 베개 밑에 나르는 샘물 꿈속을 어지럽힌다.
>
> 이 동문洞門으로부터 물색物色을 더해 가니, 옛 친구 보배로 여겨 시 지어 보낸다.
>
> 玉洞弊居, 新構晴暉閣, 粗有水石之勝, 而不敢爲求詩侈大計. 乃蒙壺谷詞伯, 先以一律寄題, 梅磵台兄, 又屬而和之, 便覺山門自此生顔色矣. 玆步其韻, 以申謝意, 兼奉梅翁求教.
>
> 層厓中折小亭開, 逈出東華百丈埃. 半世膏肓存水石, 暮年頤養取山雷.
>
> 簷間宿霧侵衣濕, 枕底飛泉攪夢回. 從此洞門增物色, 故人珍重寄詩來.
>
> 金壽恒, 『文谷集』 卷六

◆ **동화**東華
동쪽의 중화中華, 곧 우리나라

이렇게 청휘각이 지어지는 것이 겸재 11세 때의 일이다. 그러니 겸재는 스승인 삼연三淵 김창흡金昌翕과 농암農岩 및 노가재老稼齋 김창업金昌業을 찾아뵙기 위해 어려서부터 자주 이 청휘각을 드나들었을 것이다. 따라서 장동팔경壯洞八景을 그리는 중에 이 〈청휘각晴暉閣〉이 들어가는 것은 당연한 일이다. 더구나 50대 이

청휘각晴暉閣 도판181

1754년 갑술甲戌경, 지본담채紙本淡彩, 29.5×33.0cm, 국립중앙박물관 소장.

후에는 겸재가 바로 이 청휘각 곁으로 이사와 살고 있었음에랴!

이 청휘각은 문곡이 그림 잘 그리던 넷째 자제인 노가재에게 물려주었었기 때문에 겸재가 그 이웃으로 이사 와 살 때는 노가재의 자손들이 이곳을 차지해 살고 있던 터라 겸재는 아마 제집처럼 드나들며 이미 고인이 된 스승 형제들의 유훈遺薰에 젖어들 수 있었을 것이다.

그래서 70대 중반 이후에 그렸을 이 〈청휘각〉에서는 익숙한 주변 경치를 능란하게 그려 낸 사실을 직감할 수 있다. 바위 벼랑을 선염渲染에 가까운 담묵찰법淡墨擦法과 미점米點으로만 처리하여 겸재가 인왕산과 같은 암산岩山을 처리할 때 흔히 쓰는 농묵부벽찰법濃墨斧劈擦法이 보여 주는 경직성硬直性을 배제한 것이 그 첫째다.

수림樹林의 표현에서도 선염발묵渲染潑墨과 파묵법破墨法에만 의존하여 지극히 부드럽고 흐릿하게 나타냄으로써 친숙한 분위기를 연출하는 데 그쳤으며 탄뢰란灘瀨瀾 시냇물 표현도 언덕 아래로 대강 흔적 지워 놓고 말았다. 그 익숙도를 감지할 수 있는 표현들이다. 초라할 정도로 단출한 사모정 형태의 청휘각 건물이나, 드러나 보이는 마룻바닥에 이르러서야 더 말해 무엇하겠는가.

금방 앉았다 자리를 털고 일어난 듯한 느낌을 자아내게 그려 놓고 있다. 삼연의 족질族侄로 겸재와 함께 농암과 삼연 문하에서 동문수학했던 동포東圃 김시민金時敏(1681~1747)도 이 청휘각을 이렇게 읊어 놓고 있다.

옛집 새로 단청하니, 깊은 물 높은 산 다시 빛난다.
시냇물 소리 저녁 난간 쳐 대고, 단풍잎은 가을 옷에 비치네.
세상 겪어 봐야 바위와 구름 있는 줄 알고, 사람 맞이하면 골짜기에 새가 난다.
마음이 맑아져서 원감遠感이 일어나니, 못 위에 앉아 돌아갈 일 잊는구나.

舊閣新丹雘, 泓崢更有暉. 泉聲捶夕檻, 楓葉照秋衣.
閱世巖雲在, 迎人谷鳥飛. 心淸生遠感, 池上坐忘歸.
金時敏, 『東圃集』 卷二 晴暉閣呼韻

이 청휘각 일대는 그 뒤 무슨 까닭인지 중인 신분 출신인 위항시인委巷詩人들의 아회雅會장소가 되어 옥계시사玉溪詩社니 송석원시사松石園詩社니 하는 위항시회委巷詩會의 장소로 변하게 된다. 혹시 이들의 비조격鼻祖格인 창랑滄浪 홍세태洪世泰(1653~1725)를 농암과 삼연이 지우知遇를 베풀어 키워 냈던 인연이 그런 맥락으로 이어진 것은 아닌지 모르겠다. 결국 이들의 시는 진경시맥眞景詩脈을 진솔하게 계승하는 것이기 때문이다.

어떻든 이 터는 뒷날 위항시인의 대표격인 송석원松石園 천수경千壽慶(?~1818)의 소유가 되었다가 고종 연간 민씨閔氏 세도시절에는 민태호閔台鎬(1834~1884), 민규호閔圭鎬(1836~1878) 형제에게로 넘어갔었다. 다시 윤덕영尹德榮(1873~1940) 득세시대에는 그의 별장이 되기도 했으며 광복 후에는 유엔군 숙소로 사용되기도 했다. 지금도 '옥류동玉流洞' 각자刻字와 추사秋史 김정희金正喜 글씨의 '송석원松石園' 각자가 암벽에 새겨져 있다.

이런 추상성이 더욱 노골화되는 그림은 《경교명승첩京郊名勝帖》 중에서 하권에 장첩된 〈양천현아陽川縣衙〉도판68, 〈시화상간詩畵相看〉도판69, 〈홍관미주虹貫米舟〉도판70, 〈행주일도涬洲一棹〉도판71, 〈창명낭박滄溟浪泊〉도판72 등으로 거의 구체적인 형

양천현아陽川縣衙도판68

시화환상간詩畵換相看도판69

홍관미주虹貫米舟 도판70

행주일도涬洲一棹 도판71

창명낭박滄溟浪泊 도판72

남유용南有容 **초상**肖像 삽도137
1748년 무진戊辰, 견본채색絹本彩色,
60.0×97.3cm, 국립중앙박물관 소장.

상에서 탈피해 가는 극단성을 보이고 있다. 이것은 앞에서도 지적한 대로 사천이 서거한 다음에 추가로 그려 냈기 때문에 이런 필법을 보이게 되었을 것이다.

그런데 이해 신미(1751)에 뇌연雷淵 남유용南有容(1698~1773)삽도137이 겸재가 그린 산수화山水畵 5폭을 보고 제사題詞를 붙이고 있으니 아마 추상성이 강하게 나타난 고사도故事圖류類의 그림이 아니었던지 모르겠다. 옮겨 보겠다.

「정원백鄭元伯이 그린 산수 5폭을 보고 각각 짧은 글로 제題함. 신미.
觀鄭元伯畵山水五疊, 各題小詞. 辛未.」

1. 누가 그림이 소리 없다 했던가. 백 골짜기 폭포와 한 수풀 맑은 경쇠 소리에, 시험 삼아 달이 이지러진 산봉우리 정상을 바라보라.
誰謂畵無聲. 百谷飛泉, 一林淸磬, 試看缺月峯頂.

2. 성긴 나무와 끊어진 벼랑에, 가랑비 내리는 긴 물가로다. 삿갓 쓴 한 늙은이, 해질 녘 외로운 배에 오른다. 네 집이 어디 있나, 돌아감만 못하리라. 그물 말리기에

는, 저 대울타리라야지.

踈木斷岸, 細雨長洲. 篛笠一老, 瞑踏孤舟. 爾家何在, 不如且歸. 于以曬網, 于彼竹籬.

3. 푸른 절벽 아래 흰 돌이 좋고, 늙은 소나무 두둑에 흐르는 물이 좋다.
하나의 모정茅亭은 없어도 좋고, 하나의 바둑판은 있어도 좋다.

蒼壁下白石好, 古松畔流水好. 一茅亭無亦可, 一棋局有亦可.

4. 큰아들은 남쪽 언덕으로 물고기 낚으러 가고, 작은아들은 서쪽 산으로 약 캐러 갔다. 해그늘에 돌아오니, 묵은 나루에 안개가 차고, 먼 마을에 나무가 또렷하다. 늙은이 창 사이에서 자고 일어나, 의복 추스르며 홀로 돌아보니, 흥興은 해오라비白鷗 사장과 여뀌 핀 언덕에 있네.

大男南陀釣魚去, 小男西崦採藥去. 薄暮歸來, 古渡寒煙, 遙村澹樹. 老子窓間睡罷, 攬衣獨眄, 興在白鷗沙紅蓼岸.

5. 누가 네게 거문고 타라 권하더냐, 너는 거문고 타지 마라. 외로운 배 갈대 앞에서 홀로 밤새 배회해도 종자기鍾子期◆는 끝내 돌아오지 않으리라. 기러기 다 돌아가고 난 뒤, 강과 하늘 텅 빌 때, 가는 줄 흐느끼고 큰 줄 퉁기면, 문득 흥이 극에 올라 슬픔일까 무서우니, 너는 거문고 타지 마라.
하늘과 땅은 네 몸통이고, 물과 달은 네 폐와 장부이다. 네가 네 무릎을 끌어안으면 어둡고 그윽하리니, 또 어느 것이 상商(쇳소리)이 되고 어느 것이 우羽(물소리)가 되는지 어찌 알겠나. 너는 거문고를 타지 마라.

雖勸汝彈琴, 汝莫彈琴. 孤舟蘆葦前, 獨夜徘徊, 鍾子期不來. 鴻雁歸盡後, 江天泬寥時. 小絃廉折, 大絃寥郎, 却恐興極生悲, 汝莫彈琴. 天地是汝形骸, 水月是汝肺腑. 汝抱汝膝, 冥兮窈兮, 安知何者爲商, 何者爲羽. 汝莫彈琴.

南有容, 『雷淵集』 卷八, 觀鄭元伯畵山水五疊, 各題小詞, 辛未

◆**종자기**鍾子期
중국 춘추시대에 거문고의 명인 백아伯牙가 거문고를 타면 이를 잘 들어 줄 줄 알던 절친한 벗. 『열자列子』 탕문湯問 참조

뇌연 남유용은 겸재가 나고 자란 순화방 창의리 유란동의 이웃동네인 도화동桃花洞에서 나고 자란 후진으로 백악사단의 일원이었다. 겸재보다 무려 22년 후배이나 시문에 뛰어나 양관兩館 대제학을 지냈으며, 겸재 그림에 심취해서 겸재를 몹시 존숭하던 진경시대 중진인사였다.

40

겸재와 쌍벽을 이룬 천재 조각가 최천약崔天若

사천이 돌아가던 신미년도 다사다난했다. 2월 8일에 남당南塘 한원진韓元震(1682~1751)[삽도138]이 70세로 타계했다. 수암 권상하의 상수제자인 강문 8학사 중 대표에 해당하는 인물이었다. 영조가 사림의 세도를 종식시키려 우암·수암으로 이어져 온 산림재상의 지위를 부여하지 않았기 때문에 홍주 결성結城의 남당리南塘里 해안가에 평생 은거하며 제자들을 가르치다 세상을 버렸다. 그는 강문 8학사들

한원진韓元震 **초상**肖像[삽도138]
1750년 경오庚午경,
견본채색絹本彩色, 58.0×88.0cm,
제천 황강영당黃江影堂 소장.

이 인성人性과 물성物性이 같으냐 다르냐를 놓고 논쟁하며 호파湖派와 낙파洛派로 양분될 때 인성과 물성은 다르다는 쪽을 지지해 호파를 대표했었다.

2월 21일에 영남균세사嶺南均稅使로 파견돼 선세船稅 현황을 살피러 내려갔던 박문수는 전선戰船과 거북선 체제가 과대하여 기동성이 떨어지니 개조하기를 진언한다. 4월 15일에는 돌도 안 된 왕손을 왕세손으로 책봉하는데 노론 탕평파의 수장인 원경하를 세손사師로 소론 탕평파의 중진인 박문수를 세손부傅로 정하고 이를 전후해서 김재로와 조현명을 영의정(3월 25일)과 좌의정(4월 19일)으로 다시 불러들여 노소탕평정국을 꾸며 놓는다.

왕세손책례 시에 당연히 옥인玉印, 옥책玉册 등이 조성되어야 하므로 최천약崔天若(1684~1755)의 솜씨가 빛을 발하게 되는데 이 과정에서 늘 최천약을 보조하던 변이진卞爾珍(?~1764)이 영조의 눈길을 사로잡은 모양이다.

그래서 영조는 7월 20일 숭문당崇文堂에서 훈련대장 김성응金聖應(1699~1764), 병조판서 홍계희洪啓禧, 예조참판 홍봉한 등을 불러 보고 그간 국역의 공로를 참작하여 변이진에게 첨사僉使직을 주려 했더니 병조판서가 3망三望 중 수망首望에 숙종 어진을 그린 장경주張敬周를 넣고 변이진을 말망末望에 넣어 변이진을 낙점할 수 없었다면서 다음에 빈자리가 생기면 반드시 변이진을 발탁하라고 한다.

맘에 든 이유를 영조는 이렇게 말한다.

> '이 사람들(기능인)은 모두 그 기능을 보이려 하는데 이 사람은 홀로 그렇지 않다. 최천약도 또한 이렇지 못하다.' 성응이 아뢰기를 '최천약이 외모는 심히 거칠지만 일에서는 지극히 정세합니다.' 상감이 가로되 '그렇구나.'
>
> 此等人, 皆欲見能, 而此人獨不然矣. 崔天若, 亦不如是矣. 聖應曰, 崔若天 外貌甚麤, 而於事極精細矣. 上曰然矣.
>
> 『承政院日記』 1,071册

10월 5일에 영조는 제5왕녀 화유和柔옹주(1740~1777)를 창성위昌城尉 황인점黃仁點(1740~1802)과 정혼定婚시킨다. 황인점은 수암 권상하의 손녀사위인 참판 황자黃梓(1689~1756)의 셋째 아들이었다.

81세의 옥소는 76세의 겸재에게 그림을 그려 달라는 시편지詩札를 보낸다. 봄철이었던 듯하다. 옮겨 보겠다.

> 겸재노인과 옥소노인 같이 늙어 가니, 각기 슬픔과 기쁨을 말하며 멀리 떨어진 것 섭섭해한다.
>
> 남은 세월 신필 그림 빌리고자 하니, 물소리 들릴 때 진저리 치며 상대해 보세.
>
> 謙翁玉老共衰遲, 各說悲歡悵遠離. 欲借餘閑神手筆, 犂然相對水聲時.
>
> 權燮,『玉所稿』 卷二, 寄鄭元伯

그리고 서화에 능했던 선조부마 해숭위海崇尉 윤신지尹新之(1582~1657)의 현손인 묵헌默軒 윤득신尹得莘(1669~1752, 자字는 이성伊聖)에게도 다음과 같은 시찰을 보낸다.

> 오래 산 사람은 복이 밟고도 남는다 하는데, 근래 신기는 어떠하신지. 산천이 아득하여 꿈길에도 헤맬 테니, 세밑에 시를 읊어 홀로 삶을 슬퍼한다.
>
> 上壽人間福履餘, 爾來神氣問何如. 山川杳杳迷歸夢, 歲暮哦詩悵獨居.
>
> 權燮,『玉所稿』 卷二, 寄尹伊聖

윤득신은 해숭위 이래의 가법家法을 계승하며 화조화를 잘 그리던 사대부화가였다.[삽도139] 옥소와의 관계로 보아 겸재와도 친분이 깊었으리라는 것을 짐작할 수 있다. 그리고 옥소는 윤5월 29일 사천이 타계하자 시우詩友로 평생 동안 외경한 동문의 동갑친구인 사천을 문상하러 81세의 노구를 이끌고 제천에서 서울로 올라왔던 모양이다.

그래서 사천이 남긴 그림들을 배관하고 그 중 가장 욕심나는 겸재의《해악전신첩》을 보고 다음과 같은 제발을 남긴다.

> 일원공의 그림 좋아함을 나는 일찍이 병으로 여겼었다. 이제 광주리 속의 물건을 보니 어찌 그리 너무 많은가. 오직 이《금강첩金剛帖》은 원백의 입신入神한 솜씨이

월하암향月下暗香 삽도139
윤득신尹得莘, 저본담채苧本淡彩, 19.5×29.5cm, 간송미술관 소장.

다. 원래 조화의 신묘함은 한 사람이 이를 사사로이 하지 못하니 미원장米元章(미불米芾, 1051~1107)의 소매 속 돌도 그 가벼이 움킴을 괴이하게 여기지 않는다.

나와 일원은 앞서거니 뒤서거니 이 산에 들어가서 각기 얻은 바가 있었는데 매양 마주 앉아 진저리 치며 웃었다. 이제 이 그림을 펼쳐 보니 지나간 지점마다 눈 안에 있는 일 같으나 곧 이 마음이 쓸쓸해 예전의 정취를 다시 일으키지 못하겠다. 또 한 번 눈물 흘리고 또 쓰는 것으로 만족한다.

一源公之嗜畵, 余嘗病之. 今觀篋中之物, 何其太富耶. 唯此金剛帖, 是元伯入神手段. 元來造化之妙, 非一人所私之, 米元章袖裡之石, 不怪其輕攫. 吾與一源先後入玆山, 各有所得, 每對坐, 犂然而笑. 今披展此畵, 歷歷指點, 如眼中事, 卽此心牢落, 非復昔年興情. 又足一涕又書.

權韠, 『玉所稿』 卷四, 題海嶽帖後, 爲李秉淵作

제목 아래에 「이병연을 위해 짓는다爲李秉淵作」고 분명히 밝히고 있다. 그러나 이해 겸재에게 부탁한 그림은 옥소의 마음에 차지 않았던 모양이다. 「겸재 그림에 제함題謙齋畵」에서 다음과 같이 불만을 표시하고 있기 때문이다.

내가 발자취 소리를 듣지 않고도 그 사람이 있는 것으로 기쁨을 삼는데 초당 안에 누워 자는 본색을 그리지 않았고 박달나무는 또 길어서 크게 본색을 잃었다. 두 시詩가 내왕했으나 또한 만장봉萬丈峰을 우뚝 세우고 쌍갈래져 뾰족한 절벽이 하늘을 뚫고 홀로 솟아나니 크게 도봉산 본색이 아니다.

내가 성성이 옷에 동그랗게 뜬 눈으로 그때 백악산 아래에 있었는데 기이하나 편안했었다. 머리 숙이고 말에 맡겨 가는 행색은 나와 우연히 마주쳤을 뿐이라 크게 본색이 아니다. 내가 빗속 꽃에 둘러싸여 있던 때 7일 만의 매미 하나 소식이 옛사람과 같다 하여 시를 편안히 앉아 있는 방에서 받아들였는데 지극히 재미없으니 또한 크게 시골집 본색을 잃었다. 모두 쓸 수 없어 명화를 버리지 않을 수 없으니 어린 손자의 서툴고 새로운 솜씨를 취해야겠다. 한탄스럽다.

吾以不聞跫音, 其人卽在爲喜, 而不畵草堂臥睡本色, 檀又長, 大失本色. 雙詩來往, 亦突立萬丈峰, 而丫尖之壁, 干霄獨出, 大非道峯本色. 吾以猩袍瞪目, 時在白岳, 爲奇而便. 低首信馬之行, 與我偶然相値而已, 大非本色. 吾以雨中繞花之時, 七日一蟬之報, 爲似古人, 納詩於安坐之室, 極無味, 又大失庄舍本色. 皆不可用, 不得不舍名畵, 而取小孫生新之手. 可歎.

權韠, 『玉所稿』 卷八, 題謙畵

그려 준 그림을 모두 버리고 손자 신응에게 다시 그리게 해야겠다는 극단적인 내용을 써 놓았다. 사천이 목숨을 다투고 있어 심란하기 짝이 없는데 한가롭게 그림 타령이나 하고 있으니 겸재는 마지못해 성의 없이 휘둘러 주었거나 자손들에게 대신해 주도록 했던 모양이다.

그해 11월 14일에는 고故 좌상左相 조문명趙文命의 따님인 효장세자빈孝章世子嬪 현빈賢嬪 조씨趙氏(1715~1751)가 겨우 37세 나이로 훙거한다. 곧 예장도감禮葬都監이 차려지고 장례 절차를 의논하게 되니 영조는 11월 23일 극유재克綏齋에서 약방藥房 입진入診을 받으며 제조 홍상한洪象漢으로부터 지석誌石 조각은 최천약이 잘한다는 추천을 받고 변이진에게 맡기고 싶어 이렇게 대답한다.

> 상감이 말하기를 '갑자년(1744) 석단을 쌓을 때 내가 일찍이 그를 시험했었는데 변이진은 사람됨이 심히 자상했고 최천약은 사람됨이 심히 안존하고 자상하지 않았다.'
>
> 上曰 甲子築壇時, 予曾試之, 卞爾珍 爲人甚詳, 崔天若 爲人甚不安詳矣.
>
> 『承政院日記』 1,076冊

그러나 최천약의 재주는 누구도 따라갈 수 없어 윤여輪輿*를 만들거나 옹가甕家*를 짓는 데 그의 천재적 독창성은 더욱 빛을 발한다. 그래서 12월 23일에는 그 모양새를 별로 맘에 들어 하지 않는 영조조차 이렇게 말한다.

> 만약 최천약으로 하여금 옹가를 짓게 하면 그 제도가 마땅히 배롱焙籠* 같으리라 하는데 이미 이 제도를 한 번 쓰고 후세에 천약이 없으면 만들기 어려우리라.
>
> 若使崔天若爲甕家, 則其制當如焙籠云. 而旣一用此制, 而後世無天若, 則難乎造矣.
>
> 『承政院日記』 1,077冊

* **윤여**輪輿 바퀴 달린 상여
* **옹가**甕家 무덤을 만들 때 햇빛이나 눈비를 막으려고 무덤 위에 임시로 짓는 가건물
* **배롱**焙籠 화로에 씌워 놓고 옷 말리는 대나무 틀

오히려 최천약의 천재적인 기술이 후세에 전해지지 못할까 걱정하고 있는 것이다. 최천약은 옹가의 뼈대를 나무에서 대나무로 바꾸는 신법을 창신創新하여 이를 정식으로 삼았다.

영조 28년(1752) 임신壬申은 겸재가 77세 되는 해다. 1월 22일 효순현빈孝順賢嬪 풍양조씨를 효장孝章세자묘에 합장하는데 그사이 최천약을 도와 예장에 필요한 각종 조각과 건축 등을 보조한 무반 출신 기능인들이 영조의 눈에 들어 대거 발탁

되니 변흥서卞興瑞, 김하정金夏鼎, 서극제徐克悌, 변이진卞爾珍, 방응문方應文 등이 그들이다. 그 중 방응문은 인물이 준수하여 영조가 1월 11일에 홍계희洪啓禧에게 반드시 발탁해 쓰도록 하라고 특별지시할 정도였다.(『승정원일기』 1,078책 참조)

이들 무반 기능인들에 대한 영조의 특별한 관심은 청계천의 준설에 대비한 인재확보가 그 목적이었던 듯하다. 현빈의 예장이 끝난 직후인 1월 27일에 청계천 주변의 방민坊民들에게 준천濬川의 편의를 묻고 1월 29일에는 어영대장 홍봉한을 불러 보고 준천하는 일을 의논하고 있기 때문이다.

그런데 3월 4일에 두 돌도 안 된 왕세손(1750~1752)이 갑자기 돌아간다. 수개월 사이에 며느리와 손자를 연거푸 잃은 영조의 비통은 심각했다. 청계천 준설계획은 뒷전으로 물러나고 그를 위해 발탁해 두었던 방응문, 서극제, 김경윤金慶潤 등 40대 무반기능인들이 69세인 최천약의 지휘 아래 그 조각 솜씨를 최고로 발휘하

의령원懿寧園 석물 삽도140
최천약崔天若,
1752년 임신壬申,
고高 7척5촌.

니 5월 12일에 장례가 끝나는 의소懿昭세손 묘소인 의령원懿寧園 석의石儀 조각은 진경시대를 대표하는 사생조각의 기준이 되었다.삽도140

그림에서 지난해 5월 29일 어름에 이루어진 〈인왕제색〉에 필적할 만한 진경조각이었다. 그래서 최천약은 그 공로로 품계가 정2품 자헌資憲대부에까지 오르고 방응문, 최진강崔鎭岡, 변홍서, 김하정, 김경유金景裕 등은 활과 화살을 상으로 받는다.(『승정원일기』 1,080, 1,081, 1,082책 참조)

그런데 4월 26일 영돈령부사 귀록歸鹿 조현명趙顯命(1691~1752)이 62세로 세상을 떠난다. 그는 조송건곤趙宋乾坤의 한 축으로 20여 년 동안 소론탕평정국을 이끌어 온 최측근 원로 재상이었다. 그는 인왕산 아래 창의리에서 태어나 자라나서 일찍부터 15년 선배인 겸재를 존경하고 진경산수에 심취해 있었기 때문에 겸재의 출세에 적지 않은 영향을 미쳐 왔었는데 이렇게 앞서 가니 겸재에게는 큰 타격이었다.

워낙 예술을 사랑하여 그 방면의 지원을 아끼지 않았으므로 최천약 같은 천재 조각가도 그의 묘소 조성에 직접 나섰던 듯하다. 7월 27일 영조가 송현궁松峴宮, 즉 남부 회현방 송현에 있는 인조 잠저인 저경궁儲慶宮을 수리하고자 했을 때 군신간에 오고 간 다음 대화에서 이를 짐작할 수 있다.

> 상감이 숭문당에 임어하고……우의정 이천보, 호판 조영국, 예판 이익정이 입시했다.……상감이 이르시되 '송현 옛 궁궐을 수리하는 일은 반드시 간략하도록 힘써 지나치지 않도록 하는 것이 좋겠다.' 또 이르시기를 '최천약이 집에 있다고 하던가.' 영국이 대답하기를 '신이 10여 일 전에 들으니 천약이 조돈령집 돌일 하는 곳에 가고자 한다 했습니다.' 상감이 이르기를 '그렇다면 집에 있구나.'
>
> 七月二十七日申時, 上御崇文堂,……右議政李天輔, 戶曹判書趙榮國, 禮曹判書李益炡,……上曰, 松峴舊宮修葺事, 必須務從簡約, 無使過濫, 可也. 又問曰 崔天若在家云耶. 榮國曰 臣十餘日前聞之, 則天若欲往趙敦寧家石役所云矣. 上曰 然則在家矣.
>
> 『承政院日記』 1,084冊

조현명의 묘소는 양주 해등촌면海等村面 방학리放鶴里 도봉산 기슭에 있는 그 부친 백분당白賁堂 조인수趙仁壽(1648~1692) 묘소의 왼쪽 기슭 건방乾方(서북쪽)에 자리 잡았었다.(영조 36년 1760년 경진에 간행된『풍양조씨 경진보』 참조)

한편 경제 부양에 고심하던 영조는 4월 2일에는 인삼판매를 국가 전매사업으로 하기 위해 호조로 하여금 황첩黃帖을 삼상蔘商들에게 지급하게 하기도 하고 7월 1일에는 훈련도감과 어영청에서 44만4천 냥의 동전을 주조해 내기도 한다.

그러나 곧 9월 22일에 왕손이 다시 태어나니 이분이 장차 정조대왕이 되실 분이었다. 이때 사도세자는 18세로 황룡黃龍이 경춘전景春殿 침실로 꿈틀거리며 날아드는 것을 꿈속에서 보고 나서 왕손을 얻게 되자 이를 벽상에 그려 놓고 찬贊을 붙였다 하니 사도세자의 시문과 그림솜씨도 보통이 아니었던 모양이다. 영조 24년(1748) 7월 4일부터 8일 사이에 분위수分衛率로 시위해 있던 겸재로부터 화법을 전수받은 결과였다고 생각된다. 이제 그 사실을 전해 주는「경춘전화룡찬景春殿畵龍贊 및 소서小序」의 내용을 옮겨 보겠다.

임신(1752) 9월 21일의 밤 꿈에서 황룡이 거처하는 바 경춘전 침실로 꿈틀거리며 날아드는 것을 보고 그 다음 날 아들을 얻는 경사가 있었으니 기이하다 할 수 있겠다. 꿈속에서 본 바를 벽 위에 손수 그려 놓으니 비늘이 번쩍거려 건乾괘의 구오九五로다. 이로써 축하하는 말을 짓고 드디어 비룡재천飛龍在天 이견대인利見大人으로 운韻을 삼아 그것을 찬하니 그 찬에서 이렇게 말했다.

해와 달이 바야흐로 빛나니, 바람과 구름은 밝게 난다.
사해四海의 물고기 떼 따르니, 신룡神龍이 있다 하겠다.
무늬가 오채五彩를 이루니, 덕 베풂이 널리 있겠다.
저녁에 삼가고 아침에 부지런하니, 천위天位에 나아가겠다.
때가 곧 기이하고 상서로우니, 백성은 아름답고 이롭겠구나.
좋은 집 나타나고, 보통방도 보인다.
불꽃이 풍패豊沛에서 비롯되니, 제업帝業이 그렇게 컸구나.
오직 억만년을, 내게 온 사람을 도우라.

壬申九月二十有一日之夜. 夢見黃龍蜿蜒飛入於所居景春殿之寢室, 其翌日, 有朱芾弄璋之慶, 可謂奇哉. 手畵夢中所見于壁上, 鱗甲爍然, 乾之九五. 用作祝釐之詞, 遂以飛龍

在天 利見大人爲韻, 以贊之. 其贊曰, 日月鼎輝, 風雲景飛. 四海鱗從, 曰有神龍. 文成五彩, 德施普在. 夕愓朝乾, 以御于天. 時則奇瑞, 民也美利. 甲觀之現, 平室之見. 炎肇風沛 帝業其大. 維億萬春, 佑我來人.

思悼世子, 『凌虛閣漫稿』 卷七, 景春殿畵龍贊 幷小序

이런 문예군주를 만났으니 진경문화의 발전이 극도에 이르지 않을 수 없었을 것이다.

그래서 겸재 그림도 함축과 생략의 추상성을 능숙하게 표출하여 아름다운 마무리를 진행해 가고 있었다. 이런 완숙한 단계의 겸재 진경산수화 8폭 병풍을 사도세자가 이해에 감상하게 되었던 모양이다. 혹시 겸재 그림의 열광적인 애호자인 우의정 이천보의 주선으로 왕자 탄신 축하선물로 전해졌던 것은 아닐지 모르겠다.

이에 사도세자는 「병풍에 제함題屛」이라는 제화시 8수를 남기니, 그림 명칭은 〈예안 도산서원禮安陶山書院〉, 〈선산 월파정善山月波亭〉, 〈밀양 영남루密陽嶺南樓〉, 〈진주 촉석루晋州矗石樓〉, 〈남해 금산南海錦山〉, 〈하동 불일암河東佛日庵〉, 〈합천 해인사 학사대陜川海印寺學士臺〉, 〈언양 반구대彦陽盤龜臺〉이다.

모두 겸재가 즐겨 그리던 영남 명승지 진경이다. 이런 인연 때문이었던지 겸재는 이해 11월 17일에 종이나 자리, 기름종이 등을 관장하는 장흥고長興庫 주부主簿(종6품)로 발탁된다.(『승정원일기』 1,088책 참조)

이해에도 겸재와 인연 있던 인물들이 많이 타계한다. 4월 22일에는 겸재 그림을 따라 그리던 사대부화가 묵헌默軒 윤득신尹得莘(1669~1752)이 84세로 돌아가고, 6월 9일에는 10년 전 임술년(1742)에 연천군수로 있으면서 임진적벽에서 경기감사 홍경보와 적벽선유놀이를 함께하던 명문장 청천靑泉 신유한申維翰(1681~1752)이 72세로 세상을 떠난다.

그 옛날 금강산을 처음 여행하던 때에 고성군수로 있으면서 겸재를 후대했었던 박태원朴泰遠의 자제로 겸재의 인곡정사仁谷精舍 부근 세심대洗心臺로 이사와 살던 박필리朴弼履(1685~1752)가 5월 22일에 68세로 돌아간다. 그의 사위인 벽오헌碧梧軒 이현곤李顯坤(1713~1757)과 그의 장손인 근재近齋 박윤원朴胤源(1734~1799)은 겸재의 역제자易弟子였다.

한편 왕실에서는 왕손이 다시 태어나 영조가 크게 기뻐하고 10월 14일부터 왕세자 및 왕세자빈과 신생 왕손이 차례로 홍역에 감염되었으나 11월 4일에 원손이 평복되는 것으로 모두 무사히 치료되어 안도하는데 뜻밖에 영성위永城尉 신광수申光綏(1731~1775)에게 하가한 제3 화협和協옹주(1733~1752)가 겨우 20세로 서거한다. 며느리, 손자에 이어 딸까지 연거푸 잃은 영조는 몹시 침통해한다.

그래서 12월 5일에는 화협옹주집에 가겠다며 나서서 저녁나절에 빈집인 송현궁으로 들어가 눈비를 무릅쓰고 눌러 있겠다 고집부린다. 다음 해가 60세이자 즉위 30년이 되는 해이라 신하들이 칭경稱慶(경축행사) 준비를 하자 이를 받을 자격이 없으니 이를 철회하라고 생떼를 쓰는 것이었다. 당심黨心에서 벗어나지 못하는 신하들의 기를 죽여 왕권을 절대화해 가려는 고단수의 정치술수였다.

12월 8일에는 왕세자에게 선위禪位하겠다는 뜻을 밝히고 12월 15일에는 잠저인 창의궁彰義宮으로 옮겨 가 선위를 기정사실화하려 한다. 이에 공경대신으로부터 사서士庶 군민軍民에 이르는 전 백성들이 회궁하기를 상소해 간청하니 영조는 못 이기는 척 돌아간다.

이해에 67세의 관아재 조영석은 황해감사와의 불화로 배천군수 자리를 파직당해 돌아오고, 화원 변상벽은 병계屛溪 윤봉구尹鳳九(1683~1767)의 70세 진영[삽도141]을 그린다. 그 정황을 병계는 「진영을 그린 변군卞君 상벽尙璧에게 기증함贈寫眞卞君尙璧」에서 이렇게 기술하고 있다.

> 근래에 듣자니 초상화를 그리는 사람들이 모두 변卞군 상벽尙璧(1730~?)으로 미뤄서 금세의 고호두顧虎頭(346~407, 개지愷之의 소명小名)로 삼는다고 하는데 나는 귀에 익숙할 뿐 아직 보지는 못했다. 하루는 안릉安陵◆ 선비 최두규崔斗逵 운로雲路와 강취현康就顯 자안子安이 폐백幣帛에 쓸 재물을 모아 가지고 한양 서울에 들러 군을 데리고 와서 이렇게 말했다.
>
> '선생은 이제 늙었습니다. 형상과 정신이 쇠퇴하여 세월마다 다릅니다. 이때를 좇아서 깁에 올려 머물러 두고자 합니다.' 내가 필요치 않다 했으나 또한 이를 말릴 수 없었다. 군이 드디어 붓을 잡고 형상을 가늠하는데 몇 본本을 바꿔 가며 조금씩 덜고 보태니 세고 늙고 메마른 모습과 엉성하고 뻣뻣한 자태가 완연히 한 산골

◆안릉安陵 재령載寧의 별호

윤봉구尹鳳九 **초상**肖像 삽도141
변상벽卞相璧, 1752년 임신壬申,
견본담채絹本淡彩, 80.0×106.0cm,
제천 황강영당黃江影堂 소장.

늙은이다. 가져다 벽에 거니 마을 할미와 촌아이들이 다투어 와서 웃으며 이르기를 '진짜로 큰 어르신이다' 라고 한다.

그 붓끝이 휘날리는 것을 보니 신의 도움이 있는 듯한데 비단 코와 눈과 터럭 하나하나 서로 같을 뿐만 아니라 정신과 운치까지 은은히 드러나니, 군은 동파東坡(소식蘇軾)옹이 이른바 '그 의사意思가 있는 곳을 얻은 사람' 인가. 가야산伽倻山 한 구역은 예로부터 지금에 이르기까지 몇 천백 년 파묻혀 있다가 내가 와서 깃들면서부터 시내 골짜기와 구름을 다스림에 주인이 있어 간혹 고담鈷潭의 숨고 나타남으로 이를 축하하기도 했다.

내가 금년 70이다. 사람의 수명은 한정이 있으니 앞으로 몇 년이나 이 동부洞府를 관할하기에 이를지 알 수 없으나 이제부터 한 폭 초상화를 구암久庵에 두고 있으면 비록 백년의 뒤라도 구곡九曲의 바위와 시내는 주인 없음을 걱정하지 않으리라. 시냇물 속 물고기나 바위에 깃든 새들도 영원히 기대리니 참으로 이 언덕의 축하를 만들었다.

이는 참으로 한 가지 기이한 일이다. 예전에 곽공진郭拱辰이 주부자朱夫子(주희朱熹)의 진영을 그렸었는데 그 돌아감에 선생은 서문序文을 지어 그를 전송함으로써 정중한 뜻을 표시했었다. 나도 감히 선생의 고사故事에 의지해서 군의 돌아감에 다만 이를 써서 기증하노라. 임신년(1752)

近聞傳神寫照者, 皆以卞君相璧, 推與爲今世之顧虎頭, 余耳熟而未之見也. 一日安陵士人 崔斗逵雲路, 與康就顯子安, 鳩財幣, 歷漢師, 携君而至曰, 門下今老矣. 形神衰謝, 歲月而異矣. 欲趁此時. 登綃而留之. 余謂其不必爲, 而亦不能止之也. 君遂執筆寫像, 易數本, 而稍損益之, 則皓白枯落, 寒癯之姿, 踈傲之態, 宛一山裏老傖. 持以揭壁, 里媼村童, 爭來笑謂眞箇是大哥哥. 觀其毫端颯颯, 若有神助, 不但鼻眼毛髮, 一一相似, 精神韻致, 隱約有見, 君是坡翁所謂得其意思所在者歟.

伽倻一區, 今古湮沒, 幾千百年, 而自余來棲, 磵谷雲烟, 領轄有主人, 或以鈷潭之隱顯賀之. 余今年七十. 人壽有限, 未知前到幾歲管此洞府, 而從今一幅肖像, 置在久菴, 雖百年之後, 九曲巖泉, 不患無主. 澗魚巖鳥, 永有依倚, 而眞作玆邱之賀也. 此尤一奇事已. 昔郭拱辰寫朱夫子眞, 其歸, 先生作序送之, 以示鄭重之意. 余敢依先生故事, 於君之歸, 聊書此以贈之.

尹鳳九, 『屛溪集』 卷四十三, 贈寫眞卞君尙璧 壬申

겸재는 이해 2월에 평양박물관 소장의 〈기려탐춘騎驢探春〉을 그리는데 자필로 이런 제화시를 써 놓았다. 「군자의 앞선 소식은 시권 속에 있고, 살구꽃 소식은 빗소리 속에 있다. 임신 중춘 겸재. 君子先信詩卷裏, 杏花消息雨聲中. 壬申仲春謙齋.」

또 〈호남장거湖南莊居〉라는 그림을 누구에게 그려 주었다는 사실을 성균관 대

사성 뇌연雷淵 남유용南有容(1698~1773)이 제사로 남겨 놓았다. 『뇌연집』 권8 「정겸재 원백이 남을 위해 그 호남장거를 그리고 나에게 청해서 이를 제하라 하여 나는 소하도격으로 이에 응한다鄭謙齋元伯, 爲人畫其湖南莊居, 請余題之, 余爲小河圖格, 以應之」가 그것이다.

그 내용을 다음에 옮긴다.

> 산은 어찌 그윽하고 물은 어찌 담담한가. 그윽한 것 마을인데 담담하구나.
>
> 안개 처음 거두어 물가 맑으나, 새는 날지 않는다.
>
> 버드나무 그늘져 사립문 덮는데, 주인은 무슨 일로 문 닫고 봄잠 자는가.
>
> 문득 앞산 봉우리에서 약을 캐고, 뒷시내에서 물고기 본다.
>
> 혹은 이르기를 이는 처사處士가 간 뒤 동도東都의 집이라고도 한다.
>
> 山何幽, 水何澹. 幽幽者村澹澹. 煙初斂洲渚淸, 鳥不飛. 楊柳陰陰覆柴扉, 主人何事, 閉戶春睡. 抑前峯采藥, 後溪觀魚. 或云是處士去後東都廬.
>
> 南有容, 『雷淵集』 卷八, 鄭謙齋元伯, 爲人畫其湖南莊居, 請余題之, 余爲小河圖格, 以應之. 壬申

41

사도시司導寺 첨정僉正

다음 영조 29년(1753) 계유癸酉는 겸재가 78세 되고 영조는 60세가 되는 해였다. 이 해에 영조는 자신의 환갑에 대비해서 왕실의 미황지사未遑之事를 차근차근 처리해 가니 2월 27일에는 제5왕녀 화유和柔옹주(1740~1777)를 창성위昌城尉 황인점黃仁點(1740~1802)에게 하가下嫁시키고 3월 9일에는 왕세손의 외조부인 홍봉한을 예조판서로 승차시킨 다음 5월 24일에는 어영대장을 겸직시키고 6월 6일 노론의 세도를 담당하고 있는 퇴거退去재상 지수재 유척기(57세)를 내의국內醫局 도제조都提調로 삼아 6월 17일에 왕세손과 상견相見시킨다. 왕세손의 뒷날을 부탁하기 위해서였을 것이다.

그리고 6월 25일에는 상시봉원도감上謚封園都監을 설치하여 사친私親인 숙빈 최씨에게 화경和敬이라는 시호謚號를 올리고 묘소를 소령원昭寧園으로 진봉進封하며 육상묘毓祥廟에 궁호宮號를 올려 육상궁毓祥宮이라 하기로 결정한다.

당연히 소령원 조성작업은 최천약의 몫이었다. 이제 70세 노인이 되었음에도 영조의 신임에 노익장을 과시한다. 영조는 소령원에 무인석武人石과 양마석羊馬石을 해 세워 왕후릉같이 꾸미고 싶은 마음이 있었던 모양이다. 그래서 7월 7일 숭문당에서 호조판서 이창의李昌誼와 예조참판 이익정李益炡(1699~1782), 도승지 조명정趙明鼎 등을 불러 놓고 석의상설石儀象設을 의논하는 자리에서 이런 문답을 나눈다.

> 상감이 이르기를 '무석武石은 지금 이를 하는 이가 없다는데, 풍원군豊原君(조현명) 묘만 홀로 이를 했다 한다. 풍원은 끝내 대장으로 자처했었으니, 아마 그 아들 재득載得이 이에 그 아비의 풍도가 있어서 무석으로 했는가. 최천약이란 자가 그

남긴 뜻을 알고 그것을 했는가.'

익정이 말하기를 '대개 지금은 무석을 하는 자가 없습니다.' 상감이 이르기를 '중국은 비록 신하라도 또한 양마석을 한다고 한다.' 명정이 말하기를 '비단 중원뿐만 아니라 본국도 또한 많이 합니다.' 상감이 이르되 '그런가. 지금 처음 듣는다.' 익정이 말하기를 '양마석을 겸용하지 않고 양마간 1쌍만 씁니다.'

上曰 文武石今無爲之者, 而豐原君墓, 獨爲之云. 豐原終始以將自處矣, 抑其子載得, 有乃父風而爲武石乎. 崔天若者, 知其遺意而爲之耶. 益炡曰 蓋今則無爲武石者矣. 上曰 中原則雖臣下, 亦爲羊馬石云矣. 明鼎曰 非但中原, 本國亦多爲之矣. 上曰 然乎 今始初聞矣. 益炡曰 非兼用羊馬石, 羊馬間以一雙用之矣.

『承政院日記』 1,096冊

무인석도 해 세우고 양마석도 해 세우고 싶은 영조의 소망을 예조판서 이익정이 무참하게 차단하는 대화이다. 이익정은 인성군仁城君 공珙(1588~1628)의 현손으로 영조에게는 9촌 아저씨뻘의 종실이었다. 이에 법도를 크게 어길 수 없다고 판단한 영조는 호석虎石의 추가 조각만을 최천약에게 특명한다. 최천약이 성심을 다해 호석을 조각했던 듯 호석을 조각할 때 이미 영조로부터 활과 화살의 상을 받고 9월 25일에는 예조판서 홍봉한이 최천약이 호석[삽도142]을 잘 만들던 일을 영조에게 칭찬한다.(『승정원일기』 1,098, 1,100책 참조)

8월 6일에는 국왕이 육상궁에 나아가 친제를 올리며 상시상인上諡上印의 의식을 거행한다. 이 의식을 끝내고 영조는 재실에 나와 이렇게 말했다 한다.

내가 이제는 곧 한이 없다. 영빈이 어느 해 입궁하셨더냐 사친과는 무간하셨었더니라. 승지에게 명하여 글로 전교하시기를, 이미 우리 사친을 생각했으니 마땅히 옛날을 생각해야겠구나. 민백상閔百祥(1711~1761)◆을 막힘없이 조용調用하고 영빈의 가까운 친척으로 관직이 없는 사람은 곧바로 조용하도록 하라.

또 하교하시기를 명년(갑술년을 가리킴) 성모聖母(인현왕후仁顯王后) 복위하시던 날에 좇아서 복작된 분이 어느 빈이시더냐. 아잇적에 일정한 어머니가 없었음을 일찍이 이미 하교했었다. 아아 만약 우리 사친을 생각한다면 마땅히 영빈을 생

◆ **민백상**閔百祥
인현왕후仁顯王后 민씨閔氏의 오라버니 민진원閔鎭遠의 손자

소령원昭寧園 **호석**虎石 삽도142
최천약崔天若,
1753년 계유癸酉, 장長 5척.

◆**수진궁**壽進宮
후사가 없는 후궁들의 위패를 모신 곳

각해야 하는데! 오늘 예를 펼쳐 냄에 영빈으로 하여금 외롭게 수진궁壽進宮◆으로 돌아가시게 하면 곧 이는 사친을 잊는 것이다. 특별히 화유옹주和柔翁主로 하여금 영빈의 뒤를 잇게 하려 하니 예조로 하여금 알게 하도록 하라.

戊子質明, 上行親祭于毓祥宮, 上諡册如儀, 又上印如儀, 亞終獻如儀, 飮福禮訖, 還御齋室, 上曰 予今則無恨矣. 寧嬪何年入宮. 於私親無間矣. 命承旨書傳敎曰, 旣思吾親, 當思昔年. 閔百祥無礙調用, 寧嬪近族無職者, 卽爲調用. 又敎曰明年聖母復位之日, 隨以復爵誰嬪乎. 兒毋常母, 曾已下敎. 噫, 若思吾親, 宜思寧嬪, 今日伸禮, 使寧嬪孑孑歸於壽進宮, 則是忘私親也. 特將和柔, 以繼寧嬪之後, 令儀曹知悉.

『英祖實錄』 卷八十, 英祖二十九年 癸酉 八月 戊子條

자신이 영빈의 양자가 되어 영빈의 보호와 양육을 받고 자라났으며 뒷날 그 친정의 후원으로 보위에 오르게 된 사실을 완곡하게 피력한 내용이다. 그래서 법도상 육상궁에 신위를 함께 모시지 못하는 것을 매우 미안하게 생각해 이런 이수異數의 전교를 내렸던 것이다. 이해에 출가한 화유옹주로 하여금 그 신위神位를 받들게 한 것은 어린 시절 양자가 되어 제사를 모셔 드리겠다고 약속한 사실을 지키기 위해서였던 듯한데 아마 세자 이외의 다른 왕자가 있었다면 그 왕자로 하여금 이 일을 맡게 했었을 것이다.

어떻든 영빈에 대한 이러한 사은謝恩의 배려는 곧 그 친정댁인 김창집 일가에 대한 배려로 연결되었으니 영빈 근족으로 관직이 없는 자를 즉일 조용하라는 왕명이 바로 그런 것이었다. 국왕의 이런 명령은 어떤 반대에도 부딪히지 않고 일사천리로 진행되어 갔다. 그만큼 정국이 변화한 것이다. 김성궁인金姓宮人의 행약行藥사실을 가지고 끈질기게 영조를 괴롭히던 준소峻少의 그 높은 목소리도 30년 세월 속에 묻혀 더 이상 새어 나오지 않게 된 것이다.

그 인고의 세월을 영조는 참아 나왔던 것이다. 자신을 시해하려 하던 그 정적들을 영의정·좌의정 등 삼정승 육판서로 기용하여 측근에 두고 함께 국정을 도모하며 바보인 척 모르는 척 지내기를 30년, 이제는 그들이 거의 저세상으로 가기도 했지만 완준緩峻을 불문하고 영조 조정에서 신복하여 30년 동안 녹을 먹고 높은 지위를 계속 누려 왔으니 영조 왕권에 대한 정통성 여부를 따질 계제는 못 되었다.

오히려 그것은 자기 부정의 결과만 가져올 뿐이니 함구할 수밖에 없는 상황이 된 것이다. 여기에다 그동안 완소緩少를 중심으로 한 소론 탕평당과 완노緩老 중심의 노론 탕평당을 차례로 키워 내 근위세력으로 든든하게 기반을 다져 왔기 때문에 양당의 준론峻論은 더 이상 조정공론으로 통용되기 어렵게 된 것도 큰 원인이었다.

노당老黨 준론峻論의 영수인 지수재 유척기가 조정에 나오지 않고 강교에 물러나 앉아 세도를 좌우하고 있었던 것도 그런 때문이었다. 그러나 비록 탕평당론이 영조 조정의 국시가 되어 있기는 하지만 영조의 원천적 세력기반은 백악사단白岳詞壇을 중심으로 하는 순수 노론세력이었기 때문에 지수재가 강교에 물러나 앉아 있어도 세도는 그의 수중을 떠나지 않았던 것이다.

이런 상황에서 영조가 이제야 생모인 숙빈 최씨의 사당에 궁호宮號를 올리고 시호를 올리며 묘소墓所에 원호園號를 올리면서 영빈의 양육은養育恩을 갚고자 한다 했으니 감히 누가 나서서 반대할 수 있었겠는가.

더구나 혹시 무슨 사단이 있을까 보아 예조판서에 세자의 장인인 익익재翼翼齋 홍봉한洪鳳漢(1713~1778), 이조판서에 효장세자의 큰처남인 손재損齋 조재호趙載

浩(1702~1762)를 앉혀 놓고 이 일을 단행했던 것이다. 홍봉한은 몽와 김창집의 손자 김달행金達行(1706~1738)과 동서간이었고 조재호는 노가재 김창업의 외손자였으니 영빈 친정인 김창집 일가에 대한 영조의 후사厚謝를 반대할 까닭이 없었다.

이에 겸재 스승 집안인 김창집 일가는 이제 역가逆家의 오명을 완전히 씻어 내고 정충대절精忠大節로 빛나는 충의가문忠義家門이 되어 옛날의 영광을 되찾게 된다. 영조는 이어 숙빈 최씨의 친정조카인 최진형崔鎭衡을 훈련원정訓鍊院正에 제수했다가 충주영장으로 승진시키고(10월 27일) 숙빈의 형부로 경신년에 옥사한 부사 서진徐瑱도 복관시킨다(11월 4일). 그리고 12월 26일에는 숙종, 인경왕후, 인현왕후 및 인원대비에게 존호尊號를 가상加上하여 장차 다음 해에 돌아오는 자신의 환갑에 미진함이 없도록 대비한다.

당연히 옥인玉印·옥책玉册 등을 조성하는 것은 최천약의 몫이었다. 그래서 12월 2일 병조판서 신만申晩(1703~1765)은 이렇게 최천약의 공로를 임금께 귀띔한다.

> 만이 아뢰기를 계사년(1713, 숙종 39년 재위 40년 칭경가상존호시) 도감 때 옥보도 최천약이 감동해 조성했는데 40년 후에 또 이를 하니 참으로 귀합니다. 상감이 이르되 그런가. 심히 귀하구나.
>
> 兵判晩曰, 癸巳年都監時玉寶, 崔天若監董造成, 而四十年後, 又爲之誠貴矣. 上曰, 然乎. 甚貴矣.
>
> 『承政院日記』 1,101冊

마침내 영조는 12월 27일 최천약의 40년 공로를 치하하고 변장邊將 벼슬을 마치고 와도 평생 녹을 지급하도록 명한다. 그 내용을 옮기면 다음과 같다.

> 12월 27일 정미 사시에 상감이 명정전에 납시고,……간역인 최천약은 예전 계사년(1713)에 처음으로 이 역을 살폈었는데 지금 계유년(1753)에도 또 이 역을 살폈구나. 사람이 비록 한미하다 하더라도 그 마땅히 후하게 상 주어야 하니 해당하는 관청으로 하여금 변장직이 갈려 돌아온 뒤에도 영원히 그 요미를 지급하게 하라.
>
> 十二月二十七日丁未巳時, 上御明政殿……看役人崔天若, 昔癸巳年, 始看此役, 于今癸

年, 又看此役. 人雖微矣, 其宜厚賞, 令該曹邊將遞來後, 永付其料.

『承政院日記』 1,101冊

이해에 조사된 서울의 인구는 17만 4,203명, 8도 인구는 711만 4,533명이었다.

이런 와중에 78세 노인인 겸재는 9월 16일 헌릉령獻陵令(종5품)에 제수되는 영광을 얻는다. 영조·사도세자·이천보로 이어지는 겸재 그림 애호자들의 특별배려 덕분이었을 것이다.

79세의 묵죽 대가인 수운峀雲 유덕장柳德章(1675~1756)은 여름에 대폭 〈설죽도雪竹圖〉[삽도143]를 그리고 이런 관서를 남긴다. '해는 계유 여름에 수운 팔십 노인이 그리다歲癸酉夏, 峀雲八耆翁作'. 이는 현재 간송미술관에 수장돼 있다.

83세 노인인 옥소 권섭은 섣달 그믐밤에 또 「겸재에게 보냄寄謙齋」이라는 시찰을 보내 다시 그림을 요구한다. 옮겨 보겠다.

내가 노쇠하니 나는 또 자네 노쇠한 줄 알겠네. 팔구십 세는 모두 늙은 때.
한가한 여가에 반드시 노련한 그림 있을 테니, 한 폭이 능히 와서 내 눈썹 펼 수 있겠나.

吾衰吾亦知君衰, 八九十年皆老時. 閑餘必有胡然筆, 一幅能來伸我眉.

『玉所稿』 卷三, 寄謙齋

드디어 영조 30년(1754) 갑술甲戌, 국왕이 회갑을 맞는 해가 돌아왔다. 영조가 탄생하던 갑술년은 갑술환국이 일어나던 그 감격적인 해였다. 겸재 19세 때였으니 이제 79세가 되는 셈이다. 인원왕후가 복위되고 영빈이 복작되며 장희빈이 왕비에서 희빈으로 강등되고, 영조가 태어나고, 외조부가 돌아가고 하던 그해 일들을 겸재가 어찌 잊을 리가 있겠는가.

다시 그 주갑을 맞은 겸재의 감회는 무량하기만 했을 것이다. 영조인들 겸재의 그 무량한 감회를 어찌 짐작하지 못하겠는가. 잠저 시에 그 시절 이야기를 화제로 삼았을 것이고 영빈이나 스승 삼연 형제들과의 관계를 거론할 때마다 그 감격을 이야기했을 터이니 이제 노질老耋의 나이에 접어든 겸재에게 특별한 은전恩典을

설죽도雪竹圖 삽도143

유덕장柳德章, 1753년 계유癸酉, 지본채색紙本彩色, 92.0×139.7cm, 간송미술관 소장.

베풀어 주고 싶었을 것이다.

이에 2월 25일 인사발령 시에 겸재를 종친부宗親府 전부典簿(정5품)로 발령했다가 그날 다시 사옹원司饔院 첨정僉正(종4품)으로 승진 발령한다.(『승정원일기』 1,103冊 참조) 그러자 이날 오시午時에 양심합養心閤에 임어한 영조는 우부승지 한광조韓光肇(1715~1768)와 가주서假注書 심욱지沈勗之(1723~1776) 등이 입시한 자리에서 대소정사를 확인하는 과정에서 겸재의 안부를 묻는다. 그 대목을 옮기면 다음과 같다.

> 상감이 이르기를 '정선鄭敾이 아직 있는가 없는가.' 광조가 대답하기를 '나이가 80세 가까이 됩니다.' 상감이 이르기를 '근래에도 아직 그릴 수 있는가.' 광조가 대답하기를 '그렇습니다.' 상감이 이르시기를 '윤덕희尹德熙도 또한 생존하고 있는가 아닌가. 주서는 묻고 오라.' 신 욱지가 묻고 와서 나아가 엎드려 아뢰기를 '연전에 해남으로 철거해 갔다는데 존몰存沒은 알 수 없다 합니다.'
>
> 上曰 鄭敾尙在否. 光肇對曰, 年近八十矣. 上曰 近來尙能畫乎. 光肇對曰 然矣. 上曰 尹德熙亦生存否, 注書問來. 臣勗之問來進伏曰, 年前撤往海南, 存沒未知云矣.
>
> 『承政院日記』 1,103冊

그런데 5일 뒤인 2월 29일에 영조는 양심합養心閤에 나가 약방입진藥房入診을 받는 자리에서 다시 겸재의 첨정제수 사실을 확인하고 그 근황을 묻는다. 그 내용을 옮기면 다음과 같다.

> 갑술 2월 29일 오시에 상감이 양심합에 임어하시니 내국(내의원)제조가 와서 기다리고 이조참판이 함께 입시한 때였다. 도제조 김상로金尙魯(1702~1766), 제조 홍봉한洪鳳漢(1713~1778), 좌승지 홍낙성洪樂性(1718~1798), 가주서 원인손元仁孫(1721~1774), 기주관記注官 이세현李世鉉(1713~?), 기사관記事官 이수훈李壽勛(1720~1781), 이조참판 조명리趙明履(1697~1755), 의관 김이형金履亨, 허주許錭, 허수許燧, 이도길李道吉, 오도형吳道炯이 나아가 엎드리기를 마쳤다. (이상 원문 생략)

◆김재로金在魯
김상로의 사촌형

상로가 아뢰기를 '영상 김재로金在魯(1682~1759)◆는 신이 대궐 안으로 들어감을 듣고 매우 입시하고 싶으나 계속 병이 나서 할 수 없음을 알리고 오늘도 꼭 입시하여 망위례望位禮 정지를 청하려 했는데 오늘밤 병세가 더욱 더쳐서 들어올 수 없으니 매우 민망스럽다 합니다.' 상감이 이르기를 '정력은 쇠퇴하지 않았는가.' 상로가 아뢰기를 '소년이라도 미치지 못합니다.' 봉한이 아뢰기를, '집 안에서 돌아다니는 데는 지팡이도 짚지 않습니다.'

상감이 이르되 '정선鄭敾은 첨정僉正을 제수했는데 나이가 70이 지났어도 아직 그림을 그릴 수 있다 하니 있기 어려운 일이다. 안경을 쓰는가.' 봉한이 아뢰기를 '안경을 쓰면 비록 밤중이라도 그릴 수 있다고 합니다.'

尙魯曰 領相聞臣入闕中, 相報以爲極欲入侍, 而連有病不能, 今日必欲入侍, 請停望位禮, 而今夜病勢越添, 不得入來, 焦悶云矣. 上曰 精力則不衰乎. 尙魯曰 雖少年, 不及矣. 鳳漢曰 家中行步, 不扶杖矣. 上曰 鄭敾除僉正, 年過七十, 而尙能圖畫云, 難矣. 着眼鏡乎. 鳳漢曰 着眼鏡, 雖夜中, 能畫云矣.

『承政院日記』 1,103冊

영조는 73세의 영의정 김재로의 건강 얘기를 빌미로 79세의 소싯적 그림스승 겸재의 사도시 첨정 제수 사실을 재확인하며 그 나이에 그림을 그릴 수 있다는 사실이 얼마나 있기 어려운 일이냐고 감탄하여 기력이 첨정 벼슬을 감당하기에 충분하다는 뜻을 우회적으로 표현한다.

그런데 4월 5일 신임 사간원 정언正言(정6품) 정술조鄭述祚(1711~1788)가 사도시 첨정 정선鄭敾의 발령이 부당하니 파직하라는 내용의 상소를 올린다. 물론 겸재만을 겨냥한 상소는 아니었다. 기강을 바로 잡아야 한다고 각종 법률시행의 미흡처나 인사의 불공정성을 열거하면서 맨 말미에 겸재의 첨정 제수도 과람하니 물러나게 해야 한다는 것이었다. 해당 부분만 옮겨 보겠다.

첨정은 한 관청의 장관이니 그 사람사람마다 외람되게 차지할 수 없음이 분명합니다. 사도시 첨정 정선은 천한 기술로 이름을 얻고 잡과의 길로 벼슬에 나와 종전의 이력도 이미 많이 과람한데 이제 새로 제수하심은 더욱 앉지 못할 자리입니다. 동료가 더불어 열 짓기를 부끄러워하며 물의는 오래 갈수록 더욱 해괴해하니 청컨대 사도시 첨정 정선을 걸러내 버리십시오.

僉正, 一司之長官, 其不可人人而濫叨也, 明矣. 司導寺僉正鄭敾, 賤技得名, 雜路拔身, 從前履歷, 已多過濫, 今此新除, 尤是匪據. 同僚羞與爲列, 物議久益爲駭, 請司導寺僉正鄭敾汰去.

『承政院日記』 1,105冊

서정대리를 맡고 있던 사도세자는 이 상소를 보고 즉각 다른 두 건의 인사 관련 문제와 함께 겸재 관련 사항은 잘못이라는 비답을 내린다. 그러나 4월 6일 정술조는 왕세자의 비답에 대한 불만을 항소하는 중에 다시 악의적인 표현으로 겸재를 공격한다. 옮기면 다음과 같다.

정선의 잡기로 일컬어짐과 앉지 못할 자리를 차지함은 인심이 해괴해하고 공론이 같은 바인데 잘못이라는 비답을 내리시니 이 어찌 성세에 마음 합쳐 받아들일 수 있는 뜻이라 하겠습니까. 신은 본래 거칠고 아둔하여 세상과 어울리지 못하니 일을 만나 의론을 펼침에 비록 숨김없는 정성을 내놓는다 해도 케케묵어 쓸모없다 했으며 바야흐로 두렵고 부끄러운 정성이 간절했건만 채택해 받아들이는 은혜를 무릅쓰지 못하고 도리어 미안하다는 비답만 받았습니다.

이는 신의 정성이 얕고 말이 가벼워 믿음을 보일 수 없었던 소치 아님이 없습니다. 그 무슨 안면으로 일각인들 대각 자리에 그대로 머물러 있겠습니까. 지난 인연은 저물어 가고 이제 비로소 피할 길이 오고 있으니 잃은 바만 더욱 클 뿐입니다. 청컨대 신의 직책을 물리쳐 갈아 주십시오.

鄭敾之雜技見稱, 忝叨匪據, 物情爲駭, 公議攸同, 而又下過矣之批, 此豈聖世翕受之意哉. 臣本疏迂, 與世寡合, 遇事陳論, 雖出無隱之誠, 腐陳冗常, 方切悚恧之忱, 而未蒙採納之恩, 反承未安之批. 此莫非臣誠淺言輕, 不能見孚之致. 其何顔面, 一刻仍冒於臺次乎. 昨緣日暮, 今始來避, 所失尤大. 請命遞斥臣職. 答曰, 勿辭.

『承政院日記』 1,105冊

이렇게 정술조가 인사의 불공정을 내세워 사직을 청하며 직무를 거부하자 인사 관련 책임부서 수장인 이조판서 신만申晩(1703~1765)도 책임지고 물러날 뜻을 밝히지 않을 수 없었다. 그런데 신만은 영조의 셋째 부마인 영성위永城尉 신광수申光綏(1731~1775)의 부친으로 영조의 최측근 중 한사람이었다. 이 사실은 당연히 영조에게 보고되고 영조는 패초牌招로 불러 직무를 살피라 하는데 4월 8일 그 사건의 전말을 보고 받는 과정에서 겸재 문제가 다시 거론되고 영조는 사도세자의 비답에 자못 만족한 태도를 보인다. 관련 부분만 뽑아 옮겨 보겠다.

> 갑술년 4월 초8일 진시에 상감이 장차 태묘에 배알하려고 익선관 곤룡포를 갖추고 대여를 타고 빈양문을 나서 명정전 전돌 위에 임어하니 행도승지 남태온南泰溫(1691~1755), 좌부승지 김상복金相福(1714~1782)……동부승지 성천주成天柱(1712~1779)……가 차례로 나와 엎드렸다.……옥교를 탈 때 태온을 불러 전교를 쓰라고 명해 이르기를 '이조판서 신만은 지난번 신칙한 다음 그 비록 도성으로 들어오기는 했지만 그 후 정사는 그대로 막히고 있다.' ……
>
> 상감이 이르기를 '이판이 체직하고자 하는 뜻이 있음으로 인해서인가.' 천주가 아뢰기를 '새로 아뢴 일에 인혐引嫌할 것이 있어서 그런 까닭에 반드시 한 번 글을 올리고저 한다 합니다.' 상감이 이르기를 '무슨 일이냐.' 천주가 아뢰기를 '사도시 첨정 정선이 또한 앉지 못할 자리를 차지한 것으로서 탄핵을 당했습니다.' 상감이 이르기를 '정선은 말망末望으로 권점圈點을 받았는데 어찌 이판의 잘못이란 말인가. 대신臺臣이 누구인가.'
>
> 천주가 아뢰되 '정언 정술조입니다.' 상복이 아뢰기를 '이판의 인혐이 어찌 정선의 일로써이겠습니까. 반드시 새로 아뢴 일 중 황경원黃景源(1709~1789)[삽도144] 일로써 그렇습니다.' 상감이 이르되 '이른바 황경원 일이란 것이 무슨 일이냐.' 상복이 아뢰기를 '황경원이 이방승지로 정사에 참여했는데 그 외삼촌 권선權選(1686~1758)이 부의副擬(제2망望)로 참봉이 되었습니다. 그래서 대신臺臣이 파직을 청하기에 이르렀습니다.'
>
> 상감이 이르기를 '그렇다면 대신의 아뢺이 틀리지 않다. 원량元良(왕세자)이 모두 그를 따랐는가.' 상복이 아뢰기를 '황경원 일은 곧 아뢴 대로 시행하라 하고 정

황경원黃景源 **초상**肖像 삽도144
19세기, 견본채색絹本彩色,
39.5×51.2cm,
일본 덴리대天理大 도서관 소장.

선 일은 곧 잘못이라는 교지가 있었다 합니다.' 상감이 웃으며 이르기를 '원량이 어떻게 그 잘못을 알았을까. 바깥사람들은 반드시 내가 안으로부터 이를 가르쳤다고 생각하리라.

甲戌四月初八日辰時, 上將謁太廟. 具翼善冠 衮龍袍, 乘輿出賓陽門, 御明政殿磚上, 行都承旨南泰溫, 左承旨金相福……同副承旨成天柱,……以次進伏……乘玉轎時, 召泰溫, 命書傳教曰, 吏曹判書申晩, 頃者, 申飭之下, 其雖入城, 其後政事, 一向撕捱.…… 上曰, 吏判因有欲遞之意矣. 天柱曰, 新達有可引嫌者, 故必欲一番陳書云矣. 上曰, 何事也. 天柱曰, 司導僉正鄭敾, 亦以忝叨匪據, 見彈矣. 上曰, 鄭敾, 以末望受點, 豈吏判之過乎.

臺臣誰也. 天柱曰, 正言鄭述祚也. 相福曰, 吏判之引嫌, 豈以鄭敾事乎. 必以新達中黃景源事而然矣. 上曰, 所謂黃景源事何事也. 相福曰, 黃景源, 以吏房承旨參政, 而其外三寸權選, 以副擬爲參奉, 故臺臣至請罷職矣. 上曰, 然則臺達不非矣. 元良皆從之乎. 相福曰, 黃景源事則依施, 而鄭敾事則有過矣之敎矣. 上笑曰, 元良何以知其過也. 外人則必以爲 予自內而敎之矣.

『承政院日記』 1,105冊

이와 같이 영조가 왕세자의 비답을 흡족하게 생각한다는 뜻을 피력하며 정술조의 주장을 하나하나 대답해 주었음에도 정술조는 4월 9일부터 14일까지 계속 출근을 하지 않고 거의 매일 사직을 내세우며 자신의 주장만 되풀이한다. 만 5일 동안 지켜본 영조는 결단을 내릴 때가 왔다고 생각하여 4월 14일 2경二更(10~12시)에 양심합에 나가 세자를 들라 해서 정언 정술조의 죄상을 밝히고 파직하여 다시 쓰지 않는다는 명령을 내린다. 그 내용 중 겸재와 관련된 부분과 파직시키는 대목만을 『승정원일기』에서 옮겨 보겠다.

갑술년 4월 14일 2경에 상감이 양심합養心閤에 나오시고 승지가 입시할 때 우승지 한광회韓光會(1714~1792), 가주서 정광한鄭光漢(1720~1780), 기주관 송덕기宋德基(1710~1771), 이세현李世鉉(1713~?)이 차례로 나가 엎드렸다. 상감이 이르되 '상번겸사上番兼史는 나가서 동궁상번을 불러들이는 것이 좋겠다.'

상감이 이르기를 '내가 오늘 처분이 있으니 비가 과연 오는구나.' 광회가 아뢰기를 '감응의 이치가 신속하다 할 수 있습니다.' ……조금 있다 동궁이 달려와 뫼시니 상감이 원량에게 이르기를 '네가 오늘 비를 아느냐. 한 여자가 원통함을 호소하면 5월에 서리가 난다 했는데 너는 그것을 아느냐. 호남의 장계 내용은 지극히 잘못이다. 이 어찌 범연히 간과할 수 있었단 말이냐.' ……

상감이 또 이르기를 '대각臺閣에서 아뢴 일 중 정선鄭敾의 일은 네가 어떻게 그 잘못임을 알았느냐. 네가 만약 그림으로 그 이름을 알고서 그것이 잘못이라 말했다면 문득 이는 사사로운 뜻이다. 황경원黃景源 일은 이미 정사에 참여했다면 잘못이다. 내가 비록 경원을 아낀다 해도 대각의 청이 옳다. 네 답도 또한 당연하다.' ……

상감이 동궁을 돌아보며 이르기를 '너는 요즘 대간이 오지 않는 이유를 아느냐. 반드시 병판 이익정李益炡을 위해서 아뢰기를 멈추려고 그러리라. 김회원이 이미 죄를 자복했으니 곧 가죽 없는 털이라서 마땅히 그것을 멈춰야 하는데 하지 못했다. 대간이 된 자는 옳으면 연대하고 옳지 않으면 멈춰야 옳다. 어찌 눈치나 보며 날마다 불러도 오지 않는 것으로 일을 삼겠느냐.'

광회가 아뢰기를 '정술조가 김회원을 고쳐서 바로 잡으라는 명령을 되거둬 주기를 청합니다.' 상감이 이르기를 '정술조가 이처럼 나타났더냐. 제가 어찌 감히 이에 이르도록 감싸는가.' 이어서 전교를 쓰도록 명령해 이르기를 '이제 들으니 정언 정술조가 감히 김회원을 감싼다 한다. 아아 죄를 자복한 대각신하가 지나간 직첩이 어찌 있다고 이처럼 감싸는가. 이 역시 회원이 거기 있는 것이다. 말세에 풍속을 바로잡는 데 힘쓰려면 그것을 두어 둘 수 없으니 정술조鄭述祚를 파직하고 서용하지 말라.' 상감이 동궁을 돌아보고 묻기를 '정술조의 답을 어떻게 생각하느냐.' 동궁이 대답하기를 '대조 처분의 이후로써 어찌 감히 이와 같이 대답하겠습니까.'

상감이 이르기를 '이는 참으로 속담에 이른 바 곁엣 놈이 소지를 올린다는 격이다. 대각신하가 아뢰기를 '회원의 말이 비록 협잡이나 성조가 대각을 대하는 도리는 마땅히 이와 같아서는 안 된다' 고 한다면 그 말만은 공정하다.' 하고 이어서 전교를 쓰도록 명령해 이르기를, '해당 중관中官(내시)은 무거운 쪽 죄로 하라' 했다. 또 전교를 쓰라고 명령해 이르기를 '해당 입시入侍 중관도 무거운 쪽 죄로 추고하라' 했다.

甲戌四月十四日二更, 上御養心閤, 承旨入侍時, 右承旨韓光會, 假注書鄭光漢, 記注官宋德基, 李世鉉, 以次進伏. 上曰, 上番兼史出去, 召入春坊上番, 可也. 上曰, 予有今日處分, 而雨果來矣. 光會曰, 感應之理, 可謂速矣.……俄而東宮趨侍. 上謂元良曰, 爾知今日雨乎. 一婦呼冤, 五月飛霜, 爾知之乎. 湖南狀聞, 極非矣. 此何可泛然看過乎……

上又曰, 臺達中鄭敾事, 爾何以知其過也. 爾若以畫, 知其名, 而謂之過矣, 則便是私意也. 黃景源事, 旣參政則非矣. 予雖惜景源, 而臺請是矣. 爾答亦當然矣.……上顧謂東宮曰, 爾知近日臺諫不來之由乎. 必爲兵判停達而然矣. 金會元旣遲晩, 則是皮不存之毛, 宜卽停之, 而不爲矣. 爲臺諫者, 是則連之, 不是則停之, 可也. 豈可顧瞻日事違牌乎.

光會曰, 鄭述祚, 請還收金會元改正之命矣. 上曰, 鄭述祚, 若是現身乎. 渠豈敢營護至此乎. 仍命書傳敎曰, 今聞正言鄭述祚, 敢以金會元事營護云. 噫, 遲晩臺臣, 往牒豈有, 而若是護焉. 此亦會元其在. 勵末世正風俗, 不可置之, 鄭述祚罷職不敍. 上顧問東宮曰, 鄭述祚之答, 何以爲之乎. 東宮對曰, 以大朝處分之後, 焉敢若此爲答矣.

上曰, 此誠俗所謂右謹陳所志矣. 臺臣若曰, 會元言雖挾雜, 聖朝待臺閣之道, 不當如是云爾, 則其言公也. 仍命書傳敎曰, 當該中官, 從重推考. 又命書傳敎曰, 當該入侍中官, 從重推考.

『承政院日記』 1,105冊

아니나 다를까 4월 17일에 사간 조경趙擎(1696~1765)이 상소해 정술조의 파직불서의 명을 거둬 달라고 청한다. 그러나 왕세자는 이를 영조의 뜻이라고 단호히 물리친다.(『승정원일기』 1,106冊 참조) 그러자 윤4월 21일에 김회원과 정술조로부터 탄핵당해 병조판서직을 물러났던 판의금부사 이익정李益炡이 김회원과 정술조의 무고를 호소하는 상소를 올려 그 협잡을 밝혀 달라고 한다.

뒤따라 사간원 헌납(정5품) 유건柳謇(1694~1765)도 상소해 정술조의 잘못을 지적한다. 이에 겸재는 5월 12일 점잖게 병을 핑계로 사직을 청하고 영조는 아무 일 없었던 듯 이를 받아들인다. 그 내용을 옮기면 다음과 같다.

이조가 비답 받은 일로 아뢰기를, '선공감 부정 서인수徐仁修와 사도시司導寺 첨정僉正 정선鄭敾이 바친 소장 안에 신병이 심히 중해서 소임을 보살필 수 없다고 합니다. 아울러 바꾸심이 어떻겠습니까.' 전교하기를 '윤허한다.'

吏批啓曰, 繕工監副正徐仁修, 司導寺僉正鄭敾呈狀內, 身病甚重, 不得察任云. 並改差何如. 傳曰, 允.

『承政院日記』 1,107冊

영조는 자신의 환갑해에 79세가 된 어린 왕자 시절 그림스승이던 겸재에게 파격적인 벼슬을 내려 그 은혜에 보답하려 했는데 뜻밖에 정술조의 훼방으로 겸재의 노쇠한 심장에 깊은 상처만 남겨 주는 불행을 낳고 말았다. 영조의 실망과 죄책감은 이루 말하기 어려울 지경이었을 것이다.

사실 정술조는 영조가 측근에 두고 키워 낸 인물이었다. 인재욕심이 강했던 영조는 항상 인물 좋고 재주 있는 인재를 발탁해 측근에서 키워 내기를 좋아했다. 그래서 정술조도 그가 23세 때인 영조 9년(1733)에 성균관 유생으로 절제시節製試에 2등으로 급제하며 영조의 눈에 들어 회시會試에 바로 응시할 수 있는 자격을 특별 획득하고 의기양양해 영조 18년(1742) 32세로 생원이 된다.

영조 21년(1745) 35세 때는 성균관 색장色掌으로 소두疏頭가 되어 우암 송시열과 동춘 송준길의 문묘종사를 청하는 연명상소를 올리기도 했었다. 그리고 영조 23년(1747)에는 37세로 문과장원을 하고 40세 때인 영조 26년(1750) 3월 11일에 다시 전시를 치른 다음 3월 26일에 영조를 배알하는 자리에서 다시 영조의 눈에 든다. 이때 영조의 인물평은 이와 같다.

> 사람됨이 자못 좋고 또 굳세구나. 이미 성균관 색장을 지냈다니 사족이구나.
>
> 爲人頗好, 而且堅剛矣. 旣經泮色, 士族也.
>
> 『承政院日記』 1,054冊

그래서 이해 4월 14일에 승정원 가주서假注書(정7품)로 발탁되어 영조와 사도세자의 측근에 시종하는 시종신侍從臣이 된다. 이렇게 4년을 보내고 영조 29년(1753) 11월 16일 성균관 전적典籍(정6품)으로 잠시 옮겼다가 12월 11일에 병조좌랑兵曹佐郎(정6품)이 되고, 영조 30년(1754) 갑술 3월 22일에 사간원 정언正言(정6품)으로 옮겨졌다.

영조는 자신의 환갑년에 자신이 아끼고 사랑하는 신하들에게 흡족한 벼슬을 내려 함께 기뻐하고자 하는 깊은 생각이 있어 혹시 대간에서 시비하지 않을까 염려하는 마음으로 시종신으로 측근에서 길러 낸 정술조를 정언의 자리로 보냈던 듯하다. 그의 탁월한 문장력과 명민한 판단력, 굳센 기상을 믿고 자신의 의중을 헤아려 잘 처리하리라 믿었기 때문이다.

그런데 도리어 믿었던 정술조가 스스로 앞장서서 영조가 아끼는 인물들에 대해 가장 흉악한 언사를 구사하며 인사의 불공정성을 지적하고 나섰으니 영조는 기가 막혔을 것이다. 그 중에서 80을 바라보는 그림스승 겸재에 대한 험구는 도저히 참을 수가 없었다. 자신이 23세 때인 숙종 42년(1716) 병신에 부왕에게 졸라서 겸재를 천문학겸교수天文學兼敎授로 특채하게 했던 그 일이 이제 정술조의 붓을 통해 '잡로발신雜路拔身(잡과의 길로 벼슬에 나왔다)' 이라는 흉악한 표현으로 매도될 줄은 꿈에도 상상하지 못했었다.

자신의 실수로 한 시대 문화를 이끌어 가는 노대가의 가슴에 못을 박았다는 사실이 영조를 분노하게 했을 것이다. 그래서 정술조의 상소를 '곁엣 놈이 소지 올린다右謹陳所志' 는 속담을 이끌어 비유했던 것이다. 이런 영조의 분노는 결국 정술조를 긴 세월 동안 나락奈落(지옥)에서 헤매게 했으니 겸재가 돌아가기 전까지는 파직과 유배생활로 고초를 겪어야만 했다.

정술조는 경신(1680) 대출척에 보사원종공신保社原從功臣이 되어 좌승지에 올랐던 우암尤庵 문인 정면鄭勔(1614~1687)의 증손이다. 진경산수화의 선구자인 사대부화가 창강滄江 조속趙涑(1595~1668)의 자제이며 역시 사대부화가로 이름을 날리던 매창梅窓 조지운趙之耘(1637~1691)이 정면의 맏사위로 그의 대고모부라서 그림에 아주 무식하지 않을 수도 있는데 어찌 이런 상소를 하게 되었는지 선뜻 짐작이 가지 않는다.

그러나 『해주정씨족보海州鄭氏族譜』를 통해 그 가계를 살펴보면 그가 왜 그런 고루한 상소를 했는지 대강 짐작이 간다. 면勔의 본생 아우 욱勖(1621~1679)의 손자 진형震衡(1683~1760)이 면의 제3자 세주世周(1645~1720)에게 입후入後해 왔으니 술조에게는 그림을 이해한다는 그런 풍류가 전달될 기회가 없었을지도 모른다.

오히려 그런 문화적 가치를 이해하고 사는 주변 친척들에 대해 적대감을 갖고 자라 왔을 수도 있다. 본생으로 보면 욱, 후주, 진형에 이르기까지 3대가 벼슬이 없는 백두白頭로 부평 시골에 세거하고 있었다. 이런 환경에서 자라나다 갑자기 문과에 급제하여 조정에 출사했으니 그림을 통해 국왕의 권우眷遇를 받는다는 사실 자체가 가증스럽게 여겨졌을지도 모른다.

그래서 겸재가 어떤 사람인지도 자세히 모른 채 이런 황당한 상소를 올렸을 것이다. 그러나 이런 궁유窮儒의 상소가 진경문화의 절정을 구가하고 있던 당시 영조 조정에서 어찌 터럭끝만큼이나 수용될 리 있겠는가. 오히려 영조는 4월 13일 정술조가 김회원을 싸고돈다는 죄명으로 특명 파직시키고 만다.

이제 겨우 44세가 된 정술조가 그가 태어나던 해에《신묘년풍악도첩辛卯年楓岳圖帖》을 그려 내 화명을 얻기 시작한 이래 44년 동안 조선 화단을 좌우하며 진경산수화법을 대성시킨 겸재를 이해할 수 없는 것은 어떤 면에서 당연했을지도 모른다. 어려운 환경에서 과거시험에만 골몰하던 궁유였다고 생각하면 금방 이해가 가능하다.

어떻든 겸재는 이 상소로 상당한 충격을 받았을 것이다. 평생 동안 백악사단의 일원으로 조선 제일의 사대부임을 자부해 왔었는데 이제 정술조 같은 애송이 궁유에게 이런 악의에 찬 모욕을 받았으니 그 심정이 어떠했겠는가. 더구나 그가 사명감을 가지고 평생 동안 수련을 거듭하여 이룩해 낸 진경산수화법을 천기로 멸시하는 데 이르러서는 순간적인 분노를 참을 수 없었을 것이다.

42

대담大膽한 추상抽象

그러나 겸재는 일세통유一世通儒인 삼연의 제자였으며 그 자신도 백악사단을 대표할 만한 통유通儒였다. 이런 의젖지 않은 일에 길게 마음을 썼을 리 없다. 곧 평상심을 회복하여 더욱 진경산수화법의 추상화 작업에 골몰하게 되니 개인 소장의 〈필운상화弼雲賞花〉[도판186]와 고려대학교박물관 소장의 〈경복궁景福宮〉[도판187], 〈목멱산木覓山〉[도판188], 〈동소문東小門〉[도판189] 같은 추상성 높은 그림들이 이 시기에 그려지는 듯하다.

이들 그림을 살펴보면 다음과 같다.

필운상화弼雲賞花 도판186

경복궁景福宮 도판187

목멱산木覓山 도판188

동소문東小門 도판189

필운상화弼雲賞花 도판186

인왕산 동쪽 산자락 중 맨 남쪽에서 가장 높은 봉우리를 필운대弼雲臺라 했다. 필운이란 이름은 중종 32년(1537)에 명나라에서 황태자 탄생을 조선에 공식 통보하기 위해 보냈던 황태자탄생 반조사頒詔使 부사였던 호과급사중戶科給事中 오희맹吳希孟이 지은 이름이다. 인왕산을 이렇게 멋대로 개명했던 것인데 우리는 단지 그 이름을 인왕산 동쪽 줄기 중에 하나인 필운대의 이름으로 채택했을 뿐이다.

그래서 이 부근에서 탄생해 임진왜란을 슬기롭게 극복해 낸 명재상 백사白沙 이항복李恒福(1556~1618)은 그 별호를 필운弼雲이라 하기도 했으니 지금도 필운동 9번지 배화여자중고등학교 서쪽 암벽에 「필운대弼雲臺」라는 그의 친필 글씨가 새겨져 남아 있다. 백사는 한동네 사는 만취당晩翠堂 권율權慄(1573~ 1599) 장군의 무남독녀 외딸에게 장가들어 권율의 집을 상속받았는데 그곳이 필운대 각자가 남아 있는 곳이라 한다. 권율은 임진왜란 때 행주대첩을 이루어 낸 바로 그 전쟁영웅 권율장군이다.

본래 이 필운대는 이곳에 오르면 한양 서울을 한눈에 바라볼 수 있는 명당이었다. 남산과 북악산이 거의 같은 거리로 좌우에 솟아 있고 낙산이 맞바라다보이니 서울 장안이 한눈에 잡혀 들 수밖에 없다. 등 뒤로는 솔숲 우거진 산줄기가 인왕산으로 이어지며 계곡물이 서출동류西出東流로 주변을 휘돌아 나간다. 이런 천혜의 명승이니 풍류를 아는 이들이 이 주변을 차지하지 않을 리 없고, 그들이 살며 격조 높은 생활환경을 꾸며 내지 않았을 리 없다. 그래서 이 부근 일대는 울창한 수목과 다채로운 꽃이 사시사철 장관을 이루게 되는데 특히 봄철이 되면 현란하기 그지없었다 한다.

그래서 도성의 풍류문사들이 앞다투어 이곳에서 상화회賞花會를 열고 시화詩畵*, 문주文酒*와 가곡歌曲 음율音律을 즐기며 주흥酒興, 화흥花興에 도취했던 모양이다. 당연히 태평성대를 살며 진경문화를 절정으로 이끌어 올리던 겸재가 이 필운대 상화회에 빠질 리 없고 그곳에 가서 진경산수화로 그 화려한 장면을 그려내지 않았을 리 없다. 이 그림이 바로 그렇게 그려진 그림 중의 하나다.

* 시화詩畵 시와 그림
* 문주文酒 글과 술

필운대 높은 봉우리 위에 한 떼의 선비들이 모여 앉아 있다. 모두 테 넓은 통영

필운상화弼雲賞花 도판186

1754년 갑술甲戌경, 지본담채紙本淡彩, 27.5×18.5cm, 개인 소장.

갓과 도포를 입고 있으니 한다 하는 명문가의 사대부들인 모양이다. 가운데 앉은 풍채 좋은 두 사람이 주빈인 듯한데 시중들기 위해 따라온 동자의 모습도 보인다. 긴 지팡이를 휘두르며 아직 올라오는 모습도 보이고 대 아래 마을은 초가집이 많은 동네지만 집집마다 붉은 꽃이 화사하게 피어 있다.

복숭아, 살구, 매화, 앵두, 자두 등 각색 꽃일 것이고 해묵은 나무들은 연초록으로 물들어 있다. 지금 누상동, 누하동 일대인 듯하다. 어찌 이 동네뿐이겠는가. 경복궁에서 남대문에 이르는 서울 장안의 모든 집들이 봄꽃과 신록으로 뒤덮여 있다. 겸재가 후반생을 살았던 〈인곡유거〉의 뒷동산쯤에서 바라본 시각인 듯하다. 경복궁 폐허가 동쪽 중간쯤에 앞면만 표현된 것을 경회루 돌기둥으로 확인할 수 있고 남산이 시가지 저쪽에 우뚝 솟아 있으며 그 산자락이 내려오면서 가장 낮아진 곳에 남대문이 크게 그려져 있기 때문이다. 그 너머로는 관악산과 우면산이 원산으로 표시되었다. 노송림을 쳐 낸 세련된 묵법이나 남산 송림을 표시하는 대담한 미가운산법에서 겸재 만년기의 화풍을 실감할 수 있다.

파묵과 발묵법을 교묘하게 혼용하여 첩첩 우거진 솔잎 사이로 바람이 술술 새어 나갈 수 있도록 통쾌하게 표현해 냈다. 그림 원리를 터득하지 못하고는 아무나 흉내 낼 수 없는 기법이다. 속도 있게 처리한 만호장안의 크고 작은 무수한 집들의 표현도 숙련되지 않은 솜씨라면 이렇게 실감나게 그려 내지 못한다. 사람 표현에서 '먼 사람은 눈이 없다遠人無目'는 그림 이치를 충실히 지키느라 이목구비를 표현하지 않았지만 그 사람을 아는 이라면 그 자세만으로도 이미 누구인지 짐작할 수 있을 만큼 정확하게 묘사하고 있다.

이런 특징들을 종합해 보면 대체로 70대 중반 이후 그려진 것 같은데 '겸재謙齋'라는 해서체의 세로로 긴 백문白文 인장이 더욱 이를 뒷받침해 준다. 겸재 그림이 추상단계에 들어가는 70대 후반에 주로 이 인장을 썼기 때문이다. 〈목멱산〉, 〈공소문〉, 〈금강대〉, 〈정양사〉 등이 그 대표적인 실례이다.

경복궁景福宮 도판187

경복궁景福宮은 조선 태조가 한양으로 천도하면서 맨 먼저 지은 정궁正宮이었다. 백악산白岳山을 주산主山으로 하여 그 남쪽에 터 잡아 지은 것인데 태조 3년(1394) 갑술甲戌 12월에 착공해서 다음 해(1395) 9월에 준공하고 10월 28일에 입궁入宮했다 한다.

입궁연을 베푼 자리에서 일등 개국공신인 정도전鄭道傳(?~1398)에게 궁명宮名과 각 전각殿閣 명칭을 짓도록 하명하니 정도전은 우선 궁명宮名을 경복景福이라 짓고 근정전勤政殿, 사정전思政殿, 강녕전康寧殿 등의 전각 명칭을 차례로 지어 올리며 작명作名의 연유를 밝히는 기문記文을 짓는다.

『삼봉집三峯集』 권4에 실린 「경복궁기景福宮記」를 초록抄錄하면 다음과 같다.

> 신이 살펴 보건대 궁궐은 인군人君이 정사를 듣는 곳이라 사방이 우러러보는 터이니 신민이 모두 함께 지어야 하는 곳이옵니다. 그런 까닭으로 그 제도를 장엄하게 하여 존엄함을 보이고 그 명칭을 아름답게 하여 보고 감격하게 해야 하옵니다.
>
> 한당漢唐 이래로 궁전의 이름을 혹은 옛것에 따르기도 하고 고치기도 했으나 그러나 그 존엄을 보이고 보고 감격하게 해야 한다는 까닭만은 곧 그 뜻이 한결같았사옵니다. 전하께서는 즉위 3년에 한양漢陽에 도읍을 정하시고 먼저 종묘宗廟를 세우시며 다음으로 궁실을 지으셨사옵니다.
>
> 다음 해 10월 을미乙未에 친히 곤면袞冕을 입으시고 선왕 선후를 새 종묘에 배향하신 다음 군신에게 새 궁궐에서 잔치를 베푸시니 대개 신성한 은혜를 넓히시고 뒷날의 녹봉을 약속하시는 일이었사옵니다. 술이 세 순배 돌자 신 도전에게 명하시기를 '이제 도읍을 정하고 종묘를 배향했으며 신궁新宮이 이루어져서 즐겁게 군신과 더불어 이곳에서 잔치를 베풀고 있으니 너는 마땅히 어서 궁전의 이름을 지어 나라와 더불어 끝없는 기쁨을 함께 하도록 하라' 하셨사옵니다.
>
> 신은 명을 받들고 절하여 조아리며 『시경詩經』 주송周訟 대아大雅 생민지습生民之什을 읊조리었사옵니다. "이미 술로 취하게 하고 이미 덕으로 배부르게 하니, 군자君子가 만년을 누림에, 너에게 큰 복景福을 내리게 하리로다." '청컨대 신궁新宮

경복궁景福宮 도판187

1754년 갑술甲戌경, 견본담채絹本淡彩, 16.7×18.1cm, 고려대학교박물관 소장.

을 경복景福이라고 이름 지으소서. 전하께서는 자손과 더불어 만 년 동안 태평지업太平之業을 누리시고 사방 신민臣民은 또한 영원히 보고 감격함이 있음을 꼭 보게 되오리이다.'

按 宮闕人君所以聽政之地, 四方之所瞻視, 臣民之所咸造. 故壯其制度, 示之尊嚴, 美其名稱, 使之觀感. 漢唐以來, 宮殿之號, 或沿或革, 然其所以示尊嚴而興觀感, 則其義一也. 殿下卽位之三年, 定都于漢陽, 先建宗廟, 次營宮室. 越明年十月乙未, 親服衮冕, 享先王先后于新廟, 宴群臣于新宮, 盖廣神惠而綏後祿也.

酒三行, 命臣道傳曰, 今定都享廟而新宮告成, 嘉與群臣, 宴享于此, 汝宜早建宮殿之名, 與國匹休於無疆. 臣受命謹拜手稽首, 誦周雅. 旣醉以酒, 旣飽以德, 君子萬年, 介爾景福. 請名新宮曰景福. 庶見殿下及與子孫, 享萬年太平之業, 而四方臣民, 亦永有所觀感焉.

『東國輿地勝覽』 卷一, 京都上, 宮闕, 景福宮

이런 연유로 경복궁景福宮이란 이름이 생겨난다. 경복궁은 면적이 12만 6,000여 평, 담 둘레가 1만 878보에 이르는 큰 규모를 가졌으며 정남에 광화문光化門 동쪽에 건춘문建春門, 서쪽에 영추문迎秋門, 북쪽에 신무문神武門의 사대문四大門이나 있었다.

그러나 이 경복궁은 입궐한 지 3년 만에(1396) 태조계비 신덕왕후神德王后 강씨康氏가 홍거하고 다시 3년 만에 제1차 왕자난王子亂이 일어나(1398) 태종이 신덕왕후 소생의 두 이복 아우들을 쳐 죽이는 불상사가 잇달아 일어나서 흉기凶基로 소문나 정종이 개성으로 환도함으로써 일시 공궐空闕이 되기도 한다.

이후 태종이 다시 한양으로 천도해 와서부터는 계속 왕실의 정궁正宮이 되는데 태종 때는 주로 중국사신을 영접하는 곳으로 쓰이게 된다. 그래서 태종 12년(1412)에는 대연회 장소로 경회루慶會樓를 짓게 되니 4월 26일에 준공되고 5월에는 군신이 모여 연회를 크게 베푼다. 이 자리에서 태종은 경회루라 명명命名하고 영의정 하륜河崙(1347~1416)으로 하여금 「경회루기慶會樓記」를 짓게 하며 당시 세자이던 양녕대군에게는 그 현판을 써서 걸게 한다.

이때 경회루 조영을 총지휘한 사람은 토목건축에 뛰어난 재주를 가지고 있던 박자청朴子青(1357~1423)이었다. 그는 경회루 부근이 음습하여 지반이 약한 것을 보강하기 위해 연못을 파서 습기를 배설시키는데 연당蓮塘으로 이를 대치하여 연당풍류를 더했으며 역시 습기를 피하는 방법으로 석주石柱를 써서 하층을 짓고 그 위에 누각을 올리는 공법으로 다시 석주고루石柱高樓의 아취를 첨가했다.

그래서 선조 25년 임진壬辰(1592) 4월 30일 밤 왜란을 피해 조정이 피란길에 오르자 난민들이 그 밤으로 불을 질러 경복궁이 모두 타 버린 이후에도 이 경회루 석주들만은 그대로 남아 있었다. 난 후에 경복궁은 복원되지 못한 채 그대로 방치해 두고 있었으므로 겸재 당시에도 폐허로 남아 있어 송림松林만 우거져 있었던가 보다.

왜란이 난 지 백 년 가까운 시기에 겸재가 탄생했으므로 벌써 150년 된 소나무들이라면 이만한 크기의 노송림을 이루기에 족할 것이다. 이 그림에서 경회루 뒤편 너른 궁궐터에 소나무숲이 울창하게 표현되었으니 말이다.

이 그림은 겸재댁이 있던 옥인동 쪽에서 바라보고 그린 것이 틀림없으니 경회루 돌기둥이 그 서쪽에 있는 연당 뒤로 보이기 때문이다. 그렇다면 폐허가 된 담장 가운데로 솟아 있는 문루門樓의 흔적은 영추문 자리가 분명하다.

경회루 남쪽에는 민가 비슷한 고패집 한 채가 초라하게 지어져 있는데 그것이 민가일 리는 없고 경복궁터를 수호하는 궁감宮監들이 거처하는 집이었던가 보다. 그 남쪽에도 두어 채 이런 집이 있고 이 집들을 드나드는 문인 듯 영추문터 곁으로 궁장을 뚫고 초라한 문을 내놓았다. 영추문터를 담으로 쌓아 막아 놓은 것과 좋은 대조를 이룬다.

아마 겸재 같은 천재라면 어려서부터 이 동네에 살았으니 이 막아 놓은 담장을 넘나들며 폐허된 경복궁 안을 샅샅이 뒤지고 다녔을 것이다. 그래서 노후에 이 경복궁 폐허를 그리는데 조금도 막힘없이 그 분위기를 잘 살려 낼 수 있었으리라.

이런 정황은 겸재의 지기지우이자 동네 벗이며 동문친구인 동포東圃 김시민金時敏(1681~1747)이 29세 때인 숙종 35년(1709) 봄에 지은 다음과 같은 시에서 짐작하고 남음이 있다.

그는 「사촌형과 함께 고궁에 들어가 쑥국을 끓이는데 도장道長이 뒤따라와서 두보시의 운으로 함께 짓다同堂伯 入故宮, 煮艾, 道長追至, 抽老杜韻共占」라는 제목으로 이렇게 읊었다.

새봄 물색 어린 옛 못가에, 형제 서로 함께 술을 마신다.

궁궐 뜰 방초로 푸르름 가득하니, 조만간 수풀 속에 잡화 피리라.

경회루터 옛 기둥 산과 함께 서 있고, 성 밖에서 외로운 구름 새와 함께 돌아온다.

쑥 캐어 국 끓이고 쌀밥 지으니, 시 잘 짓는 늙은이 북쪽 계곡에서 다시 왔구나.

新春物色舊池臺, 兄弟相羊有酒杯. 滿苑滄茫芳草意, 深林早晩雜花開.

樓墟古柱山俱立, 郭外孤雲鳥並回. 採艾作羹炊白飯, 詩翁更自北溪來.

金時敏, 『東圃集』 卷一

동포는 또 겸재와 절친했던 벗들인 사천槎川 이병연李秉淵(1671~1751)과 담헌澹軒 이하곤李夏坤(1677~1724) 및 창랑滄浪 홍세태洪世泰(1653~1725)와 함께 다시 경복궁터에 들어가 놀며 이런 시를 남기고 있다. 동포가 29세, 담헌이 33세, 겸재가 34세, 사천이 39세 때의 일이다.

「고궁에서 이일원 이재대 하곤 도장 여러 벗과 두보시의 운자를 뽑아 함께 짓다

故宮 與 李一源 李載大夏坤 道長諸益, 抽老杜韻共賦」

서재에서 앓고 일어나 가벼운 옷 시험하려니, 어느 곳 거닐면서 읊다 올 수 있겠나.

옛 궁궐 연못가 방초 가득하건만, 연일 비바람에 살구꽃 드물다.

봄 막걸리 넘쳐나 마음 먼저 취하는데, 비 갠 백악산 맑고 깨끗해 붓이 나르려 한다.

가득 앉은 여러 사람 모두 운사韻士(시인)니, 좋은 날 맺은 약속 서로 어길 수 있나.

書齋病起試輕衣, 何處逍遙可詠歸. 舊闕池臺芳草遍, 連朝風雨杏花稀.

春醪瀲灩心先醉, 霽嶽淸新筆欲飛. 滿座諸公皆韻士, 良辰佳約肯相違.

金時敏, 『東圃集』 卷一

담헌 이하곤은 「경복궁을 지나면서過慶福宮有感」라는 시에서 다음과 같이 읊고 있다.

가을 풀 쓸쓸한데 나비만 난다, 궁담 허물어지고 느티는 늙어 아름드리.

오직 머리 센 궁감宮監만 남아, 한가로이 낚싯대 잡고 저녁 해 쬔다.

秋草萋萋蛺蝶飛, 御垣頹盡老槐圍. 惟餘白首宮監在, 閑把漁竿對夕暉.

李夏坤,『頭陀草』卷八, 過慶福宮有感

이때 사람들은 경복궁景福宮의 경景자를 경회루慶會樓의 경慶자와 혼동하고 있었던가 보다. 겸재도 담헌도 모두 경복궁慶福宮으로 쓰고 있으니 말이다.

목멱산木覓山 도판188

서울은 풍수지리상 도읍터가 될 만한 여러 가지 조건을 두루 갖추고 있다. 그 중에서 빼놓을 수 없는 것이 가장 이상적인 안산案山을 가지고 있다는 사실이다.

조봉祖峯인 삼각산三角山으로부터 북주北主인 백악산白岳山과 내백호內白虎 인왕산仁王山, 외백호外白虎 안산鞍山, 내청룡內青龍 낙산駱山, 외청룡外青龍 안암산安巖山이 모두 백색화강암으로 이루어진 암산岩山인데 유독 이 목멱산木覓山만은 토산土山으로 바위 빛도 검다. 그러니 자연 수목이 울창할 수밖에 없고 그 중에서도 소나무가 온 산을 뒤덮어 사시장철 푸르름을 자랑하게 되었다.

뿐만 아니라 그 형상도 한 일자一字 모양으로 길게 가로놓여 단아하기 그지없는데 남북 어디에서건 중간쯤에서 보면 마제잠두馬蹄蠶頭의 일자一字 기본 필법에 조금도 어그러짐이 없어 어떤 명필이라도 그와 같이 써내기는 어렵겠다는 생각을 갖게 한다.

그에 반해 북악산, 인왕산, 안산은 모두 붓끝같이 암봉岩峯이 솟구쳐서, 마치 백부용白芙蓉을 연상시키고 낙산과 용마산 역시 성벽처럼 암산이 줄기져 내리다가 암봉으로 마무리 지으니 남산이 그 앞에서 푸근한 자태로 이들을 중화시키지 않았다면 양기陽氣가 태강太强하여 서울이 도읍터가 될 수 없었을 것이다.

그래서 호암湖岩 문일평文一平은 일찍이 〈근교산악사화近郊山岳史話〉에서 종남산終南山을 이렇게 표현하고 있다.

> 남산南山은 본명本名이 목멱木覓이니 고어古語로 마뫼, 즉 남산이란 뜻이라 하거니와 이 밖에 인경引慶이라 종남終南이라 칭하기도 한다. 남산은 저 뾰족하고 날카로운 북악과는 반대로 선이 아주 부드럽다.
>
> 북악이 북국의 산이라고 친다면 남산은 남국의 산과 같이 어느덧 염려艶麗한 정조情調가 흐른다고 할 수 있다. 남산은 언제든지 홍진紅塵에 헤매는 경성 시민에게 기쁨과 위안을 주지마는 사시四時 중에도 남산의 특색은 신록新綠의 옷에 싸여 미소를 띠는 춘하기春夏期에 있다.
>
> 남산이 경성의 전면을 가로막아 비록 좁게 만들었으나 남산이 없었다면 경성은

목멱산木覓山 도판188

1754년 갑술甲戌경, 견본담채絹本淡彩, 16.7×18.1cm, 고려대학교박물관 소장.

그만큼 단조하고 범속하게 되었을 것이다. 시내에서 남산을 바라보는 것도 가可하되 남산에 올라 남산을 보는 것도 좋고 다시 남산에서 북한을 배경으로 한 전 경성시를 부감하는 것도 더욱 좋다.

이런 느낌은 서울에서 사는 사람이면 누구나 가져왔던 것이니 겸재가 그런 감회를 진경산수로 표현하지 않을 리 없다. 서울 전경을 그릴 때마다 겸재는 남산을 앞산으로 해서 그려 내는데 이는 겸재가 살던 북악산 아래나 인왕산 아래에서 바라다보면 언제나 남산이 앞을 가로막기 때문이었을 것이다.

소나무숲이 짙푸르게 뒤덮인 남산을 조운모우朝雲暮雨◆가 휘감아 지나고 백연자하白煙紫霞◆가 철따라 일어나는 모습을 늘상 대경으로 접하고 살았을 겸재는 남산이 그대로 동네 앞산이었을 것이다. 그래서 장마 지는 어느 여름날 비 온 뒤에 흰 구름이 뭉게뭉게 일어나 남산을 휘감아 도는 장관을 보고 겸재는 화흥畵興을 못 이겨 이렇게 일필휘지一筆揮之 대담한 필법筆法으로 남산을 그려 냈다.

◆조운모우朝雲暮雨 아침 구름 저녁 비

◆백연자하白煙紫霞 흰 안개와 붉은 노을

잠두 쪽 높은 봉우리가 왼쪽으로 높이 솟아 "남산 위에 저 소나무" 로 불리던 정상의 종송宗松을 머리에 이고 웅크리듯 우뚝 치솟은 모양으로 보이는 것을 보면 바로 옥인동 겸재댁에서 바라본 시각인 듯하다. 담묵淡墨으로 산의 윤곽을 장쾌하게 우려내고 그 위에 거의 묵찰墨擦에 가까운 대횡점大橫點을 대담하게 덧쳐 나감으로써 물이 뚝뚝 듣는 듯한 산림山林의 모습을 표현해 놓았다.

산허리를 감도는 흰 구름은 바탕색을 그대로 놓아둔 채 수파문水波紋을 변죽 따라 성글게 그려 넣는 단순한 기법으로 표현해 냈는데 영락없이 흐르는 구름流雲 모습이다. 단순한 수파문이 발휘한 유동감流動感이다. 한 가닥은 산허리를 휘감아 돌고 나머지는 온통 산자락을 뒤덮고 있다. 그 구름 아래로 만호장안 한양 서울이 벌려져 있을 터인데 이 그림으로만 보면 마치 남산이 진세塵世를 떠난 선산仙山인 듯이 보인다.

이렇게 거침없는 필묵법筆墨法을 구사하는 것은 겸재 70대 후반의 화풍이고 타원형에 가까운 형태의 '겸재謙齋' 라는 백문白文 예서체 인장도 그 시기에 쓰이던 것이라 이 그림은 80 가까운 시기의 겸재 만년작으로 보면 틀림없을 것이다.

이 그림은 겸재가 현재 옥인동 20번지 부근에 있던 그의 만년晩年 거소居所인 인곡정사仁谷精舍 바깥사랑에서 남산을 바라다보고 그린 그림일 터인데, 그 부근 수성동水聲洞에 있었다는 안평대군궁安平大君宮에서 남산을 바라보았을 때도 바로 이와 같았던 듯 사육신死六臣의 대표로 정충대절精忠大節이 만고萬古에 빛나는 성삼문成三問(1418~1456) 선생도 안평대군궁에서 남산을 바라보며 이런 시를 읊었다.

> 세수하고 머리 빗고 맑은 새벽 나앉아서, 향 사르고 『주역周易』 읽는다.
> 읽기를 다 마치고 남창南窓에 기대이니, 산허리에 한 줄기 흰빛 띠었다.
> 盥櫛坐淸晨, 焚香讀周易. 讀罷依南窓, 山腰一帶白.
> 成三問, 『成謹甫集』 卷一, 匪懈堂四十八詠, 右木覔晴雲

또한 겸재의 스승 삼연三淵 김창흡金昌翕은 겸재가 보고 그린 지점과 정반대의 지점인 잠실 쪽에서 남산을 바라보며 이런 시를 남기고 있다.

> 푸르고 푸르게 눈에 들어오는 먼 소나무숲, 소 등 누에머리에 만 개의 일산 그늘이구나.
> 어떻게 늘 푸르러 패기를 기를 수 있었을까. 천 년 동안 도끼날 받지 않아서겠지.
> 蒼蒼入目遠松林, 牛背蠶頭萬蓋陰. 安得長靑滋覇氣, 千年不受斧斤侵.
> 金昌翕, 『三淵集』 卷五, 盤溪十六景中 木覔松林

남쪽 북쪽 어디서 보아도 우배牛背 잠두蠶頭의 산 모습에 울창한 소나무숲이 우거져 있는 남산이기에 삼연은 이런 시를 읊어 냈던 것이다. 겸재가 보고 그린 북악산 쪽으로부터의 시각에 오히려 더 익숙해 있던 삼연이라서 이런 표현이 가능했을지도 모른다.

동소문東小門도판189

〈목멱산木覓山〉과 필치도 같고 낙관도 같으니 함께 쌍폭으로 그려진 그림인 모양이다.

동소문, 즉 혜화문惠化門을 지금 명륜동 큰길로 꺾어지는 창경궁昌慶宮 모퉁이 쪽 언덕 위, 즉 박석고개에서 바라본 모습이다.

원래는 현재의 서울의대 뒤편과 창경궁의 동편 산줄기가 언덕으로 이어져서 종로4가와 5가 사이의 배오개梨峴까지 줄기져 내리고 있었다. 그래서 창경궁과 경모궁景慕宮(현재 서울의대) 사이로 난 현재와 같은 동소문길이 그 고갯마루를 타고 넘자 지맥地脈이 손상될까 보아 길 위에 박석을 깔았다 한다. 이에 박석고개의 이름을 얻게 되니 서울 장안에서 동소문으로 나가고자 하면 대개 이 고개를 넘게 마련이었다. 겸재도 이 박석고개 고갯마루에 올라 혜화문을 바라보고 이를 그려냈다.

그러나 1928년 일제가 종로4가에서 혜화동까지 전찻길을 놓으면서 이 박석고개를 절단하고 현재와 같은 길로 평탄하게 뚫어 놓았다. 그 때문에 지금 언뜻 감이 잡히지 않지만 아직 남아 있는 양 언덕 높이를 감안하여 상상한다면 이런 시각이 가능하리라고 누구나 수긍할 수 있을 것이다. 물론 혜화문으로 이어지던 낙산駱山줄기는 더 깊이 파내어져서 동소문 고개가 평지가 되어 버린 지금 여기 그림으로 남겨진 동소문 일대의 진경眞景을 상상하려면 상당한 복원적復原的 고찰考察이 필요하게 된다.

성벽이 까마득하게 높이 보이고 좌우에 석축이 높다랗게 쌓여 있는 그 위가 옛날 동소문 고개였다고 생각하면 이 진경의 참모습을 얼추 짐작하게 될 것이다. 현재 동성학교와 천주교회당이 들어서 있는 옛날 백자동栢子洞 일대의 산 아래 동네에는 큰 기와집들이 즐비한데 소나무숲이 우거진 낙산 줄기는 흰 구름이 휘감아 돌고 있다.

동서남북으로 차량행렬이 끊이지 않는 현재의 혜화동 교차로가 바로 저 구름 속에 있다고 한다면 누가 곧이듣겠는가. 그러나 저 환상의 성시城市는 간 곳 없고 그 구름 대신 숨통을 막는 차량의 매연만 가득한 그 길이 분명 저곳임에랴 어쩌겠

동소문東小門 도판189

1754년 갑술甲戌경, 견본담채絹本淡彩, 16.7×18.1cm, 고려대학교박물관 소장.

는가.

원래 이 동소문은 한양漢陽 도성都城의 성곽인 경성京城(서울성)을 쌓으면서 동북쪽으로 터놓은 샛문이었다. 『태조실록太祖實錄』 권10 태조太祖 5년(1396) 병자丙子 9월 24일 기묘己卯조에 보면 다음과 같이 기록되어 있다.

> 성 쌓는 일을 끝냈다.……또 각문의 월단月團과 누각을 지었는데, 정북은 숙청문肅淸門이라 하고 동북을 홍화문弘化門이라 하니 속칭 동소문東小門이다. 정동을 흥인문興仁門이라 하니 속칭 동대문東大門이고, 동남을 광희문光熙門이라 하니 속칭 수구문水口門이며, 정남을 숭례문崇禮門이라 하니 속칭 남대문南大門이고, 조금 북쪽을 소덕문昭德門이라 하니 속칭 서소문西小門이며, 정서를 돈의문敦義門이라 하고 서북을 창의문彰義門이라 한다.
>
> 己卯, 築城役訖.……又作月團樓閣, 正北曰 肅淸門, 東北曰 弘化門, 俗稱東小門, 正東曰 興仁門, 俗稱東大門, 東南曰 光熙門, 俗稱水口門, 正南曰 崇禮門, 俗稱南大門, 小北曰 昭德門, 俗稱西小門, 正西曰 敦義門, 西北曰 彰義門.
>
> 『太祖實錄』 卷十, 太祖五年丙子 九月 己卯條

이로 보면 동소문은 처음에 홍화문이라 불렀던 것이 분명하다.

이 홍화문을 혜화문惠化門으로 고쳐 부르게 된 내력은 『동국여지승람東國輿地勝覽』 권1 경도京都 상上 성곽城郭 경성京城조에 자세히 기록되어 있으니 경성의 세주細注에서 이렇게 밝혀 놓았다.

> 우리 태조 5년에 돌로 쌓고 세종 4년에 개수했다. 둘레가 9,975보(18,136m)이고 높이가 40척2촌(12.2m)이다. 문 여덟을 세우니 정남을 숭례崇禮라 하고, 정북을 숙청肅淸, 정동을 흥인興仁, 정서를 돈의敦義, 동북을 혜화惠化라 했다. 국초國初에는 이 문을 홍화弘化라 했는데 성종成宗 14년 계묘癸卯(1438)에 창경궁昌慶宮 동문東門을 또한 홍화弘化라 했으므로 금상今上(중종) 6년(1511)에 두 문의 이름이 혼동된다 하여 고쳐서 혜화惠化라고 했다. 서북을 창의彰義, 동남을 광희光熙, 서남을 소덕昭德이라 했다.

我太祖五年, 用石築之, 世宗四年, 改修. 周九千九百七十五步, 高四十尺二寸. 立門八, 正南曰 崇禮, 正北曰 肅淸, 正東曰 興仁, 正西曰 敦義. 東北曰 惠化. 國初號此門曰 弘化, 成宗癸卯, 名昌慶宮東門, 亦曰 弘化, 今上六年, 以兩門名混, 改之曰 惠化. 西北曰 彰義, 東南曰 光熙, 西南曰 昭德.

『東國輿地勝覽』 卷一, 京都上, 城郭, 京城

즉 성종 14년에 창경궁을 지으면서 그 동쪽 문을 홍화문이라고 중복시켰기 때문에 동소문은 본이름인 홍화문을 창경궁에 뺏겼다는 얘기이다. 현재도 창경궁의 정문인 동쪽 문에 홍화문의 현판이 걸려 있는 것을 보면 그 내력을 분명히 알 수 있다.

이 문은 야인野人, 즉 여진족의 도성 출입 시에 전용토록 했다 하므로 국초부터 문루가 없었던지 모르겠다. 이 그림에서는 문루가 없다. 동소문 밖의 현재 돈암동敦岩洞이 원래는 적유현狄踰峴, 즉 되넘이고개로부터 유래한 동네 이름이라는 것을 생각하면 여진족 출입의 전용문이라는 실록 기사는 틀림없는 사실이라 하겠다.

그런데 이 동소문은 겸재가 69세 나던 해인 영조 20년(1744) 8월 6일 경술庚戌에 왕명으로 문루門樓가 세워진다. 어영청御營廳◆에 명하여 문루를 해 세우게 하고 당시의 명필인 형조판서 노강蘆江 조명리趙明履(1697~1755)로 하여금 문액門額◆을 써서 걸게 했다고 한다.(庚戌……惠化門, 舊無門樓, 命御營廳創建揭額, 卽俗所稱 東小門也.『英祖實錄』卷六十, 英祖二十年 甲子 八月 庚戌條. 英祖二十年 命禁衛營, 建西小門樓, 扁曰 昭義, 御營廳建東小門樓, 扁曰 惠化. 趙明履書額.『한경지략漢京識略』 권1, 성곽城郭)

◆ **어영청**御營廳
인조仁祖 이후 서울 도성의 수비를 맡고 있던 군영

◆ **문액**門額
문에 거는 현판

혜화문이라는 문액을 쓴 조명리는 별호別號를 도천道川이라고도 했는데 겸재의 집우執友인 사천槎川 이병연李秉淵(1671~1751)의 6촌처남이었고 담헌澹軒 이하곤李夏坤(1677~1724)의 외사촌 아우였다. 그러니 이 그림은 이 시기에 문루 없는 동소문의 원 모습을 남기기 위해 그렸을 가능성이 크다.

작품이 70대 이후의 만년작인 것으로 보아 혹시 그 이후에 옛 모습을 회상하며 그려 냈을 가능성도 전혀 배제하지는 못한다.

영조 때 지어진 동소문 문루는 일제가 방치하여 1928년에 허물어지고 만다. 그래서 이 그림에서 보이는 무지개문만 남아 있었다.

일제는 1939년 경성부의 확장이라는 명분 아래 서울의 청룡 줄기인 동소문 고개를 자르고 새 도로를 내는 만행을 저지르는데 이때 이 그림에서 보이는 것과 같은 동소문의 모습은 영원히 사라지고 만다. 높다랗게 능선을 따라 쌓은 성 안쪽 왕솔 우거진 산봉우리는 지금 가톨릭대학교가 들어선 혜화동 1번지 일대이다. 본래 이 동네는 성 아랫동네라는 의미로 순우리말 잣동이라 했기 때문에 한자로 백동栢洞이나 백자동栢子洞으로 표기돼 왔으나 1914년 동명통폐합 시에 혜화동으로 편입되고 말았다.

구름이 휘감아 도는 산 밑 동네가 지금의 대학로 일대라면 믿어지겠는가. 지금 동소문 고개에 가 보면 혜화문 문루가 있다. 1994년 10월 18일에 서울 도성복원 사업의 일환으로 복원해 놓은 것이다. 도로로 절단된 성벽 끝에 지어 놓았는데 이왕이면 낙산 줄기를 다시 잇고 그 위에 세웠으면 좋겠다. 절단된 산 높이가 20미터는 훨씬 넘어 보이니 그 위로 연결하는 문제가 그리 어렵지는 않을 듯하다.

극도로 표현을 생략했으나 그 특징적인 면모는 어느 하나도 놓치지 않은 그런 함축성이 돋보이는 그림들이다. 이때 겸재는 그림만 그리고 있었던 것은 아니었다. 『주역』에 밝은 그에게 『주역』을 배우러 찾아오는 제자들을 수시로 제접提接◆ 하고 있었던 모양이다.

◆ **제접**提接 이끌며 가르침

순조의 사친인 수빈綏嬪 박씨朴氏의 백부 근재近齋 박윤원朴胤源(1734~1799)이 21세의 나이로 바로 겸재가 79세 되는 이 갑술년 겨울에 겸재에게 『주역』을 배우려고 찾아갔었던 얘기를 다음과 같이 전하고 있는 데서 그 사실을 확인할 수 있다.

> 우리 집이 예전에 백악산白嶽山 아래에 있어서 부군府君께서는 북리北里에서 생장生長하셨으므로 정겸재鄭謙齋와 거처가 서로 가까우셨었다. 남들은 겸재와 사귐에 그림을 구하지 않음이 없었지만 부군께서는 홀로 그림을 구하지 않고 좇아서 『주역』을 문학問學하셨었으니 비록 다 마치지 못하셨으나 상수象數에 대한 이야기는 대략 들으셨었다 한다.
>
> 정겸재는 『주역』에 정심精深하고 또 『중용中庸』에 익숙하여 가히 박통한 선비라 할 만했는데 그 산수화로 가린 바 되어 세상에서 아는 사람이 없다.

겸재께서는 나이가 79세이셨으나 집이 심히 가난하여 바깥사랑에 나무를 때지 못하니 항상 안사랑에서 거처하셨었다. 내가 『주역』을 수강하기 위해 일찍이 겸재를 가 뵈었었는데, 내가 왔다는 소리를 들으시고 문득 바깥사랑으로 나와 앉으신다. 나로 말미암아 찬 방에 앉으신 것이 노인을 편안하게 해 드리는 도리가 아니라서 이로써 오래 수강할 수가 없었다.

吾家舊在白嶽山下, 府君生長北里, 與鄭謙齋居相近. 人與鄭謙齋交, 莫不求畵, 而府君獨不求畵, 從而問易, 雖未竟, 而略聞象數之說云. 鄭謙齋深於易, 又熟中庸, 可謂博洽之士, 而爲其山水畵所掩, 世無知者.

謙齋年七十九, 家貧甚, 外舍不燃薪, 常處內舍. 余爲講易, 嘗往見謙齋, 聞余來, 輒出坐外舍. 因我處冷, 非安老之道, 以此不能久講.

朴宗輿, 『冷泉遺稿』 卷五, 先考近齋先生府君言行錄

장차 몽와 김창집의 손자로 농암 김창협의 양손으로 입후하여 농암학통을 계승한 미호渼湖 김원행金元行(1702~1772)의 문인이 되어 백악사단의 중진이 되는 근재가 『주역』을 종학從學하고 있었으니 백악동부白岳洞府의 다른 명문대가의 자제들인들 어찌 겸재에게서 주역을 배우지 않았었겠는가. 근재의 고모부인 벽오헌碧梧軒 이현곤李顯坤(1713~1757) 같은 이는 처가댁을 드나들다가도 겸재의 역제자가 되었던 것을 보면 겸재가 『주역』에 얼마나 정통했던지를 대강 짐작할 만하고 그 문도가 얼마나 많았던가도 헤아릴 수 있다.

이해 9월 13일은 영조의 회갑일이었다. 영조는 회갑일을 맞아 육상궁에 전배하고 자신의 잠저인 창의궁에 역림歷臨하여 밤에야 창덕궁으로 환궁해 오는데 돌아오는 도중에 영추문계迎秋門契의 부로父老들을 소견하고 병폐를 물었다 했으니 혹시 겸재도 이때 국왕 본궁 동네의 부로로 이 자리에 끼어 있었을지도 모르겠다.

영조는 이미 6월 28일에 『회갑편록回甲編錄』을 친히 지어 세자를 가르치는데 1. 경천敬天◆, 2. 봉선奉先◆, 3. 위민爲民◆, 4. 거당祛黨◆, 5. 억사抑奢◆의 다섯 항목에 관한 내용이었다. 실제 사치를 억제하기 위해서 이미 여러 해 동안 중국으로부터 운문단의 수입을 금지하고 또 무문단 수입까지 금지해 오고 있었다.

그렇지만 4월 29일 홍봉한이 분원백자의 회회청回回靑 남용의 보고가 있자 이

◆ **경천**敬天 하늘을 공경함

◆ **봉선**奉先 선조를 받듦

◆ **위민**爲民 백성을 위함

◆ **거당**祛黨 당색을 털어 버림

◆ **억사**抑奢 사치를 억제함

를 사치 억제의 차원에서 금지 품목으로 지정하고 7월 17일에 다시 궁중에서 의식에 사용하는 화룡준畵龍樽 이외에 회회청 사용을 일체 엄금한다는 금령을 내린다. 이는 당시 청화백자의 발전이 극에 이르러 일반서민들까지도 이를 널리 사용하고 있었다는 사실을 반증해 주는 내용이다.

사실 이 시점이 진경문화의 발전이 모든 부면에서 절정에 이르던 시기였다. 그래서 겸재의 진경산수화와 관아재의 풍속화 및 최천약의 조각과 공예가 난만하게 꽃을 피워 내고 있었다. 이에 영조는 그 찬란한 꽃을 더욱 빛나게 하기 위해 겸재에게 사도시 첨정의 벼슬을 더해 주려다 정술조의 심술로 겸재에게 상처만 안겨 준다.

영조는 다시 사도시 첨정 자리를 겸재가 가장 사랑하는 후배 화가인 관아재 조영석에게 넘겨준다. 정술조가 겸재에게 시비하다 파직되는 현상을 목도한 대각에서 이제는 아무도 이를 문제 삼으려 하지 않아 관아재는 무난히 다음 해 1월 15일에 사도시 첨정 자격으로 영조의 진전進展 봉심奉審에 수행한다.(『승정원일기』 1,115책 참조)

43

모년홍복暮年弘福

겸재가 80세 되는 영조 31년(1755) 을해乙亥는 영조의 과갑過甲(62세)이 되는 해이자 인원仁元대비의 망칠望七(69세)이 되는 해였다. 왕실에 수경壽慶이 있으면 조신朝臣 70세 이상, 사서士庶 80세 이상의 노인들에게 품계 일등一等을 올려 주는 가자加資가 베풀어지게 마련이니 겸재는 조신 70세 이상의 자격으로 일등급이 올라 종3품 첨지중추부사僉知中樞府事가 예수例授된다.

그런데 이해 2월 11일에 나주에서 전 지평 윤지尹志(1688~1755)가 준소峻少를 규합해 조정을 전복하려는 역모를 꾸미다가 발각되어 도리어 준소의 잔존 세력이 일망타진되는 일대 사건이 발생한다. 윤지는 훈련대장과 형조판서를 지낸 윤취상尹就商의 아들인데 윤취상은 연산군 외조부 윤기무尹起畝의 현손으로 본래는 남인이었다.

이후 노론이 득세하자 노론으로 변신하고 다시 소론이 득세하자 또 소론으로 변신하여 경종 때 신임사화를 주도한 인물로 영조가 즉위하자 김일경金一鏡의 당으로 고문을 받다 죽은 자였다. 그래서 윤지도 이 일에 연좌되어 제주도와 나주를 전전하며 오랜 유배 생활을 보내게 되었는데 이에 원한을 품고 역모를 도모하려다 발각당하여 2월 25일에 국왕으로부터 친국을 당하다 죽는다.

이 옥사로 준소의 혈족들이 거의 모두 연루되어 극형을 받게 되니 조정에 남은 완소들은 혹시 그 불똥이 자신들에게 튀어 올까 보아 오히려 역적 다스리기를 엄중히 할 것을 청하고 이광좌, 최석항, 조태구, 유봉휘 등과 김일경의 상소 아래 들었던 여러 역적들을 역률로 다스릴 것을 강력히 요구한다. 이에 영조는 세자에게 '이들이 모두 소론인데 능히 징토懲討◆하게 되니 기이하구나. 내가 마땅히 너의 다른 날 일을 위해 없애야겠기에 그것을 처리하고자 하노라.' 한다.

◆ 징토懲討 징계하고 성토함

그리고 김일경 상소 아래 든 여러 역적과 유봉휘, 조태구는 역률로 다스리고 이광좌는 직첩을 거두어들이며 최석항은 관직을 삭탈하게 했다. 역률추가를 단행하자 평일 이광좌 언론言論을 사표師表로 하여 아비에게서 아들로 전해지던 소론들이 모두 겁이 나서 이광좌 무리를 징토하는 상소를 연이어 올리니 하루 종일 산 같이 쌓이게 되어 받아들이지 말도록 명령할 지경이었다.

이에 3월 5일에는 영조가 관리를 보내 태묘太廟에 토역고유제討逆告由祭를 지내게 하고 친제교문親製敎文을 반포하며 군신의 하례를 받은 다음 세자를 입시하라 하여 이렇게 말한다.

> 30년 고심苦心하던 것이 이제야 비로소 효과를 보게 되었다. 노소남북이 모두 하나로 돌아가서 옛날의 충성스런 자들은 편안히 잘 있고 옛날의 역적 같기도 하고 아닌 것 같기도 한 자들도 역시 이미 마음을 고쳤으니 내가 장차 성고聖考(숙종)와 황형皇兄(경종)께 돌아가 뵈올 낮이 있게 되었다. 이 이후의 일은 너에게 있으니 너는 세도世道를 굳게 지켜 흔들리지 말고 세도를 눌러가도록 하라.
>
> 上受群臣賀訖, 命世子入侍, 敎曰 三十年苦心, 今始食效. 老少南北, 皆歸于一, 昔之忠者, 帖然自在, 昔之似逆非逆者, 亦已革心, 予將有歸拜聖考皇兄之顔也. 此後事則在汝, 汝其堅守世道, 勿撓以鎭世道焉. 仍下綸音.
>
> 『英祖實錄』卷八十三, 英祖三十一年 乙亥 三月 戊寅五日條

이 옥사에 원교圓嶠 이광사李匡師(1705~1777)도 연루되어 죽음으로 몰렸으나 예술을 사랑하는 영조의 특별 배려로 죽음에서 1등급 낮춰 3월 30일 부령富寧으로 귀양 보내니 이후 부령에서 7년, 신지도薪智島에서 15년, 남찬북적南竄北適* 22년의 유배 생활로 일생을 마친다.

* **남찬북적**南竄北適 남쪽으로 유배되고 북쪽으로 귀양 감

이해 6월 23일에는 당세 제일의 팔분서八分書 대가인 좌참찬 퇴어退漁 김진상金鎭商(1684~1755)이 72세로 여주에서 돌아간다. 퇴어는 사계沙溪 김장생金長生(1548~1631)의 손자로 경신대출척庚申大黜陟(1680)을 일으켜 허적許積(1610~1680), 윤휴尹鑴(1617~1680) 등의 남인 정권을 전복시켰던 광남군光南君 김익훈金益勳(1619~1689)의 손자이다.

신임사화辛壬士禍 때 지평으로 무산茂山에 유배되었다가 영조의 즉위로 풀려난 이후로는 일체 벼슬에 뜻이 없어 여주로 퇴거해 내려가서 벼슬을 내릴 때마다 사양하며, 조정에 나가지 않고 평생 독서를 즐기며 산수 간에 노닐고 세상일에 관한 말은 한마디도 하지 않았다는 개결한 선비였다. 퇴어는 겸재의 8촌아우로 겸재와 함께 『광주정씨세보光州鄭氏世譜』를 편찬해 낸 삼회재三悔齋 정오규鄭五奎(1678~1744)와 절친하여 겸재와도 친교가 있었던 인물이다.

영조는 윤지尹志 역옥逆獄을 종결짓고 나자 자신의 왕위 계승이 정당하다는 사실을 밝히기 위해 그간의 노소 당쟁 전말을 소상히 파헤쳐 충역忠逆과 시비是非를 분간하는 대처분을 내리고 이를 책으로 엮어 내게 하니 이것이 『천의소감闡義昭鑑』이다. 천의소감 찬수청纂修廳이 개설되는 것은 6월 1일이었고 파청하는 것이 9월 21일이었으며 책이 이루어져서 5곳 사고史庫에 분장分藏하는 것은 11월 26일이었다. 이로써 영조 왕권의 정통성 시비는 31년 만에 종결지어진다.

이해 8월에 겸재는 간송미술관 소장의 〈사문탈사寺門脫蓑〉도판190를 그려 내는데 이는 누구에게 그려 주기 위해서가 아니고 우연히 그리고 싶은 욕구가 충동적으로 일어나서 그린 그림인 듯 표현이 자유롭고 운필이 거침없다. 80 노인이 어찌 이와 같이 웅장한 필력을 과시했는지 정녕 노익장老益壯은 이런 경우를 두고 쓰는 말인가 보다. 과연 화성畵聖다운 면모를 보여 주는 그림인데 '사문탈사寺門脫蓑, 을해乙亥 8월八月, 겸재謙齋'라는 자필 관서는 80세 노인다운 노필老筆이다. 여기서 찍은 '원백元伯'이라는 방형주문方形朱文 인장도 80 전후한 시기에 주로 사용하던 것이다.

이 인장이 찍혀 있는 그림으로는 또 간송미술관 수장의 〈무송관산撫松觀山〉도판150이 있다. 이 그림은 앞서 겸재 76세 시에 그렸을 것이라 추정했는데 이 인장의 사용례를 보아 그 제작시기를 80세경으로 조금 늦춰야 할 듯하다. 그리고 보면 화법도 추상성이 조금 더 진행되어 함축미가 돋보인다.

국립중앙박물관 소장의 〈선객도해仙客渡海〉도판191 역시 이 인장이 찍혀 있는데 「밤이 고요하고 바다 물결은 3만 리, 달도 밝아서 석장錫杖을 날려 하늘 바람 타고 내린다夜靜海濤三萬里, 月明飛錫下天風」는 제사 글씨까지도 똑같은 노필이라 이도 역시 을해년 전후한 시기에 그린 그림이라 해야 할 것이다. 그리고 개인 소장의

사문탈사寺門脫簑 **도판190**

1755년 을해乙亥 8월, 지본수묵紙本水墨, 55.0×37.7cm, 간송미술관 소장.

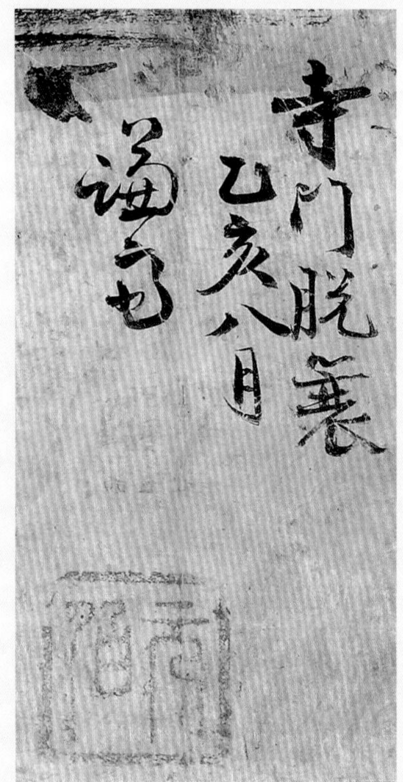

사문탈사寺門脫簑 **부분**

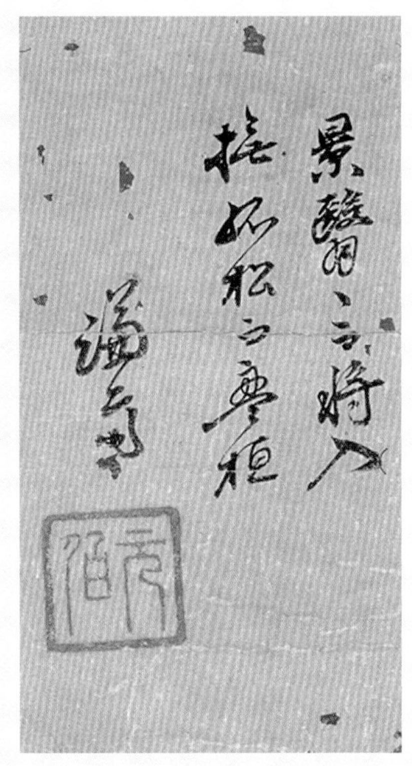

무송관산撫松觀山 **부분**

무송관산撫松觀山 도판150

1750년 경오庚午경, 지본수묵紙本水墨, 55.8×97.0cm, 간송미술관 소장.

〈노송영지老松靈芝〉도판192에도 역시 '을해추월乙亥秋日, 겸재謙齋'라는 관서款書가 있어 이해에 그린 것을 알 수 있게 한다.

그러나 무엇보다도 이해에 그린 그림 중 백미白眉는 그해에 판부사와 영부사자리를 오르내리면서 세도世道를 좌우하던 겸재의 백악사단 후배인 지수재知守齋 유척기兪拓基(1691~1767)의 바로 아래 동서인 박유도朴有道 대원大源(1694~1766)에게 그려 준 화첩이었던 모양이다. 박대원朴大源은 금양위錦陽尉 박미朴瀰(1592~1645)의 5대 종손宗孫으로 금성위錦城尉 박명원朴明源(1725~1790)의 사촌형인데, 겸재가 영조 35년(1759) 3월에 돌아가자 10월에 그 대고모부인 유복기兪復基(1662~1708)의 막내 자제 송호松湖 유언술兪彦述(1703~1773)에게 부탁해 다음과 같은 발문跋文을 짓도록 하고 있기 때문이다.

이는 겸재謙齋 80 노인의 그림이고 박유도朴有道의 소장이다. 유도는 그림을 알지 못하나 이 그림을 심히 사랑하여 보배로 여기고 손에서 놓지 못하니 어찌 그 사랑하는 바의 것이 그림에 있지 않고 사람에 있다고 하지 않겠는가.

그림은 무릇 몇 첩帖으로 잡화雜畵, 산수山水, 인물人物, 목석木石, 화초花草인데 거개가 모두 예스럽고 전아하며 속되지 않아 지극히 그윽한 뜻과 담박한 모습이 있고 가볍게 나부끼어 세상 먼지 속으로부터 벗어난 생각이 있으니, 이는 그 가슴속에 가지고 있다가 붓끝에 피워 낸 정신으로 늙어서까지도 쇠하지 않은 것이다. 시詩를 보고 성정性情을 얻으며 글씨를 보고 심획心劃을 안다고 한다면 어찌 홀로 그림에서만 그렇지 않겠는가. 겸재가 속된 사람이 아닌 것을 가히 알 수 있겠다.

세상의 겸재 그림을 보는 사람들은 소리쳐 웃으며 핍진逼眞◆하다 하고 통신通神◆하다 하나 이는 그림만 알고 겸재를 모르는 이들이다. 유도는 홀로 필묘筆妙의 밖에서 감전感電되듯 느끼어 손목 아래에서 겸재의 마음을 얻고 그것을 진심으로 사랑하니 유도는 이른바 그림을 알지 못하나 그림 보는 법을 아는 사람이 아니겠는가. 유도가 성남댁城南宅에 병들어 누워서 나를 불러 그림의 왼쪽에 쓰게 하니, 즉 겸재가 돌아간 해인 기묘년 10월이다.

나는 비록 겸재謙齋를 모르나 유도有道는 겸재도 알고 나도 알아서 그가 나로 하여금 그림에 글을 쓰게 한 것인데 어찌 글로써가 아니고 다른 까닭이 있음으로써

◆**핍진**逼眞
실물과 아주 비슷함

◆**통신**通神
정신을 꿰뚫음

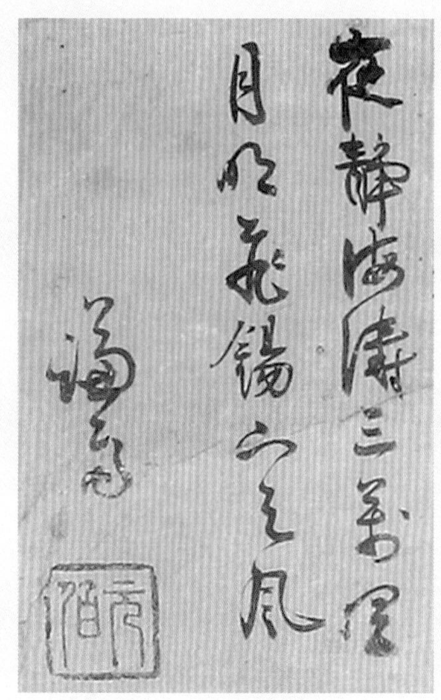

선객도해仙客渡海 **부분**

선객도해仙客渡海 도판191

1755년 을해乙亥경, 지본수묵紙本水墨,
67.5×123.9cm, 국립중앙박물관 소장.

노송영지老松靈芝 도판192

1755년 을해乙亥 가을, 지본담채紙本淡彩, 103.0×147.0cm, 인천시립박물관 소장.

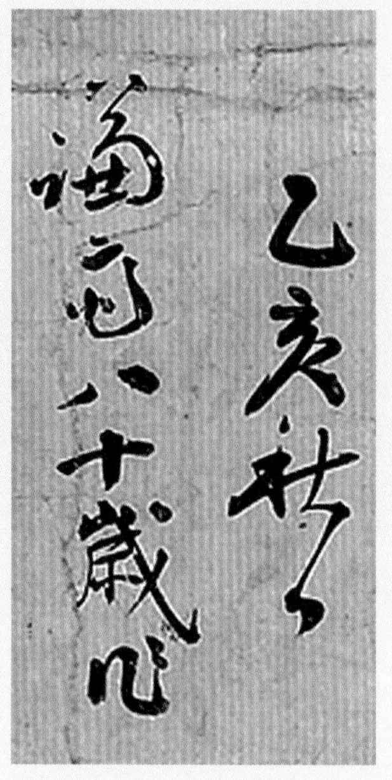

노송영지老松靈芝 **부분**

임을 알았겠는가. 겸재가 안다면 반드시 빙긋이 웃으며 가로되 '내가 일찍이 그림을 좋아했으되 세상에서 나를 아는 이가 없더니 지금 그림으로 박유도朴有道를 얻고 또 유도로써 유계지兪繼之를 얻으니 천 년 후에 곡자운谷子雲 영永이 소요부邵堯夫 옹雍을 얻은 격이로다.

고인古人도 어려움으로 삼은 바인데 나는 이제 한 작은 재주로 그것을 죽어 1년 뒤도 안 되어 얻으니 내가 좋아한 바는 그저 한갓 좋아한 것뿐만이 아니었구나.' 하리니 이는 진실로 겸재의 기쁨이 되는 것이고 나와 유도가 헛되이 겸재를 알지 않았음이 되는 것임에 또한 얼마나 기쁘겠는가. 마침내 써서 되돌려 주노라.

此謙齋八十翁畵, 而朴有道藏也. 有道不知畵, 而愛此畵甚寶翫, 不釋手, 豈非其所愛者, 不在於畵, 而在於人也耶. 畵凡幾帖, 雜畵山水人物木石花草, 而類皆古雅不俗, 極幽深之意, 淡泊之態, 而飄飄然, 有遺世出塵之想, 此其胸中之所有, 而發爲筆端之精神, 至老而不衰者也. 觀詩而得性情, 見書而知心, 則何獨於畵, 而不然哉. 謙齋之非俗人, 可知已.

世之觀謙齋畵者, 輒呌奇絶倒, 曰逼眞, 曰通神, 此知畵, 而不知謙齋者也. 有道獨於筆妙之外, 犂然神會, 得謙齋之心, 於手腕之下, 而心愛之, 有道非所謂不知畵, 而知觀畵之法者也歟. 有道病臥城南宅, 召余書畵之左方, 卽謙齋乘化之年, 己卯陽月也.

余雖不知謙齋, 而有道則知謙齋又知余, 其使余書於畵者, 又安知不以書, 而別有所以耶. 謙齋而有知, 必莞爾曰 吾嘗好畵, 而世無知我者, 今以畵而得朴有道, 又以有道而得兪繼之, 千載下子雲堯夫. 古人所以爲難, 而吾今以一小技, 得之於死未一年之後, 吾之所好, 非徒好云爾. 則此固爲謙齋之喜, 而余與有道不虛知謙齋, 則又何喜如也. 遂書而歸之.

兪彦述, 『松湖集』 卷五, 朴有道所藏謙齋畵帖跋

이해 관아재觀我齋 조영석趙榮祏은 70세로 역시 조관朝官 70세 이상 가자加資의 은전을 입어 광흥창수廣興倉守(정4품)가 된다. 그러나 천재 조각가 최천약崔天若(1684~1755)은 이해 여름에 72세로 돌아간다. 6월 19일에 영조가 다음과 같이 말하고 있는 것으로 이 사실을 알 수 있다.

최천약은 나랏일에 자못 힘썼었는데 그 죽음이 매우 아깝다.

崔天若, 於國事頗勤, 其死可惜.

『承政院日記』1,120冊

다음 영조 32년(1756) 병자는 대왕대비인 인원왕후仁元王后 경주김씨慶州金氏(1687~1757)가 70세가 되어 칠순七旬의 수경壽慶이 있는 해였다. 인원대비仁元大妃의 친정아버지 경은부원군慶恩府院君 김주신金柱臣(1661~1721)은 농암農岩 김창협金昌協(1651~1708) 모친의 외사촌 아우로 농암과 삼연 등 육창六昌과는 5촌 숙질간의 척분이 있었지만 오히려 조카인 농암에게 나아가 배운 농암의 문인이었으며 장인이 대은암大隱巖에 세거하던 죽음竹陰 조희일趙希逸(1575~1638)의 손자인 조경창趙景昌(1634~1694)이라 인원대비는 바로 이 대은암동 죽음 고택에서 탄강한다.

그래서 경은부원군 김주신은 비록 소론 색목을 띠지만 백악사단의 일원이었고 인원대비는 탄강지가 백악동부의 핵심부인 대은암동이라 백악사단에 대한 애착이 남달라서 영조를 신임사화의 위기 속에서 혼신의 힘을 기울여 구출해 내고 보위에 오르게 했던 것이다. 물론 그 배후에는 인원대비의 외가댁과 밀착된 집안 출신인 영빈寧嬪이 있어 인원대비를 보좌했기에 그런 용기를 발휘할 수 있었을 것이다.

어떻든 영조에게 있어서 인원대비는 불과 7세 연상의 계모에 불과한 존재가 아니었다. 재생再生의 은혜가 있는 계모였으므로 영조의 효도가 각별했었는데 이제 칠순의 수경을 맞이했으니 영조가 그 경사를 범연히 치를 리가 없다.

정월 초하룻날부터 대왕대비에게 휘호를 가상加上하고 국왕은 존호尊號를 받았으며 조신 70세 이상, 사서 80세 이상은 모두 가자 일등을 올리는데 이 의식을 경복궁 근정전터에 장막을 치고 성대히 치러 낸다. 아마 이 의식에 겸재도 81세의 노신으로 참례했을 것이고 관아재도 71세의 노신으로 함께 참례했을 것이다. 뿐만 아니라 옥문을 열어 죄수들을 모두 방면하고 죄를 받은 조신들을 서용敍用하며 토역천의討逆闡義의 하례賀禮도 함께 받았다.

이런 국가적인 경축행사 속에서 겸재는 다시 일품의 품계가 올라 2월 6일에는 종2품 가선대부嘉善大夫 동지중추부사同知中樞府事를 예수例授받는다.(『승정원일기』1,128책 참조) 아경亞卿* 의 반열에 올라선 것이다. 연 3년 수경으로 매해 1품씩 올라 불과 3년 사이에 3품의 품계가 해년마다 올라서 재상의 반열에 서게 되었으

* **아경**亞卿
종2품의 6조참판과 한성좌·우윤

니 그런 홍복弘福이 없었다.

그래서 2품 이상이 되면 3대 추증하는 법전의 조문에 따라 벼슬이 없던 3대의 조상에게 일시에 증직의 영광을 안겨 주게 되니, 부친 시익時翊(1638~1689)은 호조참판(종2품)으로, 조부 윤綸(1600~1668)은 좌승지左承旨(종3품)로, 증조부 창문昌門(1565~1614)은 사도시정司導寺正(정3품)으로 각각 관직이 추증된다. 이런 영광이 있으리라고는 겸재 자신도 꿈속에서조차 상상하지 못했을 것이다.

『주역』의 이치에 통달한 겸재인지라 혹시나 겸괘謙卦의 괘사卦辭를 믿고 '겸손은 형통하니 군자가 끝이 있으리라謙亨 君子有終' 는 말대로 유종有終의 미를 확신하여 평생 자겸自謙했었더란 말인가. 이런 대복인은 고금을 통틀어도 몇 사람이나 꼽을 수 있을지 모르겠다.

그래서 겸재가 동지중추부사가 되자 사천의 제자이자 겸재의 제자이기도 한 창암蒼巖 박사해朴師海(1711~1778)는 「정겸재鄭謙齋 선敾이 수직壽職으로 동지중추부사同知中樞府事가 된 일에 서序함鄭謙齋敾壽職同樞序」이라는 글을 지어 이를 축하한다. 이 글이 겸재의 일생을 간명직절하게 요약하고 있으므로 그 전문을 옮겨 보겠다.

> 선비가 이 세상에 태어나서 그 부귀富貴와 함께하다가 마멸하여 기록되지 않는 것보다는 차라리 한 가지 기예技藝로라도 후세에 이름이 나야 한다 하니 대개 차마 초목과 더불어 함께 썩게 해서는 안 되어서일 뿐이다. 그러나 처음부터 어찌 이름으로 마음을 삼겠는가. 기예가 극에 이르면 이름은 저절로 오래가니 시남의료市南宜僚의 농환弄丸◆과 혁추奕秋의 바둑이 이것이다.

◆ **농환**弄丸 탄환 쏘는 것

> 겸옹謙翁은 성리학性理學에 조예가 깊었으나 특히 그림으로 덮인 바 되어 아는 이가 없고 홀로 세상에 그 화명畵名뿐이라 옹翁은 실로 불우하다 하겠는데 능히 스스로 번민하지 않았으니, 옹을 일컬어 고고孤高하다 하지 않으면 안 된다. 옹은 산수山水로써 천하天下에 이름났고 산수는 또 그림세계 중에서 가장 격조 높은 것(畵家淸格)이라서 풍류문사나 은일지사들이 때때로 뼈에 사무치도록 사랑하는데, 때인즉 김삼연金三淵 이사천李槎川이 있어 한묵翰墨을 주맹主盟해 갔었으므로 진실로 문사들의 술 마시는 모임이 있으면 옹은 일찍이 그 사이에 있지 않은 적

이 없었다.

옹은 그런 까닭으로 평생 적적하지 않았고 성가는 더욱 무거워져 이름이 날로 쌓여 갔으니 이는 옹이 불우한 속에서도 불우하지 않은 것이었다. 옹으로 하여금 그림을 그리지 않게 하고 공경公卿이 되게 했다면 비록 한때 부귀富貴는 극할 수 있었다 하나 그 이름이 능히 이와 같이 그렇게 반드시 전해질 수 있었을까.

아아 사람의 생명은 끝이 있으나 이름의 전해짐은 무궁하구나. 그런 까닭으로 오래 사는 것도 오복五福의 하나를 차지하며, 이름나는 것은 조물주造物主가 꺼리는 바 되어 하늘이 심히 인색하게 해서 가볍게 사람에게 주지 않는 것이다. 이로써 오래 살면 반드시 이름나지 않고, 이름나면 반드시 오래 살지 못하니 오래 살면서 이름난 사람은 천하에 대개 드물다.

옹은 천하에 무궁한 명성을 차지했고 겸해서 80의 장수를 누렸으니 하늘이 옹에게 주는 것이 너무 풍부하지 않은가. 대체 그림을 잘 그리는 사람은 대개 초췌하고 마른 선비이며, 시詩의 궁인窮人처럼 그림을 잘 그리고 궁하지 않은 자 또한 드물다. 옹은 비록 청빈하다고는 하나 안으로는 부인과 자손이 갖춰 있는 즐거움이 있고 밖으로는 녹을 받는 벼슬의 영광이 있어 삼현三縣의 인부印符를 나누어 가졌었고 품계가 금옥金玉에 올랐으니(정3품正三品 당상관堂上官에 올라야 금관자金貫子 옥관자玉貫子를 착용할 수 있음) 하늘의 복이 공에게만 또 어찌 완전한가.

쪽에서 나온 것도 반드시 푸르지만은 않아서 공公을 헐뜯는 자가 많지만 공은 곧 차라리 남이 나를 공격할지언정 나는 남을 공격하지 않는다 한다. 『주역』에서 이르기를 '군자君子는 겸손하고 겸손하니 낮추어서 자신을 기른다(『주역周易』 권6에서 상왈象曰 겸겸군자謙謙君子, 비이자목야卑以自牧也라 하다)' 했고, 또 이르기를 '천도天道는 겸손을 복 받게 하니 겸손은 여러 복이 모이는 곳이다' 라 했다.

옹은 이로서 서재에 편액을 삼고 능히 스스로 낮추었으니 복을 기른 완전한 분이시다. 복 받은 까닭이 그 겸손이 아니겠는가. 공公은 늙을수록 더욱 『주역』을 좋아하여 손에서 놓지 않았고 자가설自家說을 저술한 것도 있으니 옹은 그 『주역』을 잘 사용했고 한갓 말로만 떠든 분이 아니시구나.

士生斯世, 與其富貴, 而磨滅不記, 寧以一藝, 名後世, 盖不忍與草木同腐耳. 然始豈以名爲心哉. 藝至於極, 則名自久, 僚之丸, 秋之奕, 是已. 謙翁, 邃於性理, 特爲畵所掩, 而無知者, 獨其畵名於世, 翁實不遇, 而能自無悶, 謂翁不高, 不可也. 翁以山水 名天下, 山水又畵家淸格也. 騷人逸士, 往往愛入骨髓, 時則有金三淵 李槎川, 主盟翰墨, 苟有文酒之會, 翁未嘗不在其間. 翁所以生不寂寥, 聲價增重, 而名日益藉, 是翁不遇之遇也. 使翁無畵, 而爲公卿, 雖一時富貴可極, 而其名能如是其必傳哉.

嗚呼 人之生有涯, 名之傳無窮. 故壽居五福之一, 名爲造物所忌, 天之甚嗇, 而不輕與人者也. 是以壽之未必名, 名之未必壽, 壽而名者, 天下盖鮮矣. 翁有無窮之名, 兼有大耋之壽, 天之與翁, 不已豊乎. 夫工畵者, 率憔悴枯淡之士也. 若詩之窮人, 工畵而不窮者, 又稀矣. 翁雖淸貧, 內有居室子孫之樂, 外有食祿仕宦之榮, 分符三縣, 秩躋金玉, 天之福, 公又何完也. 出於藍者, 未必靑, 而疵公者多, 公則寧人攻我, 毋我攻人. 易曰 君子謙謙, 卑以自牧. 又曰 天道福謙, 謙諸福之所萃也. 翁以是扁齋, 而能自卑, 牧福之完者. 非所以福其謙耶. 公老益喜易, 手不釋, 有著說, 翁其善用易, 而非徒言者歟.

朴師海, 『蒼巖集』 卷八, 鄭謙齋歒壽職同樞序

겸재는 성리학에 정통한 대성리학자였고 산수화로 천하에 이름을 드날렸으며 산수화를 뼈에 사무치도록 사랑하던 삼연三淵과 사천槎川이 주도하는 백악사단白岳詞壇의 중진으로 항상 그 문주지회文酒之會에 빠짐없이 참석했었고 명예와 장수를 함께 누리기 어려운 법인데 이를 다 갖추었으며 관운도 좋아 3현의 현감을 지내고 당상관을 넘어서는 아경의 반열에 올라섰으며 비록 청빈하기는 하나 부부가 해로하고 자손이 갖춰 있는 대복인이라 했다.

그리고 정술조鄭述祚의 악의에 찬 탄핵을 지적하는 듯이 쪽에서 나왔으나 반드시 모두가 푸른 것은 아니라고 완곡하게 표현해 백악사단에 출입하던 자들 중에서 오히려 겸재를 시기해 헐뜯는 자들이 있었던 것을 암시하는데 겸재는 이들의 배신을 치지도외하고 모르는 척하는 대인의 금도를 보였다고 했다. 창암은 이 글을 짓고 나서 겸재에게 자신이 배관拜觀하고 온 〈함흥본궁송咸興本宮松〉[삽도145]을 그려 달라 했던 모양이다. 글빚을 진 겸재는 그가 말로 묘사해 내는 소리만 듣고 이를 그렸다 하는데 자못 방불했던 듯 창암은 다음과 같은 내용의 「함흥본궁송도기咸興本宮松圖記」를 짓는다.

함흥본궁송咸興本宮松 삽도145

정선鄭敾, 1750년 경오庚午경, 견본채색絹本彩色, 23.4×29.5cm, 독일 성오틸리엔 수도원 소장.

신臣이 일찍이 몸소 궁宮을 살펴보오니 함흥 치부治府 동쪽에 있었사온데 우리 태조대왕의 옛집이었사옵니다. 태조께서 손수 심으신 소나무 세 그루가 있었사온데 그 크기는 소를 가릴 만했사옵고, 그 줄기는 붉었사오며 가지는 아래로 늘어져 땅에 닿았었사와 소나무 보기를 많이 했삽지만 그 장대함이 이와 같은 것은 아직 없었사옵니다.

그 하나는 구리로 한 길쯤을 씌워 놓았사온데 전해 오는 말로는 임진년 왜구가 도끼로 찍자 피가 나서 두려워 그친 후에 이 덮개를 만들어 그 상처를 감쌌다 하옵니다. 신臣이 정선鄭敾을 위해서 그 보온 바를 말하옵고 그것을 묘사하게 하오니 선敾은 사실 보지 못했삽고 말만 듣자왔사오나 그 방불하옴이 있사옵니다. 신臣이 또 엎드려 건원릉健元陵(태조太祖의 능陵) 능침陵寢(정자각亭子閣)의 도끼자국을 살펴보건대 그 일이 소나무와 부합符合하옵니다. 숭정기원후崇禎紀元後 3병자三丙子(1756) 신臣 사해師海가 삼가 쓰나이다.

臣嘗躬覩宮, 在咸興治東, 我太祖大王舊第也. 有太祖手植松三, 其大蔽牛, 其幹赤, 枝下垂至地, 見松多, 未有若此其壯. 其一, 衣以銅丈餘, 傳言壬辰海寇, 斧而血, 懼止後, 有是盖, 裹其創也. 臣爲鄭敾, 道其所見, 使摹寫之, 敾實未見, 聞言而存其髣髴. 臣又伏覩健元陵寢柱斧痕, 其事與松符焉. 崇禎紀元後三丙子, 臣師海敬記.

朴師海, 『蒼巖集』 卷九, 咸興本宮松圖記

어물御物을 그린 것이라서 극존칭을 쓰고 있을 뿐이다. 창암은 다시 겸재가 이와 같이 연속 수경壽慶을 만나 3년 동안 매해 1품씩 가자되어 종2품의 아경에 오르게 되자 같은 81세를 살았으면서도 그와 같은 관운을 누리지 못하고 먼저 돌아간 또 하나의 스승인 사천이 문득 그리워졌었던 모양이다. 그래서 겸재와 합작으로 꾸며 낸 시화첩 뒤에 「두 노인의 시詩와 그림에 제題함題二老詩畵」과 「또 발跋을 붙임又跋」이라는 제목으로 다음과 같은 제사를 붙이고 있다.

얻기 어려운 것이 시와 그림과 산수가 아니겠는가. 그러나 시도 얻을 수 있고 그림도 얻을 수 있으며 산수도 얻을 수 있는데 시와 그림과 산수가 서로 얻는다는 것은 더욱 어려움이 될 뿐이다.

죽서루竹西樓가 있어서 사천을 얻어 주인을 삼고 겸재를 얻어 가객佳客을 삼아 사천이 시를 짓고 겸재가 그림을 그렸는데 모아서 권卷으로 했으니 세상에서 보기가 이는 더욱 쉽지 않게 되어, 삼선三善을 갖추었다 하겠다. 대체 죽서루의 빼어남이 연광정練光亭(평양)이나 강선루降仙樓(성천成川)에 비겨 보아 어떠하며, 사천의 시가 읍취헌挹翠軒(박은朴誾, 1479~1504)이나 삼연三淵(1653~1722)에 비겨 보아 어떠한가. 겸재는 그 그림이 산수山水에 뛰어나서 이징李澄(1581~?)이나 김명국金鳴國(1600~?)의 위로 높이 드러나니 우리 동쪽 나라에서 거의 한 사람일 뿐이다.

그러니 곧 그림이 이에 주가 되고 시와 경치는 그것을 위해 눌려야 하는가. 그러나 죽서루와 산수는 오래 남아서 가면 곧 이를 수 있고 겸재는 나이가 이제 81세나 필력이 아직도 굳세어서 구하면 얻을 수 있으며 이어서 그리는 이들도 또 어지럽게 많다. 그런데 사천의 묘소에 난 풀은 이미 여러 번 묵었었구나. 비록 척자편언隻字片言◆이라도 구하려 하나 얻을 수 없고 뒤이어 짓는 이도 또 아주 적으니 어찌 거듭 애석하다 하지 않을 수 있겠는가. 병자丙子 국추菊秋에 사길士吉에게 써서 돌려보낸다.

◆ **척자편언**隻字片言 한 글자 한 조각 말

또 발跋을 붙인다. 이 첩帖은 그림이라고 하면 곧 시가 있고, 시라고 하면 곧 그림이 있어서 한쪽으로 치우칠 수 없다. 이로써 〈이로시화二老詩畵〉라 했다. 그러나 시로써 그림에 앞세웠으니 이는 편중이 아닌가. 소리가 고요하고 시상詩想이 유묘幽妙한 것은 겸옹謙翁의 그림시요, 금석金石이 쟁그렁거리듯 모사摹寫가 핍진한 것은 사천의 시그림이다.

그림이 시가 아니면 진짜 그림이 아니고 시가 그림이 아니면 좋은 시가 아니며, 그림만 그림이라 하고 시를 그림이라 하지 않으면 그림을 잘 보는 것이 아니고 시만 시라 하고 그림을 시라 하지 않으면 진짜로 시를 아는 것이 아니니, 사천으로부터 그것을 보면 겸옹의 시이고 겸옹으로부터 그것을 살펴보면 사천의 그림이다. 나는 이로二老의 누가 시이고 누가 그림인지 아지 못하니 마땅히 그것을 고르게 시화주인詩畵主人으로 삼아서 편중偏重하지 않게 하리라.

難得者, 非詩畵山水乎. 然詩可得, 畵可得, 山水可得, 而詩與畵與山水 相得, 爲尤難耳. 有竹西樓 得槎川爲主人, 得謙齋爲佳客, 槎川賦 謙齋畵, 輯爲卷, 觀乎世, 是爲尤不易, 而三善具矣. 夫竹西之勝, 視練光 降仙何如, 槎川之詩, 視挹翠 三淵何如. 謙齋其畵, 長於山水, 而高出於李澄 金鳴國之上, 我東殆一人耳. 然則畵乃爲主, 而詩與勝爲之壓耶. 然竹西與山水長存, 往則可至, 謙齋年今八十一, 筆力尙健, 求則可得, 繼而作者, 又紛紛焉. 槎川墓草, 已屢宿矣, 雖欲求隻字片言, 不可得, 繼而作者, 又寥寥焉, 豈不重可愛惜也. 丙子 鞠秋 書歸士吉.

又跋

是帖也, 畵云則有詩, 詩云則有畵, 不可偏也. 是以曰, 二老詩畵. 然以詩先畵, 是不偏重乎. 聲響寥寥, 藻思幽妙者, 謙翁之畵詩也, 金石鏗鏘, 摹寫逼眞者, 槎川之詩畵也. 畵不詩, 非眞畵, 詩不畵, 非善詩, 畵畵不畵詩, 非善看畵, 詩詩不詩畵, 非眞知詩, 自槎川視之, 謙翁詩也, 自謙翁觀之, 槎川畵也. 吾不知二老誰是詩, 誰是畵, 當均之爲詩畵主人, 而使不偏重也.

朴師海, 『蒼巖集』 卷九, 題二老詩畵

사천이 삼척부사로 있을 때(1732년 6월~1736년 4월) 겸재가 삼척으로 사천을 찾아가 죽서루에서 사천은 진경시를 짓고 겸재는 진경산수화를 그리며 함께 노닐었던 모양이다. 그때 꾸며진 시화첩詩畵帖을 창암이 보고 겸재가 81세로 동지중추부사가 된 영조 32년(1756) 병자 9월에 이런 제사를 써서 사천을 추모하며 겸재를 현창顯彰하고 있다. 이런 시화첩이 이루어지는 시기는 겸재가 청하현감으로 재임하던 영조 9년(1733) 1월부터 이를 사임하는 영조 11년(1735) 5월 사이일 터이니 겸재 58세 때부터 60세 사이라 해야 할 것이다.

이 사실은 삼척의 명승인 두타산頭陀山 무릉계武陵溪 용추龍湫폭포 하탕下湯 왼쪽 절벽 아래에 나란히 새겨져 있는 두 사람의 이름자[삽도146]에서 충분히 짐작해 낼 수 있다.

이 화첩이 이후에 어떻게 되었는지 행방을 알 수 없는데 만약 지금까지 어느 수장가의 비장으로 전해져 온다면 겸재 연구에 큰 보탬이 되겠다. 이 기록을 통해서 겸재가 81세 때까지도 아직 굳건한 필력으로 왕성한 작품활동을 계속하고 있었다는 사실을 분명히 확인할 수 있게 되었다.

창암은 이 어름에 「겸재 풍악도에 제함題謙齋楓嶽圖」이라는 글을 남겨 그 사실을 더욱 분명히 하고 있으니 그 내용을 아래에 옮겨 보겠다.

삼척 두타산 무릉계 용추폭포
이병연, 정선 각자 삽도146-1

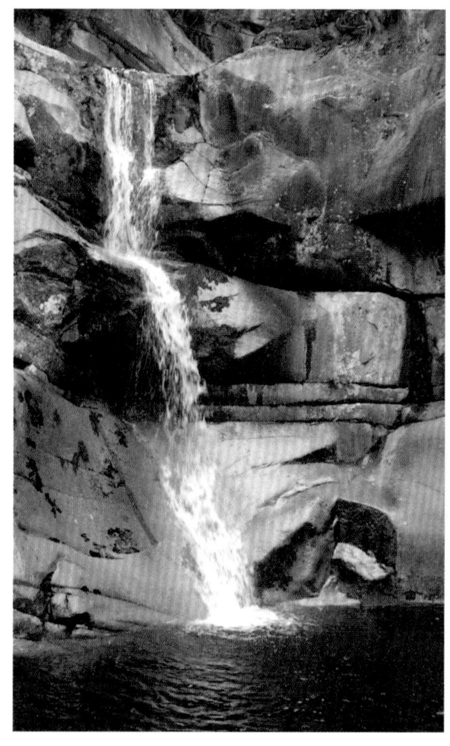

삼척 두타산 무릉계 용추폭포 삽도146-2

예전에 나는 다섯 번 금강산에 들어가서 두 번 비로봉에 올랐었는데 그 위는 넓고 평평해서 몇 리나 되고 소나무와 잡목은 모두 꼬부라져서 높이가 사람을 지나치지 않았으며, 하늘이 사방으로 드리워 아득히 막힘없으니 그 동해 바다이다.

산이 높을수록 바다는 운기雲氣가 많아 하늘과 바다가 혼연히 한 가지 은빛으로 그 정색正色을 구별할 수 없으니 정말 천하장관이다. 이에 이르면 비록 겸재 노인이 그림을 잘 그린다 한들 장차 어찌하겠는가.

금강산 일만이천봉이라 하는 것은 거짓일 뿐이다. 이루離婁◆도 다할 수 없는 바이고 교력巧歷◆도 다할 수 없는 바이며 능히 그릴 수 있다는 것도 거짓일 뿐이고 그리게 할 수 있다 하는 것도 거짓일 뿐이다.

◆**이루**離婁
황제黃帝 때 사람. 눈이 밝아 백 보 밖의 추호秋毫라도 찾아냈다. 『맹자孟子』「이루離婁」 상上 참조

◆**교력**巧歷
산수算數에 정통한 사람. 『장자莊子』「제물론齊物論」 참조

대체 찬란하게 빛나고 옹기종기 모여 서 있는 것만이 산의 정색正色이고 진면목眞面目이 되겠는가. 서리가 내리면 푸른 것은 홀연 노래지고 눈이 쌓이면 노란 것은 홀연 하얘진다. 해와 달이 뜨고 지는 바나 아침 저녁의 다른 기후와 비바람이 몰아치는 바는 잠깐 사이라도 형상을 다르게 하고 구름과 안개가 가리면 산은 있는 곳을 모르게 한다. 이 또한 산의 정색이고 진면목이 되겠는가.

그림은 곧 그렇지 않아서 봄이면 봄, 가을이면 가을, 해와 달, 바람과 구름을 할 수 없는 것이 없고 한번 그 모습을 받고 나면 남아서 변하지 않으니 그 변하지 않는 것으로부터 보면 변하는 것이 거짓일 뿐이고, 그 변하는 것으로부터 보면 변하지 않는 것이 진실일 뿐이다.

내가 일찍이 다섯 번 금강산에 들어갔었는데 소홀히 생각하여 하나를 얻고 아홉을 잃었으니 이것이 거짓이 아니겠는가. 화권畵卷을 열자 뚜렷이 아홉이 옳고 하나가 그르니 이것이 진실이 아니겠는가. 비록 그렇다 하더라도 진실로 거짓을 삼는 것도 거짓일 뿐이요, 거짓으로 진실을 삼는 것도 거짓일 뿐이니 나는 장차 진실과 거짓 사이에 두기로 하겠다.

하나의 금강일 뿐인데 어째서 그를 취하는 이가 많은가. 선자仙者는 이를 얻고 선仙을 생각하고, 불자佛者는 이를 얻고 불佛을 생각하며 유자儒者는 이를 얻고 인자仁者와 지자智者의 즐거움을 생각하고 문인文人은 문장을 생각하며 시인은 시를 생각하고 한가롭게 방랑하는 선비는 진기한 구경거리로 생각해 그 수고로움을 잊고 돌아갈 줄 모른다. 신선을 생각하지 않고 불타를 생각지 않으며 문장과 시도 생

각지 않고 돌아다니려 하지도 않고 바삐 갔다 바삐 와서 한가롭기가 산봉우리에서 피어나는 구름 같고 가슴이 트여 조물자造物者와 함께 노니니 누구 집 아들인가.

昔余五入金剛, 再登毗盧, 其上寬平, 可數里, 松木盡亞, 高不過人, 天四垂漭蕩無碍障, 其東海也. 山愈高, 海有多雲氣, 與天海混然一銀汞, 不卞其正色, 儘天下壯觀也. 到此雖謙翁善畵, 將奈何哉.

曰金剛萬二千峰者, 妄耳. 離婁之所不能悉, 巧歷之所不能窮, 謂之能畵者, 妄耳. 使之畵者, 妄耳. 夫以爛然而光, 簇然而立者, 爲山之正色眞面耶. 霜之落也, 翠者忽然黃矣, 雪之積也, 黃者忽然白矣. 日月之所出沒, 朝昏異候, 風雨之所追還, 頃刻殊狀, 雲霧晦暝, 則山不知處矣. 是亦爲山之正色眞面耶. 畵則不然, 春而春, 秋而秋, 日月風雲, 無不可焉, 一受其成形, 存而不變, 自其不變者, 觀之, 變者妄耳, 自其變者, 而觀之, 不變者眞耳. 余嘗五入金剛, 思之忽忽, 一得九失, 是非妄耶. 開卷瞭然九是一非, 是非眞耶. 雖然以眞爲妄者, 妄耳, 以妄爲眞者, 妄耳, 吾將置之於眞妄之間焉.

一金剛耳, 何取之者多也. 仙者得之, 以爲仙, 佛者得之以爲佛, 儒者得之以爲仁智樂, 文人以爲文, 詩人以爲詩, 閑暇放浪之士, 以爲瓌奇之觀, 忘其形役, 樂而忘返. 不爲仙, 不爲佛, 不爲文詩, 不爲形役, 翛然而往, 翛然而來, 悠悠若出峀之雲, 浩浩與造物者遊, 誰氏之子.

朴師海, 『蒼巖集』 卷九, 題謙齋楓嶽圖

이해에 관아재觀我齋 조영석趙榮祏도 71세로 수경에 의해 통정계通政階(정3품, 당상관堂上官)로 올라 첨지중추부사僉知中樞府事가 되었고 창암 박사해의 부친 병조참지 무취옹無臭翁 박필기朴弼琦(1677~1757)도 역시 수경으로 종2품 가의대부嘉義大夫의 품계를 받게 된다.

겸재는 자신이 금옥관자金玉貫子를 붙이는 것보다 더 통쾌하고 흐뭇한 경사를 이해에 맞게 된다. 2월 1일 그렇게도 노론 측에서 소원하던 양송兩宋, 즉 우암尤庵 송시열宋時烈(1607~1689)선생과 동춘同春 송준길宋浚吉(1606~1672)선생을 동시에 문묘에 종사從祀한 것이다. 그것도 이를 반대하는 상소 하나 없이 남소론南少論 측의 전폭적인 찬동 속에서 이루어졌으니 얼마나 통쾌하고 흐뭇했겠는가.

전년 을해처분乙亥處分으로 국론이 통일되기 시작하더니 이해 원단元旦 수경하례壽慶賀禮에 토역친의하례討逆闡義賀禮까지 겸하고 나서 성균관 유생 유한사兪漢師 등이 양송兩宋의 문묘종사文廟從祀와 노론 4대신의 정려장충旌閭奬忠을 청하자, 이전에는 양송 종사의從祀議가 일면 소론자제가 모두 피해 달아나고 4대신 정려에 이르러서는 공척攻斥하는 자가 반이 넘었었는데, 이제는 전에 피해 달아나던 자들이 다투어 이를 찬동하니 영조가 이를 가상히 여기고 2월 1일 왕명을 내려 허락했던 것이다. 이때 왕명을 받들어 이 의례를 집전한 이는 예조판서 홍봉한洪鳳漢(1713~1778)이었다.

이때 1월 21일 사헌부 지평에 제수된 정술조는 1월 30일 왕세자의 시민당時敏堂 정사에 입시해 양송의 문묘종사를 간청하는 기민성을 발휘한다. 대의를 앞세워 영조의 노여움을 벗어나 보려는 잔꾀였다.(『승정원일기』 1,127책 참조)

겸재는 그가 7세 때인 숙종 8년(1682) 임술에 외조부 박자진朴自振(58세)이 수원 만의촌萬義村 무봉산舞鳳山 중에 은거하고 있던 우암尤庵선생(76세)을 찾아뵙고 퇴계 친필의 「주자서절요서朱子書節要序」에 두 번째로 발문을 받아 오던 일을 기억하고 있었다.

그리고 그가 14세 나던 해인 숙종 15년(1689) 기사에 부친이 정월 3일날 돌아가고 정월 11일 원자元子(경종景宗)의 정호定號가 단행되자 2월 1일 우암선생이 이의 태조太早◆를 상소했다가 환국換局을 만나던 일을 생생하게 기억하고 있었다. 그래서 서인西人이 몰려나면서 스승 삼연의 부친인 문곡文谷 김수항金壽恒이 61세로 사사되고(윤3월 28일) 이어 우암선생이 83세로 사사되었으며(6월 8일) 율곡·우계 양 선생이 문묘에서 출향出享(3월 18일)되었었다.

◆ **태조**太早 너무 이름

숙종 20년(1694) 갑술甲戌, 그가 19세 나던 해에 다시 환국이 일어나 서인이 재집권하며 인현왕후가 복위되고 영빈寧嬪이 복작復爵되며 장희빈이 왕비 자리에서 쫓겨나고 숙빈淑嬪이 영조를 탄생하던 일들과 문곡과 우암선생 등이 복관작되던 일들을 소상하게 알고 있었다. 그러니 그 양송의 문묘종사가 영조의 어명으로 이루어진 사실에 얼마나 감개가 무량했었겠는가.

스승 삼연의 포한抱恨이 일시에 다 풀리는 듯했을 것이다. 아마 이때의 겸재 심정은 이제는 죽어도 여한이 없겠다는 그런 것이었을 것이다. 이 마음이야 어찌 겸재뿐이었겠나. 관아재觀我齋(71세)나 지수재知守齋(60세)도 다 마찬가지 심정이었을 듯하다.

그래서 겸재는 〈함흥본궁송咸興本宮松〉 같은 그림을 즐거운 마음으로 그려 냈을 것이다. 태산교악泰山嶠嶽에 우뚝 솟은 종송대송宗松大松으로 양송兩宋을 비유해 추숭하기 위해서였다.

이해 4월 24일에는 탕평소론의 중심인물 중 하나로 영조를 극진하게 보호해 신임을 일신에 모으던 영성군靈城君 박문수朴文秀(1691~1756)가 66세로 돌아간다. 그리고 11월 1일에는 당시 묵죽 제일로 손꼽히던 수운峀雲 유덕장柳德章(1675~1756)도 82세의 고령으로 작고한다. 남인 색목이던 수운으로서는 양송의 문묘배향을 그리 좋은 시각으로 보지 않았을 터인데 그 사실을 목도하고 갔으니 유쾌하지는 않았을 것이다.

수운은 성호星湖 이익李瀷(1681~1763)과 같은 소북 계열로 친교가 깊었으므로 그의 묘지명墓誌銘을 성호가 짓고 있다. 그 일부를 옮기면 다음과 같다.

> 익瀷에게 좋은 벗 유공柳公이 있는데 자字가 자구子久씨라는 사람으로 진주晋州 세가世家이며 이름은 덕장德章이다. 고려 영광군사靈光郡事 혜방惠芳의 후손이니 우리나라에 들어와서는 보문각寶文閣 제학提學 겸謙이 있다. 다섯 번 전해서 공조판서 진동辰仝에 이르니 문무의 재주가 있었고 호를 죽당竹堂이라 했다.
>
> 두 번 전해서 통제사統制使 진산晋山부원군 형珩에 이르는데 이가 진무공신振武功臣 진양군晋陽君 효걸孝傑을 낳으니 벼슬이 평안도 병마절도사에 이르렀다. 이가 인천仁川부사 호연浩然을 낳고 이가 가선嘉善 용양위 부호군 성삼星三을 낳았다.……선비先妣는 전주全州 이李씨니 세종 왕자 광평廣平대군의 후손인 봉사奉事 석신碩臣의 따님이다.
>
> 공은 을묘乙卯(1675) 12월 12일에 나서 병자丙子(1756) 겨울 11월 11일에 돌아가니 나이가 82이다. 묘소는 고양高陽 도정리陶井里 간좌艮坐의 산에 있으니 선산을 좇았다.……세상이 공을 말하기를 세속 일에 악착스럽지 않다고 하지 않음이 없다. 또 들으니 일상 살며 꽃 기르고 거문고 어루며 큰 소리로 노래하고 읊어서 속세를 벗어난 뜻이 있다고 한다.
>
> 일찍이 발해시發解試를 보러 과거에 나갔다가 떨어지자 문득 종이를 펴고 먹을

갈아 대 그림을 휘둘러 내고 기꺼워하자 그 함께 떨어진 사람이 곁에 있다가 이렇게 말했다. '나와 자네가 자취는 같으나 근심과 즐거움이 서로 매우 다르구나. 우리들이 자잘한 사람이다.'

대개 공의 죽당竹堂 선조가 그림 그리는 일에서 노닐어 대 그림이 남아 있는 본이 있었는데 공이 곧 사모해 이를 본떠 깊이 정묘精妙한 경지에 들었었다. 중국 사람도 또한 사 가면서 그 뛰어난 솜씨를 감탄했고 나 역시 몇 벌을 수장할 수 있어 때때로 펼쳐 보고 그 사람됨을 생각한다. 뒤에 공은 오래 삶으로 은혜를 입어 첨지중추부사가 되고 동지중추부사로 올랐다.

瀷有良友柳公, 字子久氏者, 晉州世家, 諱德章. 高麗靈光郡事惠芳之後, 入聖朝有寶文閣提學謙, 五傳至工曹判書辰仝, 有文武才, 號竹堂, 又再傳至統制使晉山府院君珩, 是生振武功臣晉陽君孝傑, 官至平安道兵馬節度使. 是生仁川府使浩然, 是生嘉善龍驤衛副護軍星三.……妣全州李氏, 世宗別子廣平大君之後, 奉事碩臣之女也. 公生於乙卯冬十二月十二日, 圽於丙子冬十一月十一日, 壽八十有二. 墓在高陽陶井里艮坐之山, 從先兆也, 公樂只人也.……世之論公, 莫不曰非齷齪俗臼. 亦聞其常居, 蒔花撫琴, 軒畝歌吟, 有出塵想. 嘗發解赴擧不利, 便伸紙磨墨, 渾灑作畫竹, 欣欣然也, 其同屈者在旁曰, 吾與子, 迹同而憂樂相懸. 吾輩細人也. 蓋公之竹堂先祖, 遊戲繪事, 寫竹有遺本在, 公卽慕效之, 深入精妙. 華人亦購得, 歎其絶藝, 余亦得藏數本, 時閱而想見爲人也. 後公以耆壽覃恩, 爲僉知中樞府事, 又陞同知事.

李瀷,『星湖集』六十五, 峀雲柳公墓誌銘幷序

이때 시속時俗은 오랫동안 승평일구昇平日久하고 탕평책蕩平策으로 당론黨論이 이완되어 의리명분義理名分을 다투고 시비是非를 가리는 기준이 모호해져서 점차 경화자제京華子弟들 사이에 다만 사치와 향락에 탐닉하는 문화절정기적 난만상이 유행하기 시작하고 있었다.

그래서 국왕은 1월 16일에 경화자제들이 독서도 습무習武도 하지 않으니 사람을 씀에 문벌을 보지 말고 독서자讀書者나 조궁자操弓者로 취하라 한다. 그리고 또 사족부녀士族婦女들이 머리치장을 위해 큰머리하는 것을 금하고 족두리로 대신하게 하는 명령을 내리기도 한다.

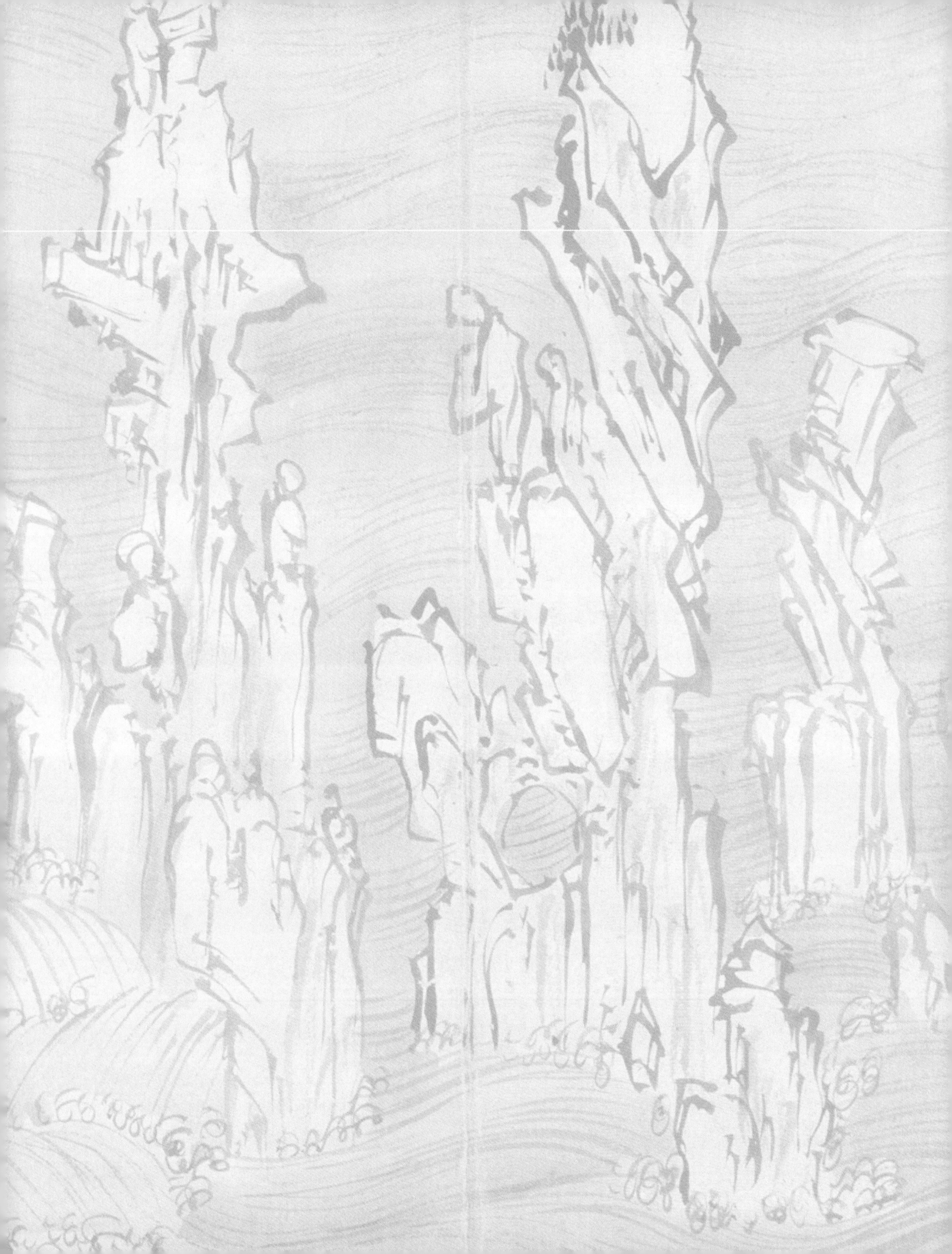

제12장

시대적 평가

44

시대적時代的 평가評價

흥진비래興盡悲來는 자연의 순리라 왕실의 수경壽慶이 여러 해 지속되고 탕평이 성공하여 천하가 태평무사하며 사문斯文의 숙원인 양송兩宋의 문묘종사가 이루어져 국시國是가 대정大定되자 그다음 해인 영조 33년(1757) 정축丁丑부터는 왕실에 슬픔이 몰아닥치기 시작한다. 우선 2월 15일에 왕비 정성왕후貞聖王后 달성서씨達城徐氏(1692~1757)가 춘추 66세로 승하한다.

그리고 같은 날에 영조가 몹시 사랑하던 제4부마 일성위日城尉 정치달鄭致達(1738~1757)이 타계한다. 그리고 뒤따라 3월 26일에는 인원대비仁元大妃 경주김씨慶州金氏(1687~1757)가 71세로 승하한다. 국상이 연이어 일어나서 내전內殿의 주인을 한꺼번에 잃게 되니 궁중은 정신을 차릴 수 없을 만큼 혼란에 빠진다.

이 와중에서 대리를 맡고 있던 사도세자思悼世子(23세)는 부왕 영조(64세)의 기대를 충족시키지 못하여 점차 상증相憎의 골을 심화시켜 가는데 이때 영조의 총애를 일신에 모으던 궁인宮人 문씨文氏(?~1776)와 화완옹주和緩翁主(1738~1808)가 사이에 들어 이를 더욱 악화시킨다.

그래서 왕세자가 7월 21일 인원대비의 명릉明陵 장례 이후에 11월 8일까지 영조에게 나타나지 않아 11월 11일에는 전위하겠다는 교지가 내려지고 왕세자가 혼절하는 소동이 일기도 한다. 그런 속에서도 수찬修撰 홍양한洪良漢(1724~1774)은 8월 9일 《8도분도첩八道分圖帖》을 진상하며 『여지승람輿地勝覽』의 속편을 만들자고 주청하여 즉시 거행하라는 영조의 특명으로 각 지방의 읍지 편찬이 시작된다.

세계의 중심이라는 우리 국토의 지도를 정확하게 그려 내려 지리를 보충하자는 진경문화의식의 표현 결과였다. 그리고 10월 2일에는 수원 만의에 있던 우암 송시열의 묘소를 충청도 청천青川으로 이장한다.

시속은 더욱 사치와 향락을 숭상하는 쪽으로 기우니 드디어 12월 16일에는 부녀婦女의 얹은 머리, 즉 체계髢髻는 일체 금하고 낭자, 즉 후계後髻로 대신하며, 조신朝臣 당하관堂下官의 시복時服은 홍포紅袍를 착용치 말고 옛 제도대로 청록靑綠색을 쓰도록 하라는 교유敎諭가 내려진다.

이런 때를 당했어도 겸재는 그림 그리는 일을 중단하지 않았던 듯 국립중앙박물관 소장의 〈청송당聽松堂〉에는 '82세옹 겸재八十二歲翁 謙齋' 라는 관서가 겸재 자필로 남아 있고 백악사단의 일원이던 악은岳隱 신민복辛敏復(1682~1766)에게 그려 준 선면〈도원도桃源圖〉에도 그런 관서가 있었다 한다. 악은의 〈도원도〉 얘기는 악은의 중씨仲氏인 경헌景軒 신돈복辛敦復(1692~1779)이 지은 『학산한언鶴山閑言』에 실려 있는데, 경헌은 율곡의 집우執友로 율곡학파의 중진이던 백록白麓 신응시辛應時(1532~1585)의 6대손이며 삼연三淵을 사숙하던 백악사단의 일원으로 겸재와 사천과는 친교가 깊은 동네 후배였다.

사실 원래 남곤南袞의 집이었다는 백록의 옛집이 아직도 신씨辛氏 소유로 대은암동大隱岩洞에 엄존해 있어 백악동부의 중추가문임을 자랑하고 있었다. 그런 경헌이므로 겸재와 사천에 관한 일은 자신이 직접 목도한 것이라서 그의 기록보다 더 확실한 것은 없을 터이다. 이에 약간 장황하지만 그가 『학산한언』에 남겨 놓고 있는 겸재 관계 기사를 모두 옮겨 보겠다.

> 정겸재鄭謙齋 선敾은 자字가 원백元伯이다. 그림을 잘 그렸는데 더욱 산수에 신묘해서 세칭世稱 300년 이래 그림의 최고라 하니 구하는 자가 삼대 같았으나 응해 주는 데 게으르지 않았다. 나도 역시 북리北里 같은 마을 사람으로 그가 그린 산수화 30여 장을 얻어서 항상 보배로 그것을 사랑하고 있다.
>
> 하루는 내가 사천槎川 이공李公에게 가서 그 시렁 위를 보니 중국본 상아꽂이 책을 쌓아 벽 위를 그것으로 둘러 놓았다. 내가 이르기를 '척장戚丈◆께서 당판 책이 어떻게 이렇게 많습니까' 하니, 이공이 웃으면서 말하기를 '이것이 1,500권이나 되는데 모두 내가 사 왔네.'
>
> 한참 있다 또 말하기를 '모두 정원백鄭元伯에게서 나온 줄을 남이 누가 알겠나. 북경 그림가게들은 원백元伯의 그림을 심히 중히 여겨서 비록 손바닥 크기의 조각

◆ **척장**戚丈
인척관계가 있는 존장뻘의 어른

만 한 종이의 그림일지라도 비싼 값으로 사지 않음이 없다네. 나와 원백元伯이 가장 친한 까닭으로 그 그림을 가장 많이 얻었는데 매양 연사燕使◆의 행차에 크기를 막론하고 곧 그에 붙여 보내 볼 만한 책을 사 오게 했더니 그런 까닭으로 능히 이처럼 많기에 이를 수 있었다네.' 라고 한다. 나는 비로소 중국 사람들이 진실로 그림을 알며 우리나라 사람들처럼 한갖 이름만 취하지 않는다는 것을 알았다.

◆ **연사**燕使 북경 가는 사신

또 한 친지의 말을 들으니 이렇다. 한 중인집이 있었는데 비단치마가 마침 겸재 집에 와 있다가 고기국물로 더럽힌 바 되었다. 안으로부터 심히 그것을 걱정하매 겸재가 그것을 가지고 오게 하니 더럽힌 곳이 자못 넓다. 곧 그 말기를 뜯어 버리고 그 더럽힌 곳을 빨게 하여 그것을 바깥사랑에 갈무려 두었다. 하루는 일기가 맑고 시원하여 화흥畵興이 크게 이는지라 이에 채연彩硯을 꺼내 놓고 비단폭을 펼쳐 내어 그 가운데에 크게 〈풍악도楓岳圖〉를 그려 내니 찬란하고 섬세하며 정채精彩가 흘러넘치는데, 아직도 남은 것이 2폭이 있는지라 다시 〈해금강海金剛〉을 그려 내니 지극히 기묘하여 진실로 최고의 보배였다.

그 후에 비단치마 주인이 오자 겸재는 '내가 마침 화흥畵興이 발동하여 좋은 바탕 없는 것을 한하던 차에 자네 집 비단치마가 와 있다는 것을 듣고 가져다가 화본畵本을 만들어 그 가운데로 만이천봉을 옮겨 왔으니 자네 집 부녀가 반드시 크게 놀랄 터인데 어찌할까' 했다. 그 사람도 역시 겸재의 화격畵格을 아는지라 기쁨을 이기지 못하고 그 치마를 가지고 돌아가서 진수성찬珍羞盛饌을 한상 크게 차려 갖추어 보내 드리고 그 큰 것은 가보家寶로 삼고 그 2폭을 가지고 사행使行을 따라 북경에 들어가 그림가게에 가지고 갔더니 마침 촉승蜀僧으로 청성산靑城山으로부터 온 사람이 있다가 그것을 보고 크게 감탄하며 칭찬하기를 더하고 최고의 보배라고 일컬으며 이렇게 말했다.

'바야흐로 새 절을 이룩했는데 이로써 부처님께 공양하고자 하니 원컨대 은銀 100냥으로 사고자 합니다.' 그 사람이 그것을 허락해 값을 건네려고 하는 때에 또 남경南京의 한 선비가 있어 그것을 보고 '나는 마땅히 20냥으로 값을 더하려 하니 청컨대 나에게 달라' 고 한다. 승려가 크게 노하여 말하기를 '내가 이미 값을 말해 매매가 이미 결정됐는데 어찌 선비가 이득을 보고 의리를 잊음이 이 사람 같을까 보냐. 나 역시 30냥으로 값을 더하겠다.' 하고 드디어 130냥을 내어 놓고 그 그림을 가져다가 불속에 던지면서 말하기를 '세도인심世道人心이 이와 같은 데 이르렀으니 만약 이것을 탐한다면 이 사람과 무엇이 다르겠는가' 라고 하며 옷자락을 떨치고 일어나자 그림 주인 역시 130냥 값을 갖지 못하고 다만 50냥으로써 돌아왔다고 한다. 내가 이 일로 일찍이 겸재에게 묻기를 '이런 일이 정말 있었습니까' 하니 대답하기를 '어찌 이에 이르기야 하겠는가' 하면서도 역시 심히 변명하려 하지 않았으니 필연 있었던가 보다.

또 겸재가 하루는 새벽같이 잠에서 깼는데 홀연 사람이 와서 문을 두드려 이끌어 들이니 곧 한 친한 바의 역관이었다. 한 좋은 접부채를 주면서 이르기를 '이제 막 연경으로 가려고 고별告別하러 왔습니다. 원컨대 공公께서는 잠깐 붓 휘두르심을 보태어 천한 여행에 선물해 주셨으면 심히 다행하겠습니다.' 한다. 때는 동창東窓이 이미 밝아 아침 기운이 심히 시원하거늘 겸재가 이에 바닷물을 그려 내니 나는 파도와 노한 물방울이 일렁이며 솟구치는데 한 작은 배를 파면波面 한쪽에 붙여 놓으매 바람 맞은 돛이 반쯤 돌아서 그것을 보면 아득했다.

역관이 그것을 감사해하며 가지고 가서 연경 가게에 들어가자 가게 주인이 잡고 즐겨 보기를 그치지 않으며 말하기를 '이는 반드시 새벽에 그린 바일 것이다. 정신이 많이 바람 맞은 돛폭 위에 있구나.' 라고 하며 선향線香 한 궤로 그것을 바꿈에, 역관이 돌아와서 향을 헤아리니 50매를 얻었는데 길이가 모두 수촌數寸이나 되었다 한다. 이로써 역관배들은 겸재의 그림을 얻으면 모두 기이한 재화財貨로 보았었다.

동네 한 집은 일찍이 겸재가 그린 《금강첩金剛帖》을 사천槎川 집에서 샀었는데 돈 30냥(銀貨)을 썼다고 한다. 좋은 말에 이르면 값이 40냥은 된다고 하니 그 보배로 삼은 바가 이와 같았다. 그러나 겸재의 집은 실로 가난하여 비록 몇 고을을 거쳤다 하나 늙도록 항상 식록食祿을 주지 않을까 걱정했으니 어찌 개결한 선비가 아니겠는가.

겸재는 『주역周易』 익히기를 심히 전문으로 하여 숨은 뜻을 깊이 꿰뚫었었으나 역시 스스로 자랑하지 않아 사람들이 그것을 잘 몰라서 홀로 그림으로써만 드러났었으니 또한 가히 개탄할 만하다. 그러나 성상聖上께서 그 그림을 심히 소중히 하사 항상 겸재로 그를 부르셨으니 그 역시 영광이었다. 겸재는 나이가 84에 이르렀었고 작위가 금관자金貫子 다는 데 이르렀었으며 자손이 또한 많았으니 가히 복인福人이라 이를 만하다.

우리 백씨伯氏가 일찍이 부채 하나를 얻었는데 겸재가 그린 〈도원도桃源圖〉로 심히 정세精細하고 제사에 이르기를 '82세옹이 그리다八十二歲翁作'라 했다. 글자가 실낱 같으니 그 정신의 왕성함이 또 이와 같았구나. 가히 이상하다 하겠다.

鄭謙齋敾, 字元伯. 善繪畵, 而尤妙於山水, 世稱三百年來, 丹青絶品, 求者如麻, 而酬應不倦. 余亦以北里同閈, 得其畵山水三十餘張, 常珍愛之. 一日余詣槎川李公, 見其架上, 堆積唐板牙籤, 環之壁上. 余曰, 戚丈(有戚誼故也), 唐板書, 何如是多也. 李公笑曰, 此爲一千五百卷, 皆吾自辦者也. 已而又曰, 人誰知皆出於鄭元伯. 北京書肆, 甚重元伯之畵, 雖掌大片之紙畵, 莫不易以重價. 吾與元伯最親, 故得其畵最多, 每於燕使之行, 無論大小, 卽付之, 以買可觀之書, 故能致如此之多. 余始知中原之人, 眞知畵, 不如我人之徒取名也.

又聞一親知言, 有一中路家 錦裳適來謙齋家, 爲肉汁所汚. 自內甚憂之, 謙齋使之持來, 所汚頗廣. 卽令去其襞積, 而洗其所汚, 藏之外舍. 一日日氣淸爽, 而畵興大作, 乃發彩硯, 展錦幅, 大繪楓岳於其中, 燦爛纖悉, 精彩流動, 而餘存者有二幅, 更畵海金剛, 極奇妙, 眞絶寶也. 其後錦裳之主來. 謙齋曰, 吾適畵興發動, 而恨無佳本, 聞君家錦裳來在, 取作畵本, 移來萬二千峰於其中, 君家婦女, 必大驚駭奈何. 其人亦知畵格, 不勝忭喜, 携其裳歸, 治珍羞一大, 具而進之, 藏其大者, 以爲家寶, 以其二幅, 隨使行入京, 持詣書肆.

適有蜀僧, 從靑城山來者, 見之, 大加嗟賞, 稱以絶寶. 乃曰 方成新刹, 欲以此供佛, 願以銀百兩買之. 其人許之, 將輸價之際, 又有南京一士, 見之曰, 吾當增價二十兩, 請以歸我. 僧大怒曰, 吾已論價, 賣買已結, 豈有士子, 見利忘義, 如此者乎. 吾亦添價三十兩, 遂出百三十兩, 取其畵, 投之火中曰, 世道人心, 至於如此, 若貪此, 與此人何異. 乃拂衣而起, 畵主亦不取百三十兩價, 只以五十兩歸云. 余以此事, 嘗問於謙齋曰, 此事信有之乎. 曰 何至於是. 然亦不甚辨, 似必有之.

又謙齋一日比曉睡覺, 忽有人來叩門, 延之入, 乃一所親舌人也. 持一佳箑進之曰, 今將赴京, 委來告別, 願公暫加揮灑, 以贐鄙行, 幸甚. 時東窓已白, 朝氣甚爽, 謙齋乃作海水, 飛波怒沫 洶湧澎湃, 而着一小船於波面一邊, 風帆半濶, 視之杳然. 舌人謝之而去,及入京肆, 肆主把玩不已曰, 此必晨朝所作也. 精神多在風帆上. 以線香一樻, 易之. 舌人歸以計香, 得五十枚, 長皆數寸. 以此譯官輩, 得謙齋之畵, 皆視以奇貨矣.

洞中一家, 嘗買得謙齋畵金剛帖於槎川家, 用錢三十兩. 及良馬價, 可四十兩云, 其爲所珍如此. 然謙齋之家, 實貧, 雖經數邑, 至老食祿常患不給, 宜非介士哉. 謙齋治易甚專, 深透邃奧, 亦不自衒, 人鮮知之, 獨以畵顯, 亦可慨也. 然 聖上甚重其畵, 常以謙齋呼之, 其亦榮矣. 謙齋壽至八十四, 爵至腦金, 子孫亦多, 可謂福人. 我伯氏嘗得一扇, 謙齋畵桃源圖, 甚精細, 而題之曰, 八十二歲翁作. 字如絲毫, 其精神之旺, 又如此. 可異也.

辛敦復, 『鶴山閑言』

여기서도 겸재에 대한 평가가 창암蒼巖이 지은 「정겸재선수직동추서鄭謙齋敾壽職同樞序」의 내용과 거의 일치하고 있다. 다만 그림에 얽힌 일화逸話가 더 풍부하여 겸재 그림이 당시 청나라 연경 화사畵肆에서 얼마나 높이 평가되고 있었던가를 보다 더 확실히 알 수 있게 해 줄 뿐이다.

이 어름에 뒷날 순조純祖의 외조부가 되는 금석錦石 박준원朴準源(1739~1807)에게도 산수화 한 폭을 그려 주었던 모양인데 금석은 당시 19세였으니 고모부 이현곤李顯坤(1713~1757)과 맏형 근재近齋 박윤원朴胤源(1734~1799)이 겸재에게 『주역』을 배우러 다니는 데 따라다니다가 어렵게 한 폭 부탁하여 얻은 것 같다. 이에 금석은 이런 제사를 붙이고 있다.

겸재노인은 산수를 잘 그리는데 나이 80여 세에 필법이 더욱 신묘해졌다. 내가 그림을 빌어 한 소폭小幅을 얻었는데 산봉우리와 언덕이 빽빽하게 쌓이고 구름과 안개가 아득하여 종이가 몇 자에 차지 않아도 그 형세의 웅장하고 굳세며 드넓음과 아름답고 그윽함과 얕고 깊고 멀고 가까움이 지극히 그 신묘함에 다다르지 않음이 없어 그 변화를 헤아릴 수 없으니 마치 층벽을 다리로 밟고 올라서서 겹겹의 바다를 눈이 미치는 데까지 바라보는 것 같다.

노인의 이름이 세상에 소문난 것이 5, 60년이라서 그림을 거의 집집마다 수장하고 있는데 중국사람으로 우리 지경에 들어온 이들은 산천을 보고 이르기를 비로소 정필鄭筆의 신묘함을 알겠다 한다고 한다. 내가 들으니 노인은 『주역周易』을 좋아하여 자못 역리易理를 잘 푼다 한다. 대저 역리를 잘 푸는 이는 변화變化를 잘한다 하니 노인의 화법畵法도 『주역』에서 얻어서 그러한가. 노인의 성은 정鄭이고 이름은 선敾이며 자字는 원백元伯이라 한다.

謙齋老人, 善畵山水, 年八十餘, 筆益神. 余乞畵得一小幅, 峰巒稠疊, 雲烟杳漠, 紙不盈數尺, 而其勢之雄健浩闊, 瑰奇幽窅, 淺深遠近, 靡有不極臻其妙, 莫測其變化, 如脚踏層壁, 眼窮重溟者也. 老人之名, 聞于世, 五六十年, 而畵幾乎家藏, 而戶蓄, 中國人 入我境者, 見山川曰, 始知鄭筆之爲神也. 余聞老人好周易, 頗解易理. 夫解易理者, 善於變化, 老人畵法, 有得於易而然乎. 老人姓鄭, 名敾, 字元伯云.

朴準源, 『錦石集』 卷八, 謙齋山水圖記

겸재는 이제 그가 창안하여 완성해 낸 진경산수화법을 기법적으로 마무리 지을 때가 왔다고 생각했던 것 같다. 그래서 이 어름부터는 진경산수화를 극도의 추상적 기법으로 처리하여 한 화법의 최종경지가 어떠한 것인지를 보여 주려 한다. 그 대표적인 작품이 간송미술관 수장의 〈금강대金剛臺〉[도판193]와 〈정양사正陽寺〉[도판194] 쌍폭이다. 그리고 진경산수화법을 통해 터득해 낸 우리 산천의 특징을 정형화定型化하려는 노력도 했으니 역시 간송미술관 수장의 〈강진고사江津孤舍〉[도판195]와 〈강정만조江亭晩眺〉[도판196]가 그 대표작이다.

이들 그림을 차례로 살펴보겠다.

금강대金剛臺 도판193

정양사正陽寺 도판194

강진고사江津孤舍 도판195

강정만조江亭晩眺 도판196

금강대金剛臺 도판193

금강대金剛臺는 표훈사表訓寺 북쪽 만폭동 중에 있는 고주형高柱形 석대石臺다. 그래서 『동국여지승람東國輿地勝覽』 권47 회양淮陽 산천조山川條 금강대金剛臺 세주細註에 이렇게 기록해 놓고 있다.

> 표훈사表訓寺 북쪽에 있는데 석벽石壁이 천 길이라 사람이 오를 수 없다. 두 마리 검은 새가 있어 그 위에 둥지를 트니 사는 승려들은 가리켜서 검은 두루미玄鶴라 한다.
>
> 在表訓寺北, 石壁千仞, 人不得攀緣. 有二黑鳥, 爲巢其上, 居僧指爲玄鶴.

이 사실을 송강松江 정철鄭澈(1536~1593)은 「관동별곡關東別曲」에서 다음과 같이 윤색하고 있다.

> 금강대金剛臺 맨 우층에, 선학仙鶴이 새끼 치니.
> 춘풍春風 옥적성玉笛聲에, 첫잠을 깨돈던지.
> 호의현상縞衣玄裳이, 반공半空에 솟오뜨니.
> 서호西湖 옛 주인을, 반겨서 넘노난 듯.

이런 금강대를 겸재는 극도로 추상화抽象化된 진경산수화법眞景山水畵法으로 그려 내었다. 부벽수직준斧劈垂直皴과 절대준折帶皴을 찰법擦法에 가까운 굵은 붓질로 변용變用하여 섞어 쓰는 겸재 만년 특유의 대담한 필법으로 금강대를 층지고 모나게 그려 놓고 그 주변을 마치 푸른 안개가 감싸듯이 담청淡靑의 쪽빛으로 훈염暈染하는 기법을 쓴 것이다.

두 석벽을 이루는 금강대와 그 다른 쪽 석벽 사이는 베 한 폭을 늘어뜨린 듯 푸르른 대기로 깊이 메워져 금강대가 아득히 하늘을 뚫고 솟아 있는 느낌을 자아내게 한다. 그러나 어찌 보면 금강대 자체가 마치 푸른 하늘에 떠 있는 신기루처럼 느껴지기도 하고 푸른 물결 속에 잠겨 있는 해인세계海印世界처럼 느껴지기도 한다.

금강대金剛臺 도판193

1755년 을해乙亥경, 지본담채紙本淡彩, 22.0×28.8cm, 간송미술관 소장.

◆층릉규각지세層稜圭角之勢 층지고 꺾이고 모난 형세

금강대를 얼마나 그려 보았으면 그 층릉규각지세層稜圭角之勢◆를 저토록 몇 번 아닌 붓질로 실감나게 그려 낼 수 있더란 말인가! 대상의 본질을 완벽하게 터득하여 그 정수만을 추출해 내고 그것을 종합하여 일필휘지一筆揮之하는 것이 동양화가 추구하는 구극究極의 경지임을 이 그림을 통해 실감할 수 있다. 바로 이것이 동양의 추상화抽象畵인 것이다.

모지고 층진 경골硬骨의 금강대金剛臺를 우리듯 피워 낸 발묵법潑墨法의 부드러운 묵점墨點들이 미가운림식米家雲林式으로 하단을 감싸니 음양조화陰陽調和가 이토록 완벽할 수가 없다. 선학이 새끼 쳤다는 금강대 꼭대기의 시꺼먼 소나무숲은 오히려 금강대의 웅기雄氣를 북돋우건만 어째서 대 아래를 감싸는 운송雲松의 표현은 그 성난 기세를 달래는 묘수로 작용한단 말인가.

『주역周易』의 묘리妙理에 통달하고 진경사생眞景寫生에 평생平生 골몰汨沒했던 80대의 노대가老大家 겸재 아니고서는 이룰 수 없는 추상의 경지요 이념의 세계라 하지 않을 수 없다. 초년의 건실하고 겸손한 사생 태도와 이후 변함없는 화도수련의 결과가 만년에 이런 신품神品을 만들어 낼 수 있게 했을 것이다.

이 〈금강대〉와 쌍폭雙幅을 이루는 〈정양사正陽寺〉도 거의 같은 기법으로 그려져 있는데 겸재가 평생 그린 무수한 〈정양사〉와 비교해 보면 이것이 얼마만큼 추상적인 작품인가를 확연히 깨우칠 수 있을 것이다. 두 그림에 모두 찍혀 있는 '겸재謙齋' 라는 장방형백문長方形白文 인장印章도 80세 전후한 시기의 최만년경에 주로 쓰던 것이다.

정양사正陽寺 도판194

『동국여지승람東國輿地勝覽』 권47 회양 불우佛宇 정양사正陽寺조에 이런 기록이 있다.

> 정양사는 금강산의 정맥正脈에 자리를 잡고 있는 까닭에 정양正陽이란 이름을 얻었으며 지계地界가 높고 탁 트여 금강산의 내외 뭇 봉우리들을 하나하나 다 바라볼 수 있다. 전해 오기를 고려 태조가 이 산에 올랐을 때 금강산에 머물러 사는 보살인 담무갈曇無竭◆ 보살이 바위 위에 몸을 나타내어 빛을 발하므로 태조는 신료들을 거느리고 정례頂禮를 드린 다음 이 절을 창건했다 한다. 그래서 절의 뒷봉우리를 방광대放光臺라 하고 앞산마루를 배재拜岾 또는 진헐대眞歇臺라 한다.

이로 보면 정양사는 금강산의 주봉인 비로봉으로부터 내려오는 금강산의 정맥상正脈上에 높이 자리 잡고 있어 금강산 일만이천봉을 한눈에 바라다볼 수 있는 명당을 차지한 절임을 알 수 있다. 고려 태조가 금강산의 주인인 법기보살을 이곳에서 친견하고 이를 기념하기 위해 창건했다 하니 그 유서由緖와 역사 또한 깊고 오래됐다.

그래서 겸재는 많은 정양사 그림을 그려 남기는데 여기 이 〈정양사〉도 겸재 최만년기에 순연純然한 겸재묵법謙齋墨法으로만 그린 그림이다. 미가산수법米家山水法을 자기화하여 더 대담하게 묵묘墨妙를 활용하면서, 방광대放光臺를 비롯한 정양사 주변을 쪽빛으로 훈염暈染하여 환상적인 신비경神秘景을 이루어 놓고, 그 안에 정양사 건물을 배치함으로써 진경을 극단적으로 이상화시키고 있다. 이것이 겸재가 지향하던 진경미眞景美의 이념화 현상이라고 생각된다. 즉 새로운 미감의 창조인 것이다.

◆ **담무갈**曇無竭
뜻으로 번역하면 법기法起가 된다. 『구화엄경舊華嚴經』 권29 보살주처품菩薩主處品에서는 지달산枳怛山에서 담무갈보살이 만이천 보살과 함께 항상 머물며 설법한다 했고, 『신화엄경新華嚴經』 권45 제보살주처품에서는 금강산에서 법기보살이 천이백 보살과 함께 항상 머물며 설법한다 했다.

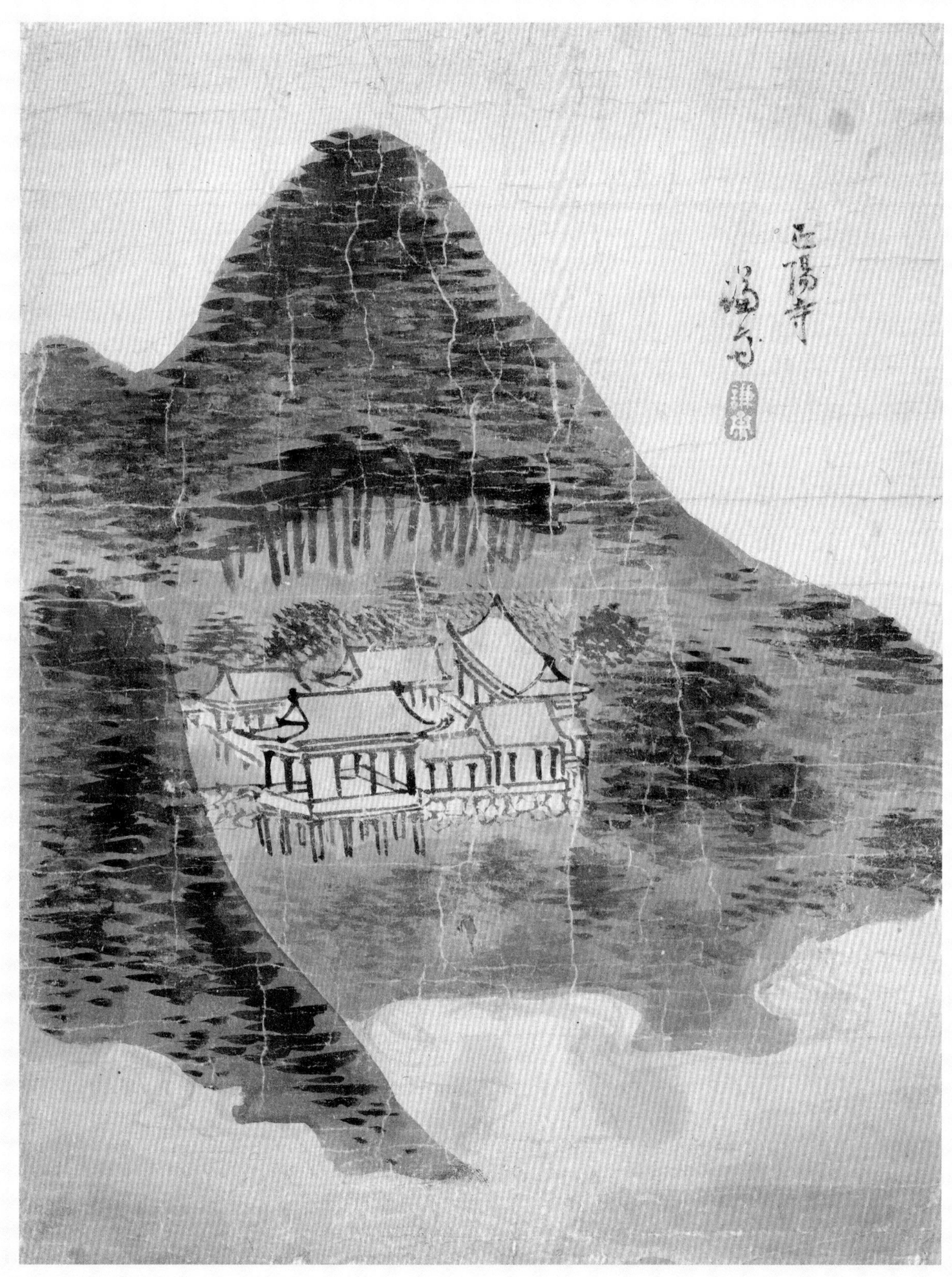

정양사正陽寺 도판194

1755년 을해乙亥경, 지본담채紙本淡彩, 22.0×28.8cm, 간송미술관 소장.

강진고사江津孤舍도판195

겸재는 62세 때인 영조 13년(1737) 정사에 사군산수四郡山水 사생유람을 다녀온 이후 66세 때인 영조 17년(1741) 봄부터 한강을 오르내리며 강변 승지의 진경을 무수히 사생해 낸다. 국왕 영조가 겸재를 양천현령에 제수한 목적이 이에 있었기 때문이었다.

한강뿐만 아니라 조강祖江을 통해 임진강·예성강을 오르내리며 사생하는 기회도 많았을 것이다. 이렇게 무수한 강변진경을 사생해 내는 과정에서 겸재는 자연스럽게 우리 강변진경의 본질을 파악하게 되었다. 그래서 80세를 넘기고 나서 극단적인 감필법으로 이를 추상해 낸다. 이 〈강진고사江津孤舍〉가 바로 그런 그림의 대표작이다.

넓은 물가에 초가집 두 채가 쓰러질 듯 의지해 서 있고 집 뒤로는 고목나무 네댓 그루가 잎을 모두 떨군 채 메마른 둥치에 엉성한 가지를 제멋대로 뻗치고 있다. 아직 추위가 다 가시지 않은 초봄인 듯 낙엽 진 나무 잎새들은 둥치 아래 쌓여 있고 버들가지는 물이 올라 늘어지기 시작했다. 어둠이 가시지 않은 꼭두새벽인 듯 어떤 나무는 어둠이 묻어나 더욱 검게 보이고 어떤 나무는 어둠에 잠겨 흐릿하게 보인다.

새벽의 어둠이 양안兩岸 강변을 따라 검푸르게 머물러 있으니 초가집 앞마당과 갈대숲도 그에 묻혀 벗어나기 힘든가 보다. 우리 강변 어디엔가 꼭 있음 직한 강나루 풍경이다. 얼핏 원말사대가元末四大家의 한 사람인 예운림倪雲林 찬瓚(1301~1374)의 〈소림모정疏林茅亭〉을 연상시키나 방외인方外人을 자처自處하기 위한 의도된 소산기蕭散氣와는 판연判然히 다른 추상적 표현이다.

강진고사江津孤舍 도판195

1756년 병자丙子경, 견본담채絹本淡彩, 27.5×23.5cm, 간송미술관 소장.

강정만조江亭晩眺 도판196

이 역시 어떤 특정지역의 진경이 아니라 겸재가 꾸며 내 그린 이상적인 수변경관일 것이다. 강과 바다가 만나는 조강구祖江口 어디에 있음 직하기도 하고 압구정鴨鷗亭이나 절두산의 무풍정茂豊正(?~1504)의 별서 같기도 하며, 임진강 하구 교하에 있는 황희黃喜(1363~1452) 정승의 반구정伴鷗亭 같기도 하나 그곳은 아닌 그런 그림이다.

돌곶이가 가는 길목을 타고 물 안으로 깊숙이 밀고 들어가 섬처럼 우뚝 솟구치니 삼면이 모두 절벽이다. 그 위에 ㄱ자 평면 고패집 형태의 큰 정자를 지었으니 규모는 압구정에 비길 만하다. 정자 뒤쪽으로는 거목 잡수들이 줄지어 늘어서서 바람도 막고 그늘을 드리우게 했다. 돌곶이의 암석은 피마준披麻皴과 태점苔點 및 쇄묵刷墨으로 그 험상險狀을 나타냈다. 협만峽灣 저쪽 물가를 따라 기와집과 초가집이 어울린 큰 마을을 배설排設했는데 모두 소나무숲으로 방풍림을 삼아 물바람을 막고 있다. 이만큼 풍요로운 마을이 있어야 이 정도 규모의 정자를 짓고 풍류를 즐길 여유가 생길 것이다. 대기가 습윤한 어느 여름날 아득한 저 산 너머 물 밖으로 해가 진 다음 어둠이 막 내려앉기 시작하는 시점의 정경을 그린 것이다.

근경에는 수파문水波紋으로 잔물결을 나타냈는데 먼 물은 물결이 어둠에 묻혀 사라지고 돛단배 두 척도 희미한 자태만 보일 뿐이다. 건넛마을 소나무숲도 먼 곳은 어둠 속으로 잠겨 들기 시작했다. 그러나 정자 주변의 돌곶이 일대는 박모薄暮의 잔광殘光 탓에 오히려 물상物像이 더욱 두드러지게 보일 뿐이다. 정자 앞에 한 사람이 뒷짐을 지고서 산 너머 물 밖을 망연히 바라다보며 서 있고 정자로 오르는 길목에서는 또 한 사람이 가던 길 멈춰 서서 공수拱手한 채 그쪽을 바라본다. 아마 해가 바로 넘어갔던 모양이다.

'정鄭'·'선敾' 이라는 방형백문方形白文 인장은 겸재가 80 전후한 최만년기에 쓰던 것이니 이 그림도 〈강진고사〉와 함께 80 전후한 시기에 그려진 것이라 해야 할 듯하다. 둘 다 《해동명화집海東名畵集》 속에 들어 있는 것이다. 《해동명화집》은 진경시대 최대 수장가 중의 하나이던 석농石農 김광국金光國(1727~1787)이 수집해서 꾸며 놓은 화첩이다.

강정만조江亭晩眺 도판196

1756년 병자丙子경, 견본담채絹本淡彩, 27.0×23.5cm, 간송미술관 소장.

〈금강대〉도판193 와 〈정양사〉도판194는 실제 있는 경치인 실경을 마치 바닷속이나 하늘에 잠긴 듯한 이상적인 경치로 표현한 데 반해 〈강진고사〉도판195와 〈강정만조〉도판196는 실경은 아니로되 우리 산천 어디에 있음 직한 경치로 정형화시켜 그려 내고 있다. 한 화법의 창안과 완성, 그리고 추상적 이념화의 단계를 차례로 보여 주면서 겸재는 그 일생을 마무리 지으려 했던 모양이다.

이런 마무리 작업은 우리네 생활모습을 그려 남기는 데에서도 예외는 아니었다. 〈모우도교冒雨渡橋〉도판197와 〈장삽관폭杖鍤觀瀑〉도판198이 그런 그림이다. 살펴보면 다음과 같다.

모우도교冒雨渡橋 도판197

장삽관폭杖鍤觀瀑 도판198

모우도교冒雨渡橋도판197

비바람이 몰아치는 장마철 어느 날 부득이 외출할 일이 있었던가 보다. 한 길손이 도롱이 삿갓 등 우장雨裝을 갖추고 비실거리는 작은 나귀 등에 타고 한껏 물이 불어 물결이 교각橋脚을 사납게 휘감고 지나는 나무다리를 건너고 있다.

늘어진 버들가지들이 머리 풀어 바람에 빗질하듯 있는 대로 길손 쪽으로 뿌려대고 있는 것을 보면 일행은 바람을 안고 다리를 건너고 있는 모양이다. 나귀도, 나귀 끄는 동자도, 나귀 탄 길손도 상체를 숙여 바람을 피하고 있다.

대담한 묵법과 속도 있는 몰골묘沒骨描로 일관하며 비바람 몰아치는 날의 나들이 길을 실감나게 묘사했다. 비구름 속에 묻힌 미가운산식米家雲山式 원산遠山 표현이나 운림산촌雲林山村, 묵찰墨擦과 미점米點으로 이루어진 임리한 토파, 짙고 옅은 고목나무의 대조, 이런 것들이 겸재 80대 이후의 노련한 기법적 특색들이다. '원백元白' 이라는 인장이 82세를 전후한 시기에 가끔 사용한 것으로 미루어 보아 이 그림도 82세 전후의 최만년작이라 여겨진다. 《근역화휘槿域畵彙》 천天에 들어 있다.

모우도교冒雨渡橋 도판197

1756년 병자丙子경, 견본수묵絹本水墨, 23.5×30.7cm, 간송미술관 소장.

장삽관폭杖鍤觀瀑 도판198

당시 조선 선비들이 꿈꾸던 이상적인 생활환경을 화폭에 올린 것이다. 경치 좋은 산수간에 은거하여 주경야독晝耕夜讀◆하며 세상 근심 없이 자연과 더불어 살아가는 것이 선비들의 꿈이었다.

◆**주경야독**晝耕夜讀 낮에 농사 짓고 밤에 독서함

여기 그런 선비가 하나 있다. 도포는 차려 입었으나 갓은 벗었으니 농사 현장에서 감농監農하다 폭포소리에 이끌려 온 듯하다. 망연히 폭포를 바라보며 생각에 잠겼는데 뜻밖에 자루 긴 살포◆를 짚고 있다. 조선에서만 있을 수 있는 선비들의 생활모습이다.

◆**살포** 작은 삽날을 긴 자루 끝에 박아서 만든 일종의 농기구. 지팡이로도 겸용한다.

폭포가 만들어 내는 습윤濕潤한 대기가 음습陰濕하게 만드는 듯 주변은 온통 짙푸르기만 하다. 청묵 훈염으로 허공과 언덕과 산과 절벽을 푸르름 일색으로 도배했기 때문이다. 사람과 폭포와 언덕 일부와 먼 하늘만 바탕색을 그대로 두었으니 극명한 음양대비로 흰옷 입은 선비와 폭포가 환하게 돋보인다.

『주역周易』에 정통했었다는 겸재가 음양조화陰陽調和 원리를 자연스럽게 적용시킨 화면구성일 것이다. 온통 발묵潑墨과 파묵破墨으로 일관하여 쾌속으로 쳐 낸 이 그림은 80세 이후의 최만년기 작품일 것이다. 이 역시《근역화휘槿域畵彙》천天에 장첩된 그림인데 '김용진가진장金容鎭家珍藏' 이란 방형주문의 수장인收藏印이 찍혀 있다.

장삽관폭杖鍤觀瀑 도판198

1756년 병자丙子경, 견본담채絹本淡彩, 17.5×23.0cm, 간송미술관 소장.

45
대미종결大尾終結

겸재는 중국고사도故事圖나 정형산수定型山水를 대담한 추상으로 조선화시키는 작업도 마무리 지으려 했던 듯하니 간송미술관 소장의《소상팔경첩瀟湘八景帖》에서 이를 확인할 수 있다. 〈산시청람山市晴嵐〉도판199, 〈연사모종烟寺暮鍾〉도판200, 〈어촌낙조漁村落照〉도판201, 〈원포귀범遠浦歸帆〉도판202, 〈소상야우瀟湘夜雨〉도판203, 〈동정추월同庭秋月〉도판204, 〈평사낙안平沙落雁〉도판205, 〈강천모설江天暮雪〉도판206의 8폭이다.

이 중 〈산시청람〉과 〈연사모종〉, 〈소상야우〉 및 〈동정추월〉을 자세히 살펴 8폭 전체를 가늠해 보겠는데 그 해설은 『간송문화澗松文華』 66호에 수록된 오세현吳世炫 교수의 해설이 가장 적절하므로 이를 그대로 이기移記하겠다.

산시청람山市晴嵐 도판199

연사모종烟寺暮鍾 도판200

어촌낙조漁村落照 도판201

원포귀범遠浦歸帆 도판202

소상야우瀟湘夜雨 도판203

동정추월同庭秋月 도판204

평사낙안平沙落雁 도판205

강천모설江天暮雪 도판206

산시청람山市晴嵐 도판199

중국 호남성湖南省 상강도湘江道의 북쪽에 있는 동정호洞庭湖는 경관이 빼어나기로 유명한 곳이다. 그래서 예로부터 문인묵객文人墨客들이 애호하는 바가 되어 소수瀟水·상수湘水를 비롯하여 자수資水·원수沅水·풍수灃水 등 양자강揚子江의 지류들과 함께 동정호 주변의 경관들은 아름다운 경치의 대명사로 지칭되었는데, 그것이 바로 소상팔경瀟湘八景이다.

심괄沈括(1030~1094)의 『몽계필담夢溪筆談』에 의하면 북송北宋 초의 사대부화가인 송적宋迪(1014경~1083 이후)이 처음으로 이 소상팔경을 그리기 시작하면서 이후 수많은 묵객들이 이를 본받았다고 했다. 그런데 송적의 소상팔경도에 대해 남송南宋의 승려 혜홍惠洪은 이런 기록을 남겨 놓고 있다.

> 송적이 팔경의 절묘함을 그렸는데 사람들이 이를 무성시無聲詩라 불렀다. 연상인演上人이 내게 이르기를 '능히 유성화有聲畵를 지을 수 있는가' 라고 물었다. 이에 그림에 대하여 한 수씩 읊는다.

이는 소상팔경이 이후 시와 함께 등장하게 되는 모습을 짐작하게 해 주는 단서이다. 즉 제화시題畵詩가 본격적으로 유행하는 원대元代 이전에 이미 소상팔경은 그림과 제화시가 함께 유행하는 무성시·유성화 개념의 단초를 열었던 것이다.

이렇듯 소상강瀟湘江의 아름다운 경관은 중국 강남 지역을 그리고자 하는 화가들에게 애호되면서 소상팔경이라는 정형화된 화제를 만들어 내게 되었다. 그리고 여기서 나아가 소상팔경이라는 화제는 항주杭州의 아름다움을 표현하는 서호십경西湖十景을 출현시키기도 하고, 오진吳鎭(1280~1354)은 자신의 고향인 가흥嘉興의 승경勝景 8곳을 택해 가화팔경嘉禾八景이라 하여 이를 그려 내니 이로부터 다양한 팔경도가 크게 유행하게 된다.

우리나라에서도 고려시대부터 소상팔경도에 대한 기록이 등장하는데, 가장 이른 시기의 것으로는 문종文宗(재위 1170~1197)이 문신들에게 소상팔경시를 짓게 하고 화원畵員인 이광필李光弼에게 소상팔경도를 그리도록 한 것이다.(오세창吳

산시청람山市晴嵐 도판199

1756년 병자丙子경, 견본담채絹本淡彩, 27.5×23.5cm, 간송미술관 소장.

世昌, 『권역서화징槿域書畵徵』 권2, 이광필조李光弼條) 하지만 이 그림은 전해지지 않고 있다.

다만 백운거사白雲居士 이규보李奎報(1168~1241)가 비록 제목은 「처주팔경處州八景」이라고 하였지만 소상팔경의 화제와 동일한 3편의 제화시題畵詩를 남긴 것을 보면(『동국이상국집東國李相國集』 후집後集 권6, 「차운이평장次韻李平章-인식仁植-처주팔경시處州八景詩-병서幷序」) 소상팔경이라는 화제는 고려 중기에 이미 널리 알려져 있었던 것으로 보인다. 또한 매호梅湖 진화陳澕◆가 자신의 문집에 「송적팔경도宋迪八景圖」라는 제화시를 남기고 있는 것으로 보아 송적이 그린 소상팔경도 역시 당시의 문인들에게 널리 알려지고 있었음을 짐작할 수 있다.(『매호유고梅湖遺稿』 송적팔경도宋迪八景圖)

원대에 소상팔경에 관한 제화시를 많이 남긴 조맹부趙孟頫, 주덕윤朱德潤, 우집虞集 등과 만권당萬卷堂을 통해 교류했던 익재益齋 이제현李齊賢(1287~1367) 역시 3편의 소상팔경 제화시를 남기고 있는 것으로도 이를 다시 확인할 수 있다.(이제현李齊賢, 『익재난고益齋亂稿』 권3, 화박석재和朴石齋-윤저헌용은대집소상팔경운尹樗軒用銀臺集瀟湘八景韻-석재명효수저헌명혁石齋名孝修樗軒名奕, 권10 무산일단운巫山一段雲 소상팔경瀟湘八景)

이를 통해 볼 때 소상팔경은 고려 말 조선 초에 우리나라에 널리 알려지고 있던 그림의 소재였음을 알 수 있다. 또한 일본에서도 무로마치시대室町時代에 소상팔경이 애호되고 있던 것으로 보아 소상팔경은 당시 중국 문화권에서 일반화되었던 화제였음을 짐작할 수 있다.

현재 알려지고 있는 조선 전기 소상팔경도의 대표작으로는 15세기 후반 제작된 것으로 추정되는 재일교포 김용두金龍斗 소장 소상팔경도와 1539년을 제작시기의 하한下限으로 하는 일본 엄도嚴島 대원사大願寺 소장 소상팔경도, 그리고 1584년 이전에 그려졌을 것으로 추정되는 일본 문화청文化廳 소장의 소상팔경도, 안견安堅의 작품으로 전칭되는 국립중앙박물관 소장의 소상팔경도 등이 있다.

소상팔경에 관한 조선 문인묵객들의 애호는 조선시대 전체를 걸쳐 지속되었다. 사림士林을 불러들여 도학정치道學政治를 실현하고자 하였던 성종成宗(재위 1469~1494)은 소상팔경의 각 화제에 대한 시 2수씩 모두 16수를 지었으며, 이후 인

◆ **진화**陳澕
생몰 미상. 고려 명종-고종 연간 사람으로 본관은 여양驪陽(현재 홍성)이다. 병부상서 광수光修의 아들로 시재가 뛰어나 명종의 명으로 어린 나이에 장문의 소상팔경시를 지었으며 문과에 급제해 한림원을 거치고 옥당玉當 지제고知制誥를 지냈다. 지공주사知公州事로 재직 중 서거했다. 호는 매호梅湖이다.

조仁祖(재위 1623~1649)는 이를 반정공신反正功臣들로 하여금 베끼게 하였다.

인조반정의 일등공신 묵재默齋 이귀李貴(1557~1632)가 이를 다 마치지 못하고 죽자, 효종孝宗(재위 1649~1659)은 화원 화가인 이징李澄(1581~1645경)으로 하여금 이귀 가장家藏의 초본을 얻어 베끼게 하고 당대의 대문장인 계곡谿谷 장유張維(1587~1638)로 하여금 이러한 일련의 일들을 자세히 기록하게 하였다.(장유張維, 『계곡집谿谷集』 권7, 성묘어제소상팔영첩서成廟御製瀟湘八詠帖序)

이후 조선 후기 문화가 찬란한 꽃을 피우게 되는 진경시대에 접어들면서도 소상팔경은 계속하여 그림의 소재로 각광을 받았다. 여기에 등장하는 〈소상팔경〉은 겸재가 그린 소상팔경인데, 주목되는 것은 이전에 그려졌던 많은 소상팔경 그림들과 상당한 차이가 있다는 점이다. 그것은 우리의 산천을 표현하는 데 가장 적합한 표현 수단인 필묘筆描와 묵법墨法의 조화를 통해 중국의 산천이 아닌 조선의 산세로 소상팔경을 표현하였다는 것이다. 각 그림마다 그림의 이름과 함께 '겸재謙齋'라는 호를 써 넣었고, '정선鄭敾'이라는 타원형주문朱文 낙관도 보인다. 80세 이후 최만년기에 사용하던 것이다.

〈산시청람山市晴嵐〉은 비 개인 후 남기嵐氣에 둘러싸인 산시山市의 정경을 표현한 그림이다. 우리나라에서는 〈산시청람〉이 대체로 소상팔경의 가장 첫 부분에 해당하는 경우가 많은데, 그것은 그림이 담고 있는 정경이 봄날을 의미하기 때문이다.

멀리 원경으로는 녹둣빛의 높은 봉우리들이 줄지어 열립해 있고, 근경에 자리한 산시는 강변에 접해 있는 한적한 모습이다. 곧게 자란 수림樹林으로 둘러싸여 있는 마을에는 규모가 큰 기와집 대신 대부분 단출한 가옥들만 보이는데, 입구에 기旗를 세워 놓은 주점酒店은 길손들을 기다리고 있다. 멜대에 간단한 짐을 메고 마을로 오르는 계단의 입구에 도착한 나그네는 갈 길이 바쁜 듯하다.

조선 후기 영남지역 문원文苑의 대표격이었던 눌은訥隱 이광정李光庭(1674~1756)은 이러한 산시청람의 풍경에 대해 다음과 같이 노래하였다.

> 공산空山의 자줏빛 안개 아래, 누대 사이로는 푸른 주막의 깃발.
>
> 다소의 술 손님들, 오가며 아지랑이를 쓸어 낸다.

山空紫翠下, 樓臺間青帘. 多少沽酒客, 來往掃烟嵐.

李光庭, 『訥隱集』 卷三, 瀟湘八景-題雙碧堂小屛

마을을 둘러싼 울창한 수림을 미가운산법米家雲山法으로 처리하고, 강에 접해 있는 절벽을 부벽찰법斧劈擦法으로 그려 내는 것은 모두 겸재 진경산수화법의 특징을 그대로 보여 주는 것이다. 전체적인 화면구성은《경교명승첩》의 〈녹운탄〉과도 유사한데, 녹운탄의 청록빛보다 좀 옅은 녹색빛을 사용하여 전체적으로 봄의 싱그런 신록新綠을 표현하였다. 산시에 펼쳐진 가옥들과 산시를 둘러싼 수림들이 모두 조선의 산천에서 볼 수 있는 정겨운 모습인데, 이것은 겸재가 비록 소재는 중국의 소상팔경을 그리고 있지만 이를 겸재식으로 다시 소화해 그려 내었기 때문이다.

연사모종烟寺暮鍾 도판200

문장과 함께 송설체松雪體에 뛰어났던 양곡陽谷 소세양蘇世讓(1486~1562)은 홍춘년洪春年이 그린 소상팔경 병풍 그림에 대해 다음과 같은 제화시를 남기고 있다.

> 해 지는데 외로이 절을 찾는 저 승려, 숲이 깊어 골짜기 그윽하구나.
>
> 구름 밖에서 문득 종소리 들려오니, 구름 속에 절 있는 줄 알겠다.
>
> 풀잎 이슬 짚신 적시나, 앞산 녹음 속으로 밟고 들어간다.
>
> 落日獨尋僧, 林深崖谷邃.
>
> 雲外忽聞鍾, 雲間遙認寺.
>
> 草露濕芒鞋, 踏入前山翠.
>
> 蘇世讓, 『陽谷集』 卷一, 書洪古阜-春年-畵屛 烟寺暮鍾

그윽한 산사山寺에서 들려오는 저녁 종소리를 들으며 절을 찾는 길손을 표현한 제화시인데, 바로 이 그림이 그러한 정경을 표현한 연사모종烟寺暮鍾이다. 아늑한 산속 깊은 골짜기에 고요히 자리한 산사가 다시 대밭과 수림樹林으로 둘러싸인 채 오른쪽 상단에 배치되어 있다. 절을 찾아가는 선비는 손에 길다란 지팡이를 쥐었고, 그 뒤로는 선비를 시종하는 승려가 커다란 걸망을 멘 채 조용히 뒤를 따른다. 이들이 이제 막 건넌 무지개다리 아래로는 거센 물살이 층을 이룰 만큼 여울이 지고 있다. 비 온 뒤끝인지 수량이 제법 많다.

절의 진산鎭山이 되는 원산과 화면의 중앙에 자리한 근산이 모두 태점苔點과 피마준披麻皴으로 구성되었는데, 이는 겸재가 토산을 표현할 때 주로 사용하는 필묵법이다. 또한 승려 일행이 이제 막 접어들려는 숲은 우리나라의 소나무들이 그득한 솔숲이다. 겸재 특유의 소나무 표현법으로 길고 굵은 둥치는 짙은 먹으로 세우고 잎은 먹의 훈염으로 처리하는 방법을 사용했다.

산사 역시 처마가 하늘을 찌를 듯한 중국의 절이 아니라 산의 능선을 닮은 맞배지붕의 단아한 우리 절이다. 갓 쓰고 도포 입은 채로 절을 찾아가는 선비의 모습에서는 등장인물 역시 우리네임을 확인할 수 있는데, 우리나라 산에 있는 우리 절을

연사모종烟寺暮鍾도판200

1757년 정축丁丑경, 견본담채絹本淡彩, 22.0×23.4cm, 간송미술관 소장.

찾아가는 우리 선비의 모습인 것이다.

중경쯤에 해당하는 솔숲은 안개에 싸여 있는 듯 옅은 먹으로 우려 놓아 절로 가는 길이 더욱 멀게만 느껴지게 한다. 절에서 들려오는 종소리가 솔숲과 개울물을 따라 그림을 보는 이의 가슴에 들려오고 있다.

어촌낙조漁村落照 도판201

1757년 정축丁丑경, 견본담채絹本淡彩, 22.0×23.4cm, 간송미술관 소장.

원포귀범遠浦歸帆 도판202

1757년 정축丁丑경, 견본담채絹本淡彩, 22.0×23.4cm, 간송미술관 소장.

소상야우瀟湘夜雨 도판203

소상강瀟湘江에 밤비 내리는 모습을 표현하였다. 원경遠景에 둥그런 토산土山을 미가운산법으로 그리고, 화면 왼편의 중경中景에는 녹음이 짙은 대밭과 크고 작은 바위들을 배치하였다. 화면 하단 오른편에는 물가에 2층 누각樓閣이 대숲에 싸여 있다. 먼 산으로부터 흘러오는 듯한 강물은 비로 인해 수량이 늘어난 듯 여울지는 부분에서는 물살이 제법 거세지만 누각 앞에 이르러서는 넓어진 강폭으로 인해 소리 없는 잔물결로 이어지고 있다.

당唐대의 시인 옥천자玉川子 노동盧仝(795~835)은 이러한 소상강의 풍경을 다음과 같이 노래하고 있다.

> 꿈속에 취해 누워 무산 신녀神女 만나다가, 깨어나선 상강에 눈물만 뿌린다네.
> 상강의 양 언덕 꽃과 나무 무성해도, 고운 님 뵈지 못해 이 마음 슬픔에 빠진다.
> 夢中醉臥巫山雲, 覺來淚滴湘江水. 湘江兩岸花木深, 美人不見愁人心.
> 盧仝, 『玉川子集』 卷二, 有所思

노동은 소상의 풍경을 노래하며 눈물과 슬픔을 이야기하고 있는데 그것은 소상강의 반죽斑竹에 얽힌 사연 때문이다.

화면의 좌우에서 한껏 자란 대나무들이 바로 그 주인공이다. 소상강에 자라는 대나무는 줄기에 얼룩무늬가 있는 반죽인데, 이는 순舜임금의 두 아내들이 흘린 눈물로 인해 얼룩이 졌다는 전설이 있다. 요堯임금의 뒤를 이어 천하를 다스리게 된 순임금이 정사를 펴다가 창오蒼梧에서 죽었다. 요의 두 딸이자 순의 두 아내인 아황娥皇과 여영女英이 이 소식을 듣고는 소상강에서 순임금을 그리워하며 흘린 눈물이 대나무에 묻어 얼룩이 생겨났다는 것이다.

조선 중기의 문인 사서沙西 김식金湜(1482~1520)은 소상강의 이 얼룩대에 대해 다음과 같이 읊고 있다.

> 강 위의 수많은 대나무, 지금도 옛날처럼 얼룩졌구나.

소상야우瀟湘夜雨 [도판203]

1757년 정축丁丑경, 견본담채絹本淡彩, 22.0×23.4cm, 간송미술관 소장.

이비二妃의 원혼이 다하지 않으니, 천고의 창오산이라.

江上萬竿竹, 至今依舊斑. 二妃寃不極, 千古蒼梧山.

金湜, 『沙西集』 卷一, 瀟湘竹

지봉芝峯 이수광李睟光(1563~1628) 역시 이러한 소상반죽이 무성한 소상강의 밤비 내리는 경치를 다음과 같이 읊고 있다.

얼룩얼룩 대 위의 피, 그날 이비二妃의 원통함이다.

한밤 강 위에 내린 비, 어찌 일찍이 눈물 흔적 씻어 냈으랴.

斑斑竹上血, 當日二妃寃. 半夜江心雨, 何曾洗淚痕.

李睟光, 『芝峯集』 卷一, 瀟湘夜雨

전체적으로 비 오는 밤 풍경이 주는 소슬함이 느껴지는데, 특히 화면의 좌우에 배치된 대밭의 삽상颯爽한 느낌이 여름 밤비 소리를 듣게 한다. 원경의 토산 두 봉우리는 겸재가 남방산수화의 특징을 나타낼 때 자주 사용하는 미가운산법으로 표현했는데, 먼 거리의 공간감과 함께 아득한 슬픔의 깊이마저 느껴진다. 소상강의 밤은 이렇게 쓸쓸함과 그리움을 담고 있는 듯하다. 그래서인지 겸재는 이런 밤 풍경을 그리면서 화면 안에 인물을 완전히 배제하여 적막함을 더욱 고조시키고 있다.

동정추월同庭秋月 도판204

예부터 동정호의 명성 들었으나, 이제야 악양루에 오르게 되었구나.
오와 초는 동과 남으로 갈라 서 있고, 하늘과 땅은 밤낮으로 떠 있네.
친한 벗에게선 소식 하나 없는데, 늙고 병든 몸 배 한 척만 남았구나.
관산 북쪽은 아직 전쟁 중이라, 난간에 기대니 눈물만 흐른다.

昔聞洞庭水, 今上岳陽樓. 吳楚東南坼, 乾坤日夜浮.
親朋無一字, 老病有孤舟. 戎馬關山北, 憑軒涕泗流.

두보杜甫의 시詩인 「등악양루登岳陽樓」이다. 호북성湖北省 무한武漢의 황학루黃鶴樓, 강서성江西省 남창南昌의 등왕각滕王閣과 함께 중국 강남江南의 3대 명루名樓인 악양루岳陽樓의 명성을 만천하에 드러낸 시다. 악양루는 삼국시대 오吳나라 때 수군水軍을 단련시키기 위해서 지은 열군루閱軍樓가 그 기원이지만, 동정호를 바라볼 수 있는 가장 좋은 장소라는 점 때문에 이후 문인묵객들의 발길이 끊이지 않았다.

조선 후기 광산김씨光山金氏 가문의 3대 문형文衡을 열어 나가는 서석瑞石 김만기金萬基(1633~1687)는 이러한 동정호의 풍광을 다음과 같이 읊고 있다.

◆군산君山 동정호 안에 있는 섬

군산君山◆ 한밤중에 가을 달이 둥근데, 비선飛仙을 옆에 끼고 마음대로 노닌다.
은하수 낮게 깔려 동정호에 닿았고, 금빛 물결 악양루에 가득 찼구나.
어룡이 울어 대니 큰 파도 소리 일어나고, 바람이슬 아리게 맑으니 계수나무 그림자 물 위에 뜬다.
올려 보내 철적을 불지 말게 하게나, 천지 공활하여 쉽게 근심 생기네.

君山午夜月輪秋, 腋挾飛仙汗漫遊. 銀漢低連洞庭水, 金波迴滿岳陽樓.
魚龍叫嘯濤聲起, 風露凄淸桂影浮. 莫遣登臨吹鐵笛, 乾坤空濶易生愁.
金萬基, 『瑞石集』 卷二, 瀟湘八景-洞庭秋月

겸재는 비록 동정호洞庭湖를 직접 보지는 못했어도 이러한 분위기를 익히 잘 알

동정추월同庭秋月 도판204

1757년 정축丁丑경, 견본담채絹本淡彩, 22.0×23.4cm, 간송미술관 소장.

평사낙안平沙落雁 도판205

1757년 정축丁丑경, 견본담채絹本淡彩, 22.0×23.4cm, 간송미술관 소장.

강천모설江天暮雪 도판206

1757년 정축丁丑경, 견본담채絹本淡彩, 22.0×23.4cm, 간송미술관 소장.

고 있었기에 별 무리 없이 동정호를 머릿속으로 상상한 듯하다. 동정호에 배 띄워 놓고 가을밤을 즐기는 일행들 뒤로 멀리 보이는 산에는 휘영청 둥근 달이 떴고, 맞은편 강변에는 2층의 악양루岳陽樓가 달빛을 맞으며 깃발을 날리고 있다. 악양루 뒤편의 거목들과 원산의 태점들은 모두 겸재 특유의 산천 표현법이다. 비록 중국의 동정호이지만 우리가 주변에서 접할 수 있는 우리네 산천의 모습으로 바꿔 놓은 듯하다.

정겸재鄭謙齋 애사哀辭 도판204

영조 33년(1757) 정축丁丑에 관아재 조영석은 72세로 돈령부도정(정3품 당상관)이 되고, 10월 15일에는 창암蒼巖 박사해朴師海의 부친 무취옹無臭翁 박필기朴弼琦도 81세로 돌아간다. 겸재가 83세 되는 영조 34년(1758) 무인戊寅에도 왕실의 비운은 계속된다. 영조의 장부마長駙馬 월성위月城尉 김한신金漢藎(1720~1758)이 불과 39세로 1월 4일 요절하자 동갑의 화순和順옹주도 14일을 굶고 1월 17일에 순절殉節한다. 영조의 비통은 이루 헤아릴 수가 없었다. 그런데 사도세자는 영조의 비통한 심정을 잘 헤아리지 못하고 적절히 대응하지 못하니 국왕 부자의 상증相憎의 골은 점점 더 깊어만 가게 된다.

이에 영조는 왕세자 편에 서서 관용을 베풀기를 간청하는 영의정 이천보(61세)를 물러나게 하고 최후까지 믿고 의지하던 백악사단의 영수인 지수재 유척기(62세)를 불러들여 8월 15일 영의정을 제수한다. 겸재는 결국 동문지기이자 동네 후배로 노론의 영수가 되어 세도世道를 좌우하며 자신을 극진히 후원해 온 지수재가 영의정이 되는 것까지 보게 되었으니 정녕 이제 티끌만큼도 여한이 없게 되었다.

그래서 영조 왕실에 먹구름이 끼이는 것만을 안타깝게 생각하면서 영조 35년(1759) 기묘 3월 24일 인곡정사仁谷精舍에서 복되고 영광스러운 화성畵聖의 일생을 84세로 조용히 끝마치니 체백體魄은 현재 도봉구 쌍문동인 양주楊州 해등촌면海等村面 계성리鷄聲里에 안장安葬된다. 생전에 마련해 둔 경치 좋은 곳이었다. 삽도147

이에 만년 30여 년간을 이웃해 살면서 조석朝夕 상봉相逢하며 함께 시화詩畵를 의논하던 풍속화의 시조 관아재觀我齋 조영석趙榮祏(74세)은 이런 애사哀辭를 지어 겸재의 서거를 애도哀悼한다.

> 정공鄭公의 휘諱는 선敾이요 자字는 원백元伯이며 겸재謙齋라고 자호自號하니 광산인光山人이다. 어려서부터 한양 서울의 북쪽 동네 순화방順化坊 백악산白岳山 밑에서 살고 나 역시 순화방에서 대대로 살며 공公보다 10세가 어리니 내가 죽마를 탈 때 공公은 이미 엄연히 관冠을 쓴 사람이었다. 그런 까닭으로 항상 공경하여 일찍이 너나들이를 한 적이 없다.

양주송추楊州松楸 **겸재묘산도**삽도147
정황鄭榥, 지본담채紙本淡彩,
36.1×23.6cm, 개인 소장.

공公은 그림으로 세상에 이름을 날리었고 나 역시 그림 좋아하는 병이 있어서 대략 그 삼매경三昧境을 이해했다. 그러나 나는 곧 매달려 하지 않았고 공은 곧 날마다 정진하고 익혀서 육요육법六要六法을 정밀하게 이해하지 않음이 없었으니, 대개 우리 동쪽나라 그림 그리는 사람으로 이것을 아는 이가 없었는데 공에 이르러서 고화古畵를 널리 보고 공부를 또한 독실히 하여 앞사람들이 이해하지 못하던 바의 것들을 많이 내놓았다.

이런 까닭으로 이름도 날로 무거워지고 비단은 날로 쌓여 스스로 한가할 틈이 없었는데 곧 또한 예운림倪雲林(찬瓚)과 미남궁米南宮(불芾), 동화정董華亭(기창其昌)을 배워 대혼점大混點으로 갑작스러움에 응대하는 법을 삼으니 세상의 그림 배우는 사람들은 다만 공 중년中年의 권필倦筆◆만 보고 속으로 그림은 마땅히 이와 같아야 한다고 하여 다투어 서로 찡그린 것을 흉내 내려 했다.

◆ **권필**倦筆
마구 휘두르는 필법

그러나 그 짙고 진한 것淋漓潤澤은 세상에 미칠 자 없다. 매양 마음에 드는 그림을 그리면 나에게 보이지 않은 적이 없었고, 우리 집 곁으로 이사 와서는 서로 수십 보 가까이 떨어져 있었으므로 각건角巾 쓰고 청려장 짚은 채 아침저녁으로 왕래하여 거른 날이 없이 지금 30년에 이르렀으니 공公의 일생一生을 알기로는 나만 한 이가 거의 없을 것이다.

대체 공의 성품은 본래 부드럽고 안존하여 부모에게 효도하고 형제간에 우애하며 남과 사귐에 일체 겉으로 꾸밈이 없었다. 집안은 몹시 가난하여 끼니를 자주 걸렀으나 일찍이 옳지 않게 남에게 요구한 적이 없었다. 또 경학經學에 깊어서 『중용中庸』과 『대학大學』을 논함에 있어서는 처음과 끝을 꿰뚫는 것이 마치 자기 말 외듯 했다.

만년에는 또한 『주역周易』을 좋아하여 밤낮으로 힘썼으니 손수 뽑아 베끼기를 파리 머리같이 하며 조금도 게을리하지 않았다. 그러나 사람들은 한갓 공의 이름을 그림으로만 알고 공이 경학經學 깊은 것이 이와 같음을 모른다. 어찌 이른바 위정공魏鄭公(위징魏徵, 580~643)의 문사文辭가 직간直諫으로 덮여지고, 구양공歐陽公(구양수歐陽修, 1007~1072)의 정사政事 재주가 문장文章으로 가려지게 된 것이 아니라고 하겠는가.

공이 하양河陽과 청하淸河를 거치면서 현감으로 양읍을 다스려 영광스럽게 어머니를 봉양했으며 나이가 팔십을 넘어 벼슬이 2품二品으로 오름에 영화가 삼세三世에 미쳤었으니, 진실로 공의 인후仁厚한 덕과 성실하고 효성스런 독행篤行이 아니면 어찌 능히 이와 같을 수 있겠는가.

임금님께서도 또한 공을 이름으로 부르지 않으시고 그 호號로 부르시니, 위로 공경公卿 재상으로부터 아래로 가마꾼에 이르기까지 공의 이름을 모르는 이가 없었으며, 작은 그림 한 폭을 얻어도 큰 옥을 얻은 듯 집안에 전해 줄 보배로 삼으려 했다. 곧 맑은 관직을 두루 거쳐서 한 시대에 벼슬살이 잘하는 것으로 알려졌었지만 고요하기가 소나무 아래에 있는 사람(세상을 피하여 은둔한 사람) 같았으니 어떠했겠나. 그러니 외물外物의 영욕榮辱과 청탁淸濁이 어찌 공에게 있었겠는가.

아아 나는 아직도 기억하고 있다. 무오戊午(1738)년 겨울에 공과 내가 약속이 있었는데 하루는 바람이 맑고 달이 밝았다. 공이 그 막내 자제를 데리고 와서 이르기를 '내가 마땅히 약속대로 하리라' 하며 붓과 벼루를 찾아 들고 문비門扉 위에 나가 〈절강추도도浙江秋濤圖〉를 그리는데 순식간에 휘둘러 내니 필세筆勢가 기이奇異하고 웅장雄壯하여 정말 볼만했다.

내가 시詩를 지어 이르기를

'정노鄭老가 밤중에 호흥豪興이 일어, 문 열고 쳐들어와 벼루 찾는다.

얕고 깊게 먹을 갈아 신운神運에 맡기고, 좌우에서 등燈을 들어 눈 밝혀 준다.

육필六筆을 함께 몰아 비람 천둥 치듯 하니, 세 문짝 모두 젖고 파도가 친다.

내 방은 이로부터 낯빛 더하고, 예원藝苑에 거연居然히 호사好事 이뤘네.'

다음 날 악하岳下 이공李公(병연秉淵)이 듣고 역시 그 운자韻字를 따서 지었었다. 그날 나는 홀연 안음安陰으로 제수되어, 말을 주어 떠나보내니 드디어 공과 잠깐 작별하고 갔었다. 6년 있다가 만기가 차서 갈려 돌아와 다시 공을 대하니 문 위의 그림이 새벽에 그려 낸 것 같거늘 다시 공에게 부탁하여 담채淡彩로 선염渲染하려 했었으나 미적거리다가 해 내지 못하고 말았었다. 그 후에 나는 배천군수가 되고(1748년 5월) 공 역시 외읍外邑으로 나갔으며(1740년 12월 11일 양천현령陽川縣令 임명, 1745년 1월 28일 해임) 문 위 그림은 남이 빼앗아 가게 되었었는데 이럭저럭하는 사이에 20여 년이 지났고 공은 또한 돌아가서 사적事蹟이 쓸어 낸 듯하니 정말 슬프구나.

대체 내가 이제 늙어 움직일 수가 없어서 공이 돌아가고 장기葬期가 며칠 앞으로 다가왔으나 나는 아직 가서 곡을 하지 못했으니 공에게 잘못함이 많다. 공의 여러 자손들이 만어挽語로 나에게 부탁하거늘 차마 한마디 말이 없을 수 없다. 이에 감히 억지로 병을 무릅쓰고 애사哀辭 한통을 지어 내 슬픔을 쏟아 내노니, 이 하나로 공의 대강을 볼 수 있다 하겠다. 사辭로 말한다.

'두번 골살이로 봉양하니, 좋은 반찬 거르지 않고.

삼세三世에 추은推恩하니, 영요榮曜가 극하구나.

성주聖主께서 그 호를 부르시니, 가마꾼도 그 이름 아네.'

옛사람들 이름이 이루어짐 중히 여겨서 혹은 의술醫術로 혹은 검술劍術로 혹은 바둑 장기로 하기도 하고 심지어 빨간 불길 속에 몸을 던져 그 죽고 삶을 돌아보지 않음으로도 했었으니, 그러므로 이르기를 군자君子는 죽어서 이름나지 않는 것을 싫어한다 했네. 비록 공 세우고 덕 세울 수 없었다 하나, 살아서 일세에 이미 이름났었고, 죽어서 백대 이후까지 내려갈 테니, 가히 죽어도 썩지 않는 것이라 말할 수 있네.

鄭公 諱敾 字元伯 自號謙齋, 光山人. 自少居于漢師之北里 順化坊 白岳山下, 余亦世居順化坊, 少公十歲, 余竹馬時, 公已儼然冠者. 故常敬之, 未嘗爾汝焉. 公以畵名於世, 余亦癖好畵, 略解三昧. 然余則不爲從事, 而公則日益精熟, 六要六法, 無不精解, 盖我東畵者, 未有識此者, 至公, 博覽古書, 工夫且篤, 多出前人所未解者. 是故名日益重, 縑素日益積, 而不自暇, 則又學倪雲林 米南宮 董華亭, 用大混點, 爲應猝之法, 世之學畵者, 但見公中年倦筆, 意謂畵當如此, 競相效嚬. 然其淋漓潤澤, 世無及焉者. 每有得意筆, 未嘗不示余, 及移居于余家傍隣, 相距數十步近, 則角巾藜杖, 朝往夕來, 殆無虛日, 三十年于今, 則知公終始, 殆無如我矣.

盖公性, 本和夷, 孝於親, 友于兄弟, 與人交, 一切無表襮. 家甚貧, 菽水屢闕, 而亦未嘗以非義干人. 公且邃於經學, 論中庸大學, 首尾貫通如誦己言. 晩又喜周易, 晝夜用力, 手自抄錄, 如蠅頭, 不少懈. 然人徒知公名於畵, 而不知公邃於經學如此也. 豈所謂魏鄭公文辭, 爲直諫所掩, 歐陽公政事才, 爲文章所蔽者耶. 公歷河陽清河, 以板輿榮養兩邑, 壽踰八耋, 官躋二品, 榮及三世, 苟非公仁厚之德, 誠孝之篤, 何能如此哉. 君上, 亦不名公, 而稱其號, 上自卿宰, 下至輿儓, 無不識公之名, 得寸紙, 如得拱璧, 以爲傳家寶. 則其遍歷清官, 以誇一時之觀聽, 而厭厭若松下人者, 何如哉. 然則外物之榮辱清濁, 何有於公.

嗚呼, 余尙記戊午冬, 公與余有約, 一日風淸月白, 公 携其季子而至曰, 吾當如約, 索筆硯, 就門扉上, 作浙江秋濤, 瞬息揮灑, 筆勢奇壯可觀. 余作詩 曰, 鄭老中宵豪興生, 開門直入喚陶泓. 淺深磨墨供神運, 左右張燈助眼明. 六筆幷驅風雷迅, 三扉盡濕浪濤驚. 吾堂自此增顔色, 藝苑居然好事成. 翌日, 岳下李公聞之, 亦次其韻. 其日余忽除安陰, 給馬發遣, 遂與公暫別而行. 居六年, 限滿遞歸, 復對公, 門上畵若隔晨事. 復擬要公, 請以淡彩渲染, 因循未果. 其後 余爲白川, 公亦外邑. 而門上畵, 爲人奪去, 荏苒之間, 已過二十餘年, 而公亦下世, 事跡如掃, 可悲也.

夫吾今年老, 不能起居, 公之歿, 葬期隔日, 而余尙未往哭, 負公多矣. 公之諸孤, 以挽語屬余, 不忍無一語, 玆敢力疾作哀辭一通, 以抒余悲, 一以見公之槪云. 辭曰. 再奉專城養兮, 甘旨無缺. 推恩三世兮, 榮曜極兮. 聖主稱其號兮, 輿儓識其名. 昔人重名成兮, 或以醫, 或以劒術, 或以博奕, 甚至投身紅爐, 不顧其死生, 故曰 君子疾沒世而名不稱. 若公者, 雖不能立德立功, 生旣名於一世, 歿而垂之身後. 傳之百代之久, 其可謂死而不朽者歟.

趙榮祏, 『觀我齋稿』 卷四, 謙齋鄭同樞哀辭

예문제학藝文提學 남유용南有容(1698~1773)도 겸재의 부음을 듣고 화가畵家의 난절斷絶을 통탄하는 장시長詩를 지어 이를 애도한다. 옮기면 다음과 같다.

「정원백鄭元伯 선敾이 신선되어 올라갔다는 소식을 들으니 화가畫家 또한 끊어졌구나. 위해서 긴 시를 짓는다.聞鄭元伯敾登仙, 畫家亦絶矣. 爲賦長句.」

정노인 그림은 동쪽에서 신묘하니, 삼산三山 칠택七澤이 가슴속에 벌려 있다.

만 가지 살아 있는 모습 빈 바탕에 아리따우니, 채색 붓 종이에 대면 조화옹造化翁을 놀래인다.

사군使君의 붓에 담긴 뜻 보면 형상 밖에 있는지라, 곧바로 산과 바다에서 빌려 거문고로 소리를 내지.

세간의 슬픔과 즐거움이 눈썹에 이르지 않으니, 가을 별처럼 반짝반짝 빛나는 밝은 두 눈동자.

내 새 시詩를 얻어 손에 맡겨 그리게 하면, 몇 장 종이 그윽하고 어두우니 허공의 푸른색일세.

소 등의 취한 늙은이 길을 모르고, 한 시내 흐르는 물에 송화가 떨어진다.

누구와 오로봉五老峯 정상에 도롱이 둘렀나, 단구丹丘◆에 들어가 흰 돌 밟는다.

◆**단구**丹丘 신선세계

푸른 솔 두 그루 물 떨어지는 절벽에서 늙었고, 절벽머리 나는 샘물 사슴 하나 마신다.

다시 누가 거문고 끌고 향로봉香爐峯 북쪽으로 가, 금류金流 제2곡曲에 와 앉으려나.

스스로 말하기를 구십九十에 구할 바 없으니, 자네 한마디 말만 얻으면 만사가 족하다 했네.

이미 고심해서 천고千古로 향하는 뜻 깨달았으나, 다시 노련한 손 거듭 얻기 어려움 아쉬워한다.

불면 나를까 쥐면 꺼질까, 앉으나 누우나 바라보니 응당 공벽拱璧이어라.

아침 해 떠오르자 구름은 희고, 지는 해 떨어지려니 연기 푸르다.

이에 조화造化가 묵묘墨妙에 있음을 알겠는데, 다시 아는 이가 나 홀로뿐임을 한탄하노라.

또 새로 지은 산수기山水記를 기다리면, 나와 함께 셋이 되어 오랜 초가 삼으리.

다만 이제 정처 없이 떠돌다가 서울 버리고, 남으로 아득한 바다 넘겨다보며 동으로 관문關門 나선다.

몇 군데나 제시題詩했던가 그대로 자네 생각뿐, 붉은 노을 밝은 달 꿈속에 본다.

나그넷길 속에서 사람 만나니 눈물 한 번 훔치고, 옹翁이 세상 싫어 청산객青山客 됐다고 하네.

아아! 정노鄭老여! 지금 어디 있는가. 천년에 한 번 만나기 정말 또한 어렵지.

자네 못 들었나. 위천渭川 수죽脩竹*은 천하기 쑥대 같으니, 운당篔簹의 푸른 대 한 줄기만 못함을.

색채와 모양의 일고 꺼짐을 누가 다시 수數로 하겠나. 오직 이 대 있어 인간에 남으리.

* 수죽脩竹 살대

鄭老丹青妙天東, 三山七澤羅胸中. 萬種生姿媚空素, 彩毫落紙驚化翁.

看君筆意在象外, 直假衰洋聲絲桐. 世間哀樂不到眉, 秋星爍爍淸雙瞳.

得我新詩信手作, 數紙杳冥空翠色. 牛背醉翁不知路, 一谿流水松花落.

是誰披蓑五老頂, 去入丹丘蹋白石. 青松兩樹砯崖古, 崖首飛泉飲一鹿.

更誰携琴香爐北, 來坐金流第二曲. 自言九十無所求, 得君一語萬事足.

已覺苦心向千古, 更惜老手難重得. 噓之恐飛握恐滅, 坐卧顧眄當拱璧.

朝暉稍發雲處白, 暝禽欲擲煙中碧. 乃知造化在墨妙, 復歎知者惟我獨.

且待新修山水記, 與我爲三老茆屋. 只今飄泊去長安, 南窺溟海東出關.

幾處題詩仍憶君, 丹霞明月夢中看. 客裏逢人一揮涕, 言翁厭世作青山.

嗚呼鄭老今安有, 千歲一遇良亦難. 君不聞渭川脩竹賤如蓬, 不及篔簹碧一竿.

色相興滅誰復數, 惟有此竹留人間.

南有容, 『雷淵集』 卷七, 聞鄭元伯敾登仙, 畵家亦絶矣. 爲賦長句.

남유용은 마침 이해 기묘년 식년시式年試 시관試官으로 선발됐으나 왕명을 어겨 3월 철원鐵原으로 귀양 가 있었으므로 객리客裏에서 겸재의 부고를 받았다 했다. 경미한 징계였으므로 6월에 귀양이 풀리고 11월에는 시강원侍講院 우부빈객右副賓客(종2품)으로 승차한다.

46

영조英祖의 특별特別 배려配慮

영조는 갑술년(1754) 4월 6일에 정술조가 겸재를 모욕하는 언사로 탄핵하는 것을 보고 매우 실망했다. 그래서 이것이 우직愚直을 가장한 간교奸巧일 수 있다는 판단 아래 4월 14일 파직불서罷職不敍를 명했었다. 그러나 정술조가 언관言官으로 직분을 다했다는 대의명분이 있으므로 오래 서용하지 않을 수는 없었다. 이에 다음 해인 영조 31년(1755) 을해 8월 8일에 이조정랑正郞(정5품)에 임명한다. 그러나 정술조는 임금이 곱잖은 시선으로 주시하고 있다는 사실을 감지하고 있었기 때문에 신병身病을 핑계로 사직을 청하고 출사하지 않는다.(『승정원일기』 1,122책 참조)

9월 5일에는 내년에 치러질 문과 동당東堂 초시初試 시관試官으로 임명했으나 이 역시 사양하고 나오지 않는다. 그래서 9월 6일 의금부에 잡혀갔다가 9월 9일에 풀려난다. 이에 9월 24일에는 무반 명예직인 부사과副司果(종6품)에 임명한다.(『승정원일기』 1,123책 참조)

그리고 겸재 81세 때인 영조 32년(1756) 병자丙子 1월 2일에 다시 부사과에 임명했다가 1월 21일에 사헌부 지평持平(정5품)으로 승진 발령한다.(『승정원일기』 1,127책 참조) 그러나 정술조는 1월 22일부터 27일까지 매일 불러도 매일 나오지 않다가 1월 28일에는 사직소辭職疏를 올려 자신의 기량이 언관이 되기에는 부족하여 한 번 상소로 말뜻도 제대로 전해 보지 못하고 벌을 받아 파면당했으니 벼슬에 나갈 수 없다는 뜻을 밝힌다. 그래도 출사하라는 왕세자의 명을 받고 1월 30일에 시민당時敏堂 정사에 입시入侍하는데 이 자리에서 양송兩宋의 문묘文廟 종사從祀를 청한다. 그 부분만 옮겨 보겠다.

술조가 이렇게 아뢰었다. '먼저 아뢲은 재계齋戒가 서로 만나 할 수 없었으나 마음

먹은 바가 있어 감히 아룁니다. 하늘이 성현聖賢을 내심은 사문斯文을 지키고 세도世道를 위해서입니다. 나라의 제사 전례가 있음은 성도聖道를 존중하고 유화儒化를 숭상함입니다. 선정신先正臣 송시열宋時烈과 선정신 송준길宋浚吉은 모두 드러날 만한 인물로 앞선 선인의 유서遺緖를 이어 동방 유자의 대성大成을 모았습니다.

그 도덕을 말하면 곧 광대하고 고명하며 그 조예를 논하면 정밀 심오하고 순수하며 때는 곧 효종대왕이었으니 세상에 드문 성인으로 크고 해야 할 뜻이 있었습니다. 송시열은 왕사의 자리에 있으면서 춘추대의에 맡겨 마음을 합치고 방략을 함께 짰으며 송준길은 같은 마음 같은 덕으로 성조의 뜻과 일을 협찬하여 일통하려는 대의를 함께 이끌었습니다.

동쪽 땅 수천 리 둘레에 모두 임금을 귀하게 여기고 신하를 천하게 여기며 중화를 존중하고 오랑캐 물리칠 것을 알게 하여 그로써 세교世敎◆와 인도人道 기강紀綱을 유지하게 한 것은 양선정의 공이 아닌 게 없습니다. 종사배향하는 예전은 스스로 응당 시행해야 할 일이나 다만 일 자체가 중대하여 아직 대답을 아꼈을 뿐입니다.

◆**세교**世敎
대물려 내려오는 가르침

이제 이 태학 제생들이 소장을 올려 앙청仰請하는데 예전의 달리하고 달아나던 자들이 이제 모두 난만하게 함께 돌아오니 가히 공의가 같은 바를 볼 수 있어서 예전 송나라의 오현五賢을 종사하던 일이라 하겠습니다. 마침 태학을 시찰하는 때에 당했으니 이로써 존숭하고 권장하는 뜻을 보이십시오.

이제 우리 대조께서 학교에 친림하여 학습을 시찰하심에 이미 날짜가 잡혔습니다. 이에 이때에 빨리 종사하는 전례를 거행하면 성덕聖德에 빛이 나고 실로 사문斯文에 다행인 까닭에 감히 아룁니다. 신은 대조에 우러러 품신하시고 양선정 종사하는 예전을 즉시 거행하여 많은 선비들이 바라는 정성에 맞춰 주기를 원합니다.'

영을 내려 이르되 '아뢴 바는 옳다. 그런데 대조 성의聖意는 신중한 길에서 나오니 내가 어찌 감히 우러러 아뢰지 않으랴. 그러나 일 자체가 중대함을 마땅히 유의해야 한다.' 상로가 아뢰되 '아뢴 바는 세도世道에 관계되고 또 사문師門의 중대사이니 곧 대조에 우러러 품신하여 하는 것이 좋겠습니다.' 술조가 아뢰기를 '오직 그 일 자체가 중대하니 그런 까닭으로 이때를 좇아 빨리 성대한 예전을 거행하면 더욱 성덕聖德에 빛이 되고 사림士林을 영예롭게 하는 길이 될 것입니다.' 영으로 이르되 '마땅히 유의해서 하겠다.'

述祚曰, 前啓則以齋戒相値, 不得爲之, 而有所懷, 敢達矣. 天之生聖賢, 衛斯文也, 爲世道也. 國之有祀典, 尊聖道也, 崇儒化也. 先正臣宋時烈, 先正臣宋浚吉, 俱以命世之姿, 繼往聖之遺緖, 集東儒之大成. 語其道德, 則廣大而高明, 論其造詣, 則精深而純粹, 時則孝宗大王, 以不世之聖, 有大有爲之志. 宋時烈 處賓師之位, 任春秋之義, 契合昭融, 經緯密勿, 宋浚吉 同心同德, 協贊聖祖之志事, 共濟一統之大義.

環東土數千里, 咸知貴王而賤伯, 尊華而攘夷, 所以維持世敎, 綱紀人道者, 莫非兩先正之功也. 從享之典, 自是應行之事, 而只以事體重大, 尙靳兪音. 今此太學諸生, 陳章仰請, 昔之異趨者, 今皆爛漫而同歸, 則可見公議之攸同, 昔宋之從祀五賢也. 適當視學之時, 以示崇奬之意, 今我大朝, 臨雍視學, 已卜日矣. 乃此時亟擧從祀之典, 則有光聖德, 實幸斯文故敢達. 臣願仰稟大朝, 卽擧兩先正從祀之典, 以副多士顒望之誠.

令曰, 所奏是矣, 而大朝聖意, 出於愼重之道, 余何敢不仰陳乎. 然事體重大, 當留意矣. 尙魯曰, 所奏關係世道, 且是師門重事, 卽爲仰稟大朝, 而爲之好矣. 述祚曰, 惟其事體重大, 故趁此時亟擧盛典, 尤爲光聖德·榮士林之道矣. 令曰, 當留意爲之矣.

『承政院日記』 1,127冊, 英祖 32年1月 30日

마침내 2월 1일에 양송의 문묘종사를 허락하는 왕명이 떨어지자 정술조는 다시 이날부터 4일까지 매일 출사하지 않고 사직을 청하다가 2월 5일에는 사직상소를 올린다. 그 부친이 나이 80에 가까워 오는데 며칠 전에 풍을 만나 오른쪽을 쓰지 못하니 곁에서 간호해야 하므로 출사할 수 없다는 내용이다. 왕세자는 사양하지 말고 공무를 살핀 다음에 간호하도록 하라는 영지를 내려 만류한다. 정술조는 그래도 계속 사직을 고집하여 2월 11일, 12일, 14일까지 정사呈辭를 올리고 출사하지 않는다.(『승정원일기』 1,128책 참조)

1월 1일에 겸재가 행부호군(오위도총부 종4품)으로 70세 이상 조관朝官에게 추은推恩 가자加資하는 반열에 들고(『승정원일기』 1,127책 참조) 2월 6일에 동지중추부사(중추부 종2품)로 오르는데 정술조는 이런 분위기를 감지하고 사직을 고집하는 것으로 계속 불만을 표시했던 듯하다.

그러자 영조는 정술조의 버릇을 고쳐 놓기로 작정한 듯 5월 2일에 정술조를 전라도 서남쪽 끝인 무안務安의 현감으로 발령한다. 그리고 사흘 뒤인 5월 5일에 하직하고 떠나게 한다.(『승정원일기』 1,131책, 영조 32년 5월 5일조 참조) 유배나 다름없는 인사발령이었다. 이 상황에서 사직은 곧 극형으로 이어질 수 있으므로 정술조는 무안으로 떠나지 않을 수 없었다. 그렇다면 무안에 부임해서 극도로 근신 자숙하고 있어야 했을 터인데 정술조는 불만과 자조로 자기단속을 게을리하는 만용을 부렸던 듯하다.

그래서 부임한 지 1년 미만에 암행어사에게 그 불법 비리가 적발되어 봉고파직되는 수모를 겪는다. 그 사실은 영조 33년(1757) 정축 2월 20일 『승정원일기』 기록에서 추측할 수 있다. 이해 2월 15일에 정성貞聖왕후 달성서씨가 승하해서 이날 장례절차를 의논하는 자리에서 거론된 내용이다. 앞뒤 내용을 뽑아 옮겨 보겠다.

> 정축 2월 20일 유시에 상감이 양로합養老閤에 임어하시고 내국內局이 입진하며 총호사, 도감당상, 남원군, 상지관이 함께 입시한 때에 도제조 신만申晩(1703~1765), 제조 이익정李益炡(1699~1782), 부제조 김한철金漢喆(1701~1759), 총호사 영의정 이천보李天輔(1698~1761), 좌의정 김상로金尙魯(1702~1766), 판부사 이종성李宗城(1692~1759), 도감당상 이창의李昌誼(1704~1766), 홍계희洪啓禧(1703~1771), 이종백李宗白(1699~1759), 민백상閔百祥(1711~1761), 관상감 제조 이철보李喆輔(1691~1770) 남원군 설(1691~?), 가주서 한필수韓必壽(1715~?), 기사관 권영權穎(1710~?)……차례로 나가 엎드렸다.……
>
> 동부승지 홍인한洪麟漢(1722~1776)이 입시하고……
>
> 천보가 아뢰기를 '능 이름에 좋은 글자가 가장 어렵습니다.' 상감이 이르되 '명종明宗의 명明자는 명종이 송 영종에 비유했었는데 나 역시 일찍이 읊으며 그를 비유했었다.' 천보가 아뢰기를 '풍豊자와 영永자가 좋은 것 같은데 영자로 써 드리려 합니다. 홍弘자는 곧 명릉의 칭호를 의논할 때 부망副望이었습니다.' 상감이 이르되 '그런가. 그렇다면 심히 귀하나 마음에 감히 할 수 없는 바가 있다.'……
>
> 상감이 이르기를 '원량世子이 여막에 있는데 내가 빈전殯殿에 배례를 행함은 적

처의 체통이 중요함을 보여 주려 해서이다. 빈궁으로부터 이하를 원량이 수하로 쉽게 보아 그를 소홀히 할 터이므로 적처의 체통이 중요함을 알게 하려 해서이다. 또 자성慈聖*에게 이르기를, 곤전은 팔자가 좋소이다. 내 64세의 절을 받았으니 어찌 좋지 않겠소이까.' ……

* 자성慈聖 왕비

상감이 이르기를 '수령이 빈 데가 있는가.' 인한이 아뢰기를 '호남에 두 자리가 있으니 순천부사 이수봉李壽鳳(1710~?)과 무안현감 정술조가 가마 탄 일로 죄를 청했습니다.' 상감이 이르기를 '두 고을 농사는 어떠한가.' 백상이 아뢰기를 '두 고을도 역시 흉작입니다.' 계희가 아뢰기를 '잡아들여 처분하기를 청했으나 아직 장계를 올려 파직하지는 않았습니다.

丁丑二月二十日酉時. 上御養老閣, 內局入診, 摠護使·都監堂上·南原君·相地官, 同爲入侍時, 都提調申晩, 提調李益炡, 副提調金漢喆, 摠護使領議政李天輔, 左議政金尙魯, 判府事李宗城, 都監堂上李昌誼·洪啓禧·李宗白·閔百祥, 觀象監提調李喆輔, 南原君, 假注書韓必壽, 記事官權穎……以次進伏.……同副承旨 洪麟漢入侍……

天輔曰, 陵號最難好字矣. 上曰, 明廟之明字, 明廟論之英宗, 予亦曾誦而論之矣. 天輔曰, 臣思數字, 仁字 弘字, 似好矣. 宗城曰, 仁字甚好, 而聲平可欠. 上曰, 末望何字乎. 天輔曰, 豐字·永字似好, 而欲以永字書進矣. 弘字則乃明陵議號時副望也. 上曰, 然乎. 然則甚貴, 而心有所不敢也.……

上曰, 元良在廬幕, 而予行拜禮於殯殿, 要見敵體之重, 自嬪宮以下, 元良易視手下而忽之, 故使知敵體之重也. 且白於慈聖曰, 坤殿八字好矣. 受予六十四之拜, 豈不好乎.……

上曰, 守令有闕乎. 麟漢曰, 湖南有二窠, 順天府使李壽鳳, 務安縣監鄭述祚, 以乘轎事請罪矣. 上曰, 二邑年事, 何如. 百祥曰, 二邑亦凶歉矣. 啓禧曰, 請拿處而未及狀罷也.

『承政院日記』 1,131冊, 英祖 33年 2月 20日 壬午

영조는 이해(1757) 1월에 이미 정술조의 치적을 조사하기 위해 가장 믿을 만한 인물인 동부승지 이현중李顯重(1708~1764)을 전라도 암행어사로 삼아 파견해 놓고 있었다. 그래서 3월 1일 승지로 복직한 이현중은 저녁 유시酉時(7~9시)에 전라도 농사 현황과 민정을 보고하는 자리에서 전라도 서남연해 5읍인 진도·해남·강진·영암·무안이 혹심한 흉년을 당했고 전례 없는 역병까지 만나 죽어 나가는 사람들이 많은데 진도와 무안이 그 중 더욱 우심하다고 말한다.

그리고 이 지역을 다스리는 수령들과 간사한 서리들의 횡포가 자심했는데 그 중 대표적인 인물이 장흥부사 유현장柳顯章(1696~?)과 무안현감 정술조鄭述祚(1711~1788)였다고 보고한다. 그 대목을 옮기면 다음과 같다.

> 현중이 아뢰기를 '신이 한 도를 돌아다니며 보니 산간지방은 대체 많이 잘 다스리는데 연해의 아래읍들은 다스리지 못함이 많았고 간사한 서리의 나쁜 버릇도 놀랄 만큼 많았습니다.' ……상감이 이르되 '그 중 다스리지 못한 사람이 누구더냐.' ……현중이 아뢰기를 '무안 전현감 정술조와 장흥부사 유현장입니다.' ……
>
> 상감이 이르되 '장흥부사 유현장과 무안전현감 정술조가 혹은 힘써 보답하려고 생각지 않음으로나 혹은 시종신이 염치를 지키지 않음으로써(죄를 지었는데) 이는 이때라 비록 많이 꾸짖지는 않는다 해도 이를 심상하게 처리할 수 없다. 유현장은 우선 파직하고 정술조와 더불어 본도 안핵어사 홍경해洪景海(1725~1759)로 하여금 염탐해 물어서 아뢰도록 하게 하라.'
>
> 顯重曰, 臣歷見一道, 嶺上則大抵多善治, 而沿海下邑, 不治居多, 奸吏惡俗, 可駭者多. …… 上曰, 其中不治者誰耶. 顯重曰, 沿海諸邑, 間多不治, 而務安·長興, 特甚, 故臣於別單末端, 略陳之矣. 上曰, 務安·長興, 誰也. 顯重曰, 務安前縣監鄭述祚, 長興府使柳顯章矣. …… 上曰, 長興府使柳顯章, 務安前縣監鄭述祚, 或以不思報效, 或以侍從不廉, 此則此時, 雖不多論, 不可尋常處之. 柳顯章爲先罷職, 與鄭述祚, 令本道按覈御史洪景海, 廉問以奏.
>
> 『承政院日記』 1,142冊, 英祖 33年 3月 1日 壬辰

다음 날인 3월 2일 새벽 묘시卯時(5~7시)에도 영조는 재실에 나와서 장례절차를 의논한 뒤에 유현장과 정술조 일을 다시 거론하며 유현장에 대한 보고는 뜻밖이라는 뜻을 밝힌다. 그러자 입시해 있던 우의정 신만申晩과 예조판서 이익정李益炡도 각기 그럴 사람이 아니라며 옹호하며 알 수 없는 일이라고 의문을 표시한다. 그러나 정술조에 대해서는 상하가 모두 냉담한 반응을 보이니 그 대목을 옮기면 다음과 같다.

상감이 이르되 '정술조는 어떤 사람인가. 일찍이 그 글 잘하는 자라고는 알고 있었지만 그 모습이 생각나지 않는다.' 우승지 홍인한이 아뢰기를 '얼굴이 얽고 심히 깁니다. 고故 승지 면勔의 후손입니다.'

上曰, 鄭述祚何如人耶. 曾識其能文者, 而不省其貌狀也. 麟漢曰, 面縛而甚長, 故承旨勔之孫也.

『承政院日記』 1,142冊, 英祖 33年 3月 2日 癸巳

3년 동안이나 승정원 가주서로 시종하게 하고서도 '글 잘하는 자라고는 알고 있었지만 그 모습이 생각나지 않는다' 고 했으니 정술조에 대한 영조의 실망과 배신감이 얼마나 깊었던지 짐작이 가능하다. 얽고 길었다면 쉽게 잊혀질 평범한 얼굴도 아니었을 것이다. 그럼에도 불구하고 생각나지 않는 것은 생각하고 싶지 않았기 때문이었을 것이다. 이런 기류를 충분히 감지하고 있는 동부승지 이현중은 3월 7일 왕세자에게 정술조의 죄상과 처분을 다음과 같이 아뢴다.

이현중이 의금부 말로 이렇게 상달해 아뢰었다. '전라도 영광 안핵어사가 장계로 주달한 속에 순천부사 이수봉李壽鳳과 무안현감 정술조 등은 모두 지붕 있는 가마를 타고 버젓이 장막을 드리운 채 왕명을 받은 행차를 회피하지 않았으니 그 사리와 체면에 있어서 진실로 미안한 일이었습니다.

그리고 금지를 무릅쓴 죄를 그대로 둘 수 없으니 해당 관부로 하여금 법률에 비춰 마감처리할 일로 결재해 주십시오. 정술조는 이제 막 본부에서 명령을 기다리고 있으니 곧 잡아 가두겠습니다.' ……영으로 이르되 '아뢴 대로 하라.'

李顯重, 以義禁府言達曰, 全羅道靈光按覈御史狀達內, 順天府使李壽鳳, 務安縣監鄭述祚等, 皆乘有屋轎, 偃然張帷, 不爲回避於奉命之行, 其在事體, 固已未安. 而冒禁之罪, 不可置之, 令該府照律勘處事達下矣. 鄭述祚今方待令於本府, 卽爲拿囚.……令曰, 依爲之.

『承政院日記』 1,142冊, 英祖 33年 3月 7日 戊戌

정술조가 지붕 있는 가마를 타고 다니며 봉명어사를 회피하지도 않는 무례를 범해 금령을 어긴 죄를 범했다는 것이다. 어떤 사정이 있었던지 알 수 없지만 지방 수령이 지붕 있는 가마를 타는 것이 금제인데 이를 어겼으니 『경국대전經國大典』 권5 형전刑典 금제禁制에 의하면 장杖 80의 벌을 받아야 하는 경범죄에 해당한다. 그런데 현감이 이 정도의 경범죄를 범했다고 파직되어 의금부까지 잡혀 올라왔다면 아무래도 과잉처벌이라 하지 않을 수 없다.

그러나 목적이 정술조의 비리를 밝혀 콧대를 꺾어 놓는 데 있으므로 영조의 추궁은 계속되어 4월 14일에도 통명전通明殿 재려齋廬로 관계 인사들을 불러 안핵어사 홍경해洪景海(1725~1759)로부터 호남의 실태를 보고받는 자리에서 정술조의 인사 비리를 들춰내 파렴치범으로 몰아간다. 여기서 이현중이 정술조와 함께 불치수령不治守令◆으로 거명한 유현장은 사람됨이 혼잔昏殘◆할 뿐 잘못을 저지른 것은 아니라고 홍경해가 조목조목 해명하는데 영조도 그럴 것이라고 찬동한다.

◆불치수령不治守令 잘못 다스린 수령

◆혼잔昏殘 못나고 잔약함

이에 대해 이현중이 계속 혐의 사실을 추가하며 불치사실을 고집하자 홍경해가 '신이 잘못 염찰하고 와서 사실과 어그러짐이 많은 듯하니 황공함을 이길 수 없어 또 다시 아뢸 일이 없습니다景海曰, 臣不善廉察, 似多爽實, 不勝惶恐, 而亦無更達之事矣' 하고 역정을 낸다. 이에 대해 이현중은 '이는 어사의 말이 지나치다. 이것이 이와 같이 죄를 뒤집어쓸 일이 아니다.顯重曰, 此則御史之言, 過矣. 此非如此引咎之事也.' 라고 한발 물러서 사과한다.

그러자 영조도 '이는 어사가 지나쳤다' 고 화해시킨다. 이렇게 유현장의 죄는 혐의 없는 것으로 판정되는데 정술조만은 아무도 그 무죄를 발명하려 하지 않을 뿐 아니라 입을 모아 형편없는 소인배라고 질타한다. 그 대목만 옮겨 보겠다.

> 정축년(1757) 4월 14일 초경(오후 8시)에 상감이 통명전 재려에 납시고 예판, 호남어사가 함께 입시할 때에 겸예조판서 이익정李益炡, 동부승지 이현중李顯重, 어사 홍경해洪景海, 가주서 서유원徐有元(1735~1786), 기사관 김화택金和澤(1728~1776), 이동태李東泰(1718~1793)가 차례로 나와 엎드리기를 마쳤다.……
>
> 무안에 이르니, 상감이 이르기를 '정술조는 일찍이 시종侍從을 거쳤었다.' 환곡還穀일에 이르자 상감이 이르기를 '이는 저가 스스로 먹은 것과 사뭇 다르다.' 하

리下吏를 임명하는데 뇌물을 받은 데 이르니, 상감이 이르기를 '한漢 영제靈帝보다 심하구나.' 경해가 아뢰기를 '저 승지가 이른 바의 비루하고 자디잘다는 지목이 옳습니다.'

상감이 이르되, '이 서계書啓는 승지가 들은 바와 같은가.' 현중이 아뢰기를, '신이 들은 바와 한결같습니다.' 상감이 가로되, '꼴이 아니구나.' 현중이 아뢰기를 '이는 선비의 수치입니다.' 경해가 아뢰기를, '신이 봉초捧招◆할 때에 저도 모르게 부끄러웠으니 참으로 이른바 사람으로 하여금 크게 부끄럽게 한다는 것이었습니다.' ……

◆ **봉초**捧招
구두로 진술을 받음

상감이 이르되 '오직 그 사람에 있을 뿐이다.' 이어 전교를 쓰도록 명하여 이르기를 '지금 호남어사의 서계를 보니 영광현감 이우李堣(1697~1767)가 삼가고 정성스러우라는 가르침을 몸받지 않고 제멋대로 탐욕 부리고 어지럽혀 백성들을 구렁텅이에 처박히게 했으니 곧 이 한 일만으로도 저에게 옥안獄案을 결단할 수 있겠는데 김상각金相珏 이후에 만약 일분의 엄한 것을 두려워하는 마음이 있었다면 어찌 감히 이 일이 있었겠는가.

법을 안 지키는 방자함으로 무고한 사람을 함부로 죽였으니 비록 불법이 없었다 하더라도 역시 한 옥안이 되었으리라. 우堣와 같은 자를 만약 본 법률로 바로잡지 않으면 나라를 나라라 할 수 있겠는가. 먼저 해당 관부(의금부)로 하여금 이를 처리하게 하고 공제公除◆가 지난 후에 구초口招◆를 엄히 묻고 올라와 대하여 아뢰도록 하라.

◆ **공제**公除
국상國喪 중에 37일 동안 공무를 중지하고 조의를 표하는 일

◆ **구초**口招
죄인이 구두로 자백하는 진술

무안 전현감 정술조는 시종하던 신하로서 이처럼 불법을 저질렀으니 만약 엄히 징벌하지 않는다면 기강이 있다 하겠는가. 역시 해당 관부(의금부)로 하여금 이를 처리하게 하고 구초口招 등의 일은 한결같이 이우의 예에 의거하여 거행하도록 하라.……장흥 전부사 유현장은 그 상주上奏한 바를 들으니 혼미하고 용렬하여 형편없다. 이 사람은 나라의 은혜를 저버릴 수 없으니 이를 책임지게 하고 그 금제를 범한 바는 스스로 그 법률이 있으니 또한 잡아들여 조처하도록 하라.'

丁丑四月十四日初更, 上御通明殿齋廬, 禮判 湖南御史, 同爲入侍時, 兼禮曹判書李益炡, 同副承旨李顯重, 御史洪景海, 假注書徐有元, 記事官金和澤·李東泰, 以次進伏訖.……至務安. 上曰, 鄭述祚, 曾經侍從矣. 至還穀事, 上曰, 此則猶異於渠之自食. 至差任捧賂事, 上曰, 甚於漢靈帝矣. 景海曰, 彼承旨所謂鄙瑣之目, 是矣. 上曰, 此書啓, 與承旨之所聞同耶. 顯重曰, 一如臣之所聞矣. 上曰, 無狀矣. 顯重曰, 此實縉紳之羞也. 景海曰, 臣於捧招之時, 不覺忸怩, 眞所謂使人大慙矣……

上曰, 惟在其人矣. 仍命書傳敎曰, 今覽湖南御史書啓, 靈光縣監李堣, 不體勤懇之敎, 恣意貪猾, 使元元, 塡於溝壑, 卽此一事, 於渠斷案, 而金相珏之後, 若有一分嚴畏之心, 豈敢有是事. 以非法放恣, 濫殺無辜, 雖無不法, 亦爲一案, 若堣者, 若不繩以本律, 國何以爲國. 先令該府處之, 過公除後, 嚴問口招, 登對以奏. 務安前縣監鄭述祚, 以侍從之臣, 若是不法, 若不嚴懲, 曰有紀綱乎. 亦令該府處之, 口招等事, 一依李堣例擧行.……而長興前府使柳顯章, 聞其所奏, 昏劣無狀. 此人不可以負國恩, 責之, 而其所犯禁, 自有其律, 亦爲拿處.

『承政院日記』 1,143册

이런 영조의 전교가 내려지자 4월 17일에 의금부에서는 이우와 정술조가 이제 막 의금부에서 명령을 기다리고 있으니 곧 잡아 가두겠으며 유현장은 충청도 공주 땅에 있다 하니 전례대로 의금부 서리를 보내 잡아오겠다는 보고를 왕세자에게 올리고 왕세자는 그러라고 대답한다.(『승정원일기』 1,143책, 영조 33년 4월 17일조 참조)

이렇게 정술조는 의금부에 갇혀서 문초를 받고는 충청도 충원현忠原縣 연원역連原驛으로 유배流配되는 듯하다. 9월 2일에 정술조 후임으로 무안현감이 된 이항조李恒祚(1716~?)가 다시 의금부에 잡혀와 문초를 받으며 전임현감인 정술조와 대질할 일이 있어 정술조를 연원역 정배지로 의금부 나장羅將들을 보내 잡아올리는 기사가 『승정원일기』에 실려 있기 때문이다.(『승정원일기』 1,148책, 영조 33년 9월 2일조 참조)

그리고 9월 27일에 충원현 연원역으로 다시 환배시키는데 신죄는 무죄가 인정되었던지 전죄에 의해 환배되고 의금부 나장들이 압송환배한다.(『승정원일기』 1,148책, 영조 33년 9월 27일조 참조) 그러나 겸재가 83세 되는 영조 34년(1758) 무인戊寅 1월 9일에 정술조는 왕명에 의해 특별 방송된다. 워낙 큰 죄가 있어서 귀양 보냈던 게 아니라 글재주만 믿고 안하무인으로 방자하게 처신한 그의 콧대를 꺾어 겸손의 미덕을 체험하게 하면서 겸재의 상처 난 가슴을 위로하기 위해서 보냈던 귀양길이었기 때문이다.

그러나 영조는 정술조에 대한 실망과 배신감을 쉽게 떨쳐 버릴 수 없었다. 그래서 겸재가 84세로 돌아가는 영조 35년(1759) 기묘년 2월 1일에 정술조를 복직시키면서 6년 전 겸재를 탄핵하다 파직되던 당시의 벼슬인 사간원 정언으로 복직발령한다.(『승정원일기』 1,165책 참조) 정술조가 바보가 아닌 다음에야 영조의 심기를 헤아리지 못할 리 없었다. 그래서 2월 4일에는 그 부친인 정진형鄭震衡(1683~1760)이 80세를 바라보는데 풍을 맞아 운신할 수 없으므로 출사할 수 없다는 사직소를 올리고 2월 10일, 17일, 19일, 21일, 24일에 계속 불러도 나가지 않는다.

그리고 2월 26일에는 영조가 내복시內僕寺에 임어해 친국하는 자리라서 마지못해 출사하고 27일부터 3월 3일까지 거의 매일 불러도 나가지 않는다. 그러다가 3월 5일에는 마음먹고 장문의 상소를 올려 원론적인 국정운영 방법을 개진한 다음 사직을 청하고 물러났다. 그런데 이달 24일에 겸재는 84세로 돌아간다. 이제야 영조는 겸재에 대한 미안감에서 벗어나서 정술조를 편하게 대할 수 있었을 것이다. 그래서 4월 24일에 정술조를 이조정랑(정5품)의 요직으로 승진 발령한다.

사실 정술조(1711~1788) 길들이기는 겸재를 존경하고 애호하던 백악사단 후진들이 영조의 뜻을 받들어 감행하는 듯하니 정술조 비행을 파헤친 이현중李顯重(1708~1764)과 홍경해洪景海(1725~1759)의 인적사항을 추적하면 그 사실이 극명하게 드러난다.

이현중은 겸재와 한동네에서 나고 자란 동문친구인 김우겸金祐謙(1676~1709)의 맏사위이다. 그런데 김우겸은 겸재의 그림스승인 노가재老稼齋 김창업金昌業(1658~1721)의 장자였다. 뿐만 아니라 이현중의 장녀 한산이씨(1728~1754)는 관아재觀我齋 조영석趙榮祏(1686~1761)의 3남男인 조중첨趙重瞻(1730~1814)에게 출가하여 관아재와는 사돈간이었다. 이런 인물이라서 영조는 동부승지로 발탁해 측근에 시종시키다가 정술조의 실수가 알려지자 호남어사로 특파해 이를 실사해 오게 했던 것이다.

정술조의 비리를 적발하던 영조 33년(1757)은 정술조 47세, 이현중 50세, 홍경해 33세 때였다. 혈기 왕성한 30대 초반의 홍경해에게 정밀한 재조사를 맡긴 것은 정술조의 비리를 남김없이 밝혀서 변명의 여지가 없게 하려는 영조의 치밀한 계산이었을 것이다. 그런데 홍경해는 관아재의 맏사위인 홍계능洪啓能의 9촌 조카였다. 촌수는 9촌이지만 홍경해의 부친인 담와澹窩 홍계희洪啓禧(1703~1771)의 묘표를 홍계능이 지을 만큼 뜻을 같이하는 가까운 일가였다.

영조가 이런 사실을 모두 알고 있었기 때문에 이들로 하여금 정술조의 비리를 낱낱이 파헤치게 했던 것이다. 그래서 이들은 정술조가 변명하면 할수록 수치스러울 수밖에 없는 사실을 가차 없이 적발해 내어 영조의 가슴속을 후련하게 해 주고 상처받은 겸재 마음을 위로했던 것이다. 그런데 이들이 모두 관아재의 사돈들이었다는 사실은 이 일에 관아재도 깊숙이 관여했을 가능성을 배제할 수 없게 한다.

겸재가 사도시 첨정을 사임하자 영조는 관아재를 그 자리에 앉히고 기회 있을 때마다 불러 보고 있기 때문이다. 영조가 겸재를 얼마나 존숭하고 섬세하게 배려했던가를 보여 주는 대목이다. 그러나 영조의 겸재 존숭은 이에서 끝나지 않는다.

영조는 자신의 환갑해인 30년(1754) 갑술 2월 25일에 당시 79세인 겸재에게 사도시 첨정 벼슬을 주어 진경문화를 선도해 온 예술계의 수장이자 자신의 어린 시절 그림스승인 겸재를 영광스럽게 하려 했었다. 그러나 믿고 있었던 정술조의 배신으로 도리어 스승의 가슴에 통한만 남기게 하여 항상 미안하게 생각하고 있었다. 정술조를 가혹하게 응징하여 심벌心罰◆을 내린 것도 그 때문이었다.

◆ **심벌**心罰 마음으로 내리는 벌

그런데 그런 마음을 평생 간직했던 영조 자신이 79세가 되는 영조 48년(1772) 임진 1월 24일에 효자와 열녀를 포상하기 위해 효열단자孝烈單子를 올리게 하고 그 중에서 대상자를 선발하는 과정에서 영조는 겸재를 지목하여 우선 뽑아 올리라 한다. 그 대목을 옮겨 보겠다.

> 임진 정월 24일 미시未時(오후 1~3시)에 상감이 집경당集慶堂에 납시고 예방승지와 유신儒臣이 입시했을 때 우승지 서유린徐有隣(1738~1802), 가주서 박상래朴相來(1746~1831), 기주관 허유許錄(1749~?), 기사관 신우상申禹相(1730~1799), 교리 이명빈李命彬(1722~1806), 수찬 이창임李昌任(1730~1775)이 차례로 나와 엎드리기를 마쳤다.……상감이 이르기를,……아는 사람으로 말하면 김면행金勉行(1702~1772) 부친 증贈 참의 김시민金時敏(1681~1747)과 고故 동지 정선鄭敾(1676

~1759)인데 그 중 표나는 사람들이니 먼저 뽑아서 입시할 때 아뢰도록 하라.

以知者言之, 金勉行父贈參議金時敏, 故同知鄭敾, 其中有表者, 先抄, 入侍時以奏.

『承政院日記』 1,325冊, 英祖 48年 1月 24日

◆**아경**亞卿
종2품의 6조참판과 한성좌·우윤

그리고 다음 날인 정월 25일에는 겸재를 아경亞卿◆에 특증하라는 전교를 내린다. 그 대목을 옮기면 다음과 같다.

임진 정월 25일 미시에 상감이 집경당에 납시고 대신 예판이 입시했을 때 영의정 김치인金致仁(1716~1790), 우의정 김상철金尙喆(1712~1791), 예조판서 원인손元仁孫(1721~1774), 우승지 서유린, 가주서 박상래, 편수관 강문상康文祥(1723~1829), 기사관 신우상이 차례로 나와 엎드리기를 마쳤다.

상감이 이르기를 내일은 편집 당상도 입시하도록 하라. 탑교榻敎를 내시고 상감이 승지에게 효열단자孝烈單子를 읽어 아뢰도록 명하고……전교를 내시고 상감이 다음과 같이 말했다. '김시민은 지금 읽게 하니 아들의 도리를 다했다 할 수 있다. 나는 곧 항상 이르기를 자식이 부모 섬김은 곧 직분職分◆ 안의 일인데 어찌 이로써 정효旌孝◆하는 예전을 가볍게 더하자고만 할 뿐인가' 라고 했다.

◆**직분**職分
마땅히 해야 할 본분

◆**정효**旌孝
효자에게 정려문을 세워 줌

이제 이를 들어 보니 또한 그러해서 정려旌閭 세우는 전례典禮는 비록 가볍게 허락할 수 없지만 관직을 추증하는 전례야 어찌 아낄 수 있으랴! 하물며 현재 재상 반열에 있는 신하의 부친임에랴! 증贈 참의 김시민은 이미 추증했으나 특별히 정경正卿◆을 증직하여 내 뜻을 표하라.

◆**정경**正卿
종2품의 좌우참찬, 6조참판, 한성판윤

아아! 이 사람이 오히려 그렇거늘 하물며 다른 이겠는가! 허다하게 효를 청하는 가운데 이와 같은 것을 참작하여 넘치는데 이르지 않도록 하라. 고故 동지 정선은 내가 다만 그 필법筆法◆만 알았을 뿐인데 어찌 이런 효행이 있을 줄 알았으랴!

◆**필법**筆法
그림 그리는 법

하물며 정축년(1757)에 재차 소식蔬食했다니 특별한 효도가 아니라면 그러겠는가. 김태봉金太奉 처로 말미암아서 여러 사람에게 들려주고자 한다. 아아 이 사람을 정려하면 허다하게 많은 사람도 또한 취하고 버리기 어려우리라. 아아! 이 사람이 만약 십 수 년을 넘겼다면 스스로 응당 그 자급資級을 뛰어넘어야 하니 특별히 아경亞卿으로 증직하라.

壬辰正月二十五日未時, 上御集慶堂, 大臣禮判入侍時, 領議政金致仁, 右議政金尙喆, 禮曹判書元仁孫, 右承旨徐有隣, 假注書朴相來, 編修官康文祥, 記事官申禹相, 以次進伏訖. 上曰, 明日編輯堂上入侍. 出榻敎 上命承旨讀奏孝烈單子,……出傳敎, 上曰, 金時敏 於今令讀, 子道可謂盡矣. 予則常曰, 子之事親, 卽職分內事, 豈可以此, 輕加旌孝之典云爾. 今聞此亦然, 棹楔之典, 雖難輕許, 贈職之典, 焉可惜乎, 況當今宰臣之父乎. 贈參議, 金時敏已追榮, 特贈正卿, 以表予意.

噫, 此人猶然, 況他乎. 許多請孝中, 若此者參酌, 俾不至於濫. 故同知鄭敾, 予只知其筆法, 豈知有此孝行. 況丁丑再次蔬食, 非特孝也, 而然. 因金太奉妻, 欲聞諸人. 噫, 此人旌閭, 許多人亦難取捨. 噫, 此人若踰十數年, 自當超資, 特爲亞卿贈職.

『承政院日記』 1,325冊, 英祖 48年 壬辰 正月 25日

그리고 1월 27일 영조는 서경署經단자를 본 후 겸재를 다시 김시민과 동급인 판윤으로 올리라는 비망기備忘記를 내린다. 김시민만 그 아들이 재신宰臣이라 해서 정경으로 추증하고 동급인 겸재는 아들의 벼슬이 한미하다 해서 본직으로 증직해서는 안 된다는 명분을 내세우고 있다. 이를 옮겨 보겠다.

비망기를 윤동승尹東昇(1718~1773, 개명改名 동성東星)에 전하여 이르기를, '나는 서경단자署經單子를 본 뒤에 아직까지도 마음에 차지 않는다. 만약 나를 위해 이와 같이 청했다면 집에 비교해서 봉할 수 있었으리라. 늙은 나이에 어찌 그 절부節婦에 대해서 듣고 그 모두 허락한 것인가.

옛날 재상이 비록 일컬었다 해도 내 뜻은 곧 정자程子의 뜻과 같아서 누워 생각하리라. 비록 정려旌閭로 드러내기를 아낀다 해도 이미 그 아름다움을 보이려 했는데 하나에게는 곧 정경正卿을 추증하고 하나에게는 곧 본직本職을 추증한다면 사람들이 모두 이르기를 그 자식이 빛나게 드러난 자에게는 정경을 증직하고 그 자식이 한미寒微한 자에게는 본래의 품계로 증직한다고 할 터이니 내가 어떻게 대답하겠는가.

그 정경으로 증직하는 사람은 스스로 판서가 될 수 있으리라. 아아! 정선鄭敾에게 청할 것이 무엇이 있겠는가. 그 정선鄭敾을 위해서 일체 판윤으로 증직하고 모

◆ **하비**下批
인사 임명에 대한 임금의 재가

두 오늘 하비下批◆하도록 하라.'

備忘記, 傳于尹東昇曰, 予見署經單子後, 尙今歎然, 若爲予請若此, 比屋可封, 暮年何聞, 其於節婦, 其皆許者, 古相雖云, 予意則若程子意, 臥以思焉. 雖靳旌表, 旣示其美, 則一則贈正卿, 一則本職贈職, 人皆曰, 於其子旌烈者, 正卿贈職, 其寒微者, 以本資贈職云, 予何答乎. 其正卿贈職人, 自可爲判書. 噫, 請於鄭斅者有何, 其爲鄭斅, 一體判尹贈職, 皆令今日下批.

『承政院日記』 1,325冊, 英祖 48年 1月 27日 癸亥

비망기를 받고 이조에서는 낙점落點을 거치지 않는 당일 구전口傳 정사政事로 김시민을 좌참찬으로 증직하고 겸재를 한성판윤으로 증직한다. 그 대목을 옮기면 아래와 같다.

이조가 구전정사口傳政事로 증이조참판 김시민에게 좌참찬을 증직하고 가선嘉善대부 정선에게 판윤을 증직하며 전례대로 겸하게 한다. 이상은 효행이 특별히 남달라서 증직하는 일로 전교를 받들었다.

吏曹口傳政事, 贈吏曹參判金時敏, 贈左參贊, 嘉善鄭斅, 贈判尹例兼, 以上孝行卓異, 贈職事承傳.

『承政院日記』 1,325冊, 英祖 48年 1月 27日 癸亥

영조는 수직壽職으로 동지중추부사(종2품)가 되어 아경의 자리에 올라 있는 겸재에게 정2품 정경正卿의 자리를 주어 그 영광을 극대화시키고자 했다. 그래서 자신의 나이 79세 되는 해가 마침 임진왜란이 있던 임진(1592)의 3주갑(180년)이 되는 임진(1772)이므로 충忠·효孝·열烈 3강綱의 대표가 될 만한 사례를 뽑아 포상하는 중에 겸재를 효행의 표본이라 하여 이렇게 정경正卿으로 증직시켰던 것이다. 겸재가 돌아간 지 만 13년 만의 일이었다. 영조가 겸재를 얼마나 존숭하고 잊지 못해했던지 이를 통해 충분히 짐작하고도 남는다 하겠다.

겸재를 정경으로 추증하기 위해 겸재의 동문 후배로 농암·삼연의 진경시문 의발을 계승했다는 평가를 받고 있는 동포東圃 김시민金時敏(1681~1747)도 함께 추증한다. 동포는 좌참찬 죽소竹所 김광욱金光煜(1580~1656)의 증손으로 삼연의 9촌조카인데 겸재와 마찬가지로 음직으로 출사하여 진산珍山군수에 이르렀던 인물이다. 일찍이 효자로 소문나서 돌아간 그해에 그의 백악사단 사우들인 사천槎川 이병연李秉淵(1671~1751), 쌍백당雙栢堂 홍중주洪重疇(1672~1749) 등 130여 명이 연명으로 예조에 정문呈文을 올려 이조참의(정3품)의 특별 증직을 받게 한 인물이었다.

그런데 그의 양자 김면행金勉行(1702~1772)이 이때 한성좌윤으로 아경亞卿의 지위에 올라 있었으므로 영조는 우선 재신宰臣 3대 추증의 전례에 따라 동포에게 이조참판(종2품)을 증직했었다. 이런 상황에서 동포에게 다시 효행으로 증직을 더하고자 하니 정경(정2품)으로 올릴 수밖에 없고, 이미 생전에 동지중추부사(종2품)의 직위를 부여받고 있던 겸재에게 증직이 아경의 한계를 벗어나지 못한다면 형평성에 문제가 생긴다는 것이 영조가 내세운 명분이다.

그래서 겸재를 동포와 함께 정경으로 증직하며 이를 당일 시행하라고 특명을 내린 것이다. 이런 뚜렷한 명분 앞에서 누구도 이의를 제기할 수 없었을 것이다. 그래서 겸재는 영조의 각별한 배려로 끝내 한성판윤이라는 9경九卿* 의 자리에 오르는 영예를 사후 13년 만에 누리게 되었다.

* **9경**九卿
6조판서와 의정부 좌우참찬 및 한성판윤. 이 9종 직책은 종1품으로 정부조직 서열상 제2위에 해당하므로 정경正卿 또는 구경이라 했다. 3정승은 정1품으로 최고위이므로 이들을 3공公이라 했다.

부록

겸재 정선 연보

겸재 정선 작품 연보

용어 해설

수록 도판 목록

수록 삽도 목록

찾아보기

겸재 정선 연보

1세. **肅宗(16세) 2년 丙辰, 康熙 15, 1676.**

1월 3일. 謙齋 鄭敾 탄생. 漢陽 北部 順化坊 彰義里 幽蘭洞(현재 景福고등학교 구내)에서. 父親 鄭時翊(39세), 母親 密陽朴氏(33세)의 長男, 祖母 淸州鄭氏(76세), 外祖父 朴自振(52세), 外祖母 南陽洪氏(53세).

3월. 三淵 金昌翕(24세) 靈巖에 가다. 甲寅 禮訟 패배로 文谷 金壽恒(48세)이 流配되어 있는 까닭으로. 淑嬪 崔氏(7세) 入宮.

2세. **肅宗 3년 丁巳, 康熙 16년, 1677.**

謙齋 仲父 時說(1629~1677) 卒(49세).

3월 24일. 澹軒 李夏坤(1677~1724) 出生. 左相 華谷 李慶億(1620~1673) 孫, 吏判 晦窩 李寅燁(1656~1710) 長子.

5월 25일. 宋時烈(71세) 罪惡 告廟 當否議.

5월 19일. 唐貨를 倭館에 轉販, 倭館 物力을 감당할 수 없어, 倭人이 갚지 못한 것 백만여 냥이나 되다.

10월 13일. 金致謙(1677~1747) 출생. 三淵 次子, 出系 金昌國(1644~1717), 錦昌副尉 朴泰定(1640~1688) 次女(1677~1710) 婿. 李秉成(1675~1735) 손아래 同婿.

3세. **肅宗 4년 戊午, 康熙 17년, 1678.**

1월 5일. 謙齋 三從姪 鄭五奎(1678~1744) 출생.(居 林川 鼓岩里, 遂庵 權尙夏 門人)

윤 3월 8일. 校理 崔錫鼎(33세)이 金壽興(53세), 宋時烈(72세), 金壽恒(50세)을 伸救.

8월. 宋時烈(72세) 『朱子大全箚疑』 완성. 竹窓 沈廷冑(1678~1750) 출생.

10월 21일. 鄭慶欽(1620~1678) 卒(59세)

4세. **肅宗 5년 己未, 康熙 18년, 1679.**

3월. 金昌翕(27세) 再次金剛山 遊覽(初遊는 19세 시).

4월 10일. 宋時烈(73세), 德源으로부터 제주도로 移配.

7월. 金昌翕, 三釜淵 上 龍華村으로 率家 隱居. 周易연구에 몰두, 「後天圖說」을 지음.

12월. 宋時烈, 『朱子語類』 小分 完成.

金時傑·金時保 兄弟, 洪州 茅島 鄕莊에 入居.

錦城縣監 安廷熽, 披襟亭 창건.

晩橋 金敬文(1602~1692, 78세), 宗海軒 현판 쓰다.

5세. **肅宗(20세) 6년 庚申, 康熙 19년, 1680.**

2월 18일. 明安公主 海昌尉 吳泰周(13세)에게 下嫁.

3월 28일. 金萬基(48세)로 訓鍊大將. 申汝哲(47세)로 摠戎使, 庚申大黜陟 시작.

4월 3일. 金壽恒(52세)으로 領議政.

4월 9일. 金壽恒으로 扈衛大將.

5월 11일. 前領議政 許積(1610~1680) 賜死(71세). 前右贊成 尹鑴(1617~1680) 賜死(64세).

5월 24일. 宋時烈(74세) 放釋. 白下 尹淳(1680~1741) 출생.

9월 5일. 前摠戎使 柳赫然(1616~1680) 賜死(65세).

9월 28일. 陶庵 李縡(1680~1716) 출생.

10월 2일. 判府事 宋時烈(74세) 敍用.

10월 26일. 仁敬王后 光山金氏(1661~1680), 慶熙宮 會祥殿에서 昇遐(20세).

12월. 宋時烈, 灘隱 李霆(1541~1626) 筆〈三淸帖〉 跋 지음. 金昌翕(28세) 宋時烈 拜謁. 經史質問 印可 받음.

12월 21일. 謙齋 외조모 南陽洪氏 卒(57세).

老稼齋 金昌業(23세) 尤庵 宋時烈 肖像 제작(黃江影堂本). 農岩 金昌協(30세) 贊.

鶴岩 趙文命(1680~1732) 출생. 孟山 洪鳳祚(1680~1760) 출생.

6세. **肅宗(21세) 7년 辛酉, 康熙 20년, 1681.**

謙齋 伯父 盤谷 鄭時禼(1621~1681) 卒(61세). 牛山 安邦俊(1573~1645) 門人, 孝宗 庚寅(1650) 生員 禧陵參奉, 羅州 潘南 故鄕으로 내려가 살다 돌아가다.

2월 17일. 逸軒 兪受基(1681~1741) 출생. 14세에 農巖 門下에 입학, 16세에 農巖의 제5女婿가 됨.

2월 23일. 恕菴 申靖夏(1681~1716) 출생.

3월 28일. 金時敍(1681~1724) 출생, 14세에 農岩 門下에 입학.

4월 15일. 靑泉 申維翰(1681~1752) 출생. 密城 竹院里에서.

夏. 晦隱 南鶴鳴(1654~1722)(28세), 梅窓 趙之耘(1637~1691)(45세)과 함께 滄江 趙涑(1595~1668)의 〈金剛圖〉 8폭 拜觀(南鶴鳴, 『晦隱集』 권5, 雜說).

5월 14일. 屯村 閔維重(1630~1687) 女(15세)를 王妃로 册妃. 仁顯王后.

7월 9일. 中國 無人商船이 智島 等處에 漂泊. 佛經千餘卷 및 佛器 等 積載. 국왕이 가져다 보고 남한산성 안의 사찰에 나눠주다.
9월 18일. 定宗 廟號 議定.
10월 12일. 東圃 金時敏(1681~1747) 출생. 14세에 農岩 門下入學.
10월 18일. 星湖 李瀷(1681~1673) 출생, 雲山 適所에서.
金昌翕(29세) 온 가족이 서울로 돌아오다. 父親命으로.

7세. **肅宗 8년 壬戌, 康熙 21년, 1682.**
謙齋 아우 敹(1682~1747) 출생.
4월 27일. 前右議政 許穆(1595~1682) 卒(88세).
5월 2일. 宋時烈(76세) 意思로 文廟에 陞黜斷行, 栗谷 李珥, 牛溪 成渾 從祠.
6월 26일. 李夏鎭(1628~1682) 雲山 適所에서 卒(55세).
21세의 玉洞 李漵(1662~1723)가 運柩 葬禮.
金昌翕(30세) 白岳山 남쪽에 洛誦樓 짓고 講學賦詩.
金昌立(17세) 洛誦樓 곁에 重澤齋 짓고 里中子弟 招集하여 學習을 勸勉.
南龍翼. 秋潭 兪瑒을 위해 「東門送別圖序」를 짓다(『壺谷集』 권15).

8세. **肅宗(23세) 9년 癸亥, 康熙 22년, 1683.**
3월 5일. 宋時烈(77세) 致仕, 奉朝賀가 되다.
3월 25일. 宋時烈, 太祖 追上尊號 箚請.
4월 17일. 老少分黨.
5월 5일. 尹拯(55세), 果川에 이르러 朴世采(53세)에게 出仕할 수 없는 세 가지 이유를 들고 되돌아가다. 1. 南人怨毒不可平. 2. 三戚威柄不可制. 3. 尤翁世道不可變.
5월 18일. 太祖諡號 加上.
5월 19일. 宋時烈 辭去.
6월 29일. 宋時烈, 『朱子大全箚疑』 奉進.
12월 5일. 王大妃 明聖王后 淸風金氏(1642~1683), 昌慶宮 儲承殿에서 昇遐(42세).
12월 26일. 重澤齋 金昌立(1666~1683) 卒(18세).

9세. **肅宗 10년 甲子, 康熙 23년, 1684.**
2월 10일. 權燮(1571~1759) 父親 權尙明(1652~1684) 喪을 當해 喪을 따라 淸風으로 歸鄕.
謙齋 伯父家 從伯兄(1655~1684) 卒(30세).
4월 29일. 崔愼(43세), 尹拯(56세)을 論斥.
7월 17일. 李維泰(1607~1684) 卒(78세).
8월 上澣. 宋時烈(78세) 「書金士明書帖跋」 지음(『宋子大典』 권149). 士明은 金長生의 庶長子 金檠(1594~1623)의 字, 號는 松隱.
9월 20일. 金錫胄(1634~1684) 卒(51세).
12월 6일. 宋時烈(78세) 入朝問安. 金昌翕(32세) 三釜淵으로 들어가다.

10세. **肅宗 11년 乙丑, 康熙 24년, 1685.**
2월. 金昌翕(33세) 金剛山을 세 번째 유람하다.
5월 22일. 朴弼履(1885~1752) 출생.
8월 10일. 貞明公主(1603~1685) 卒(83세).
8월 11일. 金壽恒(57세) 영의정.
9월 30일. 宋時烈(79세), 金長生 遺稿 進獻. 栗谷入山 사실을 辨論하고 洪受疇(44세) 疏語의 誣悖를 論斥.
10월 8일. 洪受疇 遠竄.
駱西 尹德熙(1685~1766) 출생. 恭齋 尹斗緖(18세)의 長子.
趙迪命(1685~1757) 출생. 后溪 趙裕壽(23세)의 양자.

11세. **肅宗(26세) 12년 丙寅, 康熙 25년, 1686.**
2월 14일. 觀我齋 趙榮祏(1686~1761) 출생. 漢城 北部 順化坊 彰義里 仁王谷 實谷에서.
3월 7일. 一簣 任座(1624~1686) 卒(63세). 文谷執友, 農巖과 三淵의 易先生.
3월 24일. 謙齋조모 淸州鄭氏(1601~1686) 卒(86세).
3월 26일. 白石 朴泰維(1648~1686) 卒(39세).
3월 28일. 金昌國(43세) 女 安東金氏(18세) 揀選 淑儀로 하다.
4월 22일. 淑儀 安東金氏 入闕.
6월 27일. 淑儀 安東金氏 昭儀로 승격.
9월 5일. 宮女 張氏 別堂 營健.
10월. 權尙夏(46세) 寒水齋 完成.
11월 5일. 安東金氏 貴人으로 進封.
12월 10일. 張氏 淑媛으로 進封.

12세. **肅宗 13년 丁卯, 康熙 26년, 1687.**
2월 4일. 宋時烈(81세), 尹拯(59세) 事始末 封章.
2월 29일. 謙齋 長外從兄 朴昌夏(1662~1687) 卒(26세). 壬戌

(1682) 兩司馬出身.
3월 15일. 光城府院君 金萬基(1633~1687) 卒(55세).
6월 29일. 驪陽府院君 閔維重(1630~1687) 卒(58세).
9월 12일. 西浦 金萬重(51세), 女寵을 諫하다 宣川에 流配.
11월. 金昌協(37세), 淸風府使 到任.
洪重聖(20세), 「叙別洛誦樓諸友」 지음(『芸窩集』 권1).
石門 任奎(1620~1687) 卒(68세). 字는 文仲. 淮陽府使, 충청·황해감사, 승지를 지내다. 文谷執友.

13세. **肅宗 14년 戊辰, 康熙 27년, 1688.**
3월 5일. 謙齋 妹氏 延安 宋希德(1688~1748) 妻 鄭氏 출생.
金昌翕(36세), 淸風·丹陽·永春·堤川 四郡 遊覽. 柳下 洪世泰(36세) 從遊.
8월 1일. 妖僧 呂還等 伏誅.
8월 26일. 大王大妃 莊烈王后 楊州趙氏(1624~1688), 昌德宮大造殿에서 昇遐(65세).
10월 4일. 四休堂 尹得和(1688~1759) 출생.
10월 27일. 昭儀 張氏, 王子(景宗) 출산.

14세. **肅宗(29세) 15년 己巳, 康熙 28년, 1689.**
1월 3일. 謙齋부친 鄭時翊(1638~1689) 卒(52세). 墓 廣州 五浦面 自作里 門懸山 曾祖考 演墓 右麓.
1월 11일. 元子(2세)의 號를 정하다.
1월 15일. 昭儀 張氏 禧嬪으로 進封하다.
2월 1일. 宋時烈(83세), 元子定號의 太早를 宋 哲宗故事에 비겨 諫하다. 宋時烈 削奪官爵 門外出送.
2월 2일. 己巳換局. 영의정 金壽興(64세) 파직. 睦來善(73세) 좌상. 金德遠(56세) 우상. 呂聖齊(65세) 영상. 沈梓(66세) 吏判. 元子外家 3代 議政追贈.
2월 4일. 宋時烈 제주 圍籬安置.
2월 12일. 金壽恒 珍島. 金壽興 長鬐에 安置.
3월 18일. 李珥, 成渾 文廟出享.
3월 30일. 判敦寧 李端夏(1625~1689) 卒(65세).
윤3월 7일. 李師命(1647~1689) 斬(43세). 朔州 配所에서.
윤3월 28일. 金壽恒(1629~1689) 賜死(61세). 珍島 配所에서.
4월 22일. 貴人 安東金氏(21세) 廢黜歸家.
5월 2일. 王妃閔氏(23세) 廢黜.
5월 4일. 朴泰輔(1654~1689) 卒(36세).
5월 6일. 禧嬪을 王妃로 進陞. 張炯 玉山府院君 追封.

6월 2일. 宋時烈(1607~1689) 賜死(83세). 제주로부터 押送 途中 井邑에서.
8월. 金昌翕(37세), 永平 白雲山으로 落鄕.
9월 16일. 尹世喜(1642~1689) 卒(48세). 白下 尹淳(10세) 父親. 持平 李同揆 長女婿(1643~1719).
尹斗緖 前妻는 李同揆 末女(1667~1689). 白下가 恭齋 筆法을 배운 연유.

15세. **肅宗 16년 庚午, 康熙 29년, 1690.**
1월 19일. 李翔(1620~1690) 獄死(71세).
9월 9일. 尹拯을 大司憲으로 하다.
9월 30일. 尹拯 上疏 自列.
10월 2일. 尹拯 삭탈관직.
10월 12일. 金壽興(1624~1690) 卒. 長鬐 配所에서(65세).

16세. **肅宗 17년 辛未, 康熙 30년, 1691.**
3월 4일. 白衣禁令.
3월 29일. 晦軒 趙觀彬(1691~1757) 출생. 趙泰采(32세) 次子.
4월 12일. 梅窓 趙之耘(1637~1691) 卒(55세). 沈師周(1691~1757) 출생. 連山에서.
윤7월 1일. 知守齊 兪拓基(1691~1767) 출생. 漢師 盤松坊에서.
9월 2일. 六臣墓 賜祭. 魯山大君墓 致祭.
9월 8일. 耆隱 朴文秀(1691~1756) 출생.
10월 22일. 歸鹿 趙顯命(1691~1752) 출생. 漢師 乾洞에서.
11월 22일. 李玄逸 啓로 鄭澈, 安邦俊 追削.
12월 6일. 特命으로 成三問等 復爵致祭. 愍節祠 賜額.
秦再奚(1691~1769) 출생.
李秉成(17세), 娶 錦昌副尉 朴泰定(1640~1688) 三女(16세).
玉所 權燮(21세), 京畿 田地를 팔아 7만 錢을 얻고 求山비용으로 쓰다.

17세. **肅宗(32세) 18년 壬申, 康熙 31년, 1692.**
2월 2일. 南龍翼(1628~1692) 卒(65세). 明川 配所에서.
2월. 金昌協(42세), 永平 白雲山中에 農巖書室 이룩하다.
3월 6일. 張希載 摠戎使.
3월 25일. 成勝 復爵.
3월 30일. 金萬重(1637~1692) 卒(56세). 南海 配所에서.
6월 25일. 閔鼎重(1628~1692) 卒(65세). 碧潼 配所에서.
10월 24일. 張希載, 摠戎廳 鑄錢 위해 銅의 燕京貿來를 請하

다.

12월 10일. 辛敦復(1692~1779) 출생. 白麓 辛應時(1532~1585) 六代孫. 白麓 旧第에서.

18세. **肅宗 19년 癸酉. 康熙 32년, 1693.**

4월 3일. 포도대장 張希載를 갈다.

4월 26일. 궁인 崔氏(24세)를 淑媛(종4품)으로 하다.

6월 14일. 역관 張燦(희빈의 숙부)의 家舍가 제도에 지나쳐 허물다.

菊秋, 晦隱 南鶴鳴(1654~1722)(40세), 「題趙滄江手書帖後」를 짓다(金剛山, 五臺山, 三日浦 등의 眞景을 言及. 『晦隱集』 권2).

10월 6일. 숙원 崔氏 왕자 출산.

12월 13일. 新生王子 卒.

12월 29일. 東溪 趙龜命(1693~1722) 출생. 우의정 趙相愚(1640~1718) 孫, 司導寺 僉正 趙泰壽(1658~1715) 次子.

權燮(23세), 堤川 門巖洞으로 墓山을 定하다.

19세. **肅宗(34세) 20년 甲戌, 康熙 33년, 1694.**

3월 23일. 咸以完이 金春澤(25세), 韓重赫 등의 不軌圖謀 사실 告變.

3월 29일. 金寅이 張希載의 崔淑媛 鴆害圖謀 사실 고변.

4월 1일. 王, 備忘記를 내려 甲戌換局 斷行. 領相 權大運(83세), 左相 睦來善(78세), 領府事 金德遠(61세) 削黜, 우상 閔黯(59세) 安置, 南九萬(66세) 特拜 領相, 申汝哲(61세) 훈련대장, 徐文重(61세) 병조판서.

4월 2일. 金壽興, 金壽恒, 趙師錫 복관.

4월 6일. 宋時烈 復官賜祭.

4월 12일. 폐비 閔氏(28세) 복위, 貴人 金氏(26세) 復爵, 張氏 禧嬪으로 강등.

4월 17일. 장희재 하옥. 21일. 中宮 復位 告廟. 송시열에게 賜諡下命.

6월 1일. 冊妃禮.

6월 2일. 淑媛 崔氏(25세)를 淑儀(종2품)로 進陞.

6월 23일. 李珥, 成渾 文廟에 復享.

7월 8일. 閔黯(1636~1694) 賜死(59세).

9월 20일. 淑儀 崔氏 왕자(영조) 탄생(회갑기사에는 9월 13일이라 함).

9월 25일. 겸재 외조부 朴自振(1625~1694) 卒(70세). 墓 廣州 實村面 長旨里.

金時敏(14세), 金時敍(14세), 兪受基(14세) 등 農巖 문하에 입학.

20세. **肅宗 21년 乙亥, 康熙 34년, 1695.**

2월 5일. 左相 南溪 朴世采(1631~1695) 卒(65세).

4월 1일. 金昌協(45세) 副提學.

4월 5일. 金昌集(48세) 大司諫.

權燮, 慶州李氏(1670~1695) 喪妻(5월 12일) 후에 三清洞 外外家에 入居, 道峯書院 色掌 就任.

6월 8일. 淑儀 崔氏(26세) 貴人으로 진봉.

11월 20일. 宋時烈에게 文正의 諡號를 내리다.

21세. **肅宗(36세) 22년, 丙子 康熙 35년 1696.**

4월 8일. 世子嬪 擇定, 幼學 沈浩(29세) 女(11세).

權燮(26세) 寓居 司宰監村 寅平尉宮, 宗室 帶原君 光胤 女(1682~1756)를 妾으로 삼다.

5월 19일. 세자(9세) 嘉禮.

李秉成(22세), 石室로 農巖을 찾아가 배우다(『順菴集』 附錄, 槎川撰, 「亡弟子平遺事」).

兪受基(16세) 農巖의 제5女婿가 됨.

9월 6일. 華陽洞書院에 賜額하다.

9월. 南宅夏(1643~1718, 54세) 高城군수 부임

10월 1일. 宋時烈 遷葬禮葬을 命하다.

10월 27일. 淑徽公主(1642~1696) 卒(55세)

12월 15일. 竹泉 金鎭圭(1658~1716, 39세) 淮陽府使 부임(『竹泉集』 권12. 「赴淮陽時告先墓文」).

22세. **肅宗 23년 丁丑, 康熙 36년, 1697.**

4월 16일. 晋州 白土가 다해서 忠州土와 楊口土를 이어 쓴다는 司饔院의 狀啓.

李夏坤(21세) 農岩 金昌協(47세) 門下에 처음 나가 배우다.

尹斗緖(30세) 覲親 위해 海南行

權燮(27세) 林川 趙景昌 末女(1678~1749)를 再娶. 仁元王后(11세) 막내고모. 妻家 부근 司宰監契 壯義洞에 買舍, 三奇齋라 하다. 이웃에 사는 鄭龍河(1671~1702)와 結交.

23세. **肅宗 24년 戊寅, 康熙 37년, 1698.**

春. 金昌翕(46세), 百淵精舍 이룩하다.

3월. 高城郡守 南宅夏(56세), 海金剛이라 최초 命名.

4월 18일. 金昌協. 崔錫鼎과 絶交

6월. 高城郡守 南宅夏 罷職. 槎川 李秉淵(1671~1751, 28세) 白嶽山 아래로 이사 오다(『順菴集』 권1. 「嶽下錄」).

10월 23일. 宗親 文武百官, 魯山君 復位事 의논.

10월 24일. 魯山君 復位 命下.

11월 6일. 端宗의 謚號 廟號 陵號 徽號 追上.

11월 23일. 南有容(1698~1773) 社稷洞 外家에서 출생

24세. **肅宗(39세) 25년 己卯, 康熙 38년, 1699.**

2월 20일. 思陵을 封하다.

3월 1일. 莊陵을 封하다.

3월 17일. 淑明公主(1640~1699) 卒(60세).

7월 22일. 謙齋 재당숙 盤洲 鄭時亨(1619~1699) 卒(81세). 林川 鼓岩에서.

10월 3일. 端宗복위 증광사마시에 李秉淵(29세) 生員試 급제. 成川府使 沈益昌(1652~1725, 48세) 文科 不正. 10월 21일 10년 流配刑.

10월 23일. 貴人 崔氏(30세)를 淑嬪으로 승격. 端宗복위의 경사로.

12월 18일. 尙古堂 金光遂(1699~1770) 출생, 字 成仲, 李秉淵의 姨從弟인 吏判 金東弼(1678~1737) 次子.

12월 24일. 王子 昑(英祖) 延礽君으로 봉하다.

25세. **肅宗 26년 庚辰, 康熙 39년, 1700.**

3월 16일. 右相 閔鎭長(1649~1700) 卒(52세).

4월 2일. 王妃 閔氏 重病.

8월 24일. 吏判 閔鎭周(1646~1700) 卒(55세).

9월. 三淵 金昌翕(48세), 崇陽書院 花潭書院 朴淵瀑 유람. 金昌集(53세), 松都留守 재임.

月谷 吳瑗(1700~1740) 출생, 金昌協(50세) 外孫, 吳晋周子, 海昌尉 吳泰周(1668~1716) 系子, 三秀軒 李賀朝(1644~1700) 卒(37세). 寧嬪兄夫. 觀我齋 外舅.

10월 20일. 金昌協(50세) 獨子 崇謙(1682~1700) 卒(23세)

26세. **肅宗(41세) 辛巳, 康熙 40년, 1701.**

3월 4일. 谷雲 金壽增(1630~1701) 卒(71세).

5월. 개성유수 金昌集(45세), 泛槎亭 창건.

6월 28일. 蘭谷 金時傑(1653~1701) 卒(49세).

8월 14일. 中宮 仁顯王后 驪興閔氏(1667~1701), 昌慶宮 景春殿에서 昇遐(35세).

9월 23일. 국왕 밤에 備忘記 내려 張禧嬪의 王妃 呪咀事로 數罪. 張希載 正刑命.

9월 25일. 장희빈 自盡命下.

10월 10일. 張氏 自盡.

10월 29일. 張希載 伏誅.

11월 8일. 東平君 杭 賜死.

27세. **肅宗(42세) 28년 壬午, 康熙 41년, 1702.**

1월 19일. 鄭維漸(48세) 掌令.

3월 21일. 金昌協(52세) 副提學.

5월 1일. 金一鏡(41세) 文科 급제. 李秉成(28세), 進士 급제.

7월 3일. 鄭龍河(1671~1702) 卒(32세). 玉所 護喪해 忠州 大寺洞 墓所에 이르다.

9월 3일. 大婚을 順安縣令 金柱臣(1687~1757) 女(16세)로 정하다.

9월 6일. 金柱臣(42세)에게 領府事 慶恩府院君을 例授하다.

9월 16일. 戶判 金昌集(55세)의 뜻으로 東萊商賈 定額을 罷하다.

10월 14일. 大婚禮 치루다.

10월 18일. 貴人 安東金氏(34세)를 寧嬪으로 進封. 貴人 朴氏를 褀嬪으로 進封.

12월 29일. 渼湖 金元行(1702~1772) 출생, 金昌集 孫, 濟謙(1680~1722) 제3子, 出系 昌協 子 崇謙 後, 陶庵 李縡 門人, 洛派 領首.

28세. **肅宗 29년 癸未, 康熙 42년, 1703.**

2월 11일. 崔錫鼎(58세) 영의정.

3월 5일. 判義禁 金鎭龜 請으로 沈益昌 科獄終結.

4월 9일. 左相 李世白(1635~1703) 卒(69세).

7월 15일. 褀嬪 朴氏(延齡君 母) 卒.

9월 3일. 延齡君(5세) 受封.

11월 5일. 倉谷 洪得龜(1653~1703) 卒(51세).

12월 15일. 延礽君(10세) 冠禮.

李喜朝(1655~1724), 淸風府使 赴任(49세).

谷口 鄭維漸(1655~1703) 卒(49세).

29세. **肅宗 30년 甲申, 康熙 43년, 1704.**

謙齋 장자 萬僑 출생.

1월 10일. 王, 明 滅亡 周甲年에 當하여 明 神宗廟의 건립을 의논케 하다. 閔鎭厚(46세), 宋時烈의 遺命으로 華陽洞에 祠宇를 營建하고 兩皇帝 致祭 사실을 告하다.

1월 22일. 趙榮禔(27세) 卒. 觀我齋 仲兄, 農岩 門人.

2월 13일. 世子嬪 父 沈浩(1668~1704) 卒(37세).

2월 21일. 延礽君(11세) 嘉禮, 進士 徐宗悌(1656~1719) 女(13세).

3월 6일. 司直 柳成運 上疏 甲申 3월 19일 明京 함락했으니 이날에 祭壇 설치하고 毅宗 및 死義臣의 제사 지낼 것을 청하다.

3월 7일. 의종황제 제사 지낼 것을 漢城府에 하명, 제단을 후원 春塘臺에 설치하도록 하다.

3월 19일. 王, 宜春門으로 禁苑의 제단에 나아가 太牢로 명의 崇禎(毅宗)皇帝를 제사 지내다. 제사가 끝나자 즉시 제단을 철거하고 宣武祠와 愍忠祠에 관원을 보내 제사 지내다.

4월 17일. 延礽君 第宅 給價 購入 下命.

10월 3일. 왕명으로 明 神宗 제단 설치 장소 확정.

10월 13일. 皇壇 규모(廣은 본국 社稷壇 예로 方 25尺, 高는 中朝 社稷壇 예로 5尺) 확정하다.

10월 16일. 睦來善(1617~1704) 卒(88세).

11월 3일. 李玄逸(1627~1704) 卒(78세).

11월 25일. 戶判 趙泰采(45세) 陳言으로 壇所文書에 淸國 연호 쓰지 말도록 하다. 大提學 宋相琦(48세)는 壇號를 大報라 定上하고, 祭樂의 樂章을 投進.

11월 28일. 金德遠(1734~1704) 卒(71세). 陽川에서.

12월 16일. 大報壇에는 九變의 樂을 쓰도록 하다.

12월 18일. 金構(1649~1704) 卒(56세).

12월 20일. 壇祭는 3월 상순 吉日을 택해 거행하도록 하다.

12월 21일. 大報壇 완성.

12월 24일. 金鎭龜(1651~1704) 卒(54세).

30세. **肅宗 31년 乙酉, 康熙 44년, 1705.**

1월 31일. 大報壇 祭器 圭瓚은 宗廟所用制樣에 좇다.

3월 9일. 王, 大報壇에서 明 神宗을 親祭하다. 王世子, 百官을 거느리고 陪祭. 御製御筆을 政院에 宣示. 銀台 玉堂 秉筆之臣 各各和進.

5월 30일. 明 宮人 崔氏 卒(81세).

6월 17일. 改造金寶를 太廟에 奉安.

8월 28일. 員嶠 李匡師(1705~1777) 出生.

8월. 金昌翕(53세), 설악산으로 들어가다.

9월. 關東山水 유람.

9월 14일. 金昌集(58세) 형조판서.

冬. 李夏坤(29세), 온 가족 이끌고 鎭川 草坪 鄕庄으로 귀향.

洪受疇(1642~1705) 卒(64세).

李涑(59세) 加平군수로 나가다(『順菴集』 권1, 嘉陵錄 起乙酉).

31세. **肅宗 32년 丙戌, 康熙 45년, 1706.**

2월 3일. 金昌集(59세) 右相. 5일, 金昌協(56세) 大提學.

4월 2일. 金鎭圭 德山 付處.

5월 29일. 結城 儒生 林溥(少論) 동궁을 위해 상소.

6월. 李喜朝(52세), 淸風府使 사임.

8월 10일. 李秉淵(36세), 司圃署 奉事(종8품)(『承政院日記』 431책)

8월 22일. 金春澤 濟州 定配, 林溥 黑山 定配.

9월 17일. 京居幼學 李潛(1660~1706), 상소하여 宋時烈을 배척.

9월 20일. 李潛 杖斃(47세).

10월 13일. 李頤命(49세)을 左相에 特拜.

10월. 金昌翕(54세), 설악산 碧雲精舍 완성.

32세. **肅宗 33년 丁亥, 康熙 46년, 1707.**

1월 10일. 林溥 杖殺.

1월 12일. 崔錫鼎(62세) 領相. 金昌集(60세) 左相.

2월 29일. 平川君 申琓(1646~1707) 卒(62세).

3월 6일. 大報壇 親祀 乙酉 例로.

8월 28일. 延礽君(14세) 第宅 給價買給 下命.

9월 3일. 延礽君(14세) 貞明公主家(大安洞 別宮)를 買入코자 하나, 公主曾孫 洪錫輔 先訓을 빙자 不應. 왕 勒買치 말라 하다. 彰義里 寅平尉宮 買入(銀貨 2천 냥).

玄齋 沈師正(1707~1769) 출생. 罪人 益昌 孫, 竹窓 沈廷冑(1678~1750) 子.

12월 25일. 李秉淵, 司導寺 直長(종7품).

33세. **肅宗 34년 戊子, 康熙 47년, 1708.**

윤3월 3일. 李寅燁(53세) 이조판서. 4일. 權尙夏(68세) 이조참판.

4월 11일. 知敦寧 金昌協(1651~1708) 卒(58세).

5월 21일. 金鎭圭 放釋

8월 5일. 佛狼機 제조.
10월 29일. 金昌集(61세) 回甲.
10월 28일. 延齡君(10세) 第宅을 給價買入케 하다.
10월. 金昌翕(56세)의 碧雲精舍 불타다.
11월 5일. 禮判 李寅燁(53세)의 陳言으로 貞明公主 第宅 買入(3천냥). 延齡君에게 내려 주다.
李夏坤 進士.
12월 4일. 直齋 李箕洪(1641~1708) 卒(68세). 尤庵 門人.
靑皐 尹愹(1708~1770) 출생. 駱西 尹德熙(1685~1766, 25세)의 次子.

34세. **肅宗 35년 乙丑, 康熙 48년, 1709.**
1월 16일. 李頤命(52세) 左相, 尹拯(81세) 右相.
春. 李夏坤(33세), 墓地銘을 굽기 위해 牛川 동쪽의 사옹원 分院에 20여 일 머물다(『頭陀草』 권3).
3월 6일. 王, 大報壇 親祭.
5월 25일. 金東弼 母親 豊山 洪氏 柱國女 尙愛(1642~1709) 卒(李秉淵 姨母).
6월 4일. 宋奎濂(1630~1709) 卒(80세).
6월 10일. 大貿易商과 譯官에게 銀의 貸出을 禁止.
7월 26일. 李秉淵(39세) 監察(종6품).
7월 27일. 李秉成(35세) 永昭殿 參奉(종9품).
9월. 金昌翕(57세), 설악산 永矢庵 완성.
9월 12일. 洪重福(1670~1747), 金城縣監 부임(40세).
11월 12일. 沈益昌(58세)의 放送還收.

35세. **肅宗 36년 庚寅, 康熙 49년, 1710.**
謙齋 次子 萬遂(1710~1795) 출생.
2월 15일. 羅良佐(1638~1710) 卒(73세).
3월 13일. 崔錫鼎(65세) 削黜. 『禮記類編』 毁板.
3월 26일. 金昌集(63세) 우상.
4월 26일. 凌壺館 李麟祥(1710~1760) 출생.
5월. 槎川 李秉淵(40세), 金化현감 도임.
5월 20일. 趙重希(1710~1730) 출생. 觀我齋 趙榮祏(25세) 장자.
6월 17일. 金簡行(1710~1762) 출생. 金養謙(36세) 次子. 李秉成(36세) 제3女婿 字 敬仲 趙顯命(20세) 宋寅明(22세)과 結交.
尹鳳九(28세) 權尙夏(70세) 門下에 講學하다.
7월 23일. 晦窩 李寅燁(1656~1710) 卒(55세).

8월. 金昌翕(58세), 제4차 금강산 유람. 금화현감 李秉淵(40세), 뒤따라가 中白雲庵에서 만나다.
10월. 李秉淵 16叔(3從叔) 李渫(1670~1727), 歙谷현령 도임(41세).
11월. 恭齋 尹斗緖(43세), 沈得經(42세) 초상화 제작.

36세. **肅宗 37년 辛卯, 康熙 50년, 1711.**
2월. 金昌翕(59세), 抱川을 거쳐 금화로 李秉淵 역방하고 설악산으로 귀환.
3월 17일. 藥泉 南九萬(1627~1711) 卒(83세).
4월 19일. 金昌集(64세) 좌의정.
6월 9일. 三春堂 鄭述祚(1711~1788) 출생.
眞齊 金允謙(1711~1775) 출생. 老稼齋 金昌業(1658~1721) 庶子.
蒼巖 朴師海(1711~1778) 출생. 槎川과 謙齋의 詩畵弟子.
6월 12일. 延礽君(18세), 司饔院 都提擧 임명. 都提擧시에 小壺 밑그림 6폭 제작(山水 2폭, 난초 1폭, 국화 1폭, 매화 2폭)(金時敏, 『東圃集』 권7, 「謹題御畵帖子後」).
秋. 延礽君, 〈仙人圖〉 제작(『列聖御製』 권11, 肅宗御製, 「題延礽君自畵仙人圖」).
7월 5일. 通信使 趙泰億(1675~1728) 等 釜山에서 發船. 盤纏次知로 崔天若 發擢.
8월. 鄭齊斗(63세), 淮陽府使 到任.
9월. 금강산 유람. 10월. 벼슬 버리고 돌아오다.
金昌翕(59세), 금강산 5차 유람. 茅洲 金時保(54세), 松崖 鄭東後(53세) 帶同. 謙齋도 동행, 《辛卯年楓岳圖帖》(국립중앙박물관, 13폭 현존)이 이때에 그려진 것임.
9월. 三淵 설악산으로 돌아오다. 「題一源海嶽圖後」(『三淵集』 권25).
趙龜命(19세) 生員.
8월 3일. 謙齋 丈母 白川趙氏(1651~1711) 卒(61세).
9월 6일. 延礽君(18세) 痘患.
9월 24일. 延礽君 痘患 平復.
10월 10일. 金相德(1711~?) 출생. 判尹 元澤 長子. 右尹 李秉淵 獨婿.
11월 4일. 李度重(1711~1750) 출생. 順庵 李秉成(37세) 獨子. 字 景晋.
11월 9일. 延齡君(13세) 痘患.
11월 22일. 연령군 두환 평복.

37세. **肅宗 38년 壬辰, 康熙 51년, 1712.**

1월 1일. 좌상 金昌集(65세) 사직. 判中樞府事가 됨.

2월 12일. 延礽君(19세), 王宮을 나와 私第 彰義宮으로 이사.

2월 24일. 清 穆克登 白頭山 探査를 통보해 오다.

3월 19일. 沈廷老(1653~1712), 高城郡守 赴任(60세). 沈廷耉(1656~1714), 通川郡守 在任(57세). 영의정 沈之源(1593~1662)의 長子 豊德府使 沈益善(1627~1696)의 제2, 제3子로 형제가 이후 양군 경계인 雙印岩에서 가끔 만나다.

4월 7일. 咸鏡北道兵使 張漢相. 南道兵使 尹慤(48세), 白頭山 形止를 살피고 圖本을 進上하다.

4월 19일. 金昌集 좌상 재임명.

5월 23일. 白頭山 定界碑 건립.

8월 6일. 金時保(55세), 楊口縣監.

8월. 謙齋, 金剛山 유람. 樹庵 李涑(1647~1720, 66세), 槎川 李秉淵(42세), 順庵 李秉成(38세) 三父子 및 菊溪 張應斗(43세)와 同行.

9월. 李涑의 8촌弟인 李濮(1670~1727, 43세), 歙谷縣令 체임. 李㙫(1664~1733, 49세), 歙谷縣令 부임. 晩沙 沈之源 外孫. 芸窩 洪重聖(1668~1735) 長妹兄.

9월 26일. 金昌集 內從兄 鹿川 李濡(68세) 영의정. 金昌集 우의정으로 降下.

9월 29일. 내외형제 相避 故로 金昌集 新命을 사양.

10월 25일. 右相 金昌集 사임.

11월 3일. 冬至兼謝恩正使 金昌集, 副使 尹趾仁, 書狀官 盧世夏 辭陛. 金昌業(55세), 子弟年官으로 隨行.

鄭敾(37세), 趙榮祏(27세), 李穉의 山水畵와 尹斗緖(45세) 人物畵를 가지고 가다.

38세. **肅宗 39년 癸巳, 康熙 52년, 1713.**

2월 8일. 金昌業(56세), 鄭敾 등의 그림을 淸의 鑑識眼 馬維屛에게 보이다. 馬가 謙齋 그림이 제일 좋다 하니 謙齋 그림을 馬에게 기증하다. 尹斗緖의 人物畵는 衣紋이 生硬한 것으로 허물 잡다.

春. 尹斗緖(46세), 가족을 모두 이끌고 해남으로 귀향하다.

3월. 后溪 趙裕壽(51세), 歙谷縣令 도임. 「李一源海山一覽帖跋」 제작(『后溪集』 권8).

3월 30일. 謝恩兼冬至正使 金昌集(66세) 등 復命.

4월 21일. 御容圖成. 金昌集畵像命圖. 鄭維升(54세) 監造官. 畵工 秦再奚(23세).

5월 3일. 圃陰 金昌緝(1662~1713) 卒(52세).

윤5월 15일. 武人 崔天若(1684~1755) 등 연경에 보내 天文儀器 제조법을 배워오게 하다.

윤5월 21일. 豹菴 姜世晃(1713~1791) 출생. 漢京 南小洞에서.

6월 18일. 養梧軒 李顯坤(1713~1757) 출생. 謙齋 易弟子. 近齋 朴胤源(1734~1799) 姑母夫.

7월 5일. 三淵 金昌翕(61세) 회갑.

8월 29일. 金昌集 左議政 復拜.

初秋(7월 7일에서 8월 23일 사이). 延礽君(20세) 〈山水人物圖〉 제작(『列聖御製』 권12, 肅宗御製, 「題延礽君圖寫山水人物」).

9월 18일. 觀象監, 崔天若의 天文儀器 製造 常任監董 청하다.

39세. **肅宗 40년 甲午, 康熙 53년, 1714.**

1월 24일. 尹拯(1629~1714) 卒(86세).

3월 3일. 朴泰遠(1660~1722) 高城郡守 到任(55세).

3월 19일. 李夏坤(38세) 금강산 유람.

4월 1일. 洪重福(45세) 금성현감 만기 체임.

6월 16일. 李秉成(40세) 宗簿寺主簿(종6품).

11월. 金昌翕(62세), 永矢庵에서 從僕 崔春金 虎害, 出山.

12월 28일. 丹陵 李胤永(1714~1759) 출생.

40세. **肅宗 41년 乙未, 康熙 54년, 1715.**

1월. 槎川 李秉淵(45세) 金化현감 만기 체임. 司僕寺主簿로 歸京.

中夏(5월). 李夏坤(39세) 「題李一源所藏 鄭敾元伯輞川渚圖後」 및 「題李一源所藏海岳傳神帖」 제작(『頭陀草』 권14).

6월. 申靖夏(35세) 北評事

11월 1일. 『家禮源流』 投進. 鄭澔(68세) 跋文에서 尹拯을 꾸짖은 일로 罷職不敍를 命하다.

11월 26일. 恭齋 尹斗緖(1668~1715) 卒(48세). 海南 鄕邸에서.

41세. **肅宗(56세) 42년 丙申, 康熙 55년, 1716.**

1월 25일. 大司憲 權尙夏(76세), 『家禮源流』 序文事로 自辨引罪.

2월. 鄭敾 觀象監 天文學兼敎授(종6품)로 拔擢. 정9품 武班 司勇祿 支給. 30朔(2년 6개월)만에 陞六 보장하는 特採.

春. 冠峯 玄尙壁(1670~1731) 入都, 진사 金純行(1683~1722)의 초청으로 淸風溪 遠心庵에서 鄭敎授敾과 朴斯文昌彦과 會合(『冠峯集』 권4, 答成子長).

2월 26일. 左相 金昌集(69세), 宋·尹 관계 上箚辨明.

3월 16일. 金昌集, 權尙夏 파면.

6월 3일. 竹泉 金鎭圭(1658~1716) 卒(59세).

7월 2일. 王, 尹拯의 辛酉擬書와 宋時烈 撰 尹宣擧 墓文을 써 들이라 下敎.

7월 6일. 王, 兩書 보고 丙申處分 시작. 鄭澔(69세), 閔鎭遠(53세) 職牒還給. 宋相琦(60세) 吏曹判書. 權尙夏 大司憲 겸 贊善 겸 祭酒. 金昌翕(64세) 持平. 金昌集 判府事.

7월 14일. 金昌集 左相 復拜.

7월 25일. 경기·충청·전라 삼도 유생 申球(1666~1734, 51세) 등 60인 상소. 宋時烈 功績 褒揚. 尹宣擧 父子 攻斥. 宣擧文集 取覽을 청하다. 王, 구해들이라 下命.

8월 24일. 王, 尹宣擧 文集 毁板을 命하다.

9월 16일. 知事(정2품) 李光迪(1628~1717, 89세) 回榜宴 개최. 겸재가 〈回榜宴圖〉그리다.

9월 24일. 왕, 宋時烈의 『朱子大全箚疑』를 校書館에서 印出할 것을 命하다.

10월 9일. 海昌尉 吳泰周(1668~1716) 卒(49세).

10월 14일. 尹宣擧의 先正 칭호를 금하다.

淑嬪 崔氏(47세), 병이 들어 3년 동안 점점 깊어 가므로 私第(延礽君家인 彰義宮)로 나가 調治하도록 하다.

10월 22일. 李光迪宅에서 北園耆老會 개최. 《北園耆老會帖》 작첩. 겸재가 〈北園耆老會圖〉 남기다(1718년 1월에 그림).

42세. **肅宗 43년 丁酉, 康熙 56년, 1717.**

1월 12일. 王, 下敎로 尹拯에게 儒賢稱號의 사용을 금하다.

2월 29일. 沙溪 金長生의 文廟從祀를 윤허하다.

3월 3일. 王, 溫陽 幸行.

4월 3일. 王, 還宮.

4월 16일. 寧嬪(49세) 父親 金昌國(1644~1717) 卒(74세).

4월 24일. 李秉成(43세) 陽城현감.

5월 12일. 權尙夏(77세) 右相, 李頤命(60세) 左相, 金昌集(70세) 領相. 李秉淵(47세) 戶曹佐郞(종5품).

7월 4일. 閔鎭厚(59세) 陳言으로 宋時烈 文集 校書館에서 刊行할 것을 分付하다.

8월 27일. 李秉淵 戶曹正郞(정5품).

11월 21일. 謙齋 妹氏 延安 宋希德 妻 卒(30세).

清使 阿克敦(33세) 初來.

43세. **肅宗 44년 戊戌, 康熙 57년, 1718.**

1월. 겸재. 〈北園耆老會圖〉 그리다. 金昌集(71세). 《北園耆老會帖》에 唱酬詩 添加.

1월 22일. 判府事 李畬(1645~1718) 卒(74세).

2월 7일. 王世子嬪 靑松 沈氏(1686~1718), 昌德宮 長春軒에서 薨(33세).

2월 22일. 綾城君 李森(1718~1752) 출생. 仁城君 珙 曾孫. 海原君 健 孫. 花陵君 洮 庶子.

3월. 后溪 趙裕壽(56세), 흡곡현령 만기 체임.

3월 9일. 延礽君(25세) 母 淑嬪 崔氏(1670~1718) 卒(49세). 莊洞 私第 彰義宮에서.

3월 13일. 領相 金昌集(71세), 田政紊亂을 들어 量田을 請하다.

3월 24일. 王, 昭顯世子嬪 姜氏 伸雪과 金弘郁 賜諡의 의사를 밝히다.

4월 25일. 武人 崔天若 世子嬪 禮葬時 玉印造成 功으로 弓箭 受賞.

5월. 金昌翕(66세) 入城. 白麓 6代孫 辛敦復(1692~1779), 三清洞 朴泰觀家에서 뵙다. 謙齋 그림 벽상에 걸린 것 보고 三淵은 "元伯의 그림은 붓을 마음대로 휘둘러서 天趣를 보여주는데 이 그림도 역시 좋다." 고 好評하는 것을 듣다. (「鶴山閑言」)

觀我齋 趙榮祏(33세), 章陵參奉으로 筮仕.

5월 12일. 淑嬪 崔氏를 楊州 高嶺洞 瓮場里에 禮葬.

5월 17일. 延礽君 起復을 命하다.

5월 22일. 愍懷嬪 姜氏 復位宣諡.

6월 29일. 吏曹 口傳으로 李秉淵 安山군수(종4품).

6월 30일. 判府事 趙相愚(1640~1718) 卒(79세).

8월 7일. 安山군수 李秉淵 하직.

8월 8일. 領相 金昌集 체임 허락하다. 判府事를 例授.

8월 19일. 司饔院 燔造所 牛川 江上으로 옮기다.

윤8월 1일. 王世子嬪 三揀擇. 병조참의 魚有龜(1675~1740) 家로 정하다.

윤8월 22일. 鄭敾 造紙署 別提(종6품)(『承政院日記』 510책) 정규직으로 승격.

9월 16일. 王世子嬪 魚氏(14세) 親迎.

清使 內閣學士 阿克敦(34세) 再來.

44세. **肅宗 45년 己亥, 康熙 58년, 1719.**

1월 4일. 金昌集(72세) 領相 復拜.

2월 9일. 凝齋 朴泰觀(1678~1719) 卒.

2월 11일. 耆老所 堂上 領相 金昌集, 御帖陪進. 王, 59세로 耆老所에 들어가다.

3월. 金振汝, 遂庵 權尙夏(79세) 寫眞圖寫.

4월 11일. 靑泉 申維翰(39세), 製述官으로 日本 通信使行에 隨行.

松崖 鄭東後(61세), 濟州牧使 부임.

5월 1일. 金興慶(43세) 이조참판.

6월 30일. 安山군수 李秉淵(49세) 親病, 身病으로 5차 辭職.

9월. 歸鹿 趙顯命(29세) 文科 급제.

10월 2일. 王子 延齡君 昍(1699~1719) 卒(21세). 金光遂(1699~1770) 妹兄.

10월 8일. 李夏坤(43세), 「題鄭元伯敾畵卷」 제작(『頭陀草』 권15). 湖林미술관 소장《四季山水帖》이 그 原蹟.

10월 17일. 陽城현감 李秉成 罷職.

11월 10일. 金弘郁(1602~1654)에게 文貞이라 贈謚.

45세. **肅宗 46년 庚子, 康熙 59년, 1720.**

1월 8일. 王壽 六旬으로 陳賀 頒赦.

1월 21일. 槎川 부친 樹庵(翠麓軒) 李涑(1647~1720)

1월 24일. 靑泉 申維翰(40세), 通信使行復命, 承文院 副正字.

李夏坤(44세), 「題李松老扇頭元伯畵」 제작(『頭陀草』 권8).

2월 8일. 鄭敾 司憲府 監察(종6품)(『承政院日記』 521책).

5월 13일. 개성유수 閔鎭厚(1659~1720) 卒(62세).

5월 18일. 月城尉 金漢藎(1720~1758) 출생. 金興慶(44세) 末子.

6월 8일. 王(1661~1720), 慶熙宮 隆福殿에서 昇遐(60세).

6월 13일. 王世子(33세) 嗣位.

10월 6일. 三南 量田 끝내다.

10월 21일. 肅宗 明陵에 장사 지내다.

11월 8일. 寧嬪(52세)에게 第宅을 바꿔 주다.

12월 12일. 鄭敾 河陽縣監(『承政院日記』 528책).

12월 末. 金時敏(40세), 「鄭元伯敾河陽別語」 제작(『東圃集』 권2).

趙榮祏(35세) 司饔院 奉事(종8품).

晩香 鄭弘來 출생.

46세. **景宗 1년 辛丑, 康熙 60년, 1721.**

1월 12일. 謙齋, 河陽현감(종6품) 하직(『承政院日記』 529책).

李夏坤(45세), 「送元伯之任河陽」 제작(『頭陀草』 권8, 辛丑).

洪重聖(54세), 「送河陽使君鄭元伯敾」 제작(『芸窩集』 권2).

1월 29일. 左相 李健命(59세), 寧嬪(53세) 第宅 侈濫을 箚論.

7월 24일. 慶恩府院君 洗心齋(壽谷) 金柱臣(1661~1721) 卒(61세).

7월 29일. 領府事 鹿川 李濡(1645~1721) 卒(77세).

8월 9일. 判府事 遂庵 權尙夏(1641~1721) 卒(81세).

8월 20일. 王弟 延礽君 昑(28세)을 儲嗣로 정하다. 冊禮時 王印 崔天若 彫刻.

8월 21일. 領相 金昌集(74세). 左相 李健命의 발의로 延礽君 位號를 王世弟로 정하다.

9월 6일. 王世弟 入宮.

9월 26일. 仁政殿에서 王世弟 冊封禮 거행.

10월. 菊溪 張應斗(52세), 生員及第.

李夏坤(45세), 「題元伯四時屛畵」 제작(『頭陀草』 권8).

10월 10일. 執義 趙聖復(41세), 王世弟의 庶政參政을 疏請. 大小國政을 世弟가 裁斷할 것을 命하다.

12월 6일. 辛壬士禍 시작. 金一鏡(60세) · 朴弼夢(54세) · 李明誼 · 李眞儒(53세) 등, 領相 金昌集 · 左相 李健命 · 右相 趙泰采(62세) · 영부사 李頤命(64세) 성토. 王 嘉納. 換局. 趙泰耉(62세) 영의정, 沈檀(77세) 이조판서, 金一鏡 이조참의.

12월 7일. 老論 四大臣 극변 위리안치를 啓請.

12월 12일. 金昌集을 巨濟府에. 李頤命을 南海縣에. 趙泰采를 珍島郡에 안치. 老稼齋 金昌業(1658~1721) 卒(64세).

12월 17일. 尹志述 正刑(25세).

12월 22일. 宮官 文有道 朴尙儉, 世弟 謀害除去 계략. 王世弟 辭位草本 出示.

12월 23일. 王大妃(35세), 諺敎로 泰耉 등 질책. 儲嗣의 결정은 先王의 遺敎를 받들어 大殿이 親書하고 大妃가 諺敎를 大臣에게 내려 결정한 것이라 하며 主上과 東宮을 調護하라 하다.

12월. 趙榮福(50세), 禮山으로 退去하다.

47세. **景宗 2년 壬寅, 康熙 61년, 1722.**

2월 21일. 世弟 侍講院 進善 金昌翕(1653~1722) 卒(70세).

3월 27일. 睦虎龍(39세) 告變. 金麟重, 金龍澤, 李天紀 等 老論 世家 子弟 60여 人의 謀逆事로.

4월 29일. 金昌集(1648~1722) 賜死(75세). 巨濟 配所에서.

4월 30일. 李頤命(1658~1722) 賜死(65세). 南海 配所에서.

5월. 洪重聖(55세), 金化현감 부임.

5월 7일. 鞠囚 鄭宇寬이 朴尙儉 일당의 內官과 內人 등이 尹就商 沈益昌(71세) 등과 모의, 南人을 끌어들여 大妃와 東宮을 弑害하고 主上을 폐출시킬 모역을 지난해 11월에 도모했었다고 발고.

6월 30일. 睦虎龍 一人 錄勳.

8월 7일. 尹宣擧 父子 復官贈諡. 院額을 되돌려주고 문집 간행 허락하다.

8월 19일. 李健命(1663~1722) 羅老島 配所에서 斬首刑(60세).

10월 10일. 張氏 玉山府大嬪으로 추존.

10월 13일. 李夏坤(46세), 外舅 宋相琦를 康津 配所로 찾아가다. 12월 18일. 귀향.

10월 19일. 晦隱 南鶴鳴(1654~1722) 卒(69세).

11월 5일. 趙泰采(1660~1722), 珍島 配所에서 賜死(63세).

11월 30일. 清 聖祖 崩逝 소식.

清使 兵部侍郞 阿克敦(38세) 三來.

48세. **景宗 3년 癸卯, 雍正 元年, 1723.**

2월 8일. 東平尉 鄭載崙(1648~1723) 卒(76세).

3월 4일. 領府事 金宇杭(1649~1723) 卒(75세).

3월 12일. 玉洞 李漵(1662~1723) 卒(62세).

趙龜命(31세), 「題李安山秉淵所藏畵帖」 제작(『東溪集』 권6).

李夏坤(47세), 「題金君光遂所藏鄭元伯輞川圖」 제작(『頭陀草』 권18).

4월 28일. 趙聖復(1681~1723) 獄中自毒死.

6월 1일. 玉吾齋 宋相琦(1657~1723) 卒(67세). 康津 配所에서.

6월 6일. 영의정 趙泰耉(1660~1723) 卒(64세).

8월 20일. 李光佐(50세) 우상.

9월 7일. 金常明 힘으로 年貢中 綿布 8백 필, 수달피 1백 장, 청서피 3백 장, 백면지 2천 권 감하다.

10월 9일. 西洋 問辰鍾 觀象監에 내려 新造시키다.

11월 9일. 密豊君 坦 謝恩正使, 副使 權以鎭, 書狀官 尹淳 辭陛.

49세. **景宗 4년 甲辰, 雍正 2년, 1724.**

謙齋 장손 栕 출생.

1월 28일. 芝村 李喜朝(1655~1724) 謫路에서 卒(70세).

2월 24일. 左相 崔錫恒(1654~1724) 卒(71세).

3월. 洪重聖(57세) 金化현감 체임.

4월 9일. 澹軒 李夏坤(1677~1724) 卒(48세).

4월 24일. 寉溪 權尙游(1656~1724) 卒(69세).

5월. 洪重聖(57세) 「題李一源海嶽傳神帖」 제작(『芸窩集』 권5).

8월 23일. 淮陽府使 趙裕壽(62세), 금강산 유람.

8월 25일. 王(1688~1724) 昌慶宮 環翠亭에서 昇遐(37세).

8월 30일. 王世弟 延礽君(31세) 즉위.

9월 21일. 柳鳳輝(66세) 우상, 李光佐(51세) 좌상.

9월 23일. 領相 崔奎瑞(1650~1735) 致仕(75세).

9월 29일. 朴弼夢 等, 金姓宮人 放黜 爭執. 金姓宮人은 寧嬪 金氏(56세)를 指稱. 諸金網打之計. 朴文秀(34세) 王意庇護.

10월 2일. 金時敏(44세), 「謹題御書帖子後」 제작(『東圃集』 권7).

10월 3일. 李光佐 領相. 柳鳳輝 左相. 趙泰億(50세) 右相.

10월 8일. 閔鎭遠(61세) 特放.

11월 11일. 金一鏡, 旌義縣 위리안치.

11월 20일. 淑嬪祠宇 別建.

12월 4일. 金一鏡, 義禁府에서 鞠問.

12월 7일. 金一鏡 睦虎龍 親鞫. 睦虎龍(1684~1724) 杖斃(41세). 金一鏡(1662~1724) 處斬(63세).

12월 16일. 景宗을 懿陵에 장사 지내다.

12월 19일. 清使 出發.

12월 21일. 閔鎭遠 回甲.

50세. **英祖 1년 乙巳, 雍正 3년, 1725.**

1월 17일. 權尙夏 復官. 宋時烈 道峯書院에 復享.

1월 22일. 閔鎭遠(62세) 吏曹判書.

2월 2일. 鄭澔(78세)를 우의정으로 特拜.

2월 17일. 沈益昌(1652~1725) 卒(74세).

2월 25일. 王子 敬義君(7세)을 王世子로 책봉.

3월 2일. 四大臣 復爵致祭.

3월 3일. 閔鎭遠 우의정.

3월 17일. 清 正使 舒魯, 副使 阿克敦(41세)來. 阿克敦 四來 《奉使圖》20폭 제작. 鄭璵 畵.

4월 4일. 金壽恒을 文忠, 李健命을 忠翼, 趙泰采를 忠愍, 權尙夏를 文純, 李喜朝를 文簡, 李頤命을 忠文, 金昌集을 忠獻으로 贈諡.

4월 10일. 李秉淵 白川군수

4월 16일. 沈益昌, 官爵追奪.

4월 21일. 閔鎭遠 청으로 畵史 秦再奚 立節에 加資.

4월 23일. 鄭澔 領議政, 閔鎭遠 좌의정, 李觀命(65) 우의정.

4월 29일. 李秉成(51세) 宗簿寺主簿(종6품)

5월 7일. 延齡君夫人 商山郡夫人(1698~1725) 卒(28세), 尙古堂 金光遂(1699~1770) 姉氏.

5월 20일. 二知堂 趙榮福(54세) 경상감사 임명.

7월 7일. 李秉成 珍山군수.

8월 16일. 四大臣書院 果川에 설립.

9월 16일. 진산군수 李秉成 하직.

10월 25일. 軍餉 未捧으로 白川郡守 李秉淵 杖一百後 放送.

11월 8일. 沈益昌 長子 廷玉(1676~1738, 50세) 減死一等 거제부에 위리안치.

12월 23일. 淑嬪廟 완성하다.

趙榮祏(40세) 恭陵直長(종7품).

5월. 趙裕壽(63세), 淮陽府使 사임.

「題四帖小屛(三釜淵, 佛頂臺, 三日浦, 侍中臺)五絶一帖各三首」 제작(『后溪集』 권2).

柳下 洪世泰(1653~1725) 卒(73세).

51세. **英祖 2년 丙午, 雍正 4년, 1726.**

4월. 謙齋, 河陽縣監 滿期 遞任(『承政院日記』 681책).

5월 13일. 兪拓基(36세), 경상감사 도임.

6월 24일. 李敬臣 河陽縣監.

7월 22일. 李敬臣 하직.

9월 3일. 鄭敾 軍餉 未捧 守令 居末로 推考警責 청하다. 備邊司에서(『承政院日記』 623책).

趙榮祏(41세), 掌苑署別提(종6품), 司憲府監察, 濟用監主簿, 司僕寺主簿 등을 역임하다.

養梧軒 李顯坤(14세), 洗心臺 朴弼周 弟三 婿郎이 되어 隣近의 謙齋에게 나아가 易弟子가 됨.

52세. **英祖 3년 丁未, 雍正 5년, 1727.**

謙齋, 仁王谷으로 이사.

2월 11일. 趙榮福(56세) 都承旨.

3월 14일. 前 河陽縣監 鄭敾 義禁府 待命(『承政院日記』 634책).

3월 27일. 趙榮福 開城留守.

4월 20일. 柳鳳輝(1659~1727) 慶源 配所에서 卒(69세).

7월 1일. 丁未換局. 李光佐(54세) 영의정, 趙泰億(53세) 좌의정, 洪致中(61세) 우의정.

7월 5일. 영부사 閔鎭遠(64세) 등 老論 重鎭 101인 罷職.

8월 28일. 이조참판 趙文命(48세) 女(13세)로 世子嬪 擇定.

9월 13일. 白下 尹淳(48세) 大提學.

10월 6일. 영의정 李光佐의 청으로 乙巳處分 一反.

趙榮祏(42세) 義禁府都事(종5품), 戶曹佐郎(정6품), 燕岐縣監(종6품).

申維翰(47세) 平海郡守.

53세. **英祖 4년 戊申, 雍正 6년, 1728.**

1월 23일. 鄭澔(81세)를 榮川郡에, 閔鎭遠(65세)을 原州에 定配.

3월 14일. 奉朝賀 崔奎瑞(71세), 急變을 고하다.

3월 15일. 李麟佐 反亂, 淸州城 함락. 密豊君 추대.

3월 20일. 密豊君 拿囚.

3월 24일. 李麟佐 등 생포.

3월 27일. 李麟佐 참수.

3월. 申維翰(48세), 鄭希亮 起兵後 平海, 蔚珍 二郡 兵馬를 다스리다.

4월 6일. 朴弼夢(1668~1728) 참수(61세).

4월 15일. 李明誼 杖斃.

4월 23일. 漢城右尹 趙榮福(1672~1728) 卒(57세).

4월 26일. 奮武功臣 錄勳 一等 吳命恒(56세), 二等 朴文秀(38세), 趙文命(49세), 趙顯命(38세) 등.

5월 22일. 謙齋 長外叔 朴見聖(1642~1728) 卒(87세).

5월 27일. 尹淳(49세) 이조판서.

洪重聖(61세), 「余宰丹丘也, 鄭元伯 寫玉筍於便面以贈行. 又寄此絶, 以要續畵.」(『芸窩集』 권4).

李秉淵(58세), 「鄭元伯社壇盤松圖」(『槎川詩選批』 권下).

李天輔(30세), 「書鄭元伯畝畵帖」, 「鄭元伯畵帖跋」(『晋菴集』 권7).

趙榮祏(43세), 刑曹佐郎으로, 夏 亂報後 堤川현감 부임.

5월 27일. 尹淳(49세) 吏曹判書.

9월 10일. 左相 吳命恒(1673~1728) 卒(56세).

10월 3일. 판부사 趙泰億(1675~1728) 卒(54세).

11월 16일. 王世子, 昌慶宮 進修堂에서 薨(10세).

12월 28일. 鄭敾 漢城主簿(종6품)(『承政院日記』 676책).

54세. **英祖 5년 己酉, 雍正 7년, 1729.**

1월 26일. 孝章世子 葬禮.

2월 3일. 李秉成(55세) 夫人 潘南朴氏(1676~1729) 卒(54세).

3월 21일. 漢城主簿 鄭敾 輪對官으로 入侍(『承政院日記』 681책).

3월 22일. 李㙫 吏判.

3월 25일. 坦 賜自盡命. 29일. 自盡.

5월 11일. 李秉成 공조정랑(정5품).

6월 6일. 趙文命(50세) 이조판서.

6월 21일. 崔天若 忠翊將(정3품 당상).

7월 12일. 崔天若 同知中樞府事(종2품).

7월 16일. 鄭敾 義禁府事(종6품)(『承政院日記』 688책).

8월. 鄭敾 〈義禁府圖〉 제작. 《柳壽觀金吾僚員錄》.

10월 8일. 李秉成 高山현감.

10월 9일. 兪拓基(39세) 함경감사.

10월 19일. 兪拓基 罷職, 出謝하지 않으므로.

10월 25일. 李秉成 高山현감 사직.

大暑日. 兪拓基, 「題洪世泰詩 李壽長書 鄭元伯畵後」(『知守齋集』 권15).

菊溪 張應斗(1670~1729) 卒(60세).

12월 3일. 司憲府 持平 金翰運(1680~1749)(50세) 義禁都事 鄭敾, 趙東鼎 汰去 啓請(『承政院日記』 698책).

55세. **英祖(37세) 6년 庚戌, 雍正 8년, 1730.**

4월 20일. 趙榮祏, 長子 重希(21세) 喪으로 堤川현감 사직.

5월 19일. 藥院. 崔天若에게 銅人 조성을 명하도록 청하다.

5월 27일. 奉朝賀 沈檀(1645~1730) 卒(86세).

6월 3일. 趙顯命(40세) 경상감사 임명, 7월 부임.

6월 29일. 王大妃 魚氏, 慶熙宮 魚藻堂에서 昇遐(26세).

7월 5일. 山陵을 懿陵下穴에 정하다.

8월 16일. 趙文命(51세) 우의정.

8월 19일. 宋寅明(42세) 이조판서.

9월 20일. 趙文命, 宋時烈 已定의 從良法 주장.

10월 18일. 沈煥之(1730~1802) 출생. 農岩 門人 白淵 愼無逸 外孫, 安東 金履福 婿.

10월 19일. 大妃 懿陵(35세)에 장사 지내다.

11월 27일. 貴人李氏(1696~1764, 35세) 暎嬪으로 진봉하다.

56세. **英祖 7년 辛亥, 雍正 9년, 1731.**

2월. 觀我齋, 仁王谷으로 移徙歸還, 其從祖 趙淳源 家를 白金 150냥으로 買入.

春. 李匡師(27세), 鄭齊斗(83세)에게 나아가 배우기 시작.

3월 1일. 玉所 權燮 回甲.

3월 16일. 坡州 長陵 虫蛇의 變으로 奉審.

3월 19일. 長陵 遷奉之計를 정하다.

4월 23일. 槎川 回甲宴, 謙齋 〈老松靈芝圖〉 선물

6월 27일. 韓元震(50세) 削逸.

7월 6일. 李秉成(57세), 杆城군수 하직.

7월 8일. 崔天若(48세), 孫壽聃, 卞爾珍 등 開陵.

8월 16일. 長陵遷奉事로 王 長陵行幸.

8월 27일. 長陵發靷, 交河新陵 靷到.

8월 30일. 辰時 下玄宮.

9월 10일. 嘉林府夫人(1660~1731) 林川趙氏(仁元王后 母親) 卒(72세).

9월 19일. 崔天若 僉使除授命.

9월 21일. 紅夷砲 新製.

10월 19일. 韓元震 削逸傳敎 還收.

11월 26일. 金興慶(55세) 이조판서.

12월 26일. 謙齋, 進慰兼進香副使 李春躋의 餞別 선물로 〈西郊餞儀〉 제작.

57세. **英祖(39세) 8년 壬子, 雍正 10년, 1732.**

1월 12일. 花梁僉使 崔天若(49세) 하직.

2월 18일. 景宗實錄 완성.

3월 17일. 李秉淵 司僕主簿.

春. 이해에 司僕寺 僉正(종4품)이 된 十灘 李雨臣(1670~1744, 62세)이 함께 司僕寺 主簿(종6품)가 된 槎川 李秉淵(61세)과 白岳詞壇 同志들인 白淵 愼無逸, 自谷 宋必煥(1683~1749), 自樂軒 兪最基(1689~1768), 東圃 金時敏(1681~1747), 謙齋 鄭敾(1676~1759) 등과 함께 弼雲臺로 賞春 놀이를 가서 詩畵로 寫生하다. 『沙院唱酬錄』(국립도서관 소장)과 〈弼雲臺賞春〉 제작.

6월 23일. 領相 洪致中(1667~1732) 卒(66세).

6월. 李秉淵(62세), 삼척부사(종3품) 부임.

謙齋, 〈大關嶺〉 제작(趙榮祏, 『觀我齋稿』 권2, 「送三陟府使 李秉淵序」).

7월 21일. 三南의 良田에 南草 재배 금지.

10월 9일. 左相 趙文命(1680~1732) 卒(53세).

10월 20일. 前경상감사 趙顯命(42세) 削職. 그 형 文命의 위독 소식 듣고 印符를 都事에게 맡기고 그날로 상경한 까닭으로.

10월 27일. 金興慶(56세) 공조판서.

11월 21일. 趙文命에게 文忠이라 贈謚.

11월 29일. 和順翁主(13세), 金興慶 末子 月城尉 金漢藎(13세)에게 下嫁.

12월 17일. 金常明 本國 貧 故로 西北兩處 開市 파하려는 의사를 보이다.

12월 26일. 金興慶(56세) 우의정.

謙齋, 〈斷髮嶺望金剛〉·〈長安寺〉·〈萬瀑洞〉·〈內山摠圖〉·〈海山亭〉·〈佛頂臺觀瀑〉·〈百川橋出山〉·〈三日浦〉 제작(趙龜命, 『東溪集』 권6, 「題十二兄迪命所藏海嶽圖屛」).

『三淵集』 冊板 8冊 36編 완성. 門人 兪拓基, 경상감사 時(1726) 대구감영에서 녹봉을 털어 간행 시작. 6년 만에 완성.

趙榮祏(47세) 積城현감 도임.

58세. **英祖 9년 癸丑, 雍正 11년, 1733.**

春. 謙齋, 〈翠麓軒〉 제작(李秉成, 『順庵集』 권5, 「題翠麓軒圖後」).

春. 趙裕壽(71세), 「寄淸潤亭主人 李子平秉成」 제작(『后溪集』 권4).

趙龜命(41세), 「題元伯扇畵石鐘山, 爲柳煥文作」 제작(『東溪集』 권6).

3월 6일. 호남 凶書變.

4월 15일. 남원 掛書變.

4월 20일. 삼도수군통제사 朴纘新 파직. 趙顯命 전라감사.

4월. 李秉成 간성군수 사임. 「贈元伯之任淸河」(李秉成, 『順庵集』 권4).

4월. 申維翰(55세), 平海郡守 만기 체임.

5월 25일. 趙榮祏(48세), 「宅記」 지음(『觀我齋稿』 권2).

5월 26일. 天下壯士 黃鎭紀 亡命, 德山 伽倻山 白岩寺에서 出家 확인.

6월 9일. 鄭敾 淸河현감(『承政院日記』 761책).

8월 15일. 鄭敾 淸河縣監 하직(『承政院日記』 763책).

趙榮祏, 「題昭文帖」 지음(『觀我齋稿』 권3, 겸재가 그린 〈昭文帖〉은 가격이 3000錢, 즉 銀貨 75兩이었다 함).

9월 15일. 李春躋(42세) 都承旨.

10월 27일. 北關兩市(會寧, 慶源) 開市 罷議. 朴文秀 역관에게 이익이 돌아간다고 반대, 吳瑗 파시 주장.

11월 10일. 判府事 李觀命(1661~1733) 卒(73세).

11월 16일. 병조판서 尹游(60세), 趙宋乾坤說 내놓다.

12월 15일. 鄭敾 11考課 最上(『承政院日記』 769책).

59세. **英祖 10년 甲寅, 雍正 12년, 1734.**

1월 15일. 金興慶(58세) 우상.

3월 12일. 尹淳(44세) 예조판서. 藝文提學.

5월 5일. 朴胤源(1734~1799) 출생. 漢師 社稷洞에서.

6월 23일. 崔天若(51세) 慶德宮假衛將.

7월 5일. 전라감사 趙顯命(44세) 체직.

7월 13일. 吏判 金在魯, 慶尙監司.

7월 20일. 宋寅明 吏判.

7월 22일. 茅洲 金時保(1658~1734) 卒(77세).

9월 2일. 尹淳 兩館大提學.

9월 20일. 趙顯命 摠戎使.

10월 12일. 趙榮祏(49세), 典牲署主簿(종6품).

東埜 金養根(1734~1799) 출생.

秋. 內延山 上瀑에 「甲寅秋 鄭敾이라」 刻字.

〈內延山三龍湫〉(국립박물관), 〈陶山書院〉, 〈海印寺〉, 〈聖留窟〉, 〈雙溪立岩〉(澗松美術館) 등 제작.

60세. **英祖(42세) 11년 乙卯, 雍正 13년, 1735.**

謙齋 次孫 巽庵 鄭榥(1735~1800) 출생.

1월 1일. 奉朝賀 崔奎瑞(1635~1735) 卒(81세).

1월 10일. 趙榮祏(50세) 宗廟令(종5품).

1월 12일. 寧嬪 金氏(1669~1735) 卒(67세).

1월 21일. 暎嬪 李氏(40세) 元子 出産, 貞聖王后 取子.

2월 18일. 趙榮祏(50세), 宜寧현감 도임.

3월 24일. 松崖 鄭東後(1659~1735) 卒(77세).

5월 16일. 謙齋 모친 密陽朴氏(1644~1735) 卒(92세). 謙齋 청하현감 사직, 歸京服喪.

7월 28일. 英祖, 謙齋所在 下問(『承政院日記』 805책).

8월 27일. 畵史 李治 張得萬으로 하여금 世祖影幀 模寫케 하다.

宜寧현감 趙榮祏 不來 辭職.

9월 6일. 趙顯命(45세) 평안감사.

10월 6일. 順庵 李秉成(1675~1735) 卒(61세).

11월 20일. 金在魯(54세) 좌상, 宋寅明(47세) 우상, 金興慶(59세) 영상.

11월 26일. 芸窩 洪重聖(1668~1735) 卒(68세).

12월 9일. 尹淳(45세) 兪拓基(45세) 元子輔養官.

61세. **英祖(43세) 丙辰, 乾隆 1년, 1736.**

1월 1일. 元子(2세) 왕세자 책봉.

1월 3일. 謙齋 회갑.

1월 4일. 세자 이름 愃이라 하다.

4월 8일. 進香使 洛昌君 樘(1689~1761) 等復命, 淸의 對倭交市甚多. 萊貨 감소 이유.

4월 9일. 趙顯命(46세) 이조판서. 兪拓基(46세) 弘文館 副提學.

4월. 李秉淵 삼척부사 사직 귀경.

謙齋 易弟子 朴胤源의 祖父 朴弼履(52세), 洗心臺 妻家에 始居.

5월 16일. 謙齋 모친 小喪.

5월. 『光州鄭氏族譜』 初刊, 謙齋 伯父 時尙家 家藏本이 底本이 됨.

6월 5일. 兪拓基 藝文館 副提學.

7월 15일. 罪人 裴胤命, 更推時 推官 宋寅明을 똑바로 쳐다보며 소리쳐 욕해 꾸짖기를 趙宋乾坤 金粧飾에 一國權威가 모두 돌아갔으니 장차 崔忠獻의 화가 있을 것이라 하고 權凶奸臣이라 하니 一座失色하고 諸宋及趙가 金吾門 밖에서 命을 기다리다.

8월 11일. 左贊成 霞谷 鄭齊斗(1649~1736) 卒(88세).

員嶠 李匡師(32세) 전가족 이끌고 강화도로 이사하다. 鄭齊斗를 師事하기 위함이었으나 甲津나루에서 부고를 듣다.

8월 27일. 兪拓基 평안감사.

王, 『女四書』 序文親製, 弘文提學 李德壽(64세)에게 명하여 諺譯入刊시키다.

10월 15일. 領府事 丈巖 鄭澔(1648~1736) 卒(89세).

11월 28일. 奉朝賀 閔鎭遠(1664~1736) 卒(73세).

12월 2일. 兪拓基 대사간.

62세. **英祖 13년 丁巳, 乾隆 2년, 1737.**

3월 10일. 判尹 兪拓基(47세) 경상감사.

5월 9일. 병조판서 尹游(1674~1737) 卒(74세).

5월 16일. 謙齋 모친 大喪(脫喪).

6월 1일. 이조판서 樂健亭 金東弼(1678~1737) 卒(60세). 尙古堂 金光遂(39세) 부친.

8월 8일. 왕, 減膳을 명하다. 時象不調가 否德所致라고, 君一黨三하니 各黨은 어느 임금을 섬길 것이냐고 大責. 옛날에는 다만 西南이 있었는데 지금은 老少, 淸濁, 緩峻之別이 있고 强臣이 磨礱한다고 질책. 左相 金在魯(56세), 奉朝賀 李光佐(64세), 右相 宋寅明(49세), 金吾에 待命.

9월 27일. 東溪 趙龜命(1693~1737) 卒(45세).

10월 9일. 洪景輔(46세) 도승지.

觀我齋 趙榮祏, 〈老人扶杖圖〉 제작(『觀我齋稿』 권3, 「題畵」 및 『槎川詩選批』 권下, 「宗甫作老人」).

趙榮祏(52세), 「丘壑帖跋」 지음(『觀我齋稿』 권3).

趙裕壽(75세), 「題一源所藏鄭畵 四郡 嶺南帖」 및 「又題鄭畵嶺南帖」 지음(『后溪集』 권5).

李德壽(1673~1744, 165세) 「題謙齋丘壑帖」 짓다(『西堂私載』 권4).

10월 20일. 燕岩 朴趾源(1737~1805) 출생.

宋寅明(49세) 開花寺 重修.

63세. **英祖(45세) 14년 戊午, 乾隆 3년, 1738.**

2월 7일. 檜巢 金信謙(1693~1738) 卒(46세). 老稼齋 獨子, 三淵衣鉢弟子.

2월 29일. 右相 宋寅明(50세) 청으로 嶺南僧 惟政 影堂 보수하고 田結을 내리다.

2월 30일. 錦城尉 朴明源(14세), 尙和平翁主(12세). 趙顯命(48세) 이조판서, 孝宗6女 淑寧翁主(1649~1668) 夫君 錦平尉 朴弼成(1652~1747, 87세) 壽宴에 詩樂을 내리다.

6월 19일. 홍경보(47세) 도승지.

8월 1일. 兪拓基(48세) 호조판서.

8월 7일. 朴師正(錦城尉 부친, 56세) 도승지.

8월 16일. 王命으로 白衣를 금하고 靑色을 쓰도록 하다. 병조판서 朴文秀(48세) 체직.

秋. 謙齋, 寓庵 崔昌億(1679~1748, 60세)을 위하여 《關東名勝帖》 11폭 제작. 「戊午秋, 爲寓庵崔永叔寫」(간송미술관).

冬 11월. 謙齋, 觀我齋(53세) 門扉上에 〈浙江秋濤〉 그리다.(『觀我齋稿』 권4, 「謙齋鄭同樞哀辭」) 李秉淵(68세), 「元伯就觀我齋壁上, 作浙江秋濤, 次主人使君韻.」 제작(『槎川詩選批』 권下).

12월 9일. 왕비 私親 嵩城府夫人 牛峰 李氏(1660~1738) 卒(79세).

趙裕壽(76세), 「劉村隱 希慶(1545~1636)林庄圖後 次一源韻」 지음. 原圖는 李澄이 그린 것이었으나 도둑맞았었는데 후손이 謙齋에게 부탁하여 다시 그리다(『后溪集』 권6).

金時敏(58세), 「壁掛鄭元伯萬瀑圖」 지음(『東圃集』 권6).

趙榮祏 安陰현감 임명.

淡拙 姜熙彦(1738~1782) 출생. 萬戶 泰復 子. 順天監牧官.

64세. 英祖 15년 己未, 乾隆 4년, 1739.
春. 謙齋,〈淸風溪〉 제작.『己未春寫』(澗松美術館).
2월 21일. 李秉淵 掌樂院正(정3품 당하).
3월 19일. 李天輔(42세), 春塘臺 謁聖及第 卽任侍講院兼說書.
3월 22일. 이조판서 趙顯命(49세) 체직. 형조판서.
3월 25일. 奉朝賀 李台佐(1660~1739) 卒(80세).
3월 26일. 愼妃 復位. 謚號 端敬, 陵號 溫陵.
4월 1일. 李春躋(48세) 도승지.
溫陵石物 莊陵例로 議定.
5월 24일. 鄭敾. 副司果(정6품)(『承政院日記』 891책).
6월. 謙齋, 李春躋를 위해〈玉洞陟罔〉 제작(鄭煥國 소장).
7월 5일. 趙顯命 이조판서.
8월 30일. 兪拓基(49세) 우상.
9월 2일. 趙顯命 이조판서 체임. 洪景輔(48세) 도승지.
10월 3일. 예조참판(49세) 朴師正(1683~1739) 卒(57세).
10월 12일. 趙顯命, 좌참찬.
11월 23일. 右相 兪拓基(49세), 金昌集 李頤命 復官 청하다.
趙顯命 한성판윤.
12월 17일. 正言 元景夏(42세), 蕩平建極之說을 말하고 建儲聯箚 兩案洞雪 할 것 청하다(老論蕩平).
申維翰(59세) 漣川郡守.

65세. 英祖 16년 庚申, 乾隆 5년, 1740.
1월 10일. 金昌集 李頤命 復官을 명하다.
1월 16일. 咸院府院君 魚有龜(1675~1740) 卒(66세).
3월. 李秉淵. 亡弟子平遺事 撰(『順菴集』 부록).
4월 10일. 右相 兪拓基(50세), 壬寅誣獄 伸雪을 縷陳.
5월 19일. 三司,合啓로 柳鳳輝, 趙泰耉 追奪, 李光佐 先罷 청하다. 李光佐가 부모를 王字山脈에 장사 지낸 일을 公州士人 朴東俊이 密啓. 王, 老論의 모함이라 하여 大怒, 兪拓基가 이 일을 알고 있었던 것으로 의심, 右相職 特罷.
5월 25일. 宋寅明(52세) 右相.
5월 26일. 李光佐(1674~1740) 卒(67세). 근심과 분노로 먹지 못하다 暴卒하다.
6월 1일. 兪拓基, 上疏下鄕.
6월 3일.『續五禮儀』 찬수 議定.
6월 5일. 右相 宋寅明, 國是 定할 것 청하다. 校理 元景夏(43세) 의견으로 老少에 그치지 않고 東西南北 不問하고 隨才登用하는 大蕩平策을 國是로 하다.
9월 28일. 병조판서 趙顯命(50세) 右相. 金在魯(59세) 영상. 宋寅明(52세) 좌상.
季夏 6월. 謙齋, 李春躋(49세)를 위해〈西園小亭(三勝亭)〉 제작(鄭煥國 소장).
秋. 玄齋 沈師正(34세),〈舟遊觀瀑〉 제작(간송미술관).
11월 21일. 兼官外 士大夫가 敎授된 예는 鄭敾이 先例(『承政院日記』 924책).
12월 11일. 鄭敾, 陽川縣令(종5품)(『承政院日記』 925책).

66세. 英祖 17년 辛酉, 乾隆 6년, 1741.
2월 3일. 英祖, 謙齋近況 下問(『承政院日記』 928책).
2월 8일. 崔天若(58세)이 만든 禮器尺이 古制와 다르다(『承政院日記』 928책).
3월 12일. 洪景輔(50세) 도승지.
3월 27일. 평안감사 白下 尹淳(1680~1741)(62세) 巡視中 卒.
5월 17일. 崔天若 銅人鑄造(『承政院日記』 931책).
6월 5일.『續五禮儀』 편찬 명하다.
7월 1일. 英祖 謙齋治積下問(『承政院日記』 933책).
7월 23일. 錦平尉 朴弼成(90세)에게 机杖을 下賜.
8월 17일. 后溪 趙裕壽(1663~1741) 卒(79세).
9월 6일. 皇壇 雅樂器 완성. 崔天若 監造.
9월 25일. 睦虎龍 誣告獄案 燒却.
9월 27일. 金昌集 李頤命 復謚. 辛壬寃死人 復官爵.
10월 1일. 大訓을 짓고 誣案 燒却으로 告廟頒敎.
11월 29일. 銅人 監役 嘉義(종2품) 崔天若. 半熟馬 一匹 賞賜(『承政院日記』 938책).
12월 7일. 洪景輔(50세) 경기감사.
謙齋,《京郊名勝帖》 계속 그림.
青莊館 李德懋(1741~1793) 출생.

67세. 英祖 18년 壬戌, 乾隆 7년, 1742.
1월 9일. 황해도 遂安 彦眞山 採銅處에 採銅監官 崔天若(59세) 下送.
2월 12일. 판부사 兪拓基(52세), 月廩辭疏.
4월 23일. 特進官 朴文秀(52세), 錢貴之弊 極論.
7월 25일. 沈師夏(1705~1742) 卒(38세).
8월 7일. 王,『樂學軌範』 序文 親製.

9월 21일. 崔天若 蛇渡(興陽)僉使.

10월 15일. 謙齋, 경기감사 洪景輔(51세) 漣川縣監 申維翰(62세)과 함께 임진강 상류 漣江에서 船遊하고《漣江壬戌帖》제작.

10월. 尹德熙(58세), 寓庵 崔昌億(64세)을 위해〈松陰放馬圖〉제작.「壬戌孟冬 爲崔兄永叔作, 駱西」(국립중앙박물관).

11월 3일. 蛇渡僉使 崔天若 下直.

12월 27일. 朴文秀 경기감사.

蒼巖 朴師海(32세),「顧氏書報題畵十八首」제작(『蒼巖集』권1).

謙齋,《花卉翎毛帖》8폭 제작,〈弼雲臺〉제작(沈師周(52세),『寒松齋集』권3,「金吾契帖序, 謙齋畵 弼雲臺 梧亭寫諸詩」).

復軒 金應煥(1742~1789) 출생. 畵員, 1772년 謙齋法을 倣하여《金剛全圖》그리다.

68세. **英祖 19년 癸亥, 乾隆 8년, 1743.**

2월 11일. 李秉淵(73세) 軍資監正(정3품 당하).

3월 18일. 李秉淵. 肅拜하지 않아 改差.

3월 21일. 領府事 兪拓基(53세), 月廩辭疏.

4월 5일. 申晩(1703~1765) 次子며 元景夏(45세) 妻侄인 永城尉 申光綏(1731~1775)(13세) 尙和協翁主(11세).

4월 14일. 償債廳 파하다. 象譯 貧債者 가난해서 갚지 못하는 까닭에, 설치 후 20년 만에.

6월 6일. 判府事 兪拓基 江郊로부터 入侍. 江郊 退去 후 4년 만에 처음 承命入侍.

夏. 李胤永(30세),〈綠靄亭〉제작(간송미술관).

9월 29일. 王世子嬪 親揀.

10월 28일. 再揀擇.

11월 13일. 三揀擇. 洗馬 洪鳳漢(31세) 女(9세) 擇定.

12월 26일. 王世子(9세) 嘉禮納徵.

趙榮祏(58세), 安義縣監 만기체임.

權燮(73세). 槎川과 謙齋에게 그림을 구걸하다.「寄一源乞分名畵」,「丐元伯嶺東十勝之畵」(『玉所稿』권1).

69세. **英祖 20년 甲子, 乾隆 9년, 1744.**

1월 11일. 왕세자(10세) 嘉禮.

1월 19일. 仁嬪 金氏와 淑嬪 崔氏의 親家三代 追贈.

2월 11일. 蒼崖 洪景輔(1692~1744) 卒(53세) 冬至副使로 道卒.

3월 7일. 淑嬪 廟號 毓祥이라 하고 墓號 昭寧이라 함.

4월 25일. 陽川縣令 鄭敾. 軍餉未捧으로 依例 營門決杖(『承政院日記』971책).

5월 28일. 李德壽(1673~1744) 卒(72세). 朴世堂, 金昌翕 門人.

7월 7일. 沈師正 母親 河東鄭氏(1678~1744) 卒(67세). 司諫 維漸 女.

7월 17일. 明陵, 厚陵 改修都監設置.

8월 4일. 西小門(昭德門)에 譙樓짓고 昭儀라 改名.

8월 6일. 東小門(惠化門) 門樓 짓고 揭額.

8월 24일. 王, 續大典 序文 親製.

8월 29일. 續五禮儀 告成.

10월 13일. 承政院 失火. 列朝政院日記 거의 灰燼.

11월 28일. 續大典 告成.

12월 24일. 太祖御筆 敎旨에 찍힌「朝鮮王寶」模鑄 사용을 명하다. 海昌尉 模鑄.

沈師正(38세),〈臥龍庵小集圖〉제작(간송미술관).

權燮(74세).「題鄭元伯海嶽圖」(『玉所稿』권1),「謙齋桃源圖評」,「題金亮行子靜三淸帖」,「又題三淸帖二十五幅」,「十六贊第一鄭謙齋山水」(『玉所稿』권8).

70세. **英祖 21년 乙丑, 乾隆 10년, 1745.**

1월 28일. 陽川縣令 鄭敾. 70歲로 改差(『承政院日記』982책).

3월 5일. 謙齋 長外堂姪 朴宗祥(1680~1745) 卒(66세).

4월 6일. 奉朝賀 李宜顯(1669~1745) 卒(77세).

4월 14일. 李秉淵 敦寧都正(정3품 堂上).

5월 17일. 李秉淵(75세) 副護軍.

7월 17일. 李秉淵. 判決事(정3품 堂上) 사직.

7월 24일. 이병연. 부호군, 崔天若(62세) 郭山 宣沙浦 僉使.

9월 3일. 萬東廟에 免稅田 20結 劃給.

71세. **英祖(53세) 22년 丙寅, 乾隆 11년, 1746.**

1월 20일. 李秉淵(76세) 夫人 林川趙氏(1675~1746) 卒(72세)(趙顯命,『歸鹿集』권19,「李槎川秉淵夫人哀辭」).

2월 4일. 漢城判尹 趙尙絅(1681~1746) 卒(66세). 金昌協 門人. 暾, 曮의 父親.

2월 14일. 觀我齋 趙榮祏(61세) 回甲生日.

2월 仲春. 柳德章(72세),〈墨竹〉4폭 제작. 歲 丙寅 仲春 峀雲作(간송미술관).

5월 1일. 檀君以來 前朝에 이르기까지 陵寢 修治. 本道治祭.

6월 5일. 辛壬 四大臣 賜祭.

6월. 員嶠 李匡師(42세),〈高僧玩繪圖〉 제작. 丙寅 夏季 臨王齊翰畫(간송미술관).

8월 11일. 左相 宋寅明(1689~1746) 卒(58세).

9월 13일. 柳鳳輝, 趙泰耉, 崔錫恒 追削.

9월 19일. 生進唱榜時 幞頭襴衫制 제정하다. 본래 儒巾青衫.

9월 26일. 元景夏(49세) 兵曹判書.

秋. 謙齋,《退尤二先生帖》제작. 槎川(76세) 題畵詩, 謙齋 季子 鄭萬遂(37세) 跋.

秋. 高城 三日浦 夢泉庵 重新. 郡守 朴尙榮, 三年 經營. 仲冬 徐榮輔 重修記.

10월 24일. 宗臣 光春君 中宗 廟號 祖로 해야 한다고 疏論. 批曰 莫重莫大事, 不敢輕議.

10월 28일. 陶庵 李縡(1680~1746) 卒(67세).

11월 6일. 紋緞之禁을 嚴勅.

11월 26일. 燕物奇巧 紋緞에 그치지 않아 아울러 一切 貿來嚴禁.

12월 15일. 紋緞犯禁人 李命稷 巡營獄에 가두다. 平安都事 任珠, 紋緞을 불태우다. 燕商 鄭世泰는 新禁 소식을 듣고 크게 놀라 즉시 강남에 통보하여 문단 짜는 것을 중지시키다.

12월 27일. 金宗瑞, 皇甫仁, 鄭苯 復官.

12월 29일. 副校理 金文行(1701~1754, 46세, 昌國之養孫, 昌翕之孫, 寧嬪姪, 致謙 子), 從祖 金昌集의 臣節을 疏訴. 批曰, 이는 깊이 알고 있다.

權燮(76세).「題元伯金剛八畵」,「畵帖跋」,「壁中掛簇(朴生淵)」(『玉所稿』 권9).

72세. **英祖 23년 丁卯, 乾隆 12년, 1747.**

1월 1일. 大妃 周甲 慶事로 國王이 百官을 거느리고 陳賀.

謙齋 弟 敹(1682~1747) 卒(66세).

2월 9일. 戶判 金始炯(67세), 尙方織造의 復設을 청하다. 不許. 紋段 수입금지 후에 大妃殿, 中宮 殿服用이 부족한 까닭에.

3월 1일. 彰義門外 浮石 禁하다. 洛昌君 樘이 부친묘소 석물을 위해 치마바위(裳岩)를 떼어 내려 하므로.

3월 3일. 謙齋,〈海嶽傳神帖〉(畵21면) 완성. 李秉淵(77세) 自筆序 竝題詩. 孟山 洪鳳祚(1680~1760)(68세)가 三淵 金昌翕(1653~1722) 詩及品題 代書. 書50면(간송미술관).

3월 14일. 老少 兩黨의 峻論者들이 相合하여 蕩平黨을 공격하다.

3월 20일. 東圃 金時敏(1681~1760) 卒(67세).

3월 29일.『皇壇儀軌』 완성.

5월 29일. 田日祥(48세) 전라우수사.

7월 10일. 錦平尉 朴弼成(1652~1747) 卒(96세).

7월 14일. 月城尉 金漢藎(28세), 東郊 國陵封標處 毁撤.

8월 14일. 觀我齋 趙榮祏(62세),《海嶽帖》,《嶺南帖》,《四郡帖》刻成傳播 주장(성균관대학교박물관 소장, 관아재 진적).

8월 23일. 孟山 洪鳳祚(68세) 강원감사. 農淵門人.

8월 27일. 趙顯命(57세) 左相復拜.

9월 26일. 安平大君 瑢(1418~1453) 復官.

9월 29일. 仁元大妃 周甲(壽慶). 謙齋 종4품으로 加資.

權燮(77세)「楓岳圖來自謙齋喜寄一詩」(『玉所稿』 권2),「五簇評謙齋」(『玉所稿』 권8).

沈師正(41세),〈江上夜泊〉(1월),〈草蟲圖〉(11월) 제작(국립중앙박물관).

鄭遂祚(37세) 文科.

73세. **英祖 24년 戊辰, 乾隆 13년, 1748.**

1월 17일. 璿源殿 봉안 肅宗御容 面部 点痕 있어 改模를 명하다.

1월 20일. 畵員 張敬周 執筆主管. 張得萬, 秦應會, 金喜誠, 咸世輝, 鄭弘來(29세), 朴泰煥 同參. 儒生能畵者 趙榮祏(63세), 尹德熙(64세), 沈師正(42세) 亦命監董.

1월 23일. 鄭敾이 그림 잘 그리는 줄은 알지만 이미 늙어서 감당할 수 없다(『承政院日記』 1,025책).

1월 25일. 司直 元景夏 所請으로 역적 손자라 하여 沈師正은 뽑아내다.

2월 4일. 監董官 趙榮祏 執筆模寫不應.

2월 9일. 通信使 發船.

2월 26일. 모사도감 감조관 趙榮祏 陞敍, 尹德熙 陞六. 주관화사 張敬周 加資僉使. 金喜誠 邊將. 咸道弘 相當職. 鄭弘來, 金德夏, 東班職, 秦應會 半熟馬 一匹. 朴泰煥 兒馬 一匹. 張得萬 加資.

2월. 趙榮祏(63세), 刑曹正郎(정5품). 司饔院 僉正(종4품).

5월. 白川郡守(종4품).

3월. 柳德章(74세),〈雪竹圖〉 제작. 歲戊辰春三, 峀雲八耆翁作(국립중앙박물관).

6월. 金喜謙(誠)〈石泉閒遊圖〉 제작. 전라우수사 石泉 田日祥(1700~1753) 49세 시의 한유 장면. 戊辰 六月日製(예산 田溶國

소장).

6월 24일. 錦城尉(1725~1790) 夫人 和平翁主(1727~1748) 卒(22세).

6월 29일. 謙齋 妹夫 宋希德 (1688~1748) 卒(61세). 강원감사 洪鳳祚(69세), 永矢庵 旧基에 立碑.

7월 4일. 鄭敾. 分衛率(『承政院日記』 1,031책).

7월 8일. 分衛率 鄭敾 免(『承政院日記』 1,031책).

7월 17일. 趙顯命, 「載洪所藏葡萄帖跋」(『歸鹿集』 권18).

7월 상순. 釋幽賴, 書畵帖成.

윤7월 30일. 통신사 洪啓禧(46세) 復命. 일본 閭閻殷盛이 중국을 지나치다. 朝鮮入貢牌를 내세우는데 奉使人은 사단이 생길까 보아 못 들은 척하니 나라 욕되게 하는 것 막심하다.

8월 2일. 和平翁主 坡州 州內面 馬山里에 장사 지내다. 儀物의 盛大함이 國葬에 버금가다.

秋. 金允謙(38세), 〈申平川 東山溪亭圖〉 제작. 戊辰秋(간송미술관 소장).

10월 3일. 贈吏判 崔夢亮(1595~1627) 贈謚 忠毅.

10월 12일. 副修撰 李世師(退溪後孫), 蕩平이 祛黨과 相反됨을 疏論하고 嶺南人士 鬱屈함을 말하다. 王, 불러들여 심히 꾸짖고 陶山書院으로 돌아가서 讀書하도록 명령하니 부끄러워 소를 올리고 귀향하다.

11월 4일. 戶判 朴文秀(58세), 大內所供 百物條錄. 王, 薄記明白으로 極贊褒美.

11월 5일. 綾緞 無文者를 有紋例로 一切嚴禁하다. 연경 가는 역관배들이 紋緞禁輸後에 無紋緞을 다투어 구하는 까닭에.

權燮(78세), 「題元伯海嶽」(『玉所稿』 권2), 「題謙齋畵」(『玉所稿』 권8).

74세. **英祖(56세) 25년 己巳, 乾隆 14년, 1749.**

1월 22일. 王世子(15세)에게 機務代理를 命하다.

1월 27일. 王世子 代理 시작.

3월 4일. 和緩翁主, 吏判 鄭羽良(58세) 子 致達에게 定婚.

3월 23일. 明 太祖 神宗 毅宗 大報壇 並享議定.

春 3月. 崔北, 〈丹丘勝遊〉 제작. 「己巳 春季 書于寒碧樓. 月城 崔北有用, 亦與之同遊, 而書之. 員嶠 李匡師(45세).」(朴淳碩 舊藏).

4월 10일. 太學諸生 皇壇陪祭 허락.

4월 29일. 皇壇儀軌 완성.

5월 하순. 謙齋, 《己巳年畵帖》 제작. 「己巳五月下浣 七十四歲翁 謙齋」(국립중앙박물관).

6월 9일. 洪鳳漢(37세) 도승지.

7월. 沈師正(43세), 〈疏林茅亭〉 제작. 「己巳孟秋, 爲槎川(79세) 老人寫. 玄齋 沈頤叔」(간송미술관).

7월 6일. 和緩翁主, 日城尉 鄭致達에게 下嫁.

12월 13일. 鄭羽良 右議政. 元景夏(52세) 이조판서.

權燮(79세), 「題金剛入山出山圖 圖是謙翁」(『玉所稿』 권2), 「又書檀查圖」, 「飛虹橋入山圖評」, 「百川橋出山圖評」(『玉所稿』 권8).

75세. **英祖 26년 庚午, 乾隆 15년, 1750.**

1월 5일. 竹窓 沈廷胄(1678~1750) 卒(73세).

1월 26일. 李秉淵(80세), 副護軍.

2월 10일. 王, 士大夫 衣食 奢侈, 騎馬, 溫突, 武弁肥大 등 사치의 폐해를 痛言하다.

3월 11일. 趙顯命(60세) 領相. 田日祥(51세) 경상좌수사.

3월 26일. 致仕 奉朝賀 金興慶(1677~1750) 卒(74세).

4월 13일. 冬至使 引見. 紋緞 금수를 申勅.

8월 27일. 世子嬪 洪氏(16세), 元孫 誕生.

9월 7일. 崔天若(67세), 護軍(정4품).

10월 29일. 領相 趙顯命 許免.

11월 25일. 李秉淵, 同知中樞府事.

12월 25일. 陳賀三使引見. 紋緞禁輸申飭. 無紋緞 역시 禁輸. 奢侈를 억제하기 위해.

12월 28일. 李秉淵, 漢城右尹.

李麟祥(41세) 陰竹縣監. 4월 29일 임명, 8월 10일 하직.

楚亭 朴齊家(1750~1815) 출생. 蒼巖 朴師海 生員.

76세. **英祖(58세) 27년 辛未, 乾隆 16년, 1751.**

1월 1일. 王大妃(65세) 母臨 五十年 陳賀.

1월 3일. 李秉淵(81세) 右尹 辭職疏.

2월 8일. 徵士 韓元震(1682~1751) 卒(70세).

2월 21일. 朴文秀(61세), 戰船·龜船 體制過大, 改造陳言.

3월 5일. 大報壇望位禮 親行.

3월 19일. 明 毅宗 忌辰으로 望拜禮 後苑에서 親行.

4월 19일. 趙顯命(61세) 左相復拜.

5월 10일. 明 太祖 忌辰으로 望拜禮 後苑에서 親行.

5월 13일. 元孫册封을 告廟.

5월. 柳德章(77세) 〈笋竹圖〉 제작. 「歲辛未仲夏. 峀雲八耆翁,

爲少友金子松作」(국립중앙박물관).

윤5월 29일. 漢城右尹 李秉淵(1671~1751) 卒(81세).

윤5월 下浣. 謙齋〈仁王霽色〉제작. 「仁王霽色. 謙齋. 辛未閏月下浣」(호암미술관) 國寶 216호.

7월 20일. 崔天若(68세), 外貌甚麤나 事極精細.

7월 21일. 明 神宗 忌辰으로 望拜禮 後苑에서 親行.

8월 14일. 趙顯命 좌상면.

10월 5일. 參判 黃梓(1689~1756) 次子 昌城尉 黃仁點(12세), 和柔翁主(12세)와 定婚.

11월 14일. 賢嬪 豊壤趙氏(1715~1751), 昌慶宮 建極堂에서 薨(37세).

趙顯命, 「勳府畵像帖記」 제작(『歸鹿集』 권18).

姜世晃(39세), 星湖 李瀷(71세) 命으로 〈武夷圖〉·〈陶山書院〉 移寫(국립중앙박물관).

權變(81세), 「海嶽帖爲李秉淵作」(『玉所稿』 권4), 「寄鄭元伯」, 「題謙齋畵」(『玉所稿』 권8).

南有容(1698~1773, 54세), 「觀鄭元伯山水五疊, 各題小詞. 辛未」(『雷淵集』 권8).

77세. **英祖 28년 壬申, 乾隆 17년, 1752.**

1월 11일. 洪鳳祚(73세) 승지. 船將 方應文 人物俊秀, 手才 崔天若(69세) 並稱.

3월 4일. 王世孫, 通明殿에서 薨(3세).

3월 5일. 懿昭世孫 墓所規模, 崔天若에게 問議, 決定. 文石, 望柱, 長明燈 外 虎, 馬 各一雙, 前制에 비해 4分之1로 축소.

4월 26일. 領敦寧 趙顯命(1691~1752) 卒(62세).

5월 17일. 崔天若, 資憲(정2품)으로 加資.

5월 22일. 朴弼履(1685~1752) 卒(68세). 近齋 朴胤源(1734~1799) 祖父.

6월 9일. 青泉 申維翰(1681~1752) 卒(72세).

7월 27일. 崔天若, 趙顯命 墓所 石役 主管.

9월 22일. 王孫 탄생. 王大喜.

11월 17일. 鄭敾, 長興庫主簿(『承政院日記』 1,088책).

11월 27일. 永城尉 申光綏 夫人 和協翁主(1733~1752) 卒(20세).

趙榮祏(67세) 白川郡守 사임.

李麟祥(43세) 陰竹현감 사임.

卞相璧, 尹鳳九(70세) 寫眞作.

謙齋, 〈湖南莊居〉 제작. 南有容(55세), 『雷淵集』 권8, 「鄭謙齋元伯, 爲人畵湖南莊居, 請余題之, 余爲小河圖格, 以應之. 壬申」.

78세. **英祖 29년 癸酉, 乾隆 18년, 1753**

1월 2일. 洪鳳漢(41세) 예조판서.

2월 8일. 宮人 文氏를 昭媛으로 하다.

2월 27일. 和柔翁主(1740~1770), 昌城尉 黃仁點(1740~1802)에게 下嫁(14세).

4월 23일. 趙顯命에게 忠孝의 시호를 내리다.

6월 6일. 兪拓基(63세), 內局 都提調가 되다.

6월 25일. 淑嬪 崔氏에게 和敬이라 追諡.

6월 28일. 昭寧園 封園.

7월 7일. 崔天若(70세) 趙顯命墓에 武人石 造立.

夏. 柳德章(79세), 〈雪竹圖〉 제작. 「歲癸酉夏 峀雲八耆翁作」(간송미술관).

朴師海(43세), 〈峀雲墨竹記〉 제작(『蒼巖集』 권9).

李麟祥(44세), 〈島潭舟遊〉 제작(국립중앙박물관).

8월 6일. 毓祥宮에 親祭하고 시호와 印章을 올리다. 和柔翁主(14세)로 하여금 寧嬪의 뒤를 잇게 하다. 淑嬪 私親에게 領相을 追贈. 判府事 兪拓基 敍用.

9월 13일. 昭寧園 親祭.

9월 16일. 鄭敾, 獻陵令(종5품, 『承政院日記』 1,098책).

9월 23일. 崔天若 蒜山別將.

9월 25일. 崔天若 昭寧園 石虎 善治.

12월 26일. 肅宗, 仁敬, 仁顯, 仁元 大妃 加上 尊號.

12월 27일. 崔天若, 金夏鼎에게 弓矢賜給.

權變(83세), 「題金允謙畵」(『玉所稿』 권2), 「寄謙齋」(『玉所稿』 권3).

79세. **英祖(61세) 30년 甲戌, 乾隆 19년, 1754.**

1월 2일. 領相 金在魯(73세) 等 2품 이상 卿宰, 周甲進賀 청하다. 不許.

2월 25일. 鄭敾, 宗親府 典籤(정4품), 司導寺 僉正(종4품). 영조 謙齋 安否 묻다(『承政院日記』 1,103책).

2월 29일. 영조. 겸재의 僉正 제수와 能畵如否 확인(『承政院日記』 1,103책).

3월 19일. 明 太祖 卽位日로 春塘臺에서 望拜禮. 崇禎忌辰祭 兼行.

3월 22일. 鄭述祚(44세) 司諫院 正言(정6품).

4월 5일. 正言 鄭述祚 疏曰, 司導寺 僉正(종4품) 鄭敾, 賤技得名, 雜路拔身, 前後履歷. 已多過濫. 今此新除, 尤是非據, 請鄭敾太去. 幷不從(『承政院日記』 1,105책).

4월 6일. 정술조 再疏. 世子 不納(『承政院日記』 1,105책).

4월 8일. 同副承旨 成天柱 정술조의 탄핵과 세자의 잘못이라는 비답 내용을 영조에게 보고하다.

鄭述祚 罷職 不叙 명하다(『承政院日記』 1,105책).

4월 14일. 鄭述祚 特罷.

5월 12일. 司導寺 僉正 鄭敾 稱病辭職, 改差(『承政院日記』, 1,107책).

6월 10일. 明 神宗 卽阼日로 明政殿에서 望拜禮.

6월 28일. 王,「回甲編錄」親製하여 世子(20세)를 가르치다. 1 敬天. 2 奉先. 3 爲民. 4 祛堂. 5 抑奢.

7월 17일. 敎曰 磁器의 그림은 예전에 石間朱를 썼었는데, 이제 듣자니 回靑으로 한다고 한다. 이 역시 사치풍조니 이 이후는 곧 畵龍樽 이외에 一切嚴禁한다.

9월 13일. 王, 毓祥宮에 展拜하고 彰義宮을 들렀다가 밤에 還宮하다. 王 誕辰日인 때문에.

王, 耆壽宴時 張得萬(71세) 鄭弘來(35세) 등 화원으로 耆社諸臣 화상 그리게 하다.

趙榮祏(69세) 司導寺 倉正.

近齋 朴胤源(21세), 謙齋에게 주역을 배우다(朴宗輿, 『冷泉遺稿』 권5,「先考近齋先生言行錄」).

80세. **英祖 31년, 乙亥, 乾隆 20년, 1755.**

1월 1일. 世子(21세)가 百官을 거느리고 大王의 過甲(62세), 大妃의 望七(69세)을 陳賀하다.

1월 4일. 領相 李天輔(1698~1761, 58세) 上疏 自辨.

1월 11일. 英祖. 懿昭墓에 親臨. 石馬와 石人이 尖弱한 듯하다고 品評(『承政院日記』 1,115책).

1월 21일. 鄭敾. 僉知中樞府事(정3품 당상, 『承政院日記』 1,115책).

2월 11일. 羅州에서 尹志(1688~1755)逆獄 일어나다.

3월 2일. 己亥處分. 金一鏡의 上疏 속에 들었던 여러 역적 및 柳鳳輝, 趙泰耉 등에게 逆律을 추가로 베풀다. 李光佐의 직첩을 거두고 崔錫恒의 관작을 追削하다.

3월 3일. 少論들 두려워서 李光佐를 다투어 징토.

3월 6일. 李匡師(51세) 등 親鞫.

3월 15일. 朴纘新, 趙東鼎, 申致雲 親鞫不服.

3월 20일. 朴纘新, 南門에 梟示.

3월 30일. 李匡師 富寧 定配.

4월 1일. 영상 이천보 告歸.

4월 4일. 副護軍(종4품) 鄭敾 等 加資(『承政院日記』 1,118책).

6월 19일. 崔天若(1684~1755) 卒(72세, 『承政院日記』 1,120책).

6월 23일. 仁嬪의 上謚 封園을 進賀.

7월 11일. 兪拓基(65세) 領府事.

7월 16일. 李天輔 領相으로 特拜.

秋. 謙齋,〈老松靈芝〉 제작.「乙亥秋日 謙齋八十歲作.」(인천시립박물관 소장).

8월. 謙齋,〈寺門脫蓑〉 제작.「乙亥八月謙齋.」(간송미술관).

9월 11일. 領相 李天輔 肅命.

11월 26일.『闡義昭鑑』 완성. 五處史庫에 分藏.

12월 8일. 大王大妃 望七, 王 過甲으로 加上尊號.

李麟祥(46세),〈海嶽秋月圖〉 제작(『凌壺集』 권4, 書扇箴).〈松下獨坐〉 제작.「元靈醉寫, 甲戌陰後」(石井柏亭舊藏, 『朝鮮古蹟圖譜』 5,957).

朴師海(45세) 文科 급제.

崔北,〈金剛全圖〉 제작.「歲乙亥豪生館 寫贈○○主人 金章仲.」(朴昌薰 旧藏).

謙齋,〈雜畵, 山水, 人物, 木石, 花草〉 제작(『松湖集』 권5, 朴有道所藏 謙齋畵帖跋).

權燮(85세),「對壁中檀杳. 元伯筆」(『玉所稿』 권3).

81세. **英祖 32년 丙子, 乾隆 21년, 1756.**

1월 1일. 王(63세), 尊號 받고 大王大妃 徽號 加上. 王大妃 七旬 및 討逆闡義 陳賀. 尊上都監都提調 以下 賞差.

被罪朝臣敍用, 罪囚放釋. 朝臣 70세 이상 士庶 80세 이상 加資. 副護軍 鄭敾 加資.

謙齋도 壽職으로 同知中樞府事(종2품)에 이르다. 先祖 3代 관직追贈. 관아재도 僉知中樞府事(종3품)로 加資(『承政院日記』 1,127책).

1월 16일. 京華子弟는 讀書와 操弓與否로 取才하며 士族婦女는 加髢를 禁하고 族頭里로 대신하게 하다.

2월 1일. 宋時烈 宋浚吉 文廟從祀를 命하다.

2월 6일. 鄭敾. 同知中樞府事(종2품, 『承政院日記』 1,128책).

2월 14일. 兩宋 文廟從祀.

2월 18일. 領相 李天輔, 左相 金尙魯 罷職.

2월 23일. 宋時烈에게 領相 追贈.

3월 1일. 李天輔, 金尙魯 復職.

4월 24일. 靈城君 朴文秀(1691~1756) 卒(66세).

7월 5일. 王, 養志堂에서 耆社諸臣 및 判府事 兪拓基(66세) 李宗城(65세) 召見. 大王大妃 賜饌. 從容酬酢, 竟夕罷.

7월 7일. 국왕이 60세 이상 文武宗親 거느리고 進賀

7월 8일. 국왕 親臨 耆老科

8월 19일. 耆老諸臣 圖畵하다.

9월 29일. 王, 仁政殿 月臺에 나와 百官 거느리고 表裏를 大王大妃께 드리다. 大王大妃 七旬 誕日 故.

朴師海(46세), 「鄭謙齋敾壽職同樞序」 지음(『蒼巖集』 권8). 「成興本宮松圖記」 「題二老 詩畵, 又跋」 지음(『蒼巖集』 권9).

11월 11일. 峀雲 柳德章(1675~1756) 卒(82세).

82세. **英祖 33년 丁丑, 乾隆 22년, 1757.**

1월 1일. 王(64세), 皇壇에 나아가 望拜禮.

1월 2일. 南有容. 元孫師傅

1월 29일. 王, 皇壇 望拜禮. 仁政殿 月臺에서 거행하다. 丁丑 南漢산성이 떨어진 날이므로 仙源 金尙容 不祧位를 명하다.

2월 13일. 謙齋 易弟子 養梧軒 李顯坤(1713~1757) 卒(45세).

2월 15일. 王妃 徐氏(1692~1757), 昌德宮 觀理閣에서 昇遐(66세). 日城尉 鄭致達 卒.

3월 26일. 大王大妃 慶州金氏(1687~1757), 昌德宮 永慕堂에서 昇遐(71세).

6월 4일. 貞聖王后 達城徐氏 弘陵에 장사 지내다.

7월 12일. 仁元大妃 慶州金氏 明陵에 장사 지내다.

7월 21일. 長湍 敬順王墓를 찾아내서 改封. 승지를 보내 제사 지내다.

7월 23일. 左相 金尙魯(56세) 청으로 모든 都監儀軌 史庫에 分藏하다.

8월 9일. 洪良漢(34세), 『輿地勝覽』의 續成을 奏請. 즉시 거행 명하다. 列邑 邑志 收聚하여 弘文館으로 올려 보내고 읍지가 없는 곳에서는 즉시 編成하여 올려 보낼 것을 命하다.

10월 2일. 宋時烈 墓 遷葬, 승지 보내 致祭.

12월 14일. 中外 婦女 髢髢금지. 後髢로 대신하게 하다. 朝臣 堂下官 時服을 紅色을 쓰지 말고 예대로 靑綠色을 쓰라 하다.

謙齋, 岳隱 辛敏復(1682~1766)에게 〈桃源圖〉 扇子 그려주다. 八十二歲翁作(辛敦復 『鶴山閑言』).

〈聽松堂〉 「八十二歲翁 謙齋」(국립중앙박물관).

趙榮祏(72세), 敦寧都正(정3품 당상).

朴準源(19세), 「謙齋山水圖記」 제작(『錦石集』 권8).

83세. **英祖 34년 戊寅, 乾隆 23년, 1758.**

1월 4일. 月城尉 金漢藎(1720~1758) 卒(39세).

靑布를 燕京에서 貿易해 오는 것을 禁하다. 푸른빛 물들인 木綿으로 代用. 髢髢를 금지하고 궁녀 모양의 簇頭里만 허락하며 무릇 여러 다른 모양은 엄금.

1월 17일. 和順翁主(1720~1758) 卒(39세). 14일 굶어 自盡하다.

2월 15일. 『喪禮補編』 편즙.

7월 8일. 都承旨 南泰會, 王 東宮에게 지나치게 嚴함을 간하다.

8월 12일. 領相 李天輔(61세), 東宮開導, 寬容에 있음을 말하다. 兪拓基(68세) 領相.

8월. 沈師正(52세), 〈倣沈周溪山高居圖〉 제작(국립중앙박물관)

84세. **英祖 35년 己卯, 乾隆 24년, 1759.**

1월 12일. 領府事 李宗城(1692~1759) 卒(68세).

2월 6일. 玉所 權爕(1671~1759, 89세) 卒.

3월 20일. 兪拓基(69세) 領府事.

3월 24일. 謙齋 鄭敾(1676~1759) 卒(84세). 墓 楊州 海等村面 鷄聲里 艮坐合兆.

5월. 趙榮祏(74세), 「謙齋鄭同樞哀辭」 지음(『觀我齋稿』 권4).

朴師錫(47세), 「挽鄭謙齋敾」(『潘南朴氏五世遺稿』 권6, 贊成公) 朴胤源 父.

南有容(62세), 「聞鄭老元伯敾登仙畵家亦絶矣. 爲賦長句」(『雷淵集』 권7).

李匡呂(1720~1783), 「鄭河陽挽詞」(『李參奉集』 권1).

6월 9일. 王(66세), 王妃 三揀擇, 幼學 金漢耉(37세) 女(15세)로 정하다.

6월 22일. 王妃 親迎禮.

10월 15일. 奉朝賀 金在魯(1682~1759) 卒(78세).

겸재 정선 작품 연보

1711년

《신묘년풍악도첩辛卯年楓岳圖帖》 13폭(국립중앙박물관)

1712년

《해악전신첩海嶽傳神帖》 21폭(실전失傳)

1712년

《망천십이경도첩輞川十二景圖帖》(실전失傳)

1716년

〈이광적회방연도李光迪回榜宴圖〉(개인)

1718년

〈북원기로회도北園耆老會圖〉(손창근)

1719년

〈금강산도金剛山圖〉(실전失傳)

1719년

《사시풍경첩四時風景帖》(호림박물관)

1721년

《사시첩四時帖》(실전失傳)

1723년

〈망천도輞川圖〉(실전失傳)

1725년

《해악사경海嶽四景》(실전失傳)

1726년

《영남첩嶺南帖》 6폭(실전失傳)

1728년

〈사직송社稷松〉(고려대학교박물관)

1729년

〈의금부義禁府〉(개인)

1730년경

〈청풍계淸風溪〉(고려대학교박물관)

1731년

〈천년송지도千年松芝圖〉(실전失傳), 〈서교전의西郊餞儀〉(국립중앙박물관)

1732년

〈대관령도大關嶺圖〉(실전失傳)

1734년

〈내연삼용추內延三龍湫〉(국립중앙박물관)

1734년경

〈해인사海印寺〉(국립중앙박물관), 〈금강내산金剛內山〉(고려대학교박물관), 〈쌍계입암雙溪立岩〉, 〈성류굴聖留窟〉, 〈도산서원陶山書院〉(간송미술관)

1737년

《사군첩四郡帖》 6폭(실전失傳)

1737년경

〈단사범주丹砂泛舟〉, 〈한벽루寒碧樓〉(간송미술관)

1738년

〈관동명승첩關東名勝帖〉 11폭(간송미술관), 〈만폭동萬瀑洞〉(실전失傳), 〈절강추도도浙江秋濤圖〉(실전失傳)

1739년

봄 〈청풍계淸風溪〉(간송미술관), 6월 〈옥동척강玉洞陟崗〉(정환국)

1740년

6월 〈삼승정三勝亭〉(정환국), 6월 〈삼승조망三勝眺望〉(호암미술관)

1740년경

〈백악산白岳山〉(간송미술관)

1741년

《경교명승첩京郊名勝帖》 상 〈독서여가讀書餘暇〉, 〈녹운탄綠雲灘〉, 〈독백탄獨栢灘〉, 〈우천牛川〉, 〈석실서원石室書院〉, 〈삼주삼산각三洲三山閣〉, 〈광진廣津〉, 〈송파진松坡津〉, 〈압구정狎鷗亭〉, 〈목멱조돈木覓朝暾〉, 〈안현석봉鞍峴石烽〉, 〈공암층탑孔岩層塔〉, 〈금성평사錦城平沙〉, 〈양화환도楊花喚渡〉, 〈행호관어杏湖觀漁〉, 〈종해청조宗海聽潮〉, 〈소악후월小岳候月〉, 〈설평기려雪坪騎驢〉, 〈빙천부신氷遷負薪〉

《경교명승첩京郊名勝帖》 하 〈은암동록隱巖東麓〉, 〈장안연우長安烟雨〉, 〈개화사開花寺〉, 〈사문탈사寺門脫蓑〉, 〈척재제시惕齋題詩〉, 〈어초문답漁樵問答〉, 〈고산상매孤山賞梅〉, 〈장안연월長安烟月〉(간송미술관)

1741년경

〈금강전도金剛全圖〉, 〈풍악내산총람楓岳內山摠覽〉, 〈자위부과刺蝟負瓜〉, 〈초전용서草田舂黍〉, 〈이수정二水亭〉(간송미술관)

1742년

〈우화등선羽化登船〉(허완구), 〈웅연계람熊淵繫纜〉(허완구)

1742년경

《화훼영모첩花卉翎毛帖》 8폭, 〈송림한선松林寒蟬〉, 〈기려심매騎驢尋梅〉, 〈노송대설老松戴雪〉(간송미술관)

1743년

《영동십승첩嶺東十勝帖》(실전失傳)

1743년경

〈박생연朴生淵〉, 〈고사관란高士觀瀾〉, 〈운송정금雲松停琴〉(간송미술관), 《양천팔경첩陽川八景帖》(김충현)

1744년

〈해악도海嶽圖〉(실전失傳), 《삼청첩三淸帖》 11폭(실전失傳), 〈사천초상槎川肖像〉(실전失傳), 〈사천노촉재도槎川老燭齋圖〉(실전失傳)

1744년경

〈동작진銅雀津〉(박한수)

1745년

1월 〈옹천瓮遷〉, 〈반구盤龜〉(안동권씨종중)

1746년

가을 《퇴우이선생진적첩退尤二先生眞蹟帖》 4폭(이영재)

1746년경

〈임천고암林川鼓岩〉(간송미술관), 〈동문조도東門祖道〉(이화여자대학교박물관), 《금강팔화첩金剛八畵帖》(실전失傳), 《각화과체본첩各畵科體本帖》(안동권씨종중)

1747년

봄 《해악전신첩海嶽傳神帖》 21폭(간송미술관), 《겸재화謙齋畵》 8폭(이학), 〈풍악도楓岳圖〉(실전失傳)

1747년경

〈구담龜潭〉(고려대학교박물관)

1748년

〈해암海嵓〉(실전失傳), 〈삼청동三淸洞〉(실전失傳), 《영모인갑첩翎毛鱗甲帖》(안동권씨종중)

1748년경

〈세검정洗劍亭〉(국립중앙박물관)

1749년

《사공표성시화첩司空表聖詩畵帖》 24폭(국립중앙박물관)

1750년경

〈무송관산撫松觀山〉, 〈여산초당廬山草堂〉, 〈노자출관老子出關〉, 〈고산방학孤山放鶴〉, 〈동정악루洞庭岳樓〉, 〈오류풍월梧柳風月〉, 〈고사관란高士觀瀾〉, 〈송암복호松岩伏虎〉(간송미술관), 《겸재화謙齋畵》(이학) 중 〈염계상련濂溪賞蓮〉 등 8폭, 〈행단고슬杏壇鼓瑟〉, 〈함흥본궁송咸興本宮松〉 등 21폭(독일 성오틸리엔 수도원 소장첩), 〈동리채국東籬採菊〉(국립중앙박물관), 〈유연견남산悠然見南山〉(국립중앙박물관), 〈취성도聚星圖〉(개인), 〈방차만리별업訪車萬里別業〉(개인)

1751년

윤5월 하순 〈인왕제색仁王霽色〉(호암미술관)

1751년경

《경교명승첩京郊名勝帖》 하 〈인곡유거仁谷幽居〉, 〈양천현아陽川縣衙〉, 〈시화환상간詩畵換相看〉, 〈홍관미주虹貫米舟〉, 〈행주일도涬洲一棹〉, 〈창명낭박滄溟浪泊〉(간송미술관)

《관동팔경병關東八景屛》 8폭(간송미술관)

1752년경

〈통천문암通川門岩〉(간송미술관), 〈금강전도金剛全圖〉(호암미술관), 〈비로봉毘盧峰〉(손창근)

1753년경

《장동팔경첩壯洞八景帖》 8폭(간송미술관)

1754년경

《장동팔경첩壯洞八景帖》 8폭(국립중앙박물관), 〈필운상화弼雲賞花〉(개인), 〈경복궁景福宮〉(고려대학교박물관), 〈목멱산木覓山〉(고려대학교박물관), 〈동소문東小門〉(고려대학교박물관), 〈총석정叢石亭〉(고려대학교박물관), 〈혈망봉穴望峰〉(서울대학교박물관)

1755년

〈사문탈사寺門脫蓑〉(간송미술관)

1755년경

〈선객도해仙客渡海〉(국립중앙박물관), 〈노송영지老松靈芝〉(개인), 〈금강대金剛臺〉, 〈정양사正陽寺〉(간송미술관)

1756년

〈함흥본궁송咸興本宮松〉(실전失傳)

1756년경

〈모우도교冒雨渡橋〉, 〈장삽관폭杖鍤觀瀑〉, 〈강진고사江津孤舍〉, 〈강정만조江亭晩眺〉(간송미술관)

1757년

〈청송당聽松堂〉(국립중앙박물관), 〈도원도선면桃源圖扇面〉(실전失傳)

1757년경

《소상팔경瀟湘八景》(간송미술관)

용어해설

가채加彩 : 덧칠
각서刻書 : 글씨를 새김
각자刻字 : 새겨 쓴 글자
간수澗水 : 바위 사이를 흐르는 물
간심看審 : 보고 살핌
감구시感舊詩 : 옛일을 생각하고 감회를 읊는 시
감사일등減死一等 : 죽을죄에서 한 등급을 감함
감식안鑑識眼 : 서화를 감정하여 진위호오眞僞好惡를 식별할 수 있는 안목
감필減筆 : 사물의 형태와 본질을 정확히 파악한 다음 그 형질을 함축한 최소한의 붓질
감필법減筆法 : 감필減筆로 그리는 추상화법. 선종禪宗의 발전으로 당말唐末 오대五代경부터 발전해 온 그림 기법이다.
강비江妃 : 순舜임금의 이비二妃인 아황娥皇과 여영女英. 순임금이 돌아가자 슬피 울다가 상강湘江에 투신하여 아황은 상군湘君이 되고 여영은 부인夫人이 되었다 한다.
강약심천强弱深淺 : 강하고 약함과 깊고 얕음
강유强柔 : 굳셈과 부드러움
강정江亭 : 강가에 세운 정자
객사客舍 : 각 지방관아에서 중앙관리가 왕명을 받들고 내려오면 묵게 하던 집. 대궐 궐闕 자를 쓴 위패를 모셔 놓고 있었다.
거당袪黨 : 당색을 털어 버림
거승居僧 : 살고 있는 승려
거암巨岩 : 큰 바위
거연居然 : 우뚝 솟은 모양
건원릉健元陵 : 조선 태조太祖의 능陵
건장建章 : 삽사駿娑와 건장은 한대漢代에 글 짓는 일을 맡아 보던 선비들이 출사出仕하던 궁궐 이름
건좌손향乾坐巽向 : 서북쪽에 앉아서 동남쪽을 바라봄
건중주褰中洲 : 강변의 의미
격물치지格物致知 : 사물에 직접 부딪혀 보고 앎에 이름
격천분류激濺奔流 : 부딪쳐 부서지며 급히 흐름
겸재준謙齋皴 : 겸재 특유의 예각수직 선묘법
경거京居 : 서울살이
경발기괴미勁拔奇怪美 : 굳세게 빼어나고 기괴한 아름다움
경저京邸 : 서울 집
경적전耕籍田 : 국왕이 농정農政의 시범을 보이기 위해 직접 농사 짓던 논과 밭
경천敬天 : 하늘을 공경함
경덕궁慶德宮 : 경희궁慶熙宮의 본명本名. 현재 서울역사박물관 자리에 있다.
계옥桂玉 : 보배
계적桂籍 : 과거에 급제한 사람들의 명부名簿
고로故老 : 오래 살아 옛일에 밝은 노인
고루거각高樓巨閣 : 높고 큰 다락집
고루대각高樓大閣 : 높고 큰 누각
고송古松 : 오래된 소나무
고수류법高垂柳法 : 가지를 높게 드리우는 버드나무 그림법. 가을 버드나무 그림에 쓴다.
고애高崖 : 높은 낭떠러지
고전장古戰場 : 옛 전쟁터
고절高絶 : 높아서 세상과 단절됨
고패집 : ㄱ자 평면으로 지은 집
곡장曲墻 : 왕릉이나 예장禮葬한 고관의 묘소 뒤에 나지막하게 둘러친 담장
곤면袞冕 : 곤룡포와 면류관
골기骨氣 : 뼈 기운, 뼈처럼 굳센 기운
골기름름骨氣凜凜 : 뼈 기운이 소름 끼치도록 굳세고 당당함
골기삼엄骨氣森嚴 : 뼈 기운이 가득 차서 엄숙함
골기탱천骨氣撑天 : 뼈 기운이 하늘을 찌름
골산骨山 : 뼈대로 이루어진 산, 즉 암산
공거公車 : 글 짓는 일을 맡아 보던 선비들이 출입하던 궁궐의 문 이름
공수工倕 : 황제黃帝 때 조각을 잘하던 장인의 이름
공수拱手 : 공경하는 뜻을 보이기 위해 왼손바닥을 오른손등에 포개어 드는 것
공제公除 : 국상國喪 중에 37일 동안 공무를 중지하고 조의를 표하는 일
공활空闊 : 텅 비어 끝없이 넓음
관곡官穀 : 관청 소유의 곡식
관산關山 : 관문이 있는 산, 국경을 이루는 산, 또는 고향 산
관서款書 : 낙관하며 함께 써 놓은 글
관진關津 : 관문이 되는 나루
광문廣文 : 정건鄭虔의 별호. 당 현종 시대 시서화 삼절로 꼽

히던 문인화가로 광문관廣文館 박사博士를 지냈다. 같은 정씨鄭氏인 데서 정겸재를 지칭하기도 한다.

괴석진목怪石珍木 : 괴상한 돌과 진기한 나무

교력巧歷 : 산수算數에 정통한 사람. 『장자莊子』「제물론齊物論」 참조

9경九卿 : 6조판서와 의정부 좌우참찬 및 한성판윤. 이 9종 직책은 종1품으로 정부조직 서열상 제2위에 해당하므로 정경正卿 또는 구경이라 했다. 3정승은 정1품으로 최고위이므로 이들을 3공公이라 했다.

구양자歐陽子 : 구양수歐陽修의 존칭

구종驅從 : 말 모는 시종, 즉 마부

구주九州 : 온 세상의 땅

구지九地 : 구주九州의 땅, 즉 온 세상의 땅

구초口招 : 죄인이 구두로 자백하는 진술

국문國門 : 도성문

국선國仙 : 화랑花郎

군노軍奴 : 군영에 딸린 종

군산君山 : 동정호 안에 있는 섬

군은여산君恩如山 : 임금의 은혜는 산과 같음

군청색群青色 : 짙은 푸른색

굴경屈勁 : 굳세게 구부러짐

궁륭형穹窿形 : 활이나 무지개처럼 둥글게 휘어 있는 모양

권간權奸 : 권세를 휘두른 간신

권운준卷雲皴 : 새털구름처럼 둥글둥글 말리는 듯한 필선을 중복시켜 바위나 산을 표현해 내는 선묘법. 침식된 해안 바위 등을 표현하는 데 주로 쓴다.

권필倦筆 : 마구 휘두르는 필법

귀부鬼斧 : 귀신의 도끼

규각圭角 : 모서리

극원산법極遠山法 : 지극히 먼 산을 그리는 법

근밀近密 : 몹시 가까움

근원根源 **보장지지**保藏之地 : 근원이 되므로 보호해 지켜 가야 하는 땅

금강산준金剛山皴 : 금강산을 그려 내는 데 알맞는 특유의 예각수직 선묘법

금강주金剛柱 : 금강석으로 만든 기둥

금란金蘭 : 뜻을 같이하는 극진한 우정. 두 사람이 마음을 같이하면 그 날카로움이 쇠를 끊을 수 있고, 마음을 같이하는 말은 그 냄새가 난초와 같다는 『주역』 계사의 내용에서 유래하였다.

금란지교金蘭之交 : 뜻을 같이하는 극진한 우정. 단금斷金 혹은 금란金蘭으로 줄여 쓰기도 한다.

금성철벽金城鐵壁 : 쇠로 만든 견고한 성벽

금성평사錦城平沙 : 금성의 펀펀한 모래펄

금송禁松 : 소나무 벌목을 금함

금수禽獸 : 새와 짐승

기고준초奇高峻峭 : 기이하게 높고 깎아지른 듯함

기관奇觀 : 기이한 경관

기묘명현己卯名賢 : 기묘사화 때 화를 입은 이름난 어진 선비

기삭초발奇削峭拔 : 기이하게 깎아질러 높이 솟아남

기수오묘奇秀奧妙 : 기이하게 빼어나고 심오하고 미묘함

기수초발奇秀峭拔 : 기이하게 빼어나고 높이 치솟음

기심機心 : 권세를 잡으려는 마음

기원祇園 : 불교 최초의 사원인 기원정사祇園精舍. 터를 사기 위한 대금으로 그 터 위에 깔아 덮을 만큼의 금을 주었다는 고사가 있다.

기자묘태奇姿妙態 : 기이하고 신묘한 자태

기책奇策 : 기묘한 계책

기평記評 : 배경 기록과 평론

기화이초奇花異草 : 신기한 꽃과 이상한 풀

깃털 옷羽衣 : 신선이 입는 옷

낙관落款 : 그림이나 글씨에 필자가 스스로 이름을 쓰고 도장을 찍는 일. 음각한 글씨를 관款이라 하므로 본래는 도장을 찍는다는 의미였다.

낙중성사洛中盛事 : 서울 안에서 소문난 일

낙파洛派 : 율곡학파가 인성人性과 물성物性이 같으냐 다르냐를 놓고 의논이 나누어질 때 인성과 물성은 서로 같다는 쪽을 지지한 학파. 주로 서울에 거주하는 이들이 많았으므로 낙파라 했다.

난시준亂柴皴 : 땔나무를 어지럽게 흩어 놓은 것과 같은 필선. 울퉁불퉁한 바위 산봉우리나 바위 절벽의 형상을 표현하는 데 주로 쓴다.

난주蘭洲 : 중국 감숙성 고란현에 있는 황하와 양자강의 발원지

남기嵐氣 : 이내

남석南石 : 신라 때 화랑 영랑永郎의 낭도인 남석행南石行을 일컬음

남찬북적南竄北適 : 남쪽으로 유배되고 북쪽으로 귀양 감

낭료廊寮 : 승려가 거처하는 생활공간. 회랑과 요사의 준말이다. 규모가 전우에 비해 작다.

낭화浪華 : 물보라

내만근수內灣近水 : 내만의 가까운 물

내백호內白虎 : 명당의 서쪽을 막아 주는 안쪽 산줄기

내수무파內水無波 : 안의 물은 파도가 없음

내아內衙 : 관사

내정內庭 : 안뜰

내침來侵 : 쳐들어 옴

노거수老巨樹 : 늙고 큰 나무

녹문鹿門 : 명나라 모곤茅坤(1512~1601)의 별호別號. 『당송팔대가문초唐宋八大家文抄』 164권을 지었다.

녹음방초승화시綠陰芳草勝花時 : 녹음과 아름다운 풀이 꽃을 이기는 시절

논공행상論功行賞 : 공을 따져 상을 줌

농담濃淡 : 짙고 옅음

농담지속濃淡遲速 : 짙고 옅으며 느리고 빠름

농묵濃墨 : 짙은 먹색

농묵부벽찰법濃墨斧劈擦法 : 농묵의 부벽찰법

농환弄丸 : 탄환 쏘는 것

누관樓觀 : 큰 집

누정樓亭 : 누각과 정자

능라綾羅 : 비단

능우수직준稜隅垂直皴 : 모진 수직준

단구丹丘 : 신선세계

단금斷金 : 뜻을 같이하는 극진한 우정. 금란金蘭 참조

담무갈曇無竭 : 뜻으로 번역하면 법기法起가 된다. 『구화엄경舊華嚴經』 권29 보살주처품菩薩主處品에서는 지달산枳怛山에서 담무갈보살이 만이천 보살과 함께 항상 머물며 설법한다 했고, 『신화엄경新華嚴經』 권45 제보살주처품에서는 금강산에서 법기보살이 천이백 보살과 함께 항상 머물며 설법한다 했다.

담묵淡墨 : 옅은 먹색

담묵찰법淡墨擦法 : 담묵의 쇄찰법

담폭潭瀑 : 못과 폭포

당질堂姪 : 오촌 조카

당판아첨唐板牙籤 : 중국판 서적을 일컫는 말. 중국판 서적이 상아꽂이가 달린 책갑冊匣으로 싸여 있으므로 이렇게 불렀다.

대경對景 : 그림의 대상이 되는 경치

대미점大米點 : 남북 송宋 교체기에 문인화가의 대표로 꼽히는 미불米芾(1051~1107)과 미우인米友仁(1074~1151) 부자가 남방의 구름 낀 산을 그리는 독특한 화법을 창안해 내면서 구름 속에 잠긴 먼 산봉우리의 울창한 수목을 표현해 내기 위해 먹점을 반복적으로 찍어 나갔다. 이를 사람들은 미씨 일가가 쓰던 점이라 하여 미점이라 부르게 되었다. 미불의 점은 크고 둥글어 대미점이라 하고, 미우인의 점은 작고 가늘어 소미점이라 한다. 형태의 대소뿐만 아니라 부자관계이므로 당연히 미불은 대미, 미우인은 소미로 불러야 한다.

대부벽준법大斧劈皴法 : 도끼로 쪼개 낸 단면 같은 필선을 구사하여 산의 형상을 이루어 가는 선묘법. 규모가 작은 것을 소부벽, 큰 것을 대부벽이라 한다. 암산 절벽을 나타낼 때 주로 사용된다.

대액大額 : 큰 액자

대횡점大橫點 : 크게 가로로 찍은 점

도경圖經 : 그림책

도리산桃李山 : 청하 봉수대가 있는 산

도색塗色 : 색칠

도서회逃暑會 : 피서회의 다른 이름

독서당讀書堂 : 젊고 총명한 관리에게 휴가를 주어 독서하게 하던 집. 조선 세종 8년(1426)에 처음 두기 시작했다.

돈대墩臺 : 조금 높직한 평지

돌기突起 : 불쑥 솟아남

동심지우同心之友 : 마음을 같이하는 벗

동어凍魚 : 중간치 숭어 새끼

동유同遊 : 함께 노님

동정호洞庭湖 : 중국 호남성 악양현 서쪽에 있는 중국 제일의 담수호

동주東州 : 철원의 딴 이름

동학洞壑 : 산골짜기

동헌東軒 : 지방 수령의 집무소

동화東華 : 동쪽의 중화中華, 곧 우리나라

둔예鈍銳 : 둔중함과 예리함

등라藤蘿 : 등나무나 그와 같은 덩굴식물

등롱초燈籠草 : 꽈리

마제잠두馬蹄蠶頭 : 말 발굽과 누에 머리

마하연동남망摩訶衍東南望 : 마하연에서 동남쪽을 바라봄

마힐摩詰 : 중국 남종문인화의 시조로 추앙받는 당나라 화가 왕유王維(699~759)의 자字. 시·서·화 삼절로 꼽히며, 진사 출

신으로 벼슬은 상서우승尙書右丞에 이르렀다.

마힐옹摩詰翁 : 마힐의 존칭

막객幕客 : 수행하는 부하 관료

만동묘萬東廟 : 충북 괴산군 청천면 화양리에 있던 사당. 율곡학파의 제3대 수장인 우암尤庵 송시열宋時烈이 주동이 되어 명나라 신종神宗과 의종毅宗의 위패를 모시고 제사지내기 위해 지었다. 조선이 중화문화의 계승자임을 표방하여 조선중화주의를 천명하려는 수단이었다. 만류필동萬流必東, 즉 만 갈래 물길은 반드시 동쪽으로 흐른다는 의미를 담은 이름이다.

망양望洋 : 대양을 바라봄

망우亡友 : 죽은 벗

망천도輞川圖 : 왕유王維가 망천輞川에 은거하면서 자신이 살고 있는 망천의 아름다움을 그려 낸 그림. 왕유의 대표작이다.

매처학자梅妻鶴子 : 매화를 처로 삼고 학을 아들로 삼음. 송나라 은일인 고산孤山 임포林逋(967~1028)가 이와 같은 생활을 했다.

매학생애梅鶴生涯 : 매화와 학의 생애

매화자賣畵者 : 그림을 판 사람

맥파麥波 : 보리가 만들어 내는 파도

명구승경名區勝景 : 이름난 지역의 빼어난 경치

명당明堂 : 좋은 터

명리名利 : 명예와 이익

명사鳴沙 : 우는 모래. 밟으면 '뽀드득뽀드득' 소리가 난다.

명산거찰名山巨刹 : 이름난 산의 큰 사찰

모악母岳 : 어미산

몰골묘沒骨描 : 윤곽선을 그리지 않고 수묵이나 채색으로 직접 대상을 그려 내는 묘사법

몰골훈염법沒骨暈染法 : 윤곽 없는 우림법

묘수妙手 : 신묘한 수법

묘용妙用 : 신묘한 쓰임

묘용처妙用處 : 신묘한 쓰임새가 있는 곳

무이산武夷山 : 주자朱子가 은거隱居하며 강학講學하던 곳

묵골墨骨 : 먹색 골격

묵묘墨描 : 붓으로 칠하는 먹칠법으로 그려 내는 방법

묵법墨法 : 먹칠하는 법

묵법임리墨法淋漓 : 먹 쓰는 법이 물이 뚝뚝 떨어질 듯 흥건함

묵찰법墨擦法 : 붓을 뉘어 쓸어내리는 먹칠법. 쇄찰법과 같은 말이다.

문기文氣 : 문사의 기풍

문액門額 : 문에 거는 현판

문외출송門外出送 : 도성의 문밖으로 쫓아 보냄

문인재자文人才子 : 문인이나 재주 있는 사람

문인화文人畵 : 문인들이 고답적인 정신세계를 표출해 낸 그림

문정門庭 : 문 앞의 뜰

문주文酒 : 글과 술

문학재망文學才望 : 문장과 학문의 재주와 명망

미가송법米家松法 : 미불米芾 일가 특유의 소나무 그림법. 발묵과 파묵법을 함께 구사하여 짙고 옅은 큰 먹점으로 소나무의 잎과 가지를 상징하고 한 붓으로 쳐 낸 굵은 먹선으로 둥치를 그려 내는 기법이다.

미가운산법米家雲山法 : 북송대 미불米芾과 미우인米友仁 부자는 문인화가로서 항상 구름 속에 잠겨 있는 남중국 산천을 표현하는 데 알맞는 산수화법을 창안해 냈다. 산의 중허리 대부분을 표현하지 않아 구름에 잠긴 듯하게 하고 산봉우리 위에 드러난 울창한 수림은 미점米點으로 불리는 타원형 점들을 거듭 찍어 이를 상징했다. 이를 만든 미씨 일가의 구름산 그리는 법이라 하여 미가운산법으로 일컫는다.

미가운산식토산법米家雲山式土山法 : 미가운산식으로 그려 낸 흙산 그림법

미가편점수법米家扁點樹法 : 미불米芾과 미우인米友仁 부자가 구름에 잠긴 산을 그릴 때 가까운 나무나 큰 나무를 그리면서 가로로 긴 대담한 먹점을 층층이 쌓아 올리고 나무둥치를 죽죽 그어 내리는 나무 그림법을 주로 썼으므로 이를 미가편점수법이라 한다.

미점米點 : 남북 송宋 교체기에 문인화가의 대표로 꼽히는 미불米芾(1051~1107)과 미우인米友仁(1074~1151) 부자가 남방의 구름 낀 산을 그리는 독특한 화법을 창안해 내면서 구름 속에 잠긴 먼 산봉우리의 울창한 수목을 표현해 내기 위해 먹점을 반복적으로 찍어 나갔다. 이를 사람들은 미씨 일가가 쓰던 점이라 하여 미점이라 부르게 되었다. 미불의 점은 크고 둥글어 대미점이라 하고, 미우인의 점은 작고 가늘어 소미점이라 한다. 형태의 대소뿐만 아니라 부자관계이므로 당연히 미불은 대미, 미우인은 소미로 불러야 한다.

밀죽법密竹法 : 빽빽한 대숲을 그려 내듯 그리는 법

박고호학博古好學 : 옛 것을 많이 알고 학문을 좋아함

박진迫眞 : 진실에 가까움

반악潘岳 : 247~300. 진晋 하양령河陽令. 치적을 부지런히 하고 현 안에 복숭아, 오얏나무를 가득 심었다. 미남으로 문사文詞가 뛰어났었다.

발명發明 : 경전과 역사의 뜻을 깨달아 밝힘

발묵潑墨 : 먹물을 흥건하게 찍어 발라서 번지는 효과로 분위기를 표현해 내는 먹칠법

발묵법潑墨法 : 먹물을 흥건하게 찍어 발라서 번지는 효과로 분위기를 표현해 내는 먹칠법

발연勃然 : 불끈 성내는 모양

발행發行 : 출발해 감

방광대放光臺 : 빛을 놓는 대

방작仿作 : 본떠 그린 그림

방형백문인장方形白文印章 : 네모지며 흰 글씨가 쓰여진 인장

배롱焙籠 : 화로에 씌워 놓고 옷을 말리는 대나무 틀

배재拜岾 : 절 고개

배포配布 : 그림의 내용을 적당히 나누어 펼쳐 놓음

백문白文 : 흰 글씨

백문인장白文印章 : 글씨가 희게 나오도록 찍은 인장

백부용白芙蓉 : 흰 연꽃

백악사단白岳詞壇 : 진경문화를 이끌어 나갔던 중추 문화인 집단. 율곡학파가 백악산 아래인 순화방順和坊 장동壯洞 일대에 주로 거주하며 문필활동을 전개하였으므로 이렇게 불리었다.

백연자하白煙紫霞 : 흰 안개와 붉은 노을

범전梵殿 : 사찰 건물을 가리키는 말. 깨끗하게 수행하는 무리인 범중梵衆, 즉 승려들이 사는 전각이란 의미이다.

법고창신法古創新 : 옛 것을 바탕삼아 새 것을 창조함

벽색碧色 : 물빛처럼 투명하게 푸른 빛

벽서壁書 : 벽보

별서別墅 : 별장

별첩別帖 : 다른 화첩

병장屛障 : 병풍

복수설치復讐雪恥 : 복수하여 부끄러움을 씻음

복호도伏虎圖 : 길들인 호랑이 그림

봉군봉작封君封爵 : 공신에게 군호君號와 작위爵位를 내려줌

봉래풍악蓬萊楓嶽 **원화동천**元化洞天 : 봉래산, 풍악산은 원래 조화로 이루어진 별천지이다.

봉선奉先 : 선조를 받듦

봉수대烽燧臺 : 봉홧불을 올리는 높은 대

봉초捧招 : 구두로 진술을 받음

방광대放光臺 : 빛을 놓는 대

부감俯瞰 : 위에서 아래를 내려다봄

부감법俯瞰法 : 높은 곳에서 낮은 곳을 내려다보는 시각으로 사물을 그려 내는 화법

부관참시剖棺斬屍 : 관을 깨뜨리고 시신을 참수함

부들갓蒻笠 : 어부漁夫나 초부樵夫가 쓰는 갓

부벽준斧劈皴 : 도끼로 쪼갠 단면 같은 필선. 규모가 작은 것을 소부벽, 큰 것을 대부벽이라 한다. 암산 절벽을 나타낼 때 주로 쓴다.

부벽찰법斧劈擦法 : 도끼로 쪼갠 단면처럼 수직으로 보이도록 붓으로 쓸어내려 절벽을 나타내는 먹칠법

부선억악扶善抑惡 : 선을 붙들고 악을 억제함

부아악負兒岳 : 애 업은 산

부흔준斧痕皴 : 도끼 자국과 같은 선. 울퉁불퉁한 절벽을 그리는 데 주로 쓴다.

북산이문北山移文 : 남제南齊 공치규孔稚圭가 지은 글. 주옹周顒이 회계군會稽郡 북쪽에 있는 종산鍾山(북산北山)에 은거해 살았는데 뒤에 황제의 조서를 받고 해염현령海鹽縣令이 되어 이 산을 지나가고자 하니 공치규가 비루하게 생각하여 산신령의 뜻을 빌어 이문移文(공문公文)을 보내어 다시 오지 못하게 한 데서 유래하였다.

불치수령不治守令 : 잘못 다스린 수령

비답批答 : 상소문에 대한 임금의 대답

비조鼻祖 : 처음 시작한 조상. 시조 또는 원조

사구沙丘 : 모래언덕

사마시司馬試 : 소과

사묘의주私墓議註 : 영조의 사친私親, 즉 생모인 숙빈淑嬪 최씨崔氏의 묘소제도에 대해 의논한 기록

사수泗水 : 공자孔子가 강학전도講學傳道하던 곳

사액賜額 : 임금이 현액, 즉 현판을 직접 내려줌

사영시思潁詩 : 은거를 생각하는 시

사진寫眞 : 대상의 외면 형상은 물론 내면 정신까지 사생하는 그림법

삭탈관작削奪官爵 : 벼슬과 작위를 빼앗음

산거刪去 : 깎아 버림

산림山林 : 덕망과 학식이 높으나 벼슬길에 나가지 않고 산림에 묻혀 학문 연구와 제자 양성에만 몰두하는 선비

산세온유山勢溫柔 : 산의 형세가 따뜻하고 부드러움

산포散逋 : 은둔자

삽포 : 작은 삽날을 긴 자루 끝에 박아서 만든 일종의 농기구. 지팡이로도 겸용한다.

삼경三逕 : 은사隱士의 집으로 오르는 세 길. 한나라 은사 장후藏詡의 집 뜰에는 집으로 오르는 좁은 길이 셋 있었다.

삼일정동망三日亭東望 : 삼일정에서 동쪽을 바라봄

삼종숙三從叔 : 9촌 아저씨

삽상颯爽 : 바람 소리가 시원함

삽상청징颯爽清澄 : 시원하고 해맑음

상商 : 쇳소리. 궁宮, 상商, 각角, 치徵, 우羽의 5음 중 하나.

상악준霜鍔皴 : 서릿발처럼 끝을 모지고 날카롭게 꺾어 내려 바위산을 이루어 내는 선묘법. 주로 수직 암봉의 표현에 쓴다.

상악형霜鰐形 : 서릿발 모양

상전벽해桑田碧海 : 뽕나무 밭이 푸른 바다가 됨

상화회賞花會 : 꽃을 감상하는 모임

서랑婿郎 : 사위

서사筮仕 : 처음 벼슬에 나감

서안書案 : 책상

서정참청庶政參聽 : 정치에 참여하여 함께 처리함

서족점법鼠足點法 : 나무 잎새나 이끼 등을 쥐 발자국 모양의 점으로 그려 내는 법

석간수石澗水 : 돌 틈으로 흐르는 물

석기石磯 : 돌무더기

석제石梯 : 돌계단

석주고루石柱高樓 : 돌기둥 위에 세운 높은 누각

석호潟湖 : 파도가 모랫둑을 만들어 내 생긴 호수

선기도禪機圖 : 선승들이 깨달은 상황을 표출해 낸 그림

선도仙徒 : 신선 무리

선세先世 : 7대조 임홍망任弘望(1635~1715). 우암 문인으로 벼슬이 도승지, 지중추에 이르렀다. 시호는 정효貞孝다.

선염渲染 : 먹이나 채색을 물에 타 번져 나가게 함으로써 홍건한 분위기를 표출해 내는 채색법

설악도인雪嶽道人 : 삼연 김창흡의 별호. 김창흡이 설악산에 영시암永矢庵을 짓고 은거한 데서 붙은 이름이다.

섭천涉川 : 내를 건넘

세각細刻 : 섬세한 조각

세거지지世居之地 : 대물려 사는 땅

세검입의洗劍立義 : 칼을 씻어 정의를 세움

세계世交 : 집안끼리 대를 물려 가며 서로 사귐. 이 경우 交를 '계'로 읽는다.

세교世敎 : 대물려 내려오는 가르침

세어稅魚 : 공물로 바쳐야 할 웅어, 황복 등

세장世藏 : 대를 물려 소장함

세주細註 : 잔글씨로 쓰여진 주

세화細畵 : 작은 그림

소부벽준법小斧劈皴法 : 도끼로 쪼갠 단면 같은 필선을 구사하여 산의 형상을 이루어 가는 선묘법. 규모가 작은 것을 소부벽, 큰 것을 대부벽이라 한다. 수직의 암산 절벽을 나타낼 때 주로 쓴다.

소식蔬食 : 채소 반찬으로 밥 먹음

소종래所從來 : 좇아 내려온 바. 내력

속가俗駕 : 속인이 타는 기구. 말이나 나귀, 가마, 남여 따위

속자俗子 : 세속 사람

속필速筆 : 빠른 붓질

송도풍뢰松濤風籟 : 소나무 물결에 이는 바람 소리라는 의미로 소나무숲이 바람을 만나 파도치는 듯한 소리를 내는 현상을 일컫는다.

송뢰松籟 : 솔바람 소리

송린松鱗 : 비늘처럼 생긴 소나무껍데기

쇄찰법刷擦法 : 붓을 뉘어 쓸어내리는 먹칠법. 주로 벼랑 바위의 매끄러운 표면이나 수직 단면의 표현에 쓴다.

쇠젓대鐵笛 : 쇠로 만든 피리. 주자朱子의 「철적정시서鐵笛亭詩序」에 의하면, 시랑侍郎 호명중胡明仲이 일찍이 무이산武夷山 은자隱者 유겸도劉兼道와 놀았는데 유겸도가 철적을 잘 불어서 구름을 뚫고 바위를 깨는 소리를 냈다 했으니, 오가철적吳家鐵笛은 유가철적劉家鐵笛의 잘못인 듯하다.

쇠패衰敗 : 노쇠하여 쪼그라듦

수광水光 : 물빛

수묵手墨 : 손수 남긴 묵적, 즉 친필

수묵훈염법水墨暈染法 : 햇무리나 달무리 지듯 물에 먹이나 채색을 약간 섞어 우려내는 설채법. 주로 안개나 달빛 등 은은한 분위기 표현에 사용하는 기법이다.

수미산須彌山 : 우주 중앙에 솟아 있다는 산. 불교의 우주관으로 일컫는 말이다.

수법樹法 : 나무 그림법

수선조水仙操 : 춘추시대春秋時代 백아伯牙가 지었다는 금곡琴曲

수윤水潤 : 붓으로 물칠만 하는 우림법

수장收粧 : 거두어 꾸며 놓음
수조점水藻點 : 물속의 말처럼 솔가지 형태로 표현한 점
수죽脩竹 : 살대
수직쇄찰법垂直刷擦法 : 수직으로 쓸어내리는 먹칠법
수진궁壽進宮 : 후사가 없는 후궁들의 위패를 모신 곳
수파문水波文 : 물결무늬
수해樹海 : 나무숲이 바다처럼 펼쳐진 모양을 일컫는 말
순숙醇熟 : 순박하고 익숙함
승경勝景 : 빼어난 경치
승교繩交 : 노끈을 꼼
시정詩情 : 시로 나타내려는 정취
시종侍從 : 모시고 따라감
시종詩宗 : 시단詩團의 우두머리
시중화詩中畵 : 시 속의 그림. 북송의 대문호인 동파東坡 소식蘇軾이 왕유의 시와 그림을 극찬하여 "시 속에 그림이 있고 그림 속에 시가 있다." 고 한 데서 따온 말이다.
시찰詩札 : 시로 쓴 편지
시화詩話 : 시에 얽힌 이야기
시화詩畵 : 시와 그림
시화쌍벽詩畵雙璧 : 한 쌍의 벽옥처럼 시와 그림 쪽을 대표하는 양대 거장
시화환상간詩畵換相看 : 시와 그림을 서로 바꿔 봄
신기蜃氣 : 이무기의 기운. 이 기운을 토해 내면 신기루가 생긴다 한다.
신기루蜃氣樓 : 바다나 사막에 나타나는 허상의 누각. 이무기가 신기를 토해 내면 이루어진다 하여 이런 이름을 붙였으나 대기의 밀도에 이상이 생겨 광선의 굴절현상으로 나타나게 된다고 한다.
신심여수臣心如水 : 신하의 마음은 물과 같음
실사實寫 : 실물을 그려 냄
심수상응心手相應 : 손과 마음이 서로 응함
심벌心罰 : 마음으로 내리는 벌
심원법深遠法 : 높은 곳에서 낮은 곳을 내려다볼 때 생기는 원근감으로 그리는 그림법. 동양화 삼원법三遠法 중 하나이다.
심천深淺 : 깊고 얕음
쌍송雙松 : 두 그루의 소나무
아경亞卿 : 종2품의 6조참판과 한성좌·우윤
아회雅會 : 문인文人 묵객墨客들의 아취雅趣 있는 모임
안락좌安樂坐 : 한 손은 바닥을 짚고 한 다리는 길게 뻗어 편안한 자세로 앉은 앉음새
안릉安陵 : 재령載寧의 별호
안문재雁門岾 : 안문점雁門岾 혹은 내수점內水岾이라고 쓴다. 소리와 뜻을 취한 한자 표기의 차이다.
안삭安朔 : 삭녕 별호
안산案山 : 명당의 앞산. 책상과 같은 산이란 의미이다.
안책岸幘 : 관冠의 일종인 책幘을 젖혀 이마를 드러내는 것으로 파탈擺脫을 의미
안탕산雁蕩山 : 중국 절강성에 있는 명산
암두巖頭 : 바위 끝
압구정狎鷗亭 : 갈매기와 가까이 사귀는 정자
앙두점仰頭點 : 붓끝을 옆으로 끌되 머리 부분이 위로 들리도록 엇비슷하게 쳐 낸 점
애상碍傷 : 서로 막아 다치게 함
약야계若耶溪 : 중국 절강성 소흥현 약야산 아래 있는 시내. 월나라 미인 서시西施가 깁을 빨았던 곳이라 한다. 경치 좋은 명승지를 뜻한다.
양양洋洋 : 한없이 넓은 모양
양원음근陽遠陰近 : 양이 멀고 음이 가까움
어영청御營廳 : 인조仁祖 이후 서울 도성의 수비를 맡고 있던 군영
억사抑奢 : 사치를 억제함
여산廬山 : 중국 강서성 북부에 있는 명산. 주周 정왕定王(서기전 606~586) 때에 현자 광속匡俗이 초당을 짓고 은거하다 신선이 되어 떠나고 빈 집만 남았으므로 광려산匡廬山 혹은 광산, 여산으로 불린다.
여정汝精 : 윤치尹治(1681~1729)의 자字. 해숭위海崇尉 윤신지尹新之의 서증손으로 이천보의 7촌 척숙에 해당한다.
여환餘歡 : 남은 기쁨
연광정練光亭 : 평양에 있는 조선시대의 정자
연사燕使 : 북경 가는 사신
연수煙樹 : 안개에 잠긴 수풀
연시례延諡禮 : 시호를 맞이하는 의례
연집풍류讌集風流 : 잔치하며 모여 노는 풍류
연파烟波 : 안개나 아지랑이가 낀 수면에서 일어나는 아득한 물결
연하煙霞 : 안개와 놀
영빈潁濱 : 북송의 대문장가 소철蘇轍의 호
영외嶺外 : 태백준령 밖, 즉 영남

예각수직준법銳角垂直皴法 : 날카롭고 모진 수직 선묘법

예성蘂城 : 충주忠州의 별호

오도자吳道子 : ?~792. 8세기 중반에 활동한 당나라 명화가. 산수·인물 등 모든 화과畵科에 뛰어났으며, 특히 불화를 잘 그렸다고 한다. 이름은 도현道玄, 자字가 도자道子이다.

오류五柳 : 다섯 그루의 버드나무. 도연명이 율리栗里에 은거하면서 집 앞에 오류를 심었다 한다. 그래서 오류선생이라는 별호를 가지게 되었다.

오류선생五柳先生 : 도연명의 별호別號

오마五馬 : 다섯 말. 태수가 타는 수레는 오마五馬가 끈다.

오석황류烏石黃流 : 중국 황하黃河의 용문龍門 절경을 일컫는 말. 용문의 바위 색깔은 검고 황하의 물빛은 누렇다.

오호五湖 : 태호太湖의 별칭. 출입하는 길이 다섯이라 오호라 한다.

옥류玉流 : 옥 같은 시내

옹가甕家 : 무덤을 만들 때 햇빛이나 눈비를 막으려고 무덤 위에 임시로 짓는 가건물

와권준渦卷皴 : 소용돌이 모양의 필선. 물에 씻긴 바위 등을 표현해 내는 데 주로 쓴다.

와옥瓦屋 : 기와집

와운준渦雲皴 : 뭉게구름이 뭉실뭉실 소용돌이치며 일어나듯 하는 모양의 필선을 거듭하여 산봉우리를 표현해 내는 선묘법

와유臥遊 : 누워서 노님

완계사浣溪沙 : 당唐나라 시대의 교방곡敎坊曲 이름

완소緩少 : 온건소론

왕교王喬 : 주周 영왕靈王의 태자. 교喬가 직간을 하다가 폐서자가 된 다음 신선이 되어 백학을 타고 다녔다고 한다.

왕기王氣 : 왕이 될 기운

외구外舅 : 장인丈人

외삼문外三門 : 관청이나 대갓집의 대문. 세 쪽문으로 되어 있으므로 삼문이라 한다.

요구堯韭 : 산부추

요진要津 : 중요 나루

용묵법用墨法 : 먹 쓰는 법

용상龍象 : 덕이 높고 학문이 뛰어나서 우두머리 급 인물이 될 만한 사람을 일컫는 말

용출湧出 : 솟아 나옴

용필법用筆法 : 붓 쓰는 법

우羽 : 물소리. 5음 중 하나

우유優遊 : 편안하게 마음대로 노닒

운두준雲頭皴 : 뭉게뭉게 일어나는 구름머리 모양의 둥근 필선. 산봉우리나 바위 형상을 표현해 내는 데 주로 쓴다.

운림雲林 : 구름에 잠긴 숲

운문雲文 : 구름무늬

운문단雲紋緞 : 구름무늬를 넣어 짠 비단

운어韻語 : 시구

운중해도법雲中海島法 : 구름 속에 잠긴 섬을 그리는 법

운필運筆 : 붓놀림

운향芸香 : 향초의 하나. 책 속에 넣으면 좀먹지 않아 글 읽는 선비들이 항상 책 속에 지니고 다녔다.

웅자雄姿 : 크고 아름답고 씩씩한 모양

웅혼장대雄渾壯大 : 굳세고 듬직하며 씩씩하고 매우 큼

웅혼장쾌雄渾壯快 : 굳세고 듬직하며 씩씩하고 통쾌함

원송법遠松法 : 먼 산 소나무를 그리는 법. 옆으로 긴 미점米點을 쓰기도 하고 못 끝을 거꾸로 세워 놓은 듯한 첨두점尖頭點을 쓰기도 하는 등 여러 가지 방법이 있다.

월야선유도月夜船遊圖 : 달밤에 뱃놀이하는 그림

위남渭南 : 북송北宋 대시인 방옹放翁 육유陸游의 별호. 만년晩年에 위남백渭南伯에 봉해졌기 때문에 붙은 이름이다. 『위남문집渭南文集』 50권이 있다.

위민爲民 : 백성을 위함

위항시인委巷詩人 : 조선 후기 진경시대부터 출현하는 중인中人 출신 시인. 위항은 거리 또는 골목, 마을이라는 뜻이다.

유객遊客 : 놀러 온 손님

유수幽邃 : 깊고 그윽함

유수문流水文 : 흐르는 물결무늬

유수통활幽邃洞闊 : 그윽하고 깊으나 앞이 툭 터져 넓음

유식遊息 : 교유와 휴식

유운상流雲狀 : 흘러가는 구름 모양

유유悠悠 : 아득한 모양

유주柳州 : 당나라 유종원柳宗元(773~819)의 별호別號. 유주자사柳州刺史를 지낸 데서 유래되었다. 당송팔대가의 한 사람이다.

육담시肉談詩 : 품격이 낮은 저속한 내용의 시

육산肉山 : 살집으로 이루어진 산, 즉 토산

육정六丁 : 육갑六甲 중 정신丁神. 도교신. 육정음신六丁陰神

윤여輪輿 : 바퀴 달린 상여

율곡학파栗谷學派 : 율곡 이이李珥의 이기일원론理氣一元論을 신봉하는 학파
융마戎馬 : 군마, 군대
은성옥벽銀城玉壁 : 은으로 만든 성과 옥으로 만든 벽
은일隱逸 : 학문 연구에 전념하기 위해 세상을 피해 사는 학자
은파銀波 : 은빛 파도
읍례揖禮 : 공수한 손을 이마 근처까지 들고 허리를 앞으로 깊이 굽혔다가 펴면서 내리는 인사 예절. 주로 평교 간에 행하며 노상에서는 윗사람에게 행한다.
응진應眞 : 부처님의 제자인 아라한의 뜻 번역. 짚고 다니는 석장錫杖을 타고 날아다닌 이야기가 불경에 많이 보인다.
의발衣鉢 : 법맥 또는 학맥의 정통을 상징하는 말. 불교에서는 교조 석가모니 이래 대를 물릴 만한 으뜸가는 제자에게 법을 전해 줄 때 이 사실을 믿도록 하는 증거물로 석가모니가 입고 쓰던 가사와 발우를 대대로 전해 준 데서 유래하였다.
이기移記 : 옮겨 적음
이루離婁 : 황제黃帝 때 사람. 눈이 밝아 백보 밖의 추호秋毫라도 찾아냈다. 『맹자孟子』「이루離婁」 상上 참조
인통함원忍痛含怨 : 고통을 참으면서 원한을 품고 살아감
일가경一佳景 : 하나의 아름다운 경치
일국성一局性 : 하나에 국한되는 성질
일모日暮 : 해저묾
일보일식一步一息 : 한 걸음 걷고 한 번 쉼
일찰一札 : 한 장의 편지
일필휘지一筆揮之 : 한 번 댄 붓으로 휘둘러 그려 냄
임리淋漓 : 물이 뚝뚝 떨어질 듯 흥건함
입승대통入承大統 : 사가私家에서 성장한 왕손이 국왕의 양자가 되어 궁으로 들어와 대통, 즉 왕통을 이음
자마하연북망自摩訶衍北望 : 마하연에서 북쪽을 바라봄
자성慈聖 : 왕비
자손세장지지子孫世葬之地 : 자손 대대로 장사 지내는 땅
자송점刺松點 : 소나무 잎을 반원 형태로 위만 보게 표현하여 찌를 듯한 모습을 나타내는 솔잎 표현법. 주로 늙은 소나무를 그릴 때 사용한다.
자화경自畵景 : 스스로의 생활모습을 그린 진경
작첩자作帖者 : 화첩을 꾸민 사람
작화作畵 : 그림을 그림
잠저潛邸 : 임금이 등극하기 전에 살던 집
잡수雜樹 : 여러 종류의 나무. 소나무 이외의 나무를 총칭하는 말이다.
장건웅혼壯健雄渾 : 씩씩하고 굳세며 사내답고 큼직함
장동墻東 : 경복궁 담장 동쪽. 지금 사간동 근처인 듯하다.
장림고목長林古木 : 큰 나무숲과 늙은 나무
장부벽준長斧劈皴 : 부벽준을 길게 쳐 내린 선묘법. 금강산처럼 드높은 수직 골봉 표현에 주로 쓴다.
장신將臣 : 장군 직책을 맡고 있는 신하
장안사동북망長安寺東北望 : 장안사에서 동북쪽을 바라봄
장원유심長遠幽深 : 길고 멀며 그윽하고 깊음
장토庄土 : 전장과 토지
재사再寫 : 다시 베낌
재차무역在此無斁 : 이에 있어서 싫어함이 없음
재피무오在彼無惡 : 저에 있어서 미워함이 없음
재혈裁穴 : 혈을 마련함
적자嫡子 : 정처 소생 아들
적자賊子 : 불충불효한 아들
적장자손嫡長子孫 : 정처 소생 장자 계통의 자손
적취摘取 : 따냄
전당호錢塘湖 : 중국 절강성 항주에 있는 호수. 경치 좋은 명승지이다.
전신傳神 : 실제 모습을 그 정신까지 그리는 것. 초상화나 진경 사생이 모두 이에 포함된다.
전우殿宇 : 신불이 모셔진 큰 집. 전각과 당우의 준말이다.
전인廛人 : 전방인
절대준折帶皴 : 시루떡을 썰어 떡판에 고여 놓은 것처럼 바위 단면을 켜켜로 쌓아 올린 듯 표현하여 암벽을 이루어 내는 선묘법. 이런 형태의 형상을 짓고 있는 바위 절벽 표현에 주로 쓴다.
절치부심切齒腐心 : 몹시 분하여 이를 갈며 마음 아파함
점묘點描 : 부분 묘사
점채點彩 : 점을 찍듯 어느 부분만 채색함
접천接天 : 하늘과 맞닿음
정건鄭虔 : 당 현종 시대 시서화詩書畵 삼절三絶로 꼽히던 문인화가. 산수화와 물고기 그림에 능했다. 후정건後鄭虔이라 함은 정선鄭敾을 일컫는 말이다.
정경正卿 : 정2품의 좌우참찬, 6조판서, 한성판윤
정례頂禮 : 이마가 땅에 닿도록 엎드려 절하는 예절. 극진한 공경을 표시할 때 행한다.
정왕시定王時 : 서기전 606~586, 무왕시武王時(서기전 1122~

1115)라고도 한다.

정조精粗 : 정밀함과 조잡함

정충대절精忠大節 : 대가를 바라지 않는 순수한 충정과 큰 절개

정효旌孝 : 효자에게 정려문을 세워 줌

제발題跋 : 그림의 앞이나 뒤에 붙이는 글

제사題詞 : 그림의 감흥을 돋우기 위해 그림에 붙이는 글

제운題韻 : 제화시

제접提接 : 이끌며 가르침

제찬題讚 : 문에 작품을 칭찬하는 글

제화시題畵詩 : 그림의 감흥을 돋우기 위해 그림에 붙이는 시. 제시라고 줄여 부르기도 한다.

조고祖考 : 돌아간 조부

조도잔鳥道棧 : 새길 사다리

조밀粗密 : 거친 것과 세밀함

조방粗放 : 거칠고 거리낌 없음

조산祖山 : 풍수설에서 명당의 근원이 되는 시조 산

조석간만潮汐干滿 : 아침저녁으로 나갔다 들어오는 밀물과 썰물

조선성리학朝鮮性理學 : 율곡 이이가 주자성리학의 이기이원론理氣二元論을 이기일원론理氣一元論으로 심화 발전시켜 이루어 낸 조선 고유의 성리학 이념. 인조반정(1623) 이후 250여 년 동안 후기 조선의 주도 이념이 되어 고유색 짙은 진경문화를 이루어 냈다.

조선중화주의朝鮮中華主義 : 조선이 곧 중화문화의 정당한 계승자이며 그 주체라고 생각하는 주장

조신朝臣 : 조정 신하

조요照耀 : 빛이 내리비쳐 반짝반짝 빛남

조운모우朝雲暮雨 : 아침 구름 저녁 비

조패凋敗 : 시들어 무너짐

조포사造泡寺 : 왕릉 원찰을 일컫는 말. 두부 만드는 절이란 의미이다.

족질族侄 : 같은 성을 쓰는 일가의 조카뻘 되는 사람

종각宗慤 : 남조南朝 송宋 때 임읍林邑, 즉 지금의 베트남과 캄보디아를 정복한 대장군. 어려서 그 뜻을 묻자 '바람 타고 만 리 파도를 헤치고 싶다願乘長風 破萬里浪'고 했다.

종백宗伯 : 우두머리

종자기鍾子期 : 중국 춘추시대에 거문고의 명인 백아伯牙가 거문고를 타면 이를 잘 들어 줄 줄 알던 절친한 벗. 『열자列子』 탕문湯問 참조

종장宗匠 : 우두머리

종제從弟 : 사촌 아우

종주宗主 : 우두머리

종해宗海 : 우두머리 바다

좌강左岡 : 왼쪽 언덕

좌도左道 : 오늘날에는 각 도를 남북으로 나누어 충청남도, 충청북도 등으로 일컫고 있지만 조선시대에는 좌우도로 나누었다. 임금이 남쪽을 바라보고 앉으므로 좌측은 동쪽에 해당한다.

좌차座次 : 앉는 순서

좌향坐向 : 양택이나 음택이 자리하고 앉은 방향

주경야독晝耕夜讀 : 낮에 농사 짓고 밤에 독서함

주경임리遒勁淋漓 : 선은 굳세고 먹은 흥건하게 배어듦

주륙誅戮 : 죄를 물어 죽임

주묵朱墨 **속무**俗務 : 붉은 먹을 쓰는 것은 관청 공무 처리하는 방법이니 관청 일 같은 속무라는 의미이다.

주본紬本 : 명주 바탕

주양법主陽法 : 양을 주체로 삼는 법

주양종음主陽從陰 : 양을 주主로 하고 음을 종從으로 함

주음법主陰法 : 음을 주체로 삼는 법

주음종양主陰從陽 : 음을 주主로 하고 양을 종從으로 함

주증손胄曾孫 : 맏증손

주처住處 : 머물러 삶, 또는 머물러 사는 곳

주필駐蹕 : 임금이 지나가다 잠시 머무름

준소峻少 : 강경소론

중경中景 : 가운데 경치

중관中官 : 내시

중령찬봉重嶺攢峯 : 거듭된 산마루와 모인 봉우리

중묵重墨 : 먹을 덧칠함

중봉衆峯 : 뭇 봉우리

중적重積 : 거듭 쌓음

지기知己 : 자신을 알아주는 사람

지엽枝葉 : 가지와 잎새

지우知遇 : 알아보고 대우해 줌

지주砥柱 : 중국 하남성 섬주 동쪽 40리 지점 황하 중류에 있는 기둥 모양의 돌. 위가 판판하여 숫돌 같은데 격류 속에 우뚝 솟아 꼼짝도 하지 않으므로 난세의 역경 속에 의연히 절개를 지키는 선비를 이에 비유한다.

직분職分 : 마땅히 해야 할 본분

직절고준直絶高峻 : 수직으로 끊어져서 높고 험준한 모양

진경사생眞景寫生 : 우리 국토의 자연경관을 소재로 하여 그 아름다움을 시나 그림으로 그려 냄

진경산수화眞景山水畵 : 우리 국토의 자연경관을 소재로 하여 그 아름다움을 사생해 낸 그림

진경시眞景詩 : 우리 국토의 자연경관을 소재로 하여 그 아름다움을 사생해 낸 시

진경화법眞景畵法 : 우리 국토의 자연경관을 소재로 하여 그 아름다움을 표현해 내는 그림법. 진경산수화법眞景山水畵法의 준말이다.

진산鎭山 : 고을이나 도읍의 뒤에 있는 큰 산. 그 터를 진호鎭護해 주는 주산主山이란 의미이다.

진헐대眞歇臺 : 진인眞人, 즉 임금이 쉬던 대. 뒷날 천일대天逸臺(天一臺)로 불리었다.

진화陳澕 : 생몰 미상. 고려 명종-고종 연간 사람으로 본관은 여양驪陽(현재 홍성)이다. 병부상서 광수光修의 아들로 시재가 뛰어나 명종의 명으로 어린 나이에 장문의 소상팔경시를 지었으며 문과에 급제해 한림원을 거치고 옥당玉當 지제고知制誥를 지냈다. 지공주사知公州事로 재직 중 서거했다. 호는 매호梅湖이다.

집우執友 : 뜻을 같이하는 절친한 벗

징토懲討 : 징계하고 성토함

차기借記 : 빌려 씀

차륜엽법車輪葉法 : 수레바퀴살 모양 솔잎을 원형으로 표현하는 그림법

차문箚文 : 국왕에게 올리는 글

차아嵯峨 : 높게 우뚝 솟은 모양

차역差役 : 백성을 불러다 노역勞役을 시킴

찰법擦法 : 쇄찰법

창명滄溟 : 큰 바다

창수唱酬 : 시문서화詩文書畵를 지어 서로 주고받음

창수시唱酬詩 : 서로 주고받는 시

창암절벽蒼岩絶壁 : 푸른 바위가 만들어 놓은 절벽

창오산蒼梧山 : 순舜 임금의 능陵이 있는 산 이름. 능산陵山의 의미가 있다.

창울임리蒼鬱淋漓 : 짙푸르름이 뚝뚝 떨어질 듯 흥건히 배어남

창윤蒼潤 : 푸르고 윤택함

창윤고절蒼潤高絶 : 짙푸르고 높게 솟구침

창윤임리蒼潤淋漓 : 짙푸르름이 흥건히 배어남

창화시唱和詩 : 서로 주고받은 시

채릉가採菱歌 : 악부樂府 강남농곡江南弄曲 속에 들어 있는 곡조. 노래하며 마름 딴다는 가사가 들어 있다.

척량산맥脊梁山脈 : 등줄기가 되는 큰 산맥

척장戚丈 : 인척관계가 있는 존장뻘의 어른

천계만류千溪萬流 : 천 개의 시내와 만 갈래의 물줄기

천년왜송千年矮松 : 천년 묵었으나 키가 작은 소나무

천월天月 : 하늘에 뜬 달

천판天板 : 천장 판자

첨두점尖頭點 : 머리끝이 송곳처럼 뾰족한 점. 짧고 억센 풀밭 모양을 그릴 때 주로 사용한다.

첩장疊嶂 : 산봉우리가 겹겹이 쌓여 둘러쌈

청랭淸冷 : 맑고 서늘함

청록훈염법靑綠暈染法 : 청록색으로 훈염하는 법

청묵선염법靑墨渲染法 : 청묵색으로 선염하는 그림법

청묵훈염법靑墨暈染法 : 청묵색으로 훈염하는 법

청묵흔靑墨痕 : 푸른 먹물을 옅게 타서 붓칠 흔적만 남기는 우림법

청송靑松 : 푸른 솔

청연靑煙 : 푸른 안개

청원淸遠 : 맑아서 멀어짐

청절淸節 : 맑은 절개

청징淸澄 : 맑고 깨끗함

청징명미晴澄明媚 : 맑고 깨끗하며 밝고 아리따움

청한淸閑 : 맑고 한가로움

청흥淸興 : 맑은 흥취

초삭峭削 : 높이 솟아 깎아지름

초상草狀 : 풀밭 모양

초옥草屋 : 초가집

춘유귀래정기春遊歸來亭記 : 봄에 귀래정에서 놀던 기록

출수出守 : 나가 지킴

충청좌도忠淸左道 : 임금은 남쪽을 바라보고 앉으므로 좌측은 동쪽에 해당함

충혼의백忠魂義魄 : 충성스럽고 정의로운 넋

층릉규각지세層稜圭角之勢 : 층지고 꺾이고 모난 형세

층파첩랑層波疊浪 : 층을 이루며 쌓이는 물결

치정법治庭法 : 정원 가꾸는 법

치첩雉堞 : 성가퀴

칭경稱慶 : 경축행사
타루舵樓 : 키를 조정하는 다락방
탄파문灘波文 : 여울져 일어나는 물결무늬
탈관脫冠 : 갓을 벗음
탈속불기脫俗不羈 : 세속에서 벗어나 얽매이지 아니함
탐부貪夫 : 욕심 많은 사내, 즉 장사꾼
탕평파蕩平派 : 영조의 탕평책에 동조하던 당파
태점苔點 : 이끼를 표현하기 위해 붓을 뉘어 반복해서 찍어 낸 큰 먹점
태조太早 : 너무 이름
탱천撑天 : 하늘을 떠받칠 듯 솟구침
토구土丘 : 흙 언덕
토사土沙 : 흙과 모래
토산수림법土山樹林法 : 흙산에 나무숲을 그리는 법
토산태점土山苔點 : 흙산에 돋아난 풀이나 이끼로 표현하기 위해 붓을 휘어 반복적으로 찍어 낸 큰 벽점
토파土坡 : 흙무더기
통신通神 : 정신을 꿰뚫음
통창通敞 : 넓고 밝아 시원하고 환함
통혈洞穴 : 앞뒤가 툭 터져 뻥 뚫린 굴
통활洞闊 : 앞이 툭 터져 드넓음
파도흉용波濤洶湧 : 물결이 일렁거림
파랑층첩波浪層疊 : 물결을 겹겹이 포개 놓음
파릉巴陵 : 양천의 별호
파릉巴陵 : 중국 호남성 악양현 현치. 동정호 동쪽에 있다.
파묵破墨 : 옅은 농도의 먹칠을 점차 짙은 농도의 먹칠로 파괴해 나감으로써 농도 차이가 보여 주는 다양한 농담의 변화로 입체감 내지 질량감 등의 효과를 얻어 내는 먹칠법
파필점破筆點 : 옅은 농도의 먹점 위에 보다 짙은 농도의 먹점을 계속 찍어 먼저 쓴 먹색을 차례로 파괴해 나감으로써 농도 차이로 나타나는 다양한 농담의 변화로 입체감 내지 질량감 등의 효과를 얻어 내는 먹점법
평원광활平原廣闊 : 평편한 대지大地가 드넓은 모양
평원광활平遠曠闊 : 평평한 공간이 텅 빈 듯이 넓은 느낌이 드는 현상
평원법平遠法 : 동양화에서는 삼원법三遠法을 설정하는데 아래에서 높은 봉우리를 쳐다볼 때 생기는 원근감을 고원高遠이라 하고, 높은 곳에서 아래로 볼 때 생기는 원근감을 심원深遠이라 하며, 수평적인 시각으로 사방을 둘러볼 때 생기는 원근감을 평원平遠이라 한다. 평원법은 평원광야平原廣野를 그릴 때 적용한다.
표리원근表裏遠近 : 겉과 속 및 멀고 가까움
표훈사문루동망表訓寺門樓東望 : 표훈사 문루에서 동쪽을 바라봄
풍범내왕風帆來往 : 돛단배가 오고감
풍상風霜 : 바람과 서리
피마준披麻皴 : 삼 껍질을 째서 널어놓은 것과 같이 부드러운 필선이 가지런히 중복되면서 산의 형상을 이루어 내는 선묘법. 토산 구릉을 표현할 때 주로 쓴다.
필묘筆描 : 붓질이 만들어 내는 선으로 그려 내는 방법
필법筆法 : 그림 그리는 법
필세비동筆勢飛動 : 글씨 획의 기세가 날아 움직이는 듯함
핍진逼眞 : 실물과 아주 비슷함
하도낙서河圖洛書 : 하도河圖는 복희씨伏羲氏 때 황하에서 용마龍馬가 등에 지고 나왔다는 56점의 그림이고, 낙서洛書는 우禹임금이 치수할 때 낙수洛水에서 나온 신구神龜의 등에 있었다는 45점의 그림이다. 함께 『주역』의 기본 이치가 되었다.
하돈河豚 : 황복어
하백河伯 : 수신水神
하비下批 : 인사 임명에 대한 임금의 재가
하엽색荷葉色 : 연잎과 같이 짙은 초록색
하화荷花 : 연꽃
학발鶴髮 : 학처럼 흰 머리칼
합문준蛤文皴 : 조개껍데기무늬의 필선을 중복시켜 바위 등을 표현해 내는 선묘법
합벽첩合璧帖 : 한 쌍의 벽옥처럼 뛰어난 시와 그림을 한 책에 합쳐 놓은 것
합장合粧 : 한데 합쳐 꾸며 놓음
향당鄕黨 : 시골 마을 사람들
해삭준解索皴 : 새끼를 풀어서 펼쳐 놓은 것처럼 꼬이고 흐트러진 필선. 주로 흙산의 봉우리와 계곡의 형상을 표현하는 데 쓴다.
해산정간월가海山亭看月歌 : 해산정에서 달을 보고 지은 노래
해악제도海嶽諸圖 : 동해 바다와 금강산을 그린 여러 그림
해월海月 : 바다에 잠긴 달
해정楷正 : 곧고 바름
행행行幸 : 왕이 지나감

향현고적鄕賢古蹟 : 지방 어진 이의 옛 자취

허자許子 : 요대堯代 은사隱士 허유許由의 존칭

허주虛舟 : 욕심 없는 사람은 매이지 않은 빈 배와 같이 자유롭게 노닐 수 있다는 의미. 『장자莊子』 열어구列禦寇에 나오는 말이다.

헌각軒閣 : 성문 위에 지은 누각

헌방軒房 : 정자 한 칸에 꾸며진 방

현아縣衙 : 현의 관아

협엽법夾葉法 : 윤곽선으로 나무 잎새의 형태를 그려 내는 법

협호夾戶 : 큰 집 곁에 딴 살림을 할 수 있도록 지은 작은 집. 큰 집 일을 도우며 사는 사람들이 거주한다.

형사形似 : 겉모양을 같게 그림

형승形勝 : 모양, 즉 경치가 빼어나게 아름다움

형영상수形影相隨 : 형상과 그림자처럼 서로 따름

호계虎溪 : 중국 강서성 여산廬山 동림사東林寺 앞에 있는 시내. 동진東晋 때 혜원慧遠법사가 이곳에 살면서 이 시내를 건너 밖으로 나오지 않았는데 어느 날 대시인인 도연명陶淵明과 도사 육수정陸修靜이 찾아와 이들을 배웅하던 중 저도 모르는 사이에 이 시내를 건너자 호랑이가 울부짖어 경고했다 해서 생긴 이름이다.

호기灝氣 : 천상의 맑은 기운

호모범상胡貌梵像 : 서역인 모습의 승려상僧侶像

호산안湖山案 : 천하의 호산湖山을 기록해 놓은 책

호액狐腋 : 여우 겨드랑이 가죽으로 만든 가죽 옷

호월湖月 : 호수 속에 잠긴 달

호장湖長 : 호수를 다스리는 우두머리

호저강반湖渚江畔 : 호숫가나 강둑

호초점胡椒點 : 호초 모양의 둥근 점

호파湖派 : 율곡학파가 인성人性과 물성物性이 같으냐 다르냐를 놓고 의논이 나누어질 때 서로 다르다는 쪽을 지지한 학파. 주로 충청도, 즉 호서 지방에 거주하는 이들이 많은 데서 붙은 이름이다.

호한임리浩汗淋漓 : 넓고 질펀함

호해전경도湖海全景圖 : 호수와 바다를 한꺼번에 그린 전체 그림

혼잔昏殘 : 못나고 잔약함

홍각虹閣 : 높은 기둥 위에 누마루를 얹은 다락집

홍금보장紅錦步障 : 단풍이 붉은 비단步障을 두른 듯함

화각畵閣 : 단청으로 곱게 꾸며진 누각

화강백전花江栢田 : 금화 잣나무밭. 화강은 금화의 딴 이름이다. 병자호란(1636) 때 이곳에서 격전이 치러졌다.

화경畵境 : 그림으로 그린 듯 경치가 아름다운 곳

화력畵歷 : 그림 이력

화류驊騮 : 주周나라 목왕穆王의 8준마 중의 하나. 붉은색 말이다.

화리畵理 : 그림의 이치

화명畵名 : 그림 잘 그린다는 명성, 즉 화가로의 명성

화방畵舫 : 용 또는 봉황 모양으로 꾸며 곱게 단청한 놀잇배

화서지국華胥之國 : 황제黃帝가 낮잠 자다 꿈속에서 가 보았다는 이상향理想鄕

화송법畵松法 : 소나무 그리는 법

화심花心 : 꽃술

화안畵眼 : 그림을 그리거나 감상하는 안목

화의畵意 : 그림으로 그려 내고자 하는 뜻

화제畵題 : 그림의 제목이나 이름. 그림 위에 쓰는 시詩나 문文

화흥畵興 : 그림을 그리고 싶은 흥취

활달쇄락豁達灑落 : 거침없이 넓고 크며 씻은 듯이 맑고 깨끗함

황학사黃鶴詞 : 당나라 시인 최호崔顥가 지은 「등황학루登黃鶴樓」라는 칠언율시七言律詩. 동시대 시인인 이백李白이 이를 보고 감복해 자신은 황학루 시를 짓지 않고 그에 필적할 만한 명시를 짓기 위해 이 시의 운韻을 따서 「등금릉봉황대登金陵鳳凰臺」라는 칠언율시를 지어 남겼다. 모두 『고문진보古文眞寶』 전집에 수록돼 역대로 사람들의 입에 널리 오르내리는 명시가 되었다.

회맹단會盟壇 : 공신 자손들이 모여 충성을 맹세하던 단

회맹제會盟祭 : 공신 자손들이 모여 충성을 맹세하고 조상에게 드리는 제사

회방년回榜年 : 문과에 급제한 지 한 갑자, 즉 만 60년이 되는 해

횡점橫點 : 가로점

횡타橫打 : 빗겨 침

훈訓 : 뜻 새김

훈염暈染 : 햇무리나 달무리 지듯 물에 먹이나 채색을 약간 섞어 우려내는 설채법. 주로 안개나 달빛 등 은은한 분위기 표현에 사용하는 기법이다.

휘쇄난타揮刷亂打 : 휘둘러서 어지럽게 두드림

흉서凶書 : 흉악한 글

흉용洶湧 : 물결이 용솟음치며 일렁거림

희필戲筆 : 붓장난으로 그린 그림

수록 도판 목록

1. **피금정**披襟亭, 1711년, 견본담채絹本淡彩, 33.6×35.8cm, 《신묘년풍악도첩辛卯年楓岳圖帖》, 국립중앙박물관 소장.

2. **단발령망금강산**斷髮嶺望金剛山, 1711년, 견본담채絹本淡彩, 39.0×34.3cm, 《신묘년풍악도첩辛卯年楓岳圖帖》, 국립중앙박물관 소장.

3. **금강내산총도**金剛內山摠圖, 1711년, 견본담채絹本淡彩, 37.5×35.9cm, 《신묘년풍악도첩辛卯年楓岳圖帖》, 국립중앙박물관 소장.

4. **장안사**長安寺, 1711년, 견본담채絹本淡彩, 37.5×36.6cm, 《신묘년풍악도첩辛卯年楓岳圖帖》, 국립중앙박물관 소장.

5. **벽하담**碧霞潭, 1711년, 견본담채絹本淡彩, 26.1×36.1cm, 《신묘년풍악도첩辛卯年楓岳圖帖》, 국립중앙박물관 소장.

6. **불정대**佛頂臺, 1711년, 견본담채絹本淡彩, 34.5×37.4cm, 《신묘년풍악도첩辛卯年楓岳圖帖》, 국립중앙박물관 소장.

7. **백천교**百川橋, 1711년, 견본담채絹本淡彩, 33.2×37.7cm, 《신묘년풍악도첩辛卯年楓岳圖帖》, 국립중앙박물관 소장.

8. **해산정**海山亭, 1711년, 견본담채絹本淡彩, 37.6×26.8cm, 《신묘년풍악도첩辛卯年楓岳圖帖》, 국립중앙박물관 소장.

9. **삼일호**三日湖, 1711년, 견본담채絹本淡彩, 37.3×36.2cm, 《신묘년풍악도첩辛卯年楓岳圖帖》, 국립중앙박물관 소장.

10. **고성문암관일출**高城門岩觀日出, 1711년, 견본담채絹本淡彩, 37.9×36.0cm, 《신묘년풍악도첩辛卯年楓岳圖帖》, 국립중앙박물관 소장.

11. **옹천**甕遷, 1711년, 견본담채絹本淡彩, 37.6×26.5cm, 《신묘년풍악도첩辛卯年楓岳圖帖》, 국립중앙박물관 소장.

12. **총석정**叢石亭, 1711년, 견본담채絹本淡彩, 37.5×38.3cm, 《신묘년풍악도첩辛卯年楓岳圖帖》, 국립중앙박물관 소장.

13. **시중대**侍中臺, 1711년, 견본담채絹本淡彩, 26.5×36.8cm, 《신묘년풍악도첩辛卯年楓岳圖帖》, 국립중앙박물관 소장.

14. **북원기로회도**北園耆老會圖, 정선鄭敾, 1718년 무술戊戌 1월경, 견본채색絹本彩色, 54.4×39.3cm, 《북원기로회첩北園耆老會帖》, 손창근 소장.

15. **호림한거**湖林閑居, 1719년 기해己亥 10월 8일, 견본수묵絹本水墨, 53.3×29.8cm, 《겸재화첩謙齋畵帖》, 호림박물관 소장.

16. **관산누각**關山樓閣, 1719년 기해己亥 10월 8일, 견본수묵絹本水墨, 3.3×29.8cm, 《겸재화첩謙齋畵帖》, 호림박물관 소장.

17. **소림모정**疏林茅亭, 1719년 기해己亥 10월 8일, 견본수묵絹本水墨, 53.3×29.8cm, 《겸재화첩謙齋畵帖》, 호림박물관 소장.

18. **강산설제**江山雪霽, 1719년 기해己亥 10월 8일, 견본수묵絹本水墨, 53.3×29.8cm, 《겸재화첩謙齋畵帖》, 호림박물관 소장.

19. **금강내산**金剛內山, 1734년 갑인甲寅경, 견본담채絹本淡彩, 33.6×28.2cm, 고려대학교박물관 소장.

20. **쌍계입암**雙溪立岩, 1734년 갑인甲寅경, 견본수묵絹本水墨, 23.2×27.4cm, 간송미술관 소장.

21. **도산서원**陶山書院, 1734년 갑인甲寅경, 지본담채紙本淡彩, 56.3×21.2cm, 선면扇面, 간송미술관 소장.

22. **성류굴**聖留窟, 1734년 갑인甲寅경, 지본담채紙本淡彩, 28.5×27.2cm, 간송미술관 소장.

23. **청하성읍**淸河城邑, 1734년 갑인甲寅경, 지본담채紙本淡彩, 25.9×31.8cm, 겸재기념관 소장.

24. **내연삼용추**內延三龍湫, 1734년 갑인甲寅경, 견본담채絹本淡彩, 21.1×29.7cm, 국립중앙박물관 소장.

25. **해인사**海印寺, 1734년 갑인甲寅경, 지본채색紙本彩色, 67.5×21.8cm, 선면扇面, 국립중앙박물관 소장.

26. **단사범주**丹砂泛舟, 1737년 정사丁巳, 지본담채紙本淡彩, 29.5×30.3cm, 간송미술관 소장.

27. **구담**龜潭, 1737년 정사丁巳, 견본담채絹本淡彩, 20.3×26.8cm, 고려대학교박물관 소장.

28. **한벽루**寒碧樓, 1737년 정사丁巳, 견본담채絹本淡彩, 20.5×25.5cm, 간송미술관 소장.

29. **총석정**叢石亭, 1738年 무오戊午 가을, 지본담채紙本淡彩, 57.8×32.3cm, 《관동명승첩關東名勝帖》, 간송미술관 소장.

30. **삼일호**三日湖, 1738년 무오戊午 가을, 지본담채紙本淡彩, 57.8×32.3cm, 《관동명승첩關東名勝帖》, 간송미술관 소장.

31. **청간정**淸澗亭, 1738년 무오戊午 가을, 지본담채紙本淡彩, 57.8×32.3cm, 《관동명승첩關東名勝帖》, 간송미술관 소장.

32. **수태사동구**水泰寺洞口, 1738년 무오戊午 가을, 지본담채紙本淡彩, 57.8×32.3cm, 《관동명승첩關東名勝帖》, 간송미술관 소장.

33. **시중대**侍中臺, 1738년 무오戊午 가을, 지본담채紙本淡彩, 57.8×32.3cm,《관동명승첩關東名勝帖》, 간송미술관 소장.

34. **죽서루**竹西樓, 1738년 무오戊午 가을, 지본담채紙本淡彩, 57.8×32.3cm,《관동명승첩關東名勝帖》, 간송미술관 소장.

35. **망양정**望洋亭, 1738년 무오戊午 가을, 지본담채紙本淡彩, 57.8×32.3cm,《관동명승첩關東名勝帖》, 간송미술관 소장.

36. **월송정**越松亭, 1738년 무오戊午 가을, 지본담채紙本淡彩, 57.8×32.3cm,《관동명승첩關東名勝帖》, 간송미술관 소장.

37. **해산정**海山亭, 1738년 무오戊午 가을, 지본담채紙本淡彩, 57.8×32.3cm,《관동명승첩關東名勝帖》, 간송미술관 소장.

38. **천불암**千佛岩, 1738년 무오戊午 가을, 지본담채紙本淡彩, 57.8×32.3cm,《관동명승첩關東名勝帖》, 간송미술관 소장.

39. **정자연**亭子淵, 1738년 무오戊午 가을, 지본담채紙本淡彩, 57.8×32.3cm,《관동명승첩關東名勝帖》, 간송미술관 소장.

40. **청풍계**淸風溪, 1739년 기미己未 봄, 견본채색絹本彩色, 58.8×133.0cm, 간송미술관 소장.

41. **청풍계**淸風溪, 1730년 무술戊戌경, 지본채색紙本彩色, 36.0×96.0cm, 고려대학교박물관 소장.

42. **옥동척강**玉洞陟崗, 1739년 기미己未 6월, 견본담채絹本淡彩, 33.5×33.8cm, 개인 소장.

43. **삼승정**三勝亭, 1740년 경신庚申 6월, 견본담채絹本淡彩, 66.7×40.0cm, 개인 소장.

44. **삼승조망**三勝眺望, 1740년 경신庚申 6월, 견본담채絹本淡彩, 66.7×39.7cm, 개인 소장.

45. **백악산**白岳山, 1740년 경신庚申경, 지본담채紙本淡彩, 25.1×23.7cm, 간송미술관 소장.

46. **풍악내산총람**楓岳內山摠覽, 1741년 신유辛酉경, 견본채색絹本彩色, 73.8×100.8cm, 간송미술관 소장.

47. **금강전도**金剛全圖, 1748년 무진戊辰경, 견본채색絹本彩色, 28.0×37.5cm, 간송미술관 소장.

48. **독서여가**讀書餘暇, 1741년 신유辛酉, 견본채색絹本彩色, 16.8×24.0cm,《경교명승첩京郊名勝帖》 상, 간송미술관 소장.

49. **녹운탄**綠雲灘, 1741년 신유辛酉, 견본채색絹本彩色, 31.2×20.8cm,《경교명승첩京郊名勝帖》 상, 간송미술관 소장.

50. **독백탄**獨栢灘, 1741년 신유辛酉, 견본채색絹本彩色, 31.2×20.8cm,《경교명승첩京郊名勝帖》 상, 간송미술관 소장.

51. **우천**牛川, 1741년 신유辛酉, 견본채색絹本彩色, 31.2×20.8cm,《경교명승첩京郊名勝帖》 상, 간송미술관 소장.

52. **미호**渼湖 1-석실서원石室書院, 1741년 신유辛酉, 견본채색絹本彩色, 31.2×20.8cm,《경교명승첩京郊名勝帖》 상, 간송미술관 소장.

53. **미호**渼湖 2-삼주삼산각三洲三山閣, 1741년 신유辛酉, 견본채색絹本彩色, 31.5×20.0cm,《경교명승첩京郊名勝帖》 상, 간송미술관 소장.

54. **광진**廣津, 1741년 신유辛酉, 견본채색絹本彩色, 31.5×20.0cm,《경교명승첩京郊名勝帖》 상, 간송미술관 소장.

55. **송파진**松坡津, 1741년 신유辛酉, 견본채색絹本彩色, 31.5×20.3cm,《경교명승첩京郊名勝帖》 상, 간송미술관 소장.

56. **압구정**狎鷗亭, 1741년 신유辛酉, 견본채색絹本彩色, 31.0×20.0cm,《경교명승첩京郊名勝帖》 상, 간송미술관 소장.

57. **목멱조돈**木覓朝暾, 1741년 신유辛酉, 견본채색絹本彩色, 29.2×23.0cm,《경교명승첩京郊名勝帖》 상, 간송미술관 소장.

58. **안현석봉**鞍峴夕烽, 1741년 신유辛酉, 견본채색絹本彩色, 29.2×23.0cm,《경교명승첩京郊名勝帖》 상, 간송미술관 소장.

59. **공암층탑**孔岩層塔, 1741년 신유辛酉, 견본채색絹本彩色, 29.2×23.0cm,《경교명승첩京郊名勝帖》 상, 간송미술관 소장.

60. **금성평사**錦城平沙, 1741년 신유辛酉, 견본채색絹本彩色, 29.2×23.0cm,《경교명승첩京郊名勝帖》 상, 간송미술관 소장.

61. **양화환도**楊花喚渡, 1741년 신유辛酉, 견본채색絹本彩色, 29.2×23.0cm,《경교명승첩京郊名勝帖》 상, 간송미술관 소장.

62. **행호관어**杏湖觀漁, 1741년 신유辛酉, 견본채색絹本彩色, 29.2×23.0cm,《경교명승첩京郊名勝帖》 상, 간송미술관 소장.

63. **종해청조**宗海聽潮, 1741년 신유辛酉, 견본채색絹本彩色, 29.2×23.0cm,《경교명승첩京郊名勝帖》 상, 간송미술관 소장

64. **소악후월**小岳候月, 1741년 신유辛酉, 견본채색絹本彩

色, 29.2×23.0cm,《경교명승첩京郊名勝帖》 상, 간송미술관 소장.

65. **설평기려**雪坪騎驢, 1741년 신유辛酉, 견본채색絹本彩色, 29.2×23.0cm,《경교명승첩京郊名勝帖》 상, 간송미술관 소장.

66. **빙천부신**氷遷負薪, 1741년 신유辛酉, 견본채색絹本彩色, 29.2×23.0cm,《경교명승첩京郊名勝帖》 상, 간송미술관 소장.

67. **인곡유거**仁谷幽居, 1751년 신미辛未경, 지본담채紙本淡彩, 27.4×27.4cm,《경교명승첩京郊名勝帖》 하, 간송미술관 소장.

68. **양천현아**陽川縣衙, 1751년 신미辛未경, 견본담채絹本淡彩, 26.5×29.0cm,《경교명승첩京郊名勝帖》 하, 간송미술관 소장.

69. **시화환상간**詩畵換相看, 1751년 신미辛未경, 견본담채絹本淡彩, 26.4×29.5cm,《경교명승첩京郊名勝帖》 하, 간송미술관 소장.

70. **홍관미주**虹貫米舟, 1751년 신미辛未경, 견본담채絹本淡彩, 30.2×27.0cm,《경교명승첩京郊名勝帖》 하, 간송미술관 소장.

71. **행주일도**涬洲一棹, 1751년 신미辛未경, 견본담채絹本淡彩, 26.5×29.5cm,《경교명승첩京郊名勝帖》 하, 간송미술관 소장.

72. **창명낭박**滄溟浪泊, 1751년 신미辛未경, 견본담채絹本淡彩, 29.3×27.0cm,《경교명승첩京郊名勝帖》 하, 간송미술관 소장.

73. **은암동록**隱岩東麓, 1741년 신유辛酉, 지본담채紙本淡彩, 29.8×31.0cm,《경교명승첩京郊名勝帖》 하, 간송미술관 소장.

74. **장안연우**長安烟雨, 1741년 신유辛酉, 지본수묵紙本水墨, 39.8×30.0cm,《경교명승첩京郊名勝帖》 하, 간송미술관 소장.

75. **개화사**開花寺, 1741년 신유辛酉, 지본수묵紙本水墨, 24.8×31.0cm,《경교명승첩京郊名勝帖》 하, 간송미술관 소장.

76. **사문탈사**寺門脫簑, 1741년 신유辛酉, 견본채색絹本彩色, 32.8×21.0cm,《경교명승첩京郊名勝帖》 하, 간송미술관 소장.

77. **척재제시**惕齋題詩, 1741년 신유辛酉, 견본채색絹本彩色, 33.0×28.5cm,《경교명승첩京郊名勝帖》 하, 간송미술관 소장.

78. **어초문답**漁樵問答, 1741년 신유辛酉, 견본채색絹本彩色, 33.0×23.5cm,《경교명승첩京郊名勝帖》 하, 간송미술관 소장.

79. **고산상매**孤山賞梅, 1741년 신유辛酉, 견본채색絹本彩色, 33.0×23.3cm,《경교명승첩京郊名勝帖》 하, 간송미술관 소장.

80. **장안연월**長安烟月, 1741년 신유辛酉, 지본수묵紙本水墨, 41.0×28.2cm,《경교명승첩京郊名勝帖》 하, 간송미술관 소장.

81. **자위부과**刺蝟負瓜, 1741년 신유辛酉경, 지본채색紙本彩色, 20.0×28.8cm,《화훼영모화첩花卉翎毛畵帖》, 간송미술관 소장.

82. **초전용서**草田舂黍, 1741년 신유辛酉경, 지본채색紙本彩色, 20.0×28.8cm,《화훼영모화첩花卉翎毛畵帖》, 간송미술관 소장.

83. **석죽호접**石竹胡蝶, 1742년 임술壬戌경, 견본채색絹本彩色, 20.8×30.5cm,《화훼영모화첩花卉翎毛畵帖》, 간송미술관 소장.

84. **과전전계**瓜田田鷄, 1742년 임술壬戌경, 견본채색絹本彩色, 20.8×30.5cm,《화훼영모화첩花卉翎毛畵帖》, 간송미술관 소장.

85. **서과투서**西瓜偸鼠, 1742년 임술壬戌경, 견본채색絹本彩色, 20.8×30.5cm,《화훼영모화첩花卉翎毛畵帖》, 간송미술관 소장.

86. **하마가자**蝦蟆茄子, 1742년 임술壬戌경, 견본채색絹本彩色, 20.8×30.5cm,《화훼영모화첩花卉翎毛畵帖》, 간송미술관 소장.

87. **홍료추선**紅蓼秋蟬, 1742년 임술壬戌경, 견본채색絹本彩色, 20.8×30.5cm,《화훼영모화첩花卉翎毛畵帖》, 간송미술관 소장.

88. **계관만추**鷄冠晩雛, 1742년 임술壬戌경, 견본채색絹本彩色, 20.8×30.5cm,《화훼영모화첩花卉翎毛畵帖》, 간송미술관 소장.

89. **등롱웅계**燈籠雄鷄, 1742년 임술壬戌경, 견본채색絹本彩色, 20.8×30.5cm,《화훼영모화첩花卉翎毛畵帖》, 간송미술관 소장.

90. **추일한묘**秋日閑猫, 1742년 임술壬戌경, 견본채색絹本彩

色, 20.8×30.5cm,《화훼영모화첩花卉翎毛畵帖》, 간송미술관 소장.

91. **송림한선**松林寒蟬, 1742년 임술壬戌경, 견본담채絹本淡彩, 21.3×29.5cm, 간송미술관 소장.

92. **기려심매**騎驢尋梅, 1742년 임술壬戌경, 견본담채絹本淡彩, 22.7×30.4cm, 간송미술관 소장.

93. **노송대설**老松戴雪, 1742년 임술壬戌경, 지본담채紙本淡彩, 18.6×23.6cm, 간송미술관 소장.

94. **우화등선**羽化登船, 홍경보본, 1742년 임술壬戌 10월 16일, 견본담채絹本淡彩, 94.2×33.5cm,《연강임술첩漣江壬戌帖》, 개인 소장.

95. **웅연계람**熊淵繫纜, 홍경보본, 1742년 임술壬戌 10월 16일, 견본담채絹本淡彩, 93.8×33.1cm,《연강임술첩漣江壬戌帖》, 개인 소장.

96. **우화등선**羽化登船, 겸재본, 1742년 임술壬戌 10월 16일, 견본담채絹本淡彩, 95.3×34.4cm,《연강임술첩漣江壬戌帖》, 개인 소장.

97. **웅연계람**熊淵繫纜, 겸재본, 1742년 임술壬戌 10월 16일, 견본담채絹本淡彩, 95.3×34.6cm,《연강임술첩漣江壬戌帖》, 개인 소장.

98. **박생연**朴生淵, 1743년 계해癸亥경, 견본담채絹本淡彩, 35.8×98.2cm, 간송미술관 소장.

99. **고사관폭**高士觀瀑, 1743년 계해癸亥경, 지본수묵紙本水墨, 59.5×107.8cm, 간송미술관 소장.

100. **운송정금**雲松停琴, 1743년 계해癸亥경, 지본수묵紙本水墨, 57.0×125.8cm, 간송미술관 소장.

101. **양화진**楊花津, 1743년 계해癸亥경, 견본담채絹本淡彩, 24.7×33.3cm,《양천팔경첩陽川八景帖》, 김충현金忠顯 소장.

102. **선유봉**仙遊峯, 1743년 계해癸亥경, 견본담채絹本淡彩, 24.7×33.3cm,《양천팔경첩陽川八景帖》, 김충현金忠顯 소장.

103. **이수정**二水亭, 간송본, 1741년 신유辛酉경, 견본수묵絹本水墨, 28.8×24.0cm, 간송미술관 소장.

104. **이수정**二水亭, 1743년 계해癸亥경, 견본담채絹本淡彩, 24.7×33.3cm,《양천팔경첩陽川八景帖》, 김충현金忠顯 소장.

105. **소요정**逍遙亭, 1743년 계해癸亥경, 견본담채絹本淡彩, 24.7×33.3cm,《양천팔경첩陽川八景帖》, 김충현金忠顯 소장.

106. **소악루**小岳樓, 1743년 계해癸亥경, 견본담채絹本淡彩, 24.7×33.3cm,《양천팔경첩陽川八景帖》, 김충현金忠顯 소장.

107. **귀래정**歸來亭, 1743년 계해癸亥경, 견본담채絹本淡彩, 24.7×33.3cm,《양천팔경첩陽川八景帖》, 김충현金忠顯 소장.

108. **낙건정**樂健亭, 1743년 계해癸亥경, 견본담채絹本淡彩, 24.7×33.3cm,《양천팔경첩陽川八景帖》, 김충현金忠顯 소장.

109. **개화사**開花寺, 1743년 계해癸亥경, 견본담채絹本淡彩, 24.7×33.3cm,《양천팔경첩陽川八景帖》, 김충현金忠顯 소장.

110. **동작진**銅雀津, 1744년 갑자甲子경, 견본담채絹本淡彩, 32.6×21.8cm, 개인 소장.

111. **계상정거**溪上靜居, 1746년 병인丙寅 가을, 지본수묵紙本水墨, 40.1×25.6cm,《퇴우이선생진적첩退尤二先生眞蹟帖》, 개인 소장, 보물585호.

112. **무봉산중**舞鳳山中, 1746년 병인丙寅 가을, 지본수묵紙本水墨, 21.5×30.2cm,《퇴우이선생진적첩退尤二先生眞蹟帖》, 개인 소장, 보물585호.

113. **풍계유택**楓溪遺宅, 1746년 병인丙寅 가을, 지본수묵紙本水墨, 22.0×32.3cm,《퇴우이선생진적첩退尤二先生眞蹟帖》, 개인 소장, 보물585호.

114. **인곡정사**仁谷精舍, 1746년 병인丙寅 가을, 지본수묵紙本水墨, 22.0×32.3cm,《퇴우이선생진적첩退尤二先生眞蹟帖》, 개인 소장, 보물585호.

115. **동문조도**東門祖道, 1746년 병인丙寅경, 저본담채紵本淡彩, 22.0×26.7cm, 이화여자대학교박물관 소장.

116. **임천고암**林川鼓岩, 1744~46년 병인丙寅경, 지본수묵紙本水墨, 48.9×80.0cm, 간송미술관 소장.

117. **단발령**斷髮嶺, 1747년 정묘丁卯, 견본수묵絹本水墨, 19.2×25.0cm,《겸재화謙齋畵》, 이학李鶴 소장.

118-1. **비로봉**毘盧峰, 1747년 정묘丁卯, 견본수묵絹本水墨, 19.2×25.0cm,《겸재화謙齋畵》, 이학李鶴 소장.

118-2. **비로봉**毘盧峰, 지본수묵紙本水墨, 100.0×47.5cm, 손창근 소장.

119. **혈망봉**穴望峰, 1747년 정묘丁卯, 견본수묵絹本水墨, 19.2×25.0cm,《겸재화謙齋畵》, 이학李鶴 소장.

120. **혈망봉**穴望峰, 서울대본, 1754년 갑술甲戌경, 견본수묵絹本水墨, 22.0×33.2cm, 서울대학교박물관 소장.

121. **구룡연**九龍淵, 1747년 정묘丁卯, 견본수묵絹本水墨, 19.2×25.0cm,《겸재화謙齋畵》, 이학李鶴 소장.

122. **옹천**瓮遷, 1747년 정묘丁卯, 견본수묵絹本水墨, 19.2×25.0cm,《겸재화謙齋畵》, 이학李鶴 소장.

123. **고성문암**高城門岩, 1747년 정묘丁卯, 견본수묵絹本水墨, 19.2×25.0cm,《겸재화謙齋畵》, 이학李鶴 소장.

124. **총석정**叢石亭, 1747년 정묘丁卯, 견본수묵絹本水墨, 19.2×25.0cm,《겸재화謙齋畵》, 이학李鶴 소장

125. **해금강**海金剛, 1747년 정묘丁卯, 견본수묵絹本水墨, 19.2×25.0cm,《겸재화謙齋畵》, 이학李鶴 소장.

126. **화적연**禾積淵, 1747년 정묘丁卯 3월 3일, 견본담채絹本淡彩, 25.0×32.2cm,《해악전신첩海嶽傳神帖》, 간송미술관 소장.

127. **삼부연**三釜淵, 1747년 정묘丁卯 3월 3일, 견본담채絹本淡彩, 24.2×31.4cm,《해악전신첩海嶽傳神帖》, 간송미술관 소장.

128. **화강백전**花江栢田, 1747년 정묘丁卯 3월 3일, 견본담채絹本淡彩, 24.9×32.0cm,《해악전신첩海嶽傳神帖》, 간송미술관 소장.

129. **정자연**亭子淵, 1747년 정묘丁卯 3월 3일, 견본담채絹本淡彩, 25.8×32.2cm,《해악전신첩海嶽傳神帖》, 간송미술관 소장.

130. **피금정**披襟亭, 1747년 정묘丁卯 3월 3일, 견본담채絹本淡彩, 24.9×32.1cm,《해악전신첩海嶽傳神帖》, 간송미술관 소장.

131. **단발령망금강**斷髮嶺望金剛, 1747년 정묘丁卯 3월 3일, 견본담채絹本淡彩, 24.4×32.2cm,《해악전신첩海嶽傳神帖》, 간송미술관 소장.

132. **장안사비홍교**長安寺飛虹橋, 1747년 정묘丁卯 3월 3일, 견본담채絹本淡彩, 24.8×32.0cm,《해악전신첩海嶽傳神帖》, 간송미술관 소장.

133. **정양사**正陽寺, 1747년 정묘丁卯 3월 3일, 견본담채絹本淡彩, 24.2×31.2cm,《해악전신첩海嶽傳神帖》, 간송미술관 소장.

134. **만폭동**萬瀑洞, 1747년 정묘丁卯 3월 3일, 견본담채絹本淡彩, 24.9×32.0cm,《해악전신첩海嶽傳神帖》, 간송미술관 소장.

135. **금강내산**金剛內山, 1747년 정묘丁卯 3월 3일, 견본담채絹本淡彩, 49.5×32.5cm,《해악전신첩海嶽傳神帖》, 간송미술관 소장.

136. **불정대**佛頂臺, 1747년 정묘丁卯 3월 3일, 견본담채絹本淡彩, 25.6×33.6cm,《해악전신첩海嶽傳神帖》, 간송미술관 소장.

137. **해산정**海山亭, 1747년 정묘丁卯 3월 3일, 견본담채絹本淡彩, 25.4×33.5cm,《해악전신첩海嶽傳神帖》, 간송미술관 소장.

138. **사선정**四仙亭, 1747년 정묘丁卯 3월 3일, 견본담채絹本淡彩, 25.1×32.5cm,《해악전신첩海嶽傳神帖》, 간송미술관 소장.

139. **문암관일출**門岩觀日出, 1747년 정묘丁卯 3월 3일, 견본담채絹本淡彩, 25.5×33.0cm,《해악전신첩海嶽傳神帖》, 간송미술관 소장.

140. **문암**門岩, 1747년 정묘丁卯 3월 3일, 견본담채絹本淡彩, 25.0×32.8cm,《해악전신첩海嶽傳神帖》, 간송미술관 소장.

141. **총석정**叢石亭, 1747년 정묘丁卯 3월 3일, 견본담채絹本淡彩, 24.3×32.0cm,《해악전신첩海嶽傳神帖》, 간송미술관 소장.

142. **시중대**侍中臺, 1747년 정묘丁卯 3월 3일, 견본담채絹本淡彩, 25.5×33.0cm,《해악전신첩海嶽傳神帖》, 간송미술관 소장.

143. **용공동구**龍貢洞口, 1747년 정묘丁卯 3월 3일, 견본담채絹本淡彩, 24.5×33.2cm,《해악전신첩海嶽傳神帖》, 간송미술관 소장.

144. **당포관어**唐浦觀漁, 1747년 정묘丁卯 3월 3일, 견본담채絹本淡彩, 25.0×32.3cm,《해악전신첩海嶽傳神帖》, 간송미술관 소장.

145. **사인암**舍人岩, 1747년 정묘丁卯 3월 3일, 견본담채絹本淡彩, 25.3×33.1cm,《해악전신첩海嶽傳神帖》, 간송미술관 소장.

146. **칠성암**七星巖, 1747년 정묘丁卯 3월 3일, 견본담채絹本淡彩, 17.3×31.9cm,《해악전신첩海嶽傳神帖》, 간송미술관 소장.

147. **세검정**洗劍亭, 1748년 무진戊辰, 지본담채紙本淡彩, 61.9×22.7cm, 국립중앙박물관 소장.

148. **유동**流動, 1749년 기사己巳 5월 하순, 견본담채絹本淡彩, 29.6×34.5cm,《사공표성이십사시품도司空表聖二十四

詩品圖》 22폭, 국립중앙박물관 소장.

149. **여산초당**廬山草堂, 1750년 경오庚午경, 견본채색絹本彩色, 68.7×125.5cm, 간송미술관 소장.

150. **무송관산**撫松觀山, 1750년 경오庚午경, 지본수묵紙本水墨, 55.8×97.0cm, 간송미술관 소장.

151. **노자출관**老子出關, 1750년 경오庚午경, 견본담채絹本淡彩, 23.2×28.5cm, 간송미술관 소장.

152. **고산방학**孤山放鶴, 1750년 경오庚午경, 견본담채絹本淡彩, 22.8×27.8cm, 간송미술관 소장.

153. **동정악루**洞庭岳樓, 1750년 경오庚午경, 견본담채絹本淡彩, 23.2×28.4cm, 간송미술관 소장.

154. **오류풍월**梧柳風月, 1750년 경오庚午경, 견본담채絹本淡彩, 12.5×18.3cm, 간송미술관 소장.

155. **고사관란**高士觀瀾, 1750년 경오庚午경, 견본담채絹本淡彩, 13.0×18.5cm, 간송미술관 소장.

156. **송암복호**松岩伏虎, 1750년 경오庚午경, 지본담채紙本淡彩, 51.0×31.5cm, 간송미술관 소장.

157. **취성도**聚星圖, 1750년 경오庚午경, 견본채색絹本彩色, 61.5×145.8cm, 개인 소장.

158. **방차만리별업**訪車萬里別業, 1750년 경오庚午경, 견본채색絹本彩色, 15.0×26.0cm, 개인 소장.

159. **인왕제색**仁王霽色, 1751년 신미辛未 윤5월 하순, 지본수묵紙本水墨, 138.2×79.2cm, 호암미술관 소장.

160. **장안사**長安寺, 1751년 신미辛未경, 지본담채紙本淡彩, 42.8×56.0cm, 간송미술관 소장.

161. **정양사**正陽寺, 1751년 신미辛未경, 지본담채紙本淡彩, 42.8×56.0cm, 간송미술관 소장.

162. **만폭동**萬瀑洞, 1751년 신미辛未경, 지본담채紙本淡彩, 42.8×56.0cm, 간송미술관 소장.

163. **백천동**百川洞, 1751년 신미辛未경, 지본담채紙本淡彩, 42.8×56.0cm, 간송미술관 소장.

164. **삼일포**三日浦, 1751년 신미辛未경, 지본담채紙本淡彩, 42.8×56.0cm, 간송미술관 소장.

165. **문암**門岩, 1751년 신미辛未경, 지본담채紙本淡彩, 42.8×56.0cm, 간송미술관 소장.

166. **총석정**叢石亭, 1751년 신미辛未경, 지본담채紙本淡彩, 42.8×56.0cm, 간송미술관 소장.

167. **낙산사**洛山寺, 1751년 신미辛未경, 지본담채紙本淡彩, 42.8×56.0cm, 간송미술관 소장.

168. **통천문암**通川門岩, 1752년 임신壬申경, 지본수묵紙本水墨, 53.4×131.6cm, 간송미술관 소장.

169. **금강전도**金剛全圖, 1752년 임신壬申경, 지본담채紙本淡彩, 94.1×130.7cm, 호암미술관 소장.

170. **자하동**紫霞洞, 1753년 계유癸酉경, 지본담채紙本淡彩, 29.5×33.7cm, 간송미술관 소장.

171. **청송당**聽松堂, 간송본, 1753년 계유癸酉경, 지본담채紙本淡彩, 29.5×33.7cm, 간송미술관 소장.

172. **대은암**大隱巖, 간송본, 1753년 계유癸酉경, 지본담채紙本淡彩, 29.5×33.7cm, 간송미술관 소장.

173. **독락정**獨樂亭, 간송본, 1753년 계유癸酉경, 지본담채紙本淡彩, 29.5×33.7cm, 간송미술관 소장.

174. **취미대**翠微臺, 간송본, 1753년 계유癸酉경, 지본담채紙本淡彩, 29.5×33.7cm, 간송미술관 소장.

175. **청풍계**淸風溪, 간송본, 1753년 계유癸酉경, 지본담채紙本淡彩, 29.5×33.7cm, 간송미술관 소장.

176. **수성동**水聲洞, 1753년 계유癸酉경, 지본담채紙本淡彩, 29.5×33.7cm, 간송미술관 소장.

177. **필운대**弼雲臺, 1753년 계유癸酉경, 지본담채紙本淡彩, 29.5×33.7cm, 간송미술관 소장.

178. **창의문**彰義門, 1754년 계유癸酉경, 지본담채紙本淡彩, 29.5×33.7cm, 국립중앙박물관 소장.

179. **백운동**白雲洞, 1754년 갑술甲戌경, 지본담채紙本淡彩, 29.5×33.0cm, 국립중앙박물관 소장.

180. **청풍계**靑風溪, 국박본, 1754년 갑술甲戌경, 지본담채紙本淡彩, 29.5×33.0cm, 국립중앙박물관 소장.

181. **청휘각**晴暉閣, 1754년 갑술甲戌경, 지본담채紙本淡彩, 29.5×33.0cm, 국립중앙박물관 소장.

182. **청송당**聽松堂, 국박본, 1754년 갑술甲戌경, 지본담채紙本淡彩, 29.5×33.0cm, 국립중앙박물관 소장.

183. **대은암**大隱巖, 국박본, 1754년 갑술甲戌경, 지본담채紙本淡彩, 29.5×33.0cm, 국립중앙박물관 소장.

184. **독락정**獨樂亭, 국박본, 1754년 갑술甲戌경, 지본담채紙本淡彩, 29.5×33.0cm, 국립중앙박물관 소장.

185. **취미대**翠微臺, 국박본, 1754년 갑술甲戌경, 지본담채紙本淡彩, 29.5×33.0cm, 국립중앙박물관 소장.

186. **필운상화**弼雲賞花, 1754년 갑술甲戌경, 지본담채紙本淡彩, 27.5×18.5cm, 개인 소장.

187. **경복궁**景福宮, 1754년 갑술甲戌경, 견본담채絹本淡彩,

16.7×18.1cm, 고려대학교박물관 소장.

188. **목멱산**木覓山, 1754년 갑술甲戌경, 견본담채絹本淡彩, 16.7×18.1cm, 고려대학교박물관 소장.

189. **동소문**東小門, 1754년 갑술甲戌경, 견본담채絹本淡彩, 16.7×18.1cm, 고려대학교박물관 소장.

190. **사문탈사**寺門脫簑, 1755년 을해乙亥 8월, 지본수묵紙本水墨, 55.0×37.7cm, 간송미술관 소장.

191. **선객도해**仙客渡海, 1755년 을해乙亥경, 지본수묵紙本水墨, 67.5×123.9cm, 국립중앙박물관 소장.

192. **노송영지**老松靈芝, 1755년 을해乙亥 가을, 지본담채紙本淡彩, 103.0×147.0cm, 인천시립박물관 소장.

193. **금강대**金剛臺, 1755년 을해乙亥경, 지본담채紙本淡彩, 22.0×28.8cm, 간송미술관 소장.

194. **정양사**正陽寺, 1755년 을해乙亥경, 지본담채紙本淡彩, 22.0×28.8cm, 간송미술관 소장.

195. **강진고사**江津孤舍, 1756년 병자丙子경, 견본담채絹本淡彩, 27.5×23.5cm, 간송미술관 소장.

196. **강정만조**江亭晩眺, 1756년 병자丙子경, 견본담채絹本淡彩, 27.0×23.5cm, 간송미술관 소장.

197. **모우도교**冒雨渡橋, 1756년 병자丙子경, 견본수묵絹本水墨, 23.5×30.7cm, 간송미술관 소장.

198. **장삽관폭**杖鍤觀瀑, 1756년 병자丙子경, 견본담채絹本淡彩, 17.5×23.0cm, 간송미술관 소장.

199. **산시청람**山市晴嵐, 1756년 병자丙子경, 견본담채絹本淡彩, 27.5×23.5cm, 간송미술관 소장.

200. **연사모종**烟寺暮鍾, 1757년 정축丁丑경, 견본담채絹本淡彩, 22.0×23.4cm, 간송미술관 소장.

201. **어촌낙조**漁村落照, 1757년 정축丁丑경, 견본담채絹本淡彩, 22.0×23.4cm, 간송미술관 소장.

202. **원포귀범**遠浦歸帆, 1757년 정축丁丑경, 견본담채絹本淡彩, 22.0×23.4cm, 간송미술관 소장.

203. **소상야우**瀟湘夜雨, 1757년 정축丁丑경, 견본담채絹本淡彩, 22.0×23.4cm, 간송미술관 소장.

204. **동정추월**洞庭秋月, 1757년 정축丁丑경, 견본담채絹本淡彩, 22.0×23.4cm, 간송미술관 소장.

205. **평사낙안**平沙落雁, 1757년 정축丁丑경, 견본담채絹本淡彩, 22.0×23.4cm, 간송미술관 소장.

206. **강천모설**江天暮雪, 1757년 정축丁丑경, 견본담채絹本淡彩, 22.0×23.4cm, 간송미술관 소장.

수록 삽도 목록

1. **송시열**宋時烈 **초상**肖像, 김창업金昌業(23세) 화畵, 1680년 경신庚申, 견본채색絹本彩色, 62.0×91.0cm, 제천 황강영당黃江影堂 소장.

2. **김수항**金壽恒 **초상**肖像, 견본채색絹本彩色, 29.0×37.0cm, 일본 덴리대天理大 도서관 소장.

3. **김창집**金昌集 **초상**肖像, 김진여金振汝 등, 1719년 기해己亥, 《기사계첩耆社契帖》, 견본채색絹本彩色, 32.5×43.7cm, 홍기준 소장.

4. **김창흡**金昌翕 **초상**肖像, 견본채색絹本彩色, 29.0×37.0cm, 일본 덴리대天理大 도서관 소장.

5. **한석봉**韓石峯 **천자문**千字文, 한호韓濩 봉교서奉敎書, 1583년 초간본初刊本, 목판서책木板書册, 27.1×41.8cm, 김법안金法眼 소장.

6. **호촌연응**湖村煙凝, 조속趙涑 화畵, 지본담채紙本淡彩, 27.6×38.5cm, 간송미술관 소장.

7-1. **황산도**黃山圖, 『삼재도회三才圖會』 지리地理 7권.

7-2. **황산삼십육봉총도**黃山三十六峯總圖, 『도서편圖書篇』 권60.

7-3. **황산**黃山, 『해내기관海內奇觀』 권2.

8. **김진규**金鎭圭 **초상**肖像, 견본담채絹本淡彩, 42.0×52.0cm, 김용우 소장.

9. **김춘택**金春澤 **초상**肖像, 견본담채絹本淡彩, 42.0×60.0cm, 김광순 소장.

10. **신묘년풍악도첩**辛卯年楓岳圖帖 **발문**, 찬자撰者 미상未詳, 발문, 주본묵서紬本墨書, 23.0×33.0cm, 국립중앙박물관 소장.

11. **미법토산**米法土山, 『당시화보唐詩畵譜』 권5 제17판.

12. **상악**霜鍔, 『당시화보唐詩畵譜』 권6 제27판.

13. **황산**黃山, 『명산도名山圖』 제15판.

14. **차운**遮雲, 『당시화보唐詩畵譜』 권2 제26판.

15. **토안법**土岸法, 『당시화보唐詩畵譜』 권5 제4판.

16. **벽대준법**劈帶皴法, 『당시화보唐詩畵譜』 권6 제5판 선면扇面.

17. **절대준법**折帶皴法, 『당시화보唐詩畵譜』 권6 제8판 선면扇面.

18. **아미산도**峨嵋山圖, 『해내기관海內奇觀』 권8.

19. **오대산도**五臺山圖, 『명산도名山圖』 제25판.

20. **해도기암**海濤奇巖, 『당시화보唐詩畵譜』 권5 제42판.

21. **동정추월**洞庭秋月, 『해내기관海內奇觀』 권8.

22. **계림고사**鷄林故事, 조속趙涑 화畵, 1655~1656년 병신丙申, 견본채색絹本彩色, 56.0×105.5cm, 국립중앙박물관 소장.

23. **이경석사궤장연회도첩**李景奭賜几杖宴會圖帖, 1668년, 지본채색紙本彩色, 60.8×42.5cm, 경기도박물관 소장, 보물 930호.

24. **운중해도법**雲中海島法, 『당시화보唐詩畵譜』 권1 제5판.

25. **윤두서**尹斗緖 **자화상**自畵像, 1710년경, 지본채색紙本彩色, 20.5×38.5cm, 해남 윤씨종가 소장, 국보240호.

26. **수탐포어**手探捕魚, 윤두서尹斗緖, 견본담채絹本淡彩, 25.5×27.0cm, 간송미술관 소장.

27. **설산심매**雪山尋梅, 이징李澄, 견본담채絹本淡彩, 21.0×31.0cm, 간송미술관 소장.

28. **윤증**尹拯 **초상**肖像, 장경주張敬周, 1744년 갑자甲子, 견본채색絹本彩色, 36.2×59.0cm, 윤완식 소장, 보물, 1495호.

29. **권상하**權尙夏 **초상**肖像, 김진여金振汝, 1719년 기해己亥, 견본채색絹本彩色, 92.0×128.0cm, 제천 황강영당黃江影堂 소장.

30. **회방연도**回榜宴圖, 정선鄭敾, 1716년 병신丙申 9월 16일, 견본채색絹本彩色, 75.0×57.0cm, 개인 소장.

31. **북원기로회첩**北園耆老會帖 **서**序, 박견성朴見聖 찬서撰書, 1716년 병신丙申 10월 22일, 지본묵서紙本墨書, 57.2×30.4cm, 《북원기로회첩北園耆老會帖》, 손창근 소장.

32. **북원기로회첩**北園耆老會帖 **좌목**座目, 1716년 병신丙申 10월 22일, 지본묵서紙本墨書, 60.5×41.2cm, 《북원기로회첩北園耆老會帖》, 손창근 소장.

33. **북원기로회첩**北園耆老會帖 **발**跋, 박창언朴昌彦 찬서撰書, 1718년 무술戊戌 4월 상한上澣, 지본묵서紙本墨書, 51.2×34.6cm, 30.4×41.5cm, 《북원기로회첩北園耆老會帖》, 손창근 소장.

34. **원산근수**遠山近水, 『고씨화보顧氏畵譜』 제59판.

35. **관폭한화**觀瀑閒話, 『당시화보唐詩畵譜』 제12판.

36. **죽수계정**竹樹溪亭, 『당시화보唐詩畵譜』 권5 제7판.

37. **만산풍우**萬山風雨, 『당시화보唐詩畵譜』 권6 제10판 선면扇面.

38-1. **겸재화첩**謙齋畵帖 **서**序, 이하곤李夏坤 찬서撰書,

1719년 기해己亥 10월 8일, 지본묵서紙本墨書, 53.3×29.8cm, 호림박물관 소장.

38-2. **겸재화첩**謙齋畵帖 **발**跋, 이하곤李夏坤 찬撰, 이석표李錫杓 서書, 1719년 기해己亥 10월 20일, 지본묵서紙本墨書, 53.3×29.8cm, 호림박물관 소장.

39. **이이명**李頤命 **초상**肖像, 19세기, 견본채색絹本彩色, 29.1×37.0cm, 일본 덴리대天理大 도서관 소장.

40. **조태채**趙泰采 **초상**肖像, 19세기, 견본채색絹本彩色, 29.1×37.0cm, 일본 덴리대天理大 도서관 소장.

41. **이건명**李健命 **초상**肖像, 19세기, 견본채색絹本彩色, 29.1×37.0cm, 일본 덴리대天理大 도서관 소장.

42. **영조**英祖 **어진**御眞, 조석진趙錫晉 등, 1900년, 견본채색絹本彩色, 68.0×110.0cm, 국립고궁박물관 소장.

43. **벽제관**碧蹄館, 청淸 정여鄭璵, 1725년 을사乙巳, 견본채색絹本彩色, 51.0×40.0cm, 《봉사도奉使圖》, 중국 요녕성遼寧省 심양시瀋陽市 중국민족도서관 소장.

44. **모화관**慕華館, 청淸 정여鄭璵, 1725년 을사乙巳, 견본채색絹本彩色, 51.0×40.0cm, 《봉사도奉使圖》, 중국 요녕성遼寧省 심양시瀋陽市 중국민족도서관 소장.

45. **정호**鄭澔 **초상**肖像, 김진여金振汝 등, 1719년 기해己亥, 《기사계첩耆社契帖》, 견본채색絹本彩色, 32.5×43.7cm, 일본 덴리대天理大 도서관 소장.

46. **조문명**趙文命 **초상**肖像, 19세기, 견본채색絹本彩色, 39.5×51.2cm, 일본 덴리대天理大 도서관 소장.

47. **오명항**吳命恒 **초상**肖像, 1728년, 견본채색絹本彩色, 105.5×173.5cm, 경기도박물관 소장, 보물1,77호.

48. **의금부**義禁府, 정선鄭敾, 1729년, 지본담채紙本淡彩, 35.0×27.0cm, 개인 소장.

49. **인조**仁祖·**인열왕후**仁烈王后 **장릉**長陵 **병풍석**屛風石, 1731년 신해辛亥.

50. **서교전의**西郊餞儀, 정선鄭敾, 1731년 신해辛亥 12월 26일, 지본수묵紙本水墨, 47.0×26.7cm, 국립중앙박물관 소장.

51. **이천보**李天輔 **초상**肖像, 19세기, 견본채색絹本彩色, 39.5×51.2cm, 일본 덴리대天理大 도서관 소장.

52. **김만기**金萬基 **초상**肖像, 김진규金鎭圭 화畵, 1680년 경신庚申, 견본채색絹本彩色, 32.0×60.0cm, 김광순 소장.

53. **내연산**內延山 **겸재**謙齋 **각자**刻字

54. **조현명**趙顯命 **초상**肖像, 19세기, 견본채색絹本彩色, 29.1×37.0cm, 일본 덴리대天理大 도서관 소장.

55. **송인명**趙顯命 **초상**肖像, 19세기, 견본채색絹本彩色, 39.5×51.2cm, 일본 덴리대天理大 도서관 소장.

56. **남극노인**南極老人, 윤덕희尹德熙, 1739년 기미己未, 저본수묵苧本水墨, 69.4×160.2cm, 간송미술관 소장.

57. **절강추도**浙江秋濤, 『해내기관海內奇觀』 권4 제13판.

58. **유척기**兪拓基 **초상**肖像, 19세기, 견본채색絹本彩色, 29.1×37.0cm, 일본 덴리대天理大 도서관 소장.

59. **심환지**沈煥之 **초상**肖像, 1800년, 견본채색絹本彩色 89.2×149.0cm, 경기도박물관 소장.

60. **정만수**鄭萬遂 **편지 및 심환지**沈煥之 **발**跋, 정만수 찬서, 지본묵서紙本墨書, 39.9×22.3cm, 심환지 찬서, 지본묵서紙本墨書, 22.1×27.7cm, 《경교명승첩京郊名勝帖》 하권 20면, 간송미술관 소장.

61. **경교명승첩**京郊名勝帖 **발**跋, 심환지沈煥之 찬서撰書, 1802년 임술壬戌 7월 하순, 지본묵서紙本墨書, 72.3×41.5cm, 《경교명승첩京郊名勝帖》 하권 21·22면, 간송미술관 소장.

62. **우증양천사군**又贈陽川使君, 이병연李秉淵, 1740년 경신庚申 세제歲除, 지본묵서紙本墨書, 60.8×24.3cm, 《경교명승첩京郊名勝帖》 하권 6면, 간송미술관 소장.

63. **동지 전 2일**冬至前二日, 이병연李秉淵, 1741년 신유辛酉 11월 동지 전冬至前 2일, 지본묵서紙本墨書, 52.1×23.2cm, 《경교명승첩京郊名勝帖》 상권 20면, 간송미술관 소장.

64. **시거화래**詩去畵來, 이병연李秉淵, 1741년 신유辛酉 2월, 지본묵서紙本墨書, 35.3×24.4cm, 《경교명승첩京郊名勝帖》 하권 9면, 간송미술관 소장.

65. **좌상파릉**坐想巴陵, 이병연李秉淵, 1741년 신유辛酉 1월, 지본묵서紙本墨書, 52.0×29.5cm, 《경교명승첩京郊名勝帖》 하권 13면, 간송미술관 소장.

66. **작여장윤**昨與長胤, 이병연李秉淵, 1741년 신유辛酉 겨울, 지본묵서紙本墨書, 31.0×27.0cm, 《경교명승첩京郊名勝帖》 하권 15면, 간송미술관 소장.

67. **설화전 6폭**雪花牋六幅, 이병연李秉淵, 1741년 신유辛酉 초하初夏, 지본묵서紙本墨書, 37.4×24.8cm, 《경교명승첩京郊名勝帖》 하권 17면, 간송미술관 소장.

68. **김보택**金普澤 **초상**肖像, 1716년 병신丙申, 견본채색絹本彩色, 100.0×160.0cm, 김선명 소장.

69. **어초문답**漁樵問答, 이명욱李明郁, 지본담채紙本淡彩, 94.0×173.0cm, 간송미술관 소장.

70. 어초문답漁樵問答, 홍득구洪得龜, 지본담채紙本淡彩, 29.0×37.0cm, 간송미술관 소장.

71. 연강임술첩서漣江壬戌帖叙, 홍경보 찬서撰書, 1742년 임술壬戌 10월 16일, 지본묵서紙本墨書, 85.0×43.5cm, 개인 소장.

72. 연강임술첩발문漣江壬戌帖跋文 1, 정선鄭敾 찬서撰書, 1742년 임술壬戌 10월 16일, 지본묵서紙本墨書, 25.0×43.5cm, 개인 소장.

73. 의적벽부擬赤壁賦, 신유한申維翰 찬서撰書, 1742년 임술壬戌 10월 16일, 지본수묵紙本水墨, 100.0×43.5cm, 개인 소장.

74. 연강임술첩발문漣江壬戌帖跋文 2, 정선鄭敾 찬서撰書, 1742년 임술壬戌 10월 16일, 지본묵서紙本墨書, 49.8×43.5cm, 개인 소장.

75. 권섭權燮 **초상**肖像, 진응회秦應會, 1734년 경인庚寅, 견본채색絹本彩色, 26.0×36.4cm, 안동권씨종중 소장.

76. 옹천瓮遷, 정선鄭敾, 1740년 경신庚申경, 견본담채絹本淡彩, 18.0×31.8cm, 《공회첩孔懷帖》, 안동권씨종중 소장.

77. 반구盤龜, 정선鄭敾, 1740년 경신庚申경, 견본담채絹本淡彩, 18.0×31.8cm, 《공회첩孔懷帖》, 안동권씨종중 소장.

78-1. 주자서절요서朱子書節要序, 이황李滉 찬서撰書, 1558년 무오戊午 4월, 지본묵서紙本墨書, 각 40.1×25.6cm, 개인 소장.

78-2. 주자서절요서朱子書節要序, 이황李滉 찬서撰書, 1558년 무오戊午 4월, 지본묵서紙本墨書, 각 40.1×25.6cm, 개인 소장.

79. 김만중金萬重 **초상**肖像, 견본채색絹本彩色, 88.0×170.0cm, 김기중金麒中 소장.

80. 주자서절요서朱子書節要序 **발문**跋文, 송시열宋時烈 찬서撰書, 1674년 갑인甲寅, 1682년 임술壬戌, 정만수鄭萬遂 찬서撰書, 1746년 병인丙寅, 지본묵서紙本墨書, 합습 40.1×25.6cm, 개인 소장.

81. 퇴우이선생진적첩退尤二先生眞蹟帖 **제시**題詩, 이병연李秉淵 시서詩書, 1746년 병인丙寅 가을, 지본묵서紙本墨書, 20.0×25.6cm, 개인 소장.

82. 퇴우이선생진적후退尤二先生眞蹟後, 임헌회任憲晦 찬서, 1872년 임신壬申 6월, 지본묵서紙本墨書, 40.1×25.6cm, 개인 소장.

83. 해악전신첩海嶽傳神帖 **서문**序文, 이병연李秉淵 찬서撰書, 1747년 정묘丁卯, 지본묵서紙本墨書, 60.3×42.2cm, 간송미술관 소장.

84. 해악전신첩海嶽傳神帖 **발문**跋文, 홍봉조洪鳳祚 찬서撰書, 1747년 정묘丁卯 3월 3일, 지본묵서紙本墨書, 25.7×31.1cm, 간송미술관 소장.

85-1~3. 해악전신첩海嶽傳神帖 **발문**跋文, 박덕재朴德載 찬서撰書, 1747년 정묘丁卯, 지본묵서紙本墨書, 각 51.6×31.8cm, 간송미술관 소장.

86. 층파첩랑層波疊浪, 남송南宋 마원馬遠, 13세기, 견본채색絹本彩色, 41.6×26.8cm, 《수도권水圖卷》, 중국 북경 고궁박물원 소장.

87. 해악전신첩海嶽傳神帖 **내제**內題, 홍봉조洪鳳祚 서書, 1747년 정묘丁卯, 지본묵서紙本墨書, 60.3×42.2cm, 간송미술관 소장.

88. 화적연禾積淵 **제사**題詞, 김창흡金昌翕 찬撰, 홍봉조洪鳳祚 서書, 1747년 정묘丁卯, 지본묵서紙本墨書, 25.4×32.3cm, 간송미술관 소장.

89. 화적연禾積淵 **제시**題詩, 이병연李秉淵 시서詩書, 1747년 정묘丁卯, 지본묵서紙本墨書, 25.3×32.3cm, 간송미술관 소장.

90. 삼부연三釜淵 **제사**題詞, 김창흡金昌翕 찬撰, 홍봉조洪鳳祚 서書, 1747년 정묘丁卯, 지본묵서紙本墨書, 24.4×31.4cm, 간송미술관 소장.

91. 삼부연三釜淵 **제시**題詩, 이병연李秉淵 시서詩書, 1747년 정묘丁卯, 지본묵서紙本墨書, 25.0×32.0cm, 간송미술관 소장.

92. 화강백전花江栢田 **제시**題詩, 이병연李秉淵 시서詩書, 1747년 정묘丁卯, 지본묵서紙本墨書, 25.0×32.2cm, 간송미술관 소장.

93. 화강백전花江栢田 **제사**題詞, 김창흡金昌翕 찬撰, 홍봉조洪鳳祚 서書, 1747년 정묘丁卯, 지본묵서紙本墨書, 25.0×32.2cm, 간송미술관 소장.

94. 정자연亭子淵 **제시**題詩, 이병연李秉淵 시서詩書, 1747년 정묘丁卯, 지본묵서紙本墨書, 25.0×32.1cm, 간송미술관 소장.

95. 정자연亭子淵 **제사**題詞, 김창흡金昌翕 찬撰, 홍봉조洪鳳祚 서書, 1747년 정묘丁卯, 지본묵서紙本墨書, 25.8×32.2cm, 간송미술관 소장.

96. 피금정披襟亭 **제시**題詩, 이병연李秉淵 시서詩書, 1747년

정묘丁卯, 지본묵서紙本墨書, 23.8×31.0cm, 간송미술관 소장.

97. **피금정**披襟亭 **제사**題詞, 김창흡金昌翕 찬撰, 홍봉조洪鳳祚 서書, 1747년 정묘丁卯, 지본묵서紙本墨書, 23.9×31.0cm, 간송미술관 소장.

98. **단발령망금강**斷髮嶺望金剛 **제시**題詩, 이병연李秉淵 시서詩書, 1747년 정묘丁卯, 지본묵서紙本墨書, 25.0×32.0cm, 간송미술관 소장.

99. **장안사비홍교**長安寺飛虹橋 **제사**題詞, 김창흡金昌翕 찬撰, 홍봉조洪鳳祚 서書, 1747년 정묘丁卯, 지본묵서紙本墨書, 25.0×32.0cm, 간송미술관 소장.

100. **장안사비홍교**長安寺飛虹橋 **제시**題詩, 이병연李秉淵 시서詩書, 1747년 정묘丁卯, 지본묵서紙本墨書, 25.0×32.2cm, 간송미술관 소장.

101. **금강내산총도**金剛內山摠圖 **제사**題詞, 김창흡金昌翕 찬撰, 1747년 정묘丁卯, 홍봉조洪鳳祚 서書, 지본묵서紙本墨書, 24.4×31.4cm, 간송미술관 소장.

102. **금강내산총도**金剛內山摠圖 **제시**題詩, 이병연李秉淵 시서詩書, 1747년 정묘丁卯, 지본묵서紙本墨書, 24.4×31.4cm, 간송미술관 소장.

103. **불정대**佛頂臺 **제사**題詞, 김창흡金昌翕 찬撰, 홍봉조洪鳳祚 서書, 1747년 정묘丁卯, 지본묵서紙本墨書, 25.8×33.6cm, 간송미술관 소장.

104. **불정대**佛頂臺 **제시**題詩, 이병연李秉淵 시서詩書, 1747년 정묘丁卯, 지본묵서紙本墨書, 25.5×33.5cm, 간송미술관 소장.

105. **해산정**海山亭 **제사**題詞, 김창흡金昌翕 찬撰, 홍봉조洪鳳祚 서書, 1747년 정묘丁卯, 지본묵서紙本墨書, 24.5×31.5cm, 간송미술관 소장.

106. **해산정**海山亭 **제시**題詩, 이병연李秉淵 시서詩書, 1747년 정묘丁卯, 지본묵서紙本墨書, 24.5×31.5cm, 간송미술관 소장.

107. **사선정**四仙亭 **제사**題詞, 김창흡金昌翕 찬撰, 홍봉조洪鳳祚 서書, 1747년 정묘丁卯, 지본묵서紙本墨書, 25.0×33.5cm, 간송미술관 소장.

108. **사선정**四仙亭 **제시**題詩, 이병연李秉淵 시서詩書, 1747년 정묘丁卯, 지본묵서紙本墨書, 25.6×33.0cm, 간송미술관 소장.

109. **문암**門岩 **제사**題詞, 김창흡金昌翕 찬撰, 홍봉조洪鳳祚 서書, 1747년 정묘丁卯, 지본묵서紙本墨書, 25.0×32.8cm, 간송미술관 소장.

110. **문암**門岩 **제시**題詩, 이병연李秉淵 시서詩書, 1747년 정묘丁卯, 지본묵서紙本墨書, 24.5×32.0cm, 간송미술관 소장.

111. **총석정**叢石亭 **제사**題詞, 김창흡金昌翕 찬撰, 홍봉조洪鳳祚 서書, 1747년 정묘丁卯, 지본묵서紙本墨書, 24.0×31.0cm, 간송미술관 소장.

112. **총석정**叢石亭 **제시**題詩, 이병연李秉淵 시서詩書, 1747년 정묘丁卯, 지본묵서紙本墨書, 24.0×31.0cm, 간송미술관 소장.

113. **시중대**侍中臺 **제사**題詞, 김창흡金昌翕 찬撰, 홍봉조洪鳳祚 서書, 1747년 정묘丁卯, 지본묵서紙本墨書, 25.5×33.0cm, 간송미술관 소장.

114. **용공동구**龍貢洞口 **제사**題詞, 김창흡金昌翕 찬撰,1747년 정묘丁卯, 홍봉조洪鳳祚 서書, 지본묵서紙本墨書, 25.7×33.1cm, 간송미술관 소장.

115. **용공동구**龍貢洞口 **제시**題詩, 이병연李秉淵 시서詩書, 1747년 정묘丁卯, 지본묵서紙本墨書, 25.6×33.1cm, 간송미술관 소장.

116. **당포관어**唐浦觀漁 **제사**題詞, 김창흡金昌翕 찬撰, 홍봉조洪鳳祚 서書, 1747년 정묘丁卯, 지본묵서紙本墨書, 25.0×32.3cm, 간송미술관 소장.

117. **당포관어**唐浦觀漁 **제시**題詩, 이병연李秉淵 시서詩書, 1747년 정묘丁卯, 지본묵서紙本墨書, 25.3×33.1cm, 간송미술관 소장.

118. **사인암**舍人岩 **제사**題詞, 김창흡金昌翕 찬撰, 홍봉조洪鳳祚 서書, 1747년 정묘丁卯, 지본묵서紙本墨書, 24.8×31.5cm, 간송미술관 소장.

119. **사인암**舍人岩 **제시**題詩, 이병연李秉淵 시서詩書, 1747년 정묘丁卯, 지본묵서紙本墨書, 24.9×31.5cm, 간송미술관 소장.

120. **박문수**朴文秀 **초상**肖像, 1728년 무신戊申, 견본채색絹本彩色, 28.2×40.2cm, 개인 소장, 보물 1,189-2호.

121, **석천한유도**石泉閒遊圖, 김희겸金喜謙, 1748년 무진戊辰, 지본담채紙本淡彩, 87.5×119.5cm, 전용국田溶國 소장.

122. **동산계정**東山溪亭, 김윤겸金允謙, 1748년 무진戊辰, 저본담채苧本淡彩, 18.0×24.3cm, 간송미술관 소장.

123. **제사**題詞·**맹호**猛虎, 권섭權燮, 지본묵서紙本墨書, 정선鄭敾, 지본담채紙本淡彩, 1748년 무진戊辰, 각 18.0×

22.3cm,《영모인갑翎毛鱗甲》, 안동권씨종중 소장.

124. **명학**鳴鶴·**기응**飢鷹, 정선鄭敾, 1748년 무진戊辰, 지본담채紙本淡彩, 각 18.0×22.3cm,《영모인갑翎毛鱗甲》, 안동권씨종중 소장.

125. **사공도시품첩**司空圖詩品帖 **제발**題跋, 이광사李匡師, 1749년 기사己巳, 견본묵서絹本墨書, 29.6×34.5cm, 국립중앙박물관 소장.

126. **범관산수**范寬山水,『고씨화보顧氏畵譜』제25판.

127. **무고송이반환**撫孤松而盤桓,『개자원화전芥子園畵傳』초집初集 권4 인물옥우보人物屋宇譜.

128. **행단고슬**杏壇鼓瑟, 정선鄭敾, 1750년 경오庚午경, 견본채색絹本彩色, 23.2×29.8cm, 독일 성오틸리엔 수도원 소장.

129. **청우출관**青牛出關, 정선鄭敾, 1750년 경오庚午경, 견본채색絹本彩色, 23.0×24.6cm, 독일 성오틸리엔 수도원 소장.

130. **초당춘수**草堂春睡, 정선鄭敾, 1750년 경오庚午경, 견본채색絹本彩色, 21.5×28.8cm, 독일 성오틸리엔 수도원 소장.

131. **횡거영초**横渠詠蕉, 정선鄭敾, 1750년 경오庚午경, 견본채색絹本彩色, 23.4×29.0cm, 독일 성오틸리엔 수도원 소장.

132. **장승요화**張僧繇畵,『고씨화보顧氏畵譜』제1책 제3판.

133. **홍상한**洪象漢 **초상**肖像, 1751년 신미辛未, 견본채색絹本彩色, 55.1×69.1cm, 국립중앙박물관 소장.

134. **홍봉한**洪鳳漢 **초상**肖像, 19세기, 견본채색絹本彩色, 29.1×37.0cm, 일본 덴리대天理大 도서관 소장.

135. **계산모정**溪山茅亭, 심사정沈師正, 1749년 기사己巳, 지본수묵紙本水墨, 47.4cm×42.5cm, 간송미술관 소장.

136. **인왕제색**仁王霽色 **제화시**, 심환지沈煥之, 지본묵서紙本墨書.

137. **남유용**南有容 **초상**肖像, 1748년 무진戊辰, 견본채색絹本彩色, 60.0×97.3cm, 국립중앙박물관 소장.

138. **한원진**韓元震 **초상**肖像, 1750년 경오庚午경, 견본채색絹本彩色, 58.0×88.0cm, 제천 황강영당黃江影堂 소장.

139. **월하암향**月下暗香, 윤득신尹得莘, 저본담채苧本淡彩, 19.5×29.5cm, 간송미술관 소장.

140. **의령원**懿寧園 **석물**, 최천약崔天若, 1752년 임신壬申, 고高 7척5촌.

141. **윤봉구**尹鳳九 **초상**肖像, 변상벽卞相璧, 1752년 임신壬申, 견본담채絹本淡彩, 80.0×106.0cm, 제천 황강영당黃江影堂 소장.

142. **소령원**昭寧園 **호석**虎石, 1753년 계유癸酉, 최천약崔天若, 장長 5척.

143. **설죽도**雪竹圖, 유덕장柳德章, 1753년 계유癸酉, 지본채색紙本彩色, 92.0×139.7cm, 간송미술관 소장.

144. **황경원**黃景源 **초상**肖像, 19세기, 견본채색絹本彩色, 39.5×51.2cm, 일본 덴리대天理大 도서관 소장.

145. **함흥본궁송**咸興本宮松, 정선鄭敾, 1750년 경오庚午경, 견본채색絹本彩色, 23.4×29.5cm, 독일 성오틸리엔 수도원 소장.

146-1. 삼척 두타산 무릉계 용추폭포, 이병연, 정선 각자.

146-2. 삼척 두타산 무릉계 용추폭포

147. **양주송추**楊州松楸 **겸재묘산도**, 정황鄭榥, 지본담채紙本淡彩, 36.1×23.6cm, 개인 소장.

찾아보기

*①1권, ②2권, ③3권

인명

지명

용어

작품 및 화첩

시, 제사, 제시, 비문 외

책명

가계도